This respected three-volume Intermediate Spanish series presents a thorough review of grammatical structures and helps students learn to communicate effectively in Spanish.

Conversación y repaso
Intermediate Spanish
Ninth Edition

Civilización y cultura
Intermediate Spanish
Ninth Edition

Literatura y arte
Intermediate Spanish
Ninth Edition

by Lynn Sandstedt and Ralph Kite

Sandstedt and Kite's respected *Intermediate Spanish* series is comprised of three volumes closely related in theme, language, and organization: *Conversación y repaso*, *Civilización y cultura*, and *Literatura y arte*. Each unit features a rich overarching theme that is treated in all three volumes. Learners use and develop language skills through contextualized exercises, interactive activities, and dialog- and realia-based opportunities for conversation. In these revised editions, you'll find new correlations to the other program components—including the other volumes in the series, as well as outstanding technology tools.

The authors' clear, easy-to-understand explanations of grammar topics in plain English make it easy for learners to progress on their own, while the flexible three-book format allows you to design your ideal intermediate Spanish program your way!

SEE INSIDE!

The core text of this respected series, *Conversación y repaso*, is renowned for its complete grammar syllabus with in-depth, easy-to-understand explanations in plain English.

Conversación y repaso features **new unit openers**, each including more detailed description of the chapter's content.

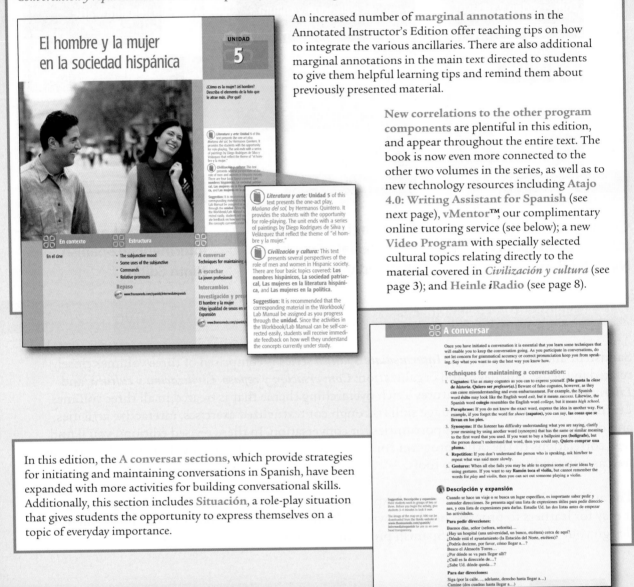

An increased number of **marginal annotations** in the Annotated Instructor's Edition offer teaching tips on how to integrate the various ancillaries. There are also additional marginal annotations in the main text directed to students to give them helpful learning tips and remind them about previously presented material.

New correlations to the other program components are plentiful in this edition, and appear throughout the entire text. The book is now even more connected to the other two volumes in the series, as well as to new technology resources including **Atajo 4.0: Writing Assistant for Spanish** (see next page), **vMentor™,** our complimentary online tutoring service (see below); a new **Video Program** with specially selected cultural topics relating directly to the material covered in *Civilización y cultura* (see page 3); and **Heinle *i*Radio** (see page 8).

In this edition, the **A conversar sections,** which provide strategies for initiating and maintaining conversations in Spanish, have been expanded with more activities for building conversational skills. Additionally, this section includes **Situación,** a role-play situation that gives students the opportunity to express themselves on a topic of everyday importance.

Students can follow these on their own so that class time can be dedicated to practice and communication.

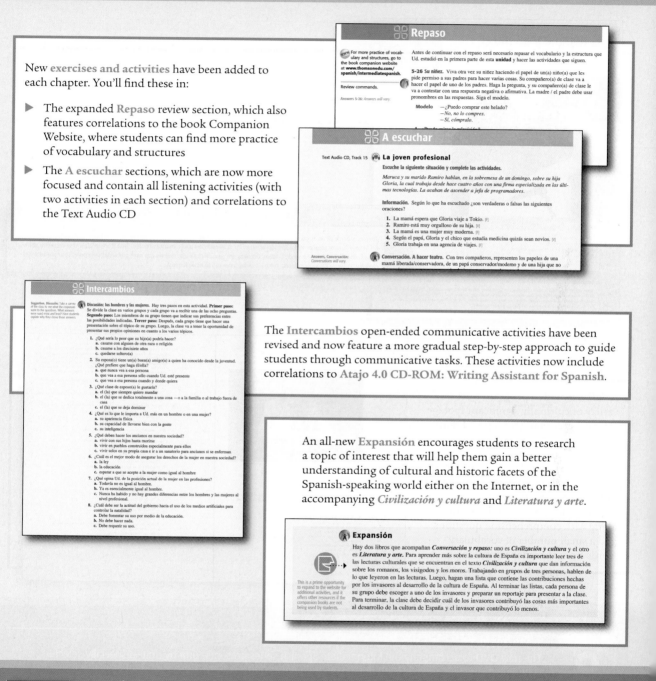

New **exercises and activities** have been added to each chapter. You'll find these in:

▶ The expanded **Repaso** review section, which also features correlations to the book Companion Website, where students can find more practice of vocabulary and structures

▶ The **A escuchar** sections, which are now more focused and contain all listening activities (with two activities in each section) and correlations to the Text Audio CD

The **Intercambios** open-ended communicative activities have been revised and now feature a more gradual step-by-step approach to guide students through communicative tasks. These activities now include correlations to **Atajo 4.0 CD-ROM: Writing Assistant for Spanish**.

An all-new **Expansión** encourages students to research a topic of interest that will help them gain a better understanding of cultural and historic facets of the Spanish-speaking world either on the Internet, or in the accompanying *Civilización y cultura* and *Literatura y arte*.

Atajo 4.0 CD-ROM: Writing Assistant for Spanish
1-4130-0060-6
This powerful program combines the features of a word processor with databases of language reference material, a searchable dictionary featuring the entire contents of Merriam-Webster's® Spanish English Dictionary, a verb conjugating reference, and audio recordings of vocabulary, example sentences, and authentic samples of the language. It is simply the best investment for anyone learning to write in Spanish!

Civilización y cultura offers a thematic approach to civilization and culture and introduces students to traditional cultural topics and issues in daily life in the Spanish-speaking world.

A chapter-opening **Cine** section with suggestions for popular films further illuminate the chapter's cultural or historical theme.

An **all-new video program** features a variety of culturally significant footage covering everything from post-Franco era Spain and the Zapatista movement in Chiapas to a look at the first Latino Mayor of Los Angeles. Each chapter features an all-new **La tele news-based video activity section** that contains pre-viewing questions and exercises along with comprehension questions and a small number of vocabulary words from the video narration.

Video on DVD

1-428-20510-1

The new DVD to accompany the Intermediate Spanish series presents—unit by unit—a specially selected cultural topic relating directly to material covered ***Civilización y cultura***. Corresponding activities found in the text prepare students for viewing the DVD, review useful vocabulary, summarize the video, test student comprehension, and solicit individual reactions to the film.

CONTENTS

- La Guerra Civil española
- La fiesta del sol de los incas: Inti Raymi
- La religión en España
- Las madres de la Plaza de Mayo
- El arte callejera en East Harlem

- La primera presidenta chilena: Michelle Bachelet
- La vida de la población indígena de la Ciudad de México
- El arte sincrética en la Plaza de las Tres Culturas

- La rebelión campesina en Chiapas
- El primer alcalde latino en Los Ángeles: Antonio Villaraigosa
- El canal ahora es de Panamá
- El Día de Independencia en México y Nueva York

This reader integrates fascinating essays on cultural topics, as well as timely magazine articles and compelling video segments to give students a fresh perspective and different views on the book's theme of the origins of Spanish-speaking culture.

Authentic articles taken from magazines, newspapers, and other sources put students in direct contact with Spanish-speaking cultures. In the Ninth Edition, **new readings** appear in the **La prensa** sections in Chapters 7–12, including:

▶ *"Niño vende muebles de su casa por adicción a videojuegos,"* El Comercio (Lima)
▶ *"Poniatowska : Llevar la cultura a la escuela,"* El Universal (Ciudad de México)
▶ *"China, lista para competir con España en Latinoamérica,"* El Mundo (Madrid)
▶ *"América latina, desunida en Internet,"* La Nación Online (Buenos Aires)
▶ *"Gael García Bernal critica a Hollywood,"* El País (Madrid)

Niño vende muebles° de su casa por adicción a videojuegos

furniture / fingertips / stay / arcades / in exchange for; rent / push for / aware / amusement / was to blame; household goods; skills / TV news show / turned to

Un niño de 11 años de la ciudad de Cali, en Colombia, vendió todos los muebles de su casa por 45 centavos de dólar a cambio de° una hora de alquiler° de un juego de video, en un sector pobre de la ciudad, informó hoy la prensa local.

...La madre del menor pensó que había sido víctima de un robo, situación muy común en la zona, pero poco tiempo después descubrió que su hijo era el culpable° de la pérdida de sus enseres°, según el telenoticiero° RCN.

Alarmada, la mujer acudió a° la Casa de Justicia... del barrio del sector de Aguablanca y contó, entre otras cosas, que es tal la adicción de su hijo a los videojuegos que tiene las yemas de los dedos° inflamadas.

Muchos menores permanecen° durante horas en tiendas, panaderías y salas de juego° donde les ofrecen la posibilidad de jugar.

La subsecretaria de Policía y Justicia, María Grace Figueroa, dijo al diario El Tiempo de Bogotá, que «hay que promover° que madres y padres de familia estén más atentos° al sitio donde permanecen sus hijos». ...

En el debate sobre los videojuegos como elemento de diversión°, algunos reconocen que estimula destrezas° manuales y mentales, mientras otros los ven como causantes de problemas para socializarse.

El Comercio (Lima, Peru)

Vocabulario útil

Estudie estas palabras.

Verbos
adoptar *to adopt*
contribuir (contribuye) *to contribute*
convertir (ie) *to convert*
desarrollar *to develop*
destacarse *to stand out, to be distinguished*
influir (influye) *to influence*
llegar a ser *to come to be*

Sustantivos
la costumbre *custom*
el gobierno *government*
el habitante *inhabitant*
la lucha *struggle, battle*

el pueblo *people, village*
la tribu *tribe*
la Península Ibérica *Iberian Peninsula (the entire land mass between the Pyrenees mountains and the Strait of Gibraltar containing the modern countries of Spain and Portugal)*

Otras palabras y expresiones
bilingüe *bilingual, able to speak two languages*
entre *between, among*
occidental *western*
posterior *later*

Students become better readers and build vocabulary in the **Vocabulario útil** section, and gain reading support through pre and post-reading exercises.

1-1 Para practicar. Trabajen en parejas, o como le indique su profesor(a), para hacer y contestar estas preguntas, usando el vocabulario de la lista para descubrir algo sobre sus compañeros de clase.[1]

1. ¿De dónde eres? ¿Cuántos habitantes tiene tu pueblo natal?
2. ¿Contribuyes a alguna causa aportando tu tiempo, o dando dinero u objetos usados? ¿Qué causa es?
3. ¿De qué manera influye(n) en tu vida: el cine, un libro, el gobierno, tus padres, tus amigos?
4. ¿Adoptas las costumbres de tus amigos? ¿Qué costumbres? ¿Hay alguna costumbre que quieres seguir, como por ejemplo, empezar a estudiar antes del fin del semestre?
5. ¿En qué materia académica te destacas? ¿Qué quisieras llegar a ser algún día? ¿Quisieras llegar a ser bilingüe?

[1] These questions use the *tú* form since that is what students normally use with each other.

🔲 ¡A explorar!

1-12 ¿Qué opina? En grupos de dos o tres personas contesten las siguientes preguntas.

1. ¿Cuáles son algunas diferencias entre la cultura española y la norteamericana en cuanto a *(as far as)*: la duración de la cultura, los contactos con otras culturas y los componentes que resultan y el idioma?
2. ¿Cuáles son algunas de las diferencias y semejanzas básicas entre la situación de los que hablan «los otros idiomas de España» y los que hablan «los otros idiomas de los Estados Unidos»?

1-13 Debate. Organice dos equipos para que ataquen o apoyen esta resolución.
Es la obligación de todo residente norteamericano aprender inglés y por eso los programas de educación bilingüe no son necesarios.

1-14 Situación. Imagínese que Ud. es un(a) indígena americano(a) y la fecha es el 12 de octubre de 1492 en la isla de San Salvador en el Caribe. Tiene la oportunidad de conocer a Cristóbal Colón *(Christopher Columbus)*. Afortunadamente Ud. habla español. ¿Qué preguntas le hace Ud. sobre España y qué le responde él?

1-15 El arte de escribir

A. Composición dirigida. Complete las oraciones según el texto, utilizando las palabras entre paréntesis y otras que sean necesarias.

1. La cultura hispánica... (producto, siglos, contactos, muchos, con, culturas, varias, es)
2. Se ha dicho que la Península Ibérica... (todas, romanizada, ser, colonia, llega a, más)
3. Otra tradición... (hispánico, toros, famosísima, mundo, corrida, es)
4. El feudalismo es el sistema que... (Nuevo Mundo, colonias, determina, económica, organización)
5. En España... (bilingüe, problema, existe, educación, también)

B. El resumen (primera parte). La preparación para escribir un resumen *(summary)* consiste principalmente en tomar apuntes *(notes)* sobre el contenido. Para tomar apuntes es muy útil reconocer dos aspectos estructurales: el párrafo *(paragraph)* y la oración temática *(topic sentence)*, o sea la idea principal.

Cada párrafo se distingue de los otros por contener información diferente. Dentro de cada párrafo hay una oración temática que es prácticamente un resumen del párrafo. Ésta puede ser explícita o implícita o puede ser una oración explícita modificada.

Si se examina la primera sección de esta unidad (La cultura romana), se ve que en el primer párrafo la oración temática es la segunda: «En el siglo III a.C. llegaron los romanos y convirtieron la península en una colonia romana.» En el segundo párrafo es necesario modificar la segunda oración sustituyendo «esa lengua oral» por «el latín vulgar». En todos los otros párrafos la oración temática es la primera. Los apuntes, entonces, pueden consistir en estas oraciones. Se puede acortar frecuentemente como es el caso de la primera oración del cuarto párrafo donde se omite lo que viene después de «toros».

Ahora, tome Ud. apuntes para un resumen de las otras secciones de las lecturas.

💿 A T A J O
Grammar: Verbs: Preterite & Imperfect **Phrases:** Comparing and contrasting; Linking ideas; Talking about past events; Writing a conclusion **Vocabulary:** cultural periods & movements, numbers: 100–999; numbers 1,000–.

¡A explorar! sections encourage students to present personal opinions about the readings, invite them to do further research, and feature writing tasks supported by **Atajo**.

This reader integrates artistic content into every chapter, as well as biographical information on authors, artists, and movements. A variety of voices—including women authors and U.S. Hispanic authors, are represented.

In twelve theme-based units, **Literatura y arte** presents a balance of male and female voices representing important literary contributions of the Spanish-speaking world to help you expose your students to literature, art, and film while supporting the grammar introduced in **Conversación y repaso**.

El hombre y la mujer en la sociedad hispánica

UNIDAD 5

ÆSOPVS

Esopo (Aesop) (1637–1640). Según fuentes antiguas, el creador de las Fábulas era esclavo (slave). También se decía que era feo y algo deforme. El rostro de Esopo revela su sufrimiento, su nobleza y, sobre todo, su dignidad.

Literatura

Arte

Mañana de sol, Hermanos Quintero

Diego Rodríguez de Silva y Velázquez
- Esopo (1637–1640)
- La vieja cocinera (1618)
- Las meninas (1656)

Expansión
¡A explorar!

Cine

George López, America Ferrera y la inimitable Lupe Ontiveros actúan en la película en inglés, Real Women Have Curves (2000, 90 min.). Ana con dificultad tiene que aprender a aceptar su propio cuerpo y tener confianza en su capacidad de realizar su sueño de ir a la universidad. Otra película humorística es la premiada con un Oscar por la «Best Foreign Film» que es Belle Époque (1994, 109 min.) con Jorge Sanz y Penélope Cruz. Un joven desertor del ejército español se encuentra amparado (sheltered) con un viejo con cuatro hijas bellas.

55

José Donoso

José Donoso (Chile, 1924–1996)

Este escritor nació en Santiago de Chile en 1924, de una familia de la alta burguesía. En su juventud viajó a la Argentina, donde trabajó de pastor (shepherd) en la pampa. Estudió en la Universidad de Chile y en Princeton University, donde terminó sus estudios universitarios en 1951. Ha sido periodista y catedrático (professor) en universidades de Chile y de los Estados Unidos, pero más que nada es escritor profesional. Murió en 1996. Además de varias colecciones de cuentos, Donoso publicó cuatro novelas: *Coronación* (1957), *Este domingo* (1966), *El lugar sin límites* (1966) y *El obsceno pájaro de la noche* (1970).

La obra de Donoso puede estudiarse en muchos niveles, pero predominan dos: el social y el psicológico. El aspecto social se encuentra especialmente en sus cuentos, donde el autor describe la vida cotidiana de la ciudad, la decadencia de las altas clases sociales y el aislamiento que impone la ciudad al individuo. En sus novelas Donoso profundiza el aspecto psicológico y presenta el mundo interior de sus personajes. Esa realidad subjetiva domina y transforma la realidad exterior.

Los dos aspectos mencionados de las ficciones de Donoso —la descripción de la realidad exterior de la ciudad grande y la presentación del mundo interior de sus personajes— pueden observarse en el cuento «Una señora». Su estilo y estructura son aparentemente directos y clásicos, pero debajo de la capa realista el autor presenta el retrato de un individuo de la metrópoli, cuyo aislamiento y deseo de comunicarse se manifiestan en sus acciones y en lo que escoge observar de la realidad que lo rodea.

Each chapter includes a brief essay about an artist from the Spanish-speaking world followed by several representations of that artists' work. Discussion activities about each piece, and about the artist and his/her work in general, integrate the discussion of art with the chapter theme.

Readings have been added to represent a greater variety of voices. In an effort to include more humor two new readings are featured: Beatriz Guido (Argentina) contributes a humorous re-telling of the "Little Red Riding Hood" in "Caperucita roja o casco rojo" which serves as an example of family obligations; and Ana Lydia Vega (Puerto Rico) details the trials and tribulations of being a pedestrian in San Juan in "Un deseo llamado tranvía," making use of the popular language of the island. In a third new reading, José Donoso (Chile) describes the solitude of the city dweller in "Una señora," in the unit on Hispanic cities.

Una señora

certainty
was crossing

route; I'm not familiar with
if I should feel like

spot; steam; glass

stopped
ordinary; that very moment

plump; spilled its folds; worn
sign; guard; yawned

bothering me
to inquire; had happened
was attached to

features; remains
more than usual

bell
disappear
I had cleaned; street lights
store; carrots; row

plumbers; greengrocers

No recuerdo con certeza° cuando fue la primera vez que me di cuenta de su existencia. Pero si no me equivoco, fue cierta tarde de invierno en un tranvía que atravesaba° un barrio popular.

Cuando me aburro en mi pieza y de mis conversaciones habituales, suelo tomar algún tranvía, cuyo recorrido° desconozco° y pasear así por la ciudad. Esa tarde llevaba un libro por si se me antojara° leer, pero no lo abría. Estaba lloviendo esporádicamente y el tranvía avanzaba casi vacío. Me senté junto a una ventana, limpiando un boquete° en el vaho° del vidrio° para mirar las calles.

No recuerdo el momento exacto en que ella se sentó a mi lado. Pero cuando el tranvía hizo alto° en una esquina, me invadió aquella sensación tan corriente° y, sin embargo, misteriosa, que cuanto veía, el momento justo° y sin importancia como era, lo había vivido antes, o tal vez soñado. La escena me pareció la reproducción exacta de otra que me fuese conocida: delante de mí, un cuello rollizo° vertía sus pliegues° sobre una camisa deshilachada°; tres o cuatro personas dispersas ocupaban los asientos del tranvía; en la esquina había una botica de barrio con su letrero° luminoso, y un carabinero° bostezó° junto al buzón rojo, en la oscuridad que cayó en pocos minutos. Además, vi una rodilla cubierta por un impermeable verde junto a mi rodilla.

Conocía la sensación, y más que turbarme° me agradaba. Así, no me molesté en indagar° dentro de mi mente dónde y cómo sucediera° todo esto antes. Despaché la sensación con una irónica sonrisa interior, limitándome a volver la mirada para ver lo que seguía de° esa rodilla cubierta con un impermeable verde.

Era una señora. Una señora que llevaba un paraguas mojado en la mano y un sombrero funcional en la cabeza. Una de esas señoras cincuentonas, de las que hay por miles en esta ciudad: ni hermosa ni fea, ni pobre ni rica. Sus facciones° regulares mostraban los restos° de una belleza banal. Sus cejas se juntaban más de lo corriente° sobre el arco de la nariz, lo que era el rasgo más distintivo de su rostro.

Hago esta descripción a la luz de hechos posteriores, porque fue poco lo que la señora observé entonces. Sonó el timbre°, y el tranvía partió haciendo desvanecerse° la escena conocida, y volví a mirar la calle por el boquete que limpiara° en el vidrio. Los faroles° se encendieron. Un chiquillo salió de un despacho° con dos zanahorias° y un pan en la mano. La hilera° de casas bajas se prolongaba a lo largo de la acera: ventana, puerta, ventana, puerta, dos ventanas, mientras los zapateros, gasfíteres° y verduleros° cerraban sus

To help students write about the literature and art studied, the **Atajo 4.0 CD-ROM: Writing Assistant for Spanish** is integrated into the text's writing activities.

10-13 El arte de escribir. Escriba un ensayo sobre uno de los temas siguientes.

1. El problema más grande que enfrentan las ciudades de los Estados Unidos hoy día.
2. Los medios de transporte público: su importancia en la actualidad.
3. Características universales de los grandes centros urbanos.
4. El arte y la metrópoli.

A T A J O

Vocabulary: arts, cultural periods and movements **Grammar:** Adjectives (agreement/position); Subjunctive with **que** **Phrases:** Describing places; Comparing & contrasting

10-14 Para investigar. Hagan esta actividad en conjunto.

Busquen en Internet o en la biblioteca ejemplos del uso de obras de arte en un gran centro urbano (como Nueva York, Chicago, París, Moscú, México o cualquier otra.) ¿Son obras de intención política o social? ¿Qué tipo de arte —escultura, arquitectura, pintura— es más popular? ¿Qué efecto tendrá en el pueblo que lo vea a diario?

Expansión

¿Desea más? La **Heinle Voices Database** en www.textchoice.com/voices contiene la obra de varias poetas femeninas. Lea las poesías de la uruguaya, Delmira Agostini (1886–1914) o la argentina, Alfonsina Storni (1892–1938) o Gabriela Mistral (1889–1957), chilena. Si le interesa más el teatro puede encontrar una obra de Federico García Lorca (1898–1936) con un elenco (cast) totalmente femenino: *La casa de Bernarda Alba.*

5-8 Análisis literario. Conteste las siguientes preguntas.

1. Los dos últimos versos del poema de Campoamor son paralelos:
   —¡Santo Dios! ¿y éste es aquél?...
   —¡Dios mío! ¿y ésta es aquélla?...

   Indique tres ejemplos de acciones o comentarios paralelos en el drama.

2. ¿Qué función dramática tienen los criados?
3. Para Ud., ¿cuál de los viejos es más inteligente y astuto?
4. Según lo que se percibe en el drama, ¿es verdad que el concepto del amor sentimental sólo puede existir entre jóvenes?
5. Se puede definir la ironía como el dar a entender lo contrario de lo que se dice. Cite y comente un ejemplo del uso de ironía en este drama.

5-9 Descripción. A continuación se presenta una serie de oraciones cortas que describen a doña Laura. Después se combinan esas oraciones para hacer una sola oración larga que tiene el mismo sentido. Por el momento, vea este ejemplo.

Doña Laura es viejecita.
Tiene unos setenta años.
Es muy pulcra.
Tiene los cabellos blancos.
Sus manos son muy finas.
También son bien cuidadas.

La combinación: Doña Laura es una viejecita setentona, muy pulcra, con cabellos blancos y manos muy finas y bien cuidadas.

Ahora, combine estas oraciones para hacer una sola oración.

Don Gonzalo es viejo.
Es contemporáneo de doña Laura.
Es un poco cascarrabias.

La combinación: ¿?

Finalmente, haga lo mismo con estas oraciones. Después, pueden compararlas con las del texto del drama.

Don Gonzalo mira a doña Laura.
La hace siempre con rabia.
Se pone unas gafas prehistóricas.
Saca una gran lente.
Con el auxilio de toda esa cristalería se dispone a leer.

La combinación: ¿?

A new **¿Desea más?** feature in each chapter correlates alternative readings on the chapter theme from the **Heinle Voices** database. *See below.*

¿Desea más? La **Heinle Voices Database** en **www.textchoice.com/voices** contiene la obra de varias poetas femeninas. Lea las poesías de la uruguaya, Delmira Agostini (1886–1914) o la argentina, Alfonsina Storni (1892–1938) o Gabriela Mistral (1889–1957), chilena. Si le interesa más el teatro puede encontrar una obra de Federico García Lorca (1898–1936) con un elenco (cast) totalmente femenino: *La casa de Bernarda Alba.*

Heinle Voices: Selecciones literarias en español

If you would like to customize or supplement the readings in *Literatura y arte*, the **Heinle Voices Literary Database** featuring classic and contemporary selections is the ideal solution. It's easy and affordable to give your students a made-to-order collection of literature that lets you teach your course your way! When you design your custom Voices anthology using our easy-to-navigate TextChoice website developed by Thomson Custom Solutions, your students don't pay for pages they'll never use.

With the Heinle Voices Database you can:

- Preview selections online at **www.TextChoice.com/voices**—see the final page count and format of each reading you select
- Assemble your list of readings—readings can be paginated to your exact specifications
- Create a manageable and quality anthology in a polished format that students can read and reference as they continue their studies in Spanish
- Choose from an extensive library of literature
- Add as much of your own original material as you choose
- Order your anthology quickly and easily

Resources for you and your students

Text Audio CD

The Text Audio CD provides the dialogues that start each chapter of *Conversación y repaso* with accompanying activities. The CD also provides additional listening comprehension practice at the end of each chapter.

Workbook/Lab Manual

1-4130-3186-2

Additional writing and listening activities are provided in the Workbook/Lab Manual. There are also correlations to **Atajo 4.0 Writing Assistant for Spanish** in the longer writing activities.

Lab Audio CDs

1-4130-3187-0

The **Lab Audio** program stresses listening comprehension, includes oral drill on the important points of grammar, and the development of speaking skills. The Lab Audio can also be downloaded in MP3 format from **www.thomsonedu.com.**

Instructor's Resource CD-ROM

1-4130-3185-4

The **Instructor's Resource CD-ROM** provides the Testing Program for all three volumes in the series with answer keys in multiple formats.

The Heinle Spanish Transparency Bank

0-838-40987-3

Over 100 color transparencies, identified by alpha-numeric code. Correlations to the Transparency Bank are found in *Conversación y repaso*.

A service of iParadigms, LLC

Turnitin® Originality Checker

1-4130-2908-6

Turnitin helps your students learn effective use of sources and helps you confirm originality before reading and grading papers.

Sonidos, sabores y palabras with Nuevo Latino Music CD

1-4130-2169-7

Sonidos, sabores y palabras is a culturally rich program designed to use music to increase understanding of not only the Spanish language, but also the cultures and messages music conveys.

Guía básica de la crítica literaria y el trabajo de investigación

1-4130-1468-2

This guide combines both the theory of literary criticism and the practicality of how to write a literary research paper into a single text.

Heinle *i*Radio

Heinle iRadio allows students to select from any of 20 MP3-ready, Spanish-language tutorials (10 on tricky grammar structures and 10 on pronunciation)—and references are built right into all three books in the series.

Companion Website

http://www.thomsonedu.com/spanish/intermediatespanish

The website features extra grammar and vocabulary practice and Internet search activities.

Merriam-Webster® Spanish-English Dictionary

0-877-79916-4

Typing Accents for Spanish Bookmark

0-759-30659-1

Situation Cards

0-0302-6769-2

This set of 144 situation cards may be used for extemporaneous speaking practice or for evaluating speaking in oral interviews.

Text Audio Script

Unidad 1

En contexto: Mi clase de cultura hispánica   p. 3

CD Track 2

Antes de leer el diálogo, escúchelo con libro cerrado. ¿Cuánto comprendió?

ELENA   Oye, Ramón, ¿tienes los ejercicios para hoy?

RAMÓN   No, no los tengo. Nunca entiendo bien la explicación del profesor. ¿La entiendes tú?

ELENA   Sí, pero nunca termino los ejercicios. Me duermo mientras los hago.

RAMÓN   Tenemos que distraer al profesor. Cuando empieza a hablar de sus temas predilectos, se olvida de la lección.

ELENA   Se me ocurre una idea…

RAMÓN   ¡Cállate! —ahí viene.

PROF.   Buenos días, jóvenes. Hoy vamos a estudiar los verbos reflexivos. Estos verbos… ¿una pregunta, Elena?

ELENA   Sí, señor. ¿Por qué no nos explica por qué el español y el francés son tan distintos? Nos hablaba de las influencias extranjeras sobre el idioma español, pero sólo hasta los visigodos…

PROF.   Ah, sí. Pues bien, la base del español moderno es el latín que hablan los romanos que conquistan la Península Ibérica en el año 200 antes de Cristo. En el siglo V después de Cristo, invaden la península los visigodos del norte de Europa. Ellos aportan al idioma más de 300 palabras del alemán antiguo. Pero una influencia más importante es la de los moros, que vienen del norte de África. Hay más de 6.000 palabras en el español moderno que proceden del árabe, por ejemplo, casi todas las palabras que comienzan con «al» como «almacén», «álgebra», «alcalde», etcétera.

RAMÓN   ¿En qué época llegan los moros? ¿y cuánto tiempo ocupan la península?

PROF.   Llegan en el año 711 a la península…

ELENA   *(a Ramón)* ¡Nos escapamos una vez más!

A escuchar: ¿Catalán o castellano?   p. 24

CD Track 3

¿Sabe Ud. que se hablan cuatro lenguas en España? Se habla el gallego en Galicia en el noroeste del país, el vascuence en los Países Vascos en el norte, y el catalán en Cataluña en el noreste. Sin embargo, la lengua oficial de España es el castellano (español). A veces esta variedad de lenguas puede causar un conflicto lingüístico porque una persona que puede hablar más de dos lenguas no sabe cuál de las lenguas debe usar. Escuche la situación siguiente y complete las actividades.

Los padres de Mari-Carmen están en Barcelona: don Carlos, por asuntos de negocios, y doña Celinda lo acompaña. Todos los días pasan un rato con Mari-Carmen, su única hija, que estudia arquitectura en la Universidad de Barcelona. Doña Celinda y su hija se han encontrado en la Plaza de Cataluña, y están en la cafetería de El Corte Inglés.

DOÑA CELINDA   No sé por qué tienen que hablarle a todo el mundo en catalán…

MARI-CARMEN   Mamá, la gente no sabe que eres de Sevilla…

DOÑA CELINDA	Pues a mí me parece que, en unos grandes almacenes como El Corte Inglés, los empleados deben usar con los clientes… primero el castellano…, la lengua de todos los españoles…
MARI-CARMEN	Pero es que estamos en Cataluña, mamá. ¿Cómo van a adivinar que eres andaluza?

Ejercicio de comprensión   p. 25

CD Track 4

Ud. va a escuchar dos comentarios breves sobre los idiomas extranjeros. Después de cada comentario, va a escuchar dos oraciones. Indique si la oración es **verdadera** (V) o **falsa** (F), trazando un círculo alrededor de la letra que corresponde a la respuesta correcta.

Primer comentario:

Todas las lenguas del mundo tienen algunas palabras extranjeras. Usamos muchas palabras españolas en el inglés como, por ejemplo, cañón y patio. Además en inglés existen muchas palabras que vienen del latín y por eso son muy parecidas a las palabras españolas. Por otro lado, en el español moderno se usan muchas palabras que vienen del inglés. Esto se ve claramente en el vocabulario de los deportes, como por ejemplo, béisbol, fútbol y tenis.

Ahora, escuche las siguientes oraciones.

1. Tenemos en el inglés palabras de origen español.
2. No se usan palabras inglesas en el español moderno.

Segundo comentario:

En Europa todos los idiomas toman palabras de otros idiomas, como sucede con el español. Ahora bien, el español tiene dos influencias que los otros idiomas no tienen: la influencia árabe, debido a los siglos de dominación, y la americana que no comienza sino hasta el siglo XVI, cuando los españoles se ponen en contacto con las grandes civilizaciones de ese continente. Estas dos experiencias contribuyen a formar el carácter especial que tiene el español moderno.

Ahora, escuche las siguientes oraciones.

3. El español no toma palabras de otros idomas.
4. Las diferencias entre el español y los otros idiomas de Europa resultan en parte de los contactos con los árabes y los indígenas americanos.

Unidad 2

En contexto: El día siguiente en mi clase de cultura hispánica   p. 30

CD Track 5

Antes de leer el diálogo, escúchelo con el libro cerrado. ¿Cuánto comprendió?

RAMÓN	Todavía no he podido estudiar los verbos reflexivos. ¿Y tú?
ELENA	No. Tenemos que distraer al profesor de nuevo. Tú le puedes hacer la pregunta esta vez.
RAMÓN	Bien. Creo que se la voy a hacer sobre el mismo asunto. La última vez habló toda una hora acerca de las influencias extranjeras sobre el español. Le encantó ese tema. Mira, ya está aquí.
PROF.	Buenos días. Hoy vamos a analizar los verbos reflexivos. Ah, sí, Ramón, ¿tienes una pregunta?
RAMÓN	En la clase anterior estábamos comentando eso de las influencias extranjeras. Su discusión fue muy interesante, pero solamente llegó hasta los moros. ¿No hubo otras influencias?

PROF.	Claro que hubo otras.
RAMÓN	¿Cuáles fueron? Hubo influencia de los indígenas americanos, ¿no?
PROF.	Sí, los españoles tomaron muchas palabras, o lo que llamamos préstamos, de las lenguas indígenas, especialmente del náhuatl y del quechua.
RAMÓN	¿Por qué?
PROF.	Pues, los españoles encontraron en América muchos animales y plantas desconocidos. Naturalmente, el español no tenía nombres para estas cosas. No les quedó más remedio que incorporar al idioma las palabras que empleaban los indígenas.
ELENA	¿Cuáles son algunos de los préstamos?
PROF.	Bueno, entre los comestibles la batata, la papa, el maíz, el chocolate, el tomate y el cacao. Como puedes ver, algunas de estas palabras después pasaron del español al inglés.
RAMÓN	¿Sólo nombres de comestibles?
PROF.	No, otros también como huracán, hule, hamaca y nombres de animales como el puma, el caimán, el cóndor y el tiburón. La mayoría de estos préstamos se refieren a cosas de la naturaleza. Bueno, y ahora volvamos a los verbos…
ELENA	Pero, ¿y después de la influencia de los indígenas?
PROF.	Después hubo influencia del francés en el siglo XVIII, cuando Francia era un país muy poderoso en Europa. También el inglés influyó mucho en el siglo XX, especialmente en el vocabulario tecnológico. Pero debemos volver a la lección.
RAMÓN	Ya no queda tiempo, profesor.
PROF.	Ah, ¡qué lástima! Ahora ya no pueden hacer preguntas sobre los verbos reflexivos. Aparecen en el examen que vamos a tener al principio de la próxima clase.
ELENA	(a Ramón) ¡Ay, Dios mío! ¿Qué hacemos ahora, Ramón?

A escuchar: Una visita   p. 49

CD Track 6

Escuche la siguiente situación y complete las actividades.

Al final del verano Raúl, un mexicano, invitó a David, estudiante de la Universidad de Chicago, y a Teresa, natural de Madrid, a su casa en Taxco para pasar unos días antes de volver a sus respectivos países. En Guatemala los tres formaron parte de un grupo de trabajo en una excavación arqueológica maya, y se hicieron amigos. Raúl ha ido al aeropuerto para recogerlos.

RAÚL	¿Qué tal fue el viaje? Se retrasó el avión, ¿verdad?
TERESA	No… no. Salimos a la hora en punto, pero el vuelo duró más tiempo de lo que nos habían dicho…
DAVID	Es que había una tormenta en el Caribe, un huracán que complicó el vuelo.
TERESA	Pasé un miedo… El avión se movía una barbaridad… Nunca había hecho un viaje tan movidito. ¡Qué horror!
RAÚL	Pero vas a volver a la excavación el verano que viene ¿no?
TERESA	Eso, desde luego… Hace mucho que me enamoré de las civilizaciones precolombinas.
DAVID	Y yo lo mismo. Además me fascinaba poder hablar con las gentes del pueblo donde dormíamos… son los mayas de hoy día.

Ud. va a escuchar dos comentarios breves sobre la llegada de los españoles al Nuevo Mundo y la influencia que los idiomas indígenas tuvieron sobre la lengua española. Después de cada comentario Ud. va a escuchar dos oraciones. Indique si la oración es **verdadera** (V) o **falsa** (F), trazando un círculo alrededor de la letra que corresponde a la respuesta correcta.

Primer comentario:

Cuando los españoles llegaron a América en el siglo XV, encontraron dos grandes civilizaciones indígenas: los aztecas en México que hablaban náhuatl y los incas en el Perú que hablaban quechua. También encontraron muchas cosas nuevas, especialmente comestibles, plantas y animales.

Naturalmente el español no tenía nombres para estas cosas antes desconocidas y por eso los colonizadores usaron, en la mayor parte de los casos, las palabras indígenas.

Ahora, escuche las siguientes oraciones.

1. Los españoles encontraron dos grandes civilizaciones indígenas.
2. Los españoles tenían nombres para las cosas desconocidas.

Segundo comentario:

Una de los resultados del descubrimiento es la gran variedad de palabras indígenas en el vocabulario español. La papa, por ejemplo, era una comida básica de los incas del Perú. La batata era producto de la región del Caribe y es una variación de la palabra patata, que es lo que significa papa en España. De ahí viene la palabra *potato*.

Ahora, escuche las siguientes oraciones.

3. La papa era producto de los indígenas del Caribe.
4. La palabra *potato* viene de patata.

Unidad 3

En contexto: El Día de los Difuntos p. 57 CD Track 8

Antes de leer el diálogo, escúchelo con el libro cerrado. ¿Cuánto comprendió?

(Después de la comida)

CARLOS Con permiso.

MAMÁ ¿Adónde vas, hijo?

CARLOS Voy a dormir la siesta. Me estoy muriendo de sueño.

MAMÁ Pero, ¿no te gustaría ir a misa conmigo?

CARLOS No, mamá, no quiero ir.

MAMÁ ¿Qué te pasa, Carlos? Ya casi nunca vas a misa. Cuando eras niño y vivíamos en el campo te gustaba ir todos los domingos y los días de obligación. Son esos amigos tuyos de la universidad que te están influyendo, ¿verdad?

CARLOS Bueno, mamá, es cierto que muchos de mis amigos no van. Pero no me hace falta ir a misa. Es posible creer en Dios sin ir a misa todo el tiempo.

MAMÁ Ah, hijo. Hablas igual que hablaba tu padre. Que en paz descanse. Tampoco quería ir a misa. Pero las palabras del cura renovarán tu fe. Vamos.

CARLOS El cura es sólo un hombre, como yo. En los pueblos, sí, los curas son los únicos hombres educados y por eso tienen mucha influencia. Pero aquí en la ciudad es diferente.

MAMÁ	Carlos, me desilusionas mucho. Sabes que son hombres dedicados a Dios.
CARLOS	Tal vez, pero yo puedo creer en Dios sin tener que ir a misa. La iglesia es para las bodas y los bautizos. Bueno, claro, y también para cuando se estira la pata. Como un seguro de viaje para las últimas vacaciones.
MAMÁ	Carlos, ¡cállate! ¡Eres exactamente como tu padre! Ofenderás a Dios con esas blasfemias. No sé qué pasaría con tu padre. Nunca iba a misa y un día murió de repente. *(Comienza a llorar.)*
CARLOS	¡Mamá, está bien! No llores. Papá estará muy bien en el cielo. Tú rezas bastante para toda la familia.
MAMÁ	Pues, para mí la religión siempre será muy importante. Es un gran consuelo en tiempos difíciles.
CARLOS	Sí, ya lo sé. Es cuestión de valores diferentes. Deja de llorar. Voy contigo a misa. No podría dormir de todos modos. ¡Qué dolor de cabeza tengo!

A escuchar: Recién casados p. 76 CD Track 9

Escuche la siguiente situación y complete las actividades.

Maribel y Elena, tomando la merienda, charlan muy alegres en una cafetería del centro de Buenos Aires. Maribel le cuenta a su hermana acerca de la luna de miel, de la cual acaba de regresar y de sus primeros días de recién casada en su nuevo hogar.

MARIBEL	¡Qué rico está este pastel!… Y el café… divino, está divino… Como a Ramón no le apetecen los dulces yo no me molesto en servirlos en las comidas…
ELENA	Eso te vendrá muy bien. Así no engordas… Con lo golosa que eres… Pero, cuéntame… ¿Qué pasó los domingos? Mamá decía que seguro que Uds. no iban a ir a misa…
MARIBEL	Pues, chica, yo nunca pensé que Miguel me acompañaría a la iglesia. ¡Menos en nuestra luna de miel! Pero lo hizo…
ELENA	¿Cómo lo conseguiste? En la boda dijo que hacía años que no pisaba una iglesia.
MARIBEL	Eso es la pura verdad. Bueno… El domingo pasado nos levantamos tardísimo… En la recepción del hotel nos dijeron que los domingos tenían misa cantada, con canto gregoriano…
ELENA	¡Ya está! A tu esposo le entusiasma la buena música. Ahora lo entiendo… Además, Uds. están como dos tortolitas…

Ejercicio de comprensión p. 76 CD Track 10

Ud. va a escuchar dos comentarios breves sobre la religión en el mundo hispánico. Después de cada comentario, Ud. va a escuchar dos oraciones. Indique si la oración es **verdadera** (V) o **falsa** (F), trazando un círculo alrededor de la letra que corresponde a la respuesta correcta.

Primer comentario:

La religión es un elemento muy importante en el mundo hispánico. La influencia de la Iglesia católica se nota en casi todas las áreas de la vida, tanto en la política de estas naciones, como en la vida diaria de sus pueblos pequeños.

Ahora, escuche las siguientes oraciones:

1. La religión no es muy importante en la política del mundo hispánico.
2. En la época actual la Iglesia católica tiene importancia en la vida diaria del pueblo.

Segundo comentario:

En los pueblos pequeños la Iglesia funciona en muchas ocasiones como centro social para sus habitantes. La mayoría de los días festivos tienen motivos religiosos, ya que cada pueblo tiene un santo patrón, y en su día se celebra la mayor fiesta del año. Además, se celebran otras fiestas religiosas importantes como la Semana Santa, el Día de los Difuntos y la Navidad.

Ahora, escuche las siguientes oraciones.

3. La Iglesia en el mundo hispánico es sólo un lugar para actividades religiosas.
4. La mayoría de las fiestas hispánicas tienen motivo religioso.

Unidad 4

En contexto: ¿Vamos al cine? p. 82

CD Track 11

Antes de leer el diálogo escúchelo con el libro cerrado. ¿Cuánto comprendió?

(Carlos y Concha piensan ir al cine, pero encuentran varios obstáculos.)

CARLOS Oye, Concha, no hemos visto esa nueva película italiana. ¿Quieres ir esta noche?

CONCHA ¡Ah! Me encantaría. Pero, sabes, mi mamá querrá ir también.

CARLOS ¿No hay manera de ir solos? Tu mamá es una buena persona, pero yo sólo deseaba verte a ti.

CONCHA Carlitos, tú sabes cómo es ella. Siempre se enoja cuando no la invitamos. Tendrás que llevarla a ella también.

CARLOS ¿Y si le decimos que la película es de esas surrealistas? La última vez la invitamos, pero no quiso ir.

CONCHA ¡Ah, sí! Dice que siempre se duerme. Pero, ¿cómo vamos a convencerla?

CARLOS Déjamelo a mí. Yo lo arreglaré. *(Van a la cocina donde encuentran a la mamá de Concha y al tío Paco, de ochenta y seis años.)*

MAMÁ ¡Hola, Carlos! ¿Cómo estás? Te quedas a comer con nosotros, ¿verdad?

CARLOS Gracias, acabo de comer en casa. Venimos a ver si Ud. querría acompañarnos al cine. Vamos a ver la película italiana que dan en el Cine Mayo. No la ha visto, ¿verdad?

MAMÁ ¿Qué película es? Para decir la verdad me gustan más las norteamericanas con Brad Pitt o Alec Baldwin. Prueba esta carne asada, Carlos.

CARLOS Bueno, un bocado nada más. Esas películas comunes y corrientes no valen la pena. Ésta sí que debe ser buena; fue premiada en Europa.

CONCHA ¿Vienes o no, mamá?

MAMÁ Bueno, pensándolo bien, es mejor que vayan Uds. solos. La última vez me dormí apenas comenzada la película.

TÍO A mí sí que me gustan las películas de ese… ¿cómo se llama? … Fettucini, creo. Yo iré con Uds. Hace dos semanas que no voy al cine.

CARLOS Bueno… no lo había pensado…

CONCHA *(en voz baja a Carlos)* No te preocupes, tonto. Está tan ciego el tío Paco, que tiene que sentarse muy cerca de la pantalla. Le diremos que no aguantamos eso, y nos sentaremos atrás, solitos.

CARLOS Ah, Conchita, ¡eres tan lista!

A escuchar: Buenos días. p. 106

Escuche la siguiente situación y complete las actividades.

Pedro, estudiante universitario de segundo curso de ingeniería industrial de la universidad de Caracas, siempre se acuesta tarde, y le es difícil levantarse por la mañana. Por eso, rara vez puede darle los buenos días a su papá, que se marcha a las siete menos diez para la oficina. La abuela, Juan y la mamá se quedan en casa.

MAMÁ	¡Levántate, Pedrito!… que hace un buen rato que sonó el despertador… Son las siete menos cuarto… La abuela ya te tiene preparado el desayuno…
PEDRO	Ya voy, mamá… Si me levanto a las siete menos cinco tengo tiempo…
MAMÁ	Ya… Ya…

[kitchen noise in the background]

PEDRO	Buenos días, abuelita…
ABUELA	Buenos días, Pedrito.
PEDRO	Hola, Juan… Y papá, ¿ya se fue?
JUAN	Sí, hace un buen rato… Y tú llegarás tarde a clase ¡Seguro!
PEDRO	Buenos días, mamá.
MAMÁ	¡Hola, Pedro! Se te pegan las sábanas *(to oversleep),* hijo… Por las mañanas todo son carreras…
PEDRO	Es que hoy me viene a recoger Miguel. Esta semana tiene el carro de su papá, que está de viaje de negocios.
JUAN	Tú,… Pedrito, el chico con suerte…
ABUELA	Pero, Pedrito, ¿sólo vas a desayunarte con una taza de café con leche? Las tostadas ya están listas…
PEDRO	No tengo tiempo… ¿Oyes la bocina?… Es Miguel. Ya llegó… Con el hambre que tengo… ¡Hasta luego!

Ejercicio de comprensión p. 106

CD Track 13

Ud. va a escuchar un comentario breve sobre una familia del mundo hispánico. Después del comentario, va a escuchar dos oraciones. Indique si la oración es **verdadera** (V) o **falsa** (F), trazando un círculo alrededor de la letra que corresponde a la respuesta correcta.

Para comprender, tanto al individuo como a la sociedad hispánicos, es necesario entender la importancia de la familia. Las relaciones familiares forman la base de las relaciones políticas, sociales, económicas y personales. Pocas otras instituciones sociales son comparables en cuanto a su influencia en la vida. El individuo se siente miembro del grupo familiar antes de todo lo demás. Los peores insultos que se pueden decir en español son aquellos dirigidos contra un familiar.

Ahora, escuche las siguientes oraciones.

1. La familia tiene poca importancia para el individuo.
2. La familia influye en la política de los países hispanos.

Text Audio Script ■ AIE-15

Unidad 5

En contexto: En el cine   p. 112

CD Track 14

Antes de leer el diálogo, escúchelo con el libro cerrado. ¿Cuánto comprendió?

(Carlos, Concha y tío Paco llegan al cine, compran los boletos y entran.)

TÍO PACO   ¿Qué hora es? Ojalá que lleguemos a tiempo para ver el dibujo animados del «Pájaro Loco».

CARLOS   No se preocupe, tío. ¿Quieren que les traiga algo? Voy a comprar una gaseosa.

CONCHA   Un chocolate, por favor.

TÍO PACO   Gracias, para mí nada.

CARLOS   *(Después de volver.)* Bueno, pues, entremos.

TÍO PACO   Sentémonos muy cerca. No veo nada.

CONCHA   Tío, Carlos y yo no queremos estar tan cerca de la pantalla. Nos vamos a sentar atrás. Lo veremos a Ud. después.

TÍO PACO   Bueno, bueno, váyanse. *(Se sienta en la segunda fila.)*

CARLOS   ¿Nos sentamos en aquellas butacas allí, las que están en el medio?

CONCHA   Donde sea, pero date prisa. Estamos perdiendo las primeras escenas.

CARLOS   Bueno, sígueme. Permiso, con permiso señora muy amable, con permiso, muchas gracias. ¡Uf! ¡Perdone! ¿Ves bien?

CONCHA   Sí, muy bien. Cállate.

(Voces de la pantalla.)

MUJER   ¡Qué contenta me siento en tus brazos, mi amor!

HOMBRE   Sí, yo también, pero se está haciendo tarde. Tu marido se estará preguntando dónde estás. Tenemos que separarnos una vez más.

MUJER   Apenas son las diez de la noche. Sabes que él nunca deja a tu esposa antes de las doce.

HOMBRE   Sí, pero tal vez llegue Jorge antes de la hora convenida. Debemos evitar escenas desagradables.

(Voces del auditorio.)

CARLOS   ¿Qué demonios pasa? ¿Quién es Jorge?

CONCHA   No sé. Perdimos eso al principio.

(Pasan dos horas. Termina la función.)

CONCHA   ¡Qué película fenomenal!

CARLOS   Sí, me gustó. Pero, ¿dónde está tío Paco? Busquémoslo.

CONCHA   Ahí está. Tío, ¿le gustó la película?

TÍO PACO   Pues, la verdad, sobrina, tenían esos dos tantos esposos y amantes que me dio un sueño terrible y me eché una siestecita. ¿Cómo terminó?

CARLOS   Pues… este… bueno, tío, es demasiado complicado. Vámonos.

TÍO PACO   Francamente, me gustan más las telenovelas como «Simplemente Mercedes». ¡Ésa sí que vale la pena!

A escuchar: La joven profesional   p. 131

CD Track 15

Escuche la siguiente situación y complete las actividades.

Maruca y su marido Ramiro hablan, en la sobremesa de un domingo, sobre su hija Gloria, la cual trabaja desde hace cuatro años con una firma especializada en las últimas tecnologías. La acaban de ascender a jefa de programadores.

RAMIRO	¡Ojalá que a Gloria le salga el viaje a Tokio! No cabe duda que a ella le va muy bien con las computadoras. Y con tantos viajes ni tiempo tiene de aburrirse…
MARUCA	Mejor le vendría viajar un poquitito menos… y que de una vez se decida por un chico…
RAMIRO	¡No digas eso, vieja! Gloria es una chica con la cabeza bien sentada… que sabe lo que quiere…
MARUCA	Eso nadie lo duda. Pero yo soy muy chapada a la antigua. Si quiere trabajar y tener éxito…, bueno… pues, muy bien. Pero ya tiene veintisiete años, y ya es hora de que tenga marido,… y nosotros nietecitos…
RAMIRO	Eso es lo que tú echas de menos… los nietos. Tal vez la cosa vaya en serio con el chico ese, con el que sale ahora… el que está terminando pediatría…

Ejercicio de comprensión   p. 131

Ud. va a escuchar un comentario breve sobre el hombre y la mujer en el mundo hispánico. Después del comentario va a escuchar tres oraciones. Indique Ud. si la oración es **verdadera** (V) o **falsa** (F), trazando un círculo alrededor de la letra que corresponde a la respuesta correcta.

La sociedad hispánica, al igual que las otras culturas occidentales, ha sido tradicionalmente dominada por el hombre. Las mujeres, por lo general, se han visto limitadas a las tareas domésticas y al cuidado de los niños, mientras que los hombres llevan sus dos estilos de vida por separado: uno como padre y esposo y otro en el mundo del trabajo. En los últimos años ha habido algunos cambios.

Ahora, escuche las siguientes oraciones.

1. La sociedad hispánica ha sido dominada por el sexo masculino.
2. Las mujeres llevan una vida doble —dentro y fuera de la casa.
3. Esta situación ha cambiado poco en los últimos años.

Unidad 6

En contexto: Momentos tristes   p. 139

Antes de leer el diálogo, escúchelo con el libro cerrado. ¿Cuánto comprendió?

CÉSAR	Señora, deseo que Ud. acepte la expresión de mi más profundo pésame. Lamento sinceramente su pérdida.
ELENA	Muchas gracias, César; es un consuelo tremendo tener amigos como Ud. en estas horas de aflicción.
MANUEL	Señora, la acompaño en sus sentimientos. Don Mario fue un amigo de verdad. Lamento mucho que hayamos perdido un hombre tan ilustre. Pero ya sabe Ud.: «La muerte a nadie perdona».
ELENA	Muchas gracias, Manuel. El pobre Mario, que en paz descanse, siempre lo consideró a Ud. como un joven muy prometedor.
CÉSAR	*(Alejándose de la señora viuda.)* Oye, Manuel, ¿quieres que tomemos una copa?
MANUEL	¡Bien que la necesito! ¿Dónde está el pobre de don Mario?
CÉSAR	Creo que lo tienen en la sala. Será la primera vez que se siente a gusto en esa sala —doña Elena nunca lo dejaba entrar… ¡En mi vida he visto tanta comida! Sírvete de estos taquitos —están sabrosísimos.

Text Audio Script ■ AIE-17

MANUEL	Don Mario siempre ofrecía buena comida. Pero se estaría quejando del gasto, como siempre. ¿Te lleno el vaso?
CÉSAR	Sí, gracias. Mario era medio tacaño, ¿verdad?
MANUEL	¡Sí que lo era! Ahorraba los centavitos como si fueran de oro. Apenas el viernes pasado se resistía a prestarme diez pesos alegando no tenerlos. ¡Y luego pidió que firmara un pagaré!
CÉSAR	Viejo bribón. Para lo que le ha valido. Dejarlo todo para la viuda y para los hijos haraganes.
MANUEL	Ahí está Mario para decirte lo corta que es esta vida.
CÉSAR	De acuerdo. Oye, pasemos a ver al difunto.
MANUEL	¡Mira! ¿Es posible que Mario vista su traje nuevo? ¡Nunca lo usaba en vida!
CÉSAR	Decía que esperaba una ocasión «trascendental». Bueno, ya hemos cumplido con la viuda. Vamos a despedirnos.
MANUEL	(A la señora.) Le repito, señora, mis profundos sentimientos. Voy a rezar por el eterno descanso del alma de don Mario.
ELENA	Muchas gracias, Manuel. Es Ud. un buen amigo.
MANUEL	Será un consuelo, señora, saber que deja a tantos amigos. Me hubiera gustado despedirme de él en vida, pero el Señor no quiso permitirlo.
ELENA	Se hizo la voluntad de Dios. Con saber eso me consuelo. Les agradezco mucho que Uds. hayan podido venir. Buenas noches.

A escuchar: Costumbres   p. 158

CD Track 18

Escuche la siguiente situación y complete las actividades.

Un grupo de estudiantes de las Canarias sale de clase después de volver de las vacaciones de carnaval, llamadas también vacaciones de primavera. Todos están agotados por haber pasado varias noches de fiestas, en las que se divirtieron muchísimo.

MANOLO	Ya mañana es viernes. Y estamos en cuaresma… ¡Qué faena! Después de alucinar por los carnavales, los viernes hay que hacer ayuno y abstinencia. Y yo… que siempre ando muerto de hambre…
PAQUITA	En casa, desde que se murió mi abuela, que era muy devota y nos obligaba a todos a hacer lo que la Iglesia manda, nadie ayuna… ni mi madre.
CONCHA	Eso de la abstinencia a mí me viene bien… Lo que más me gusta es el pescado… y también los mariscos… Además quisiera adelgazar…
LUIS ALBERTO	Lo que yo quisiera es que siguieran los carnavales, y que desapareciera don Antonio, el profesor de bioquímica. Mira que ponernos un examen gordo para mañana… ¡Qué tío ese! No lo soporto…
PAQUITA	Chico, nadie lo soporta… Es imposible que a alguien le pueda caer bien… ¡Es un antipático!

Ejercicio de comprensión   p. 158

CD Track 19

Ud. va a escuchar un comentario sobre el concepto de la muerte en el mundo hispánico. Después del comentario va a escuchar varias oraciones. Indique si la oración es **verdadera** (V) o **falsa** (F), trazando un círculo alrededor de la letra que corresponde a la respuesta correcta.

El concepto de la muerte en el mundo hispánico presenta algunos contrastes interesantes que revelan características básicas de su cultura. Sorprende al norteamericano la continua presencia de la muerte en la vida diaria del hispano. Los anuncios de difuntos en el periódico se hallan frecuentemente en la primera plana para llamar la atención. En la prensa en inglés de Estados Unidos, por lo general, también se incluye esta información pero de manera más discreta.

Además, es común tener el velorio en la casa con la presencia del difunto, algo que ya casi no existe en la cultura norteamericana. Como consecuencia los niños se familiarizan con la muerte desde muy jóvenes.

Ahora, escuche las siguientes oraciones.

1. Los obituarios pueden aparecer en la primera plana de los periódicos hispánicos.
2. La muerte está más presente en el mundo hispánico.
3. Es raro tener a un difunto en casa en los Estados Unidos.
4. Los niños hispánicos nunca tienen experiencias relacionadas con la muerte.

Unidad 7

En contexto: A mudarnos a la capital   p. 164   CD Track 20

Antes de leer el diálogo, escúchelo con el libro cerrado. ¿Cuánto comprendió?

(Una choza campesina. Pedro llega cansado después de un día de trabajo en su parcela de tierra.)

PEDRO   Hola, Teresa, ¿qué hay de comer? Vengo muerto de hambre.

TERESA   ¡Ay! Has llegado temprano —déjame calentar los frijoles. Primero voy a acostar a Panchito. Duérmete, mi niño. Que sueñes con los angelitos. Así es.

PEDRO   Se me partió el machete hoy. ¡Qué diablos! No hay un día que no traiga mala suerte. No sé cómo he de ganarme el pan trabajando en esta tierra seca.

TERESA   Pedro, tengo una noticia. Fui a ver a la mamá Teófila y me dice que estoy embarazada.

PEDRO   ¡Qué bueno! ¡Qué feliz me haces! Pero… otra boca, ¿qué hacemos?

TERESA   Dios dirá, Pedro. Quizás puedo coser ajeno. La señora Cruz busca a alguien que le haga unos vestidos para el verano.

PEDRO   Te prohíbo que trabajes, mujer. Estaba pensando una cosa, ¿sabes? ¿Por qué no nos mudamos a la capital? Allí puedo buscar un trabajo que pague bien.

TERESA   Pero, Pedro, ¿qué hacemos con la casa? ¿Y si no encuentras algo? Me siento más segura aquí; al menos tenemos techo —pobre tal vez, pero seguro.

PEDRO   ¿No quieres que tus hijos tengan más oportunidades que nosotros? Aquí no hay nada que valga la pena… Y será mejor para ti también. No tendrás que depender más de la Mamá Teófila. Debes tener un médico que sepa lo que hace, un hospital que tenga facilidades modernas. Además, podríamos divertirnos un poco. Dicen que hay cines en la ciudad en que puedes ver películas todas las noches en vez de una película por semana como el de aquí.

TERESA   ¿Y es cierto que hay lugares donde se puede bailar todas las noches? ¿Y que hay parques bellos y camiones que te llevan dondequiera?

PEDRO   Sí, Teresa, todo eso y mucho más. Podremos comprarnos un televisor. No tendremos que ir a verlo a la cantina como aquí.

TERESA   Pero, ¿dónde viviremos?

PEDRO	Hay un barrio llamado San Blas. Allí viven los Otero y los Palma que se fueron a la capital el año pasado. Hay escuelas buenas para Panchito y para el niño que esperamos. Quiero que asistan a buenas escuelas que les den mejores posibilidades.
TERESA	Yo también, yo también, Pedro. Y tú, ¿qué harás? No quiero que sufras por falta de trabajo.
PEDRO	Con todos los automóviles que hay en la ciudad, siempre habrá necesidad de alguien que sepa de mecánica. Habrá un taller que necesite otro trabajador.
TERESA	Pero, Pedro, ¿qué hacemos si…
PEDRO	No te preocupes, mi amor, todo saldrá bien. Quiero que mi familia tenga de todo, ¿entiendes? De todo lo bueno de la vida.

A escuchar: Economía global   p. 186   CD Track 21

Escuche la siguiente situación y complete las actividades.

José, un estudiante que se especializa en español, entrevista a su profesor de economía, que es uruguayo, con el fin de completar el trabajo que está haciendo para la clase que este curso tiene sobre la civilización hispánica contemporánea.

PROF. GALVÁN	Si necesitas la información de esta entrevista para una clase de español, entonces… hablemos en la lengua de Cervantes… ¿Vale?
JOSÉ	Con mucho gusto… El español es la lengua de mi casa, de mis padres, que son colombianos… Profesor Galván… ayer Ud. nos habló de la expansión económica actual de España en las Américas…
PROF. GALVÁN	Asunto curioso… España, económicamente, no levantó cabeza hasta que desarrolló la industria turística, pero en la última década ha invertido seriamente en Cuba: en hostelería, por ejemplo; en la Argentina: en comunicaciones, en transporte aéreo… con suerte variable, sin embargo…
JOSÉ	Ya, ya comprendo… En países que fueron sus colonias, que tienen el español como su lengua nacional…
PROF. GALVÁN	Sí, claro… Especialmente la América Latina. Pero también ha entrado a los Estados Unidos. En el estado de Washington, por ejemplo, la gente viajará en trenes españoles, suministrados por las compañías Talgo y Renfe…

Ejercicio de comprensión   p. 187   CD Track 22

Ud. va a escuchar un comentario sobre la pobreza de los países hispanoamericanos. Después del comentario, va a escuchar varias oraciones. Indique si la oración es **verdadera** (V) o **falsa** (F), trazando un círculo alrededor de la letra que corresponde a la respuesta correcta.

La pobreza es un problema serio en la mayoría de los países hispanoamericanos, y son muchas sus causas. Una de ellas es la falta de tierra suficiente en manos de los que la necesitan; otra es la falta, en muchos lugares, del transporte necesario para llevar los productos al mercado.

La falta de esperanza para resolver esa situación conduce a un fenómeno grave del siglo XX y principios del siglo XXI: la urbanización. La gente quiere irse a vivir a la ciudad donde existen mejores oportunidades para trabajar, más comodidad personal y mejores servicios sociales.

El problema es que las grandes ciudades no pueden absorber la enorme cantidad de gente que a ellas se muda. No hay trabajo suficiente, y sin él no hay comodidad personal, sino miseria y muy malas condiciones de vida. Los servicios sociales, tales como las escuelas, los hospitales, etc., no son suficientes para el gran número de personas que las necesitan. Esto da como resultado desilusión, delincuencia y violencia. Sin embargo, todo esto no detiene el desplazamiento hacia los grandes centros de población.

Ahora, escuche las siguientes oraciones.

1. La mayoría de los países hispánicos no tienen mucha pobreza.
2. Uno de los problemas es la falta de tierra suficiente en manos de los que la necesitan.
3. La urbanización resulta en parte de la escasez de oportunidades en el campo.
4. Siempre hay trabajo en las grandes ciudades.
5. La falta de trabajo puede resultar en desilusión.

Unidad 8

En contexto: En la mansión de los Hernández Arias p. 194 CD Track 23

Antes de leer el diálogo, escúchelo con el libro cerrado. ¿Cuánto comprendió?

(Gonzalo, el padre, ve entrar a su hijo Emilio.)

GONZALO Hola, hijo. ¿Viste el periódico? Secuestraron al Sr. González y exigen un rescate de dos millones de pesos por su vida.

EMILIO ¡Uy! ¿Quién pagaría eso? El viejo no vale ni la décima parte.

GONZALO ¡Emilio! No bromees —esto de los secuestros es muy serio. Mañana voy a contratar un pistolero para que me proteja.

EMILIO ¿Y cómo vas a asegurarte de que no sea espía? Mientras estén por todas partes esos guerrilleros…

GONZALO ¡Esto es el colmo! La policía tiene que hacer algo antes de que caiga el gobierno. Estas amenazas al orden legal tienen que ser suprimidas. Mañana en cuanto llegue a la oficina hablaré con el presidente.

EMILIO Cálmate, viejo, cálmate. No hay nada que puedas hacer. El orden legal sólo les sirve a los poderosos.

GONZALO Pero… ¿y yo? Comencé así, sin nada. Lo que tengo lo gané por mi propio sudor.

EMILIO Y el sudor de los obreros de tus fábricas. Además, tenías una ventaja grande: una falta de escrúpulos que te permitía sobrevivir.

GONZALO No permito que me hables así. ¡Es una falta de respeto que no aguanto! Y tú, veo que no desprecias los automóviles de último modelo, aquellas vacaciones en Europa el año pasado, los trajes de casimir. Cuando yo me muera, lo tendrás todo.

EMILIO Sí, tienes razón, papá, pero todo aquello ya pasó. Así me enseñaste, no conocía otra vida. En cuanto me di cuenta, me sentí terriblemente avergonzado.

GONZALO ¡Pero qué ideas! ¡Yo no te enseñé a ser holgazán! Bueno, ya que te has arrepentido, debes aprender algo que te sirva en el futuro.

EMILIO Ya lo he hecho, papá. Voy a buscar una vida que me dé alguna esperanza. En cuanto me despida de ti me voy a juntar a las fuerzas de liberación en las montañas.

GONZALO ¿Cómo? Pero, ¿es posible? ¿Dejas todo esto para vivir con ese grupo de bandidos? ¿Estás loco? ¿Quieres matar a tu mamá?

EMILIO	Bandidos, no, papá. ¡La ola del futuro! Estamos en el amanecer de un nuevo orden. Despúes que venzamos, habrá justicia, igualdad, solidaridad humana. No habrá resistencia que valga para impedir este movimiento. ¡Venceremos!
GONZALO	Pero, hijo. ¿Cómo te atreves? ¡Es una locura! Te arrepentirás.
EMILIO	Me voy, papá, me están esperando con el viejo González. Adiós.
GONZALO	¿González? ¡Por Dios! ¡No puede ser! Espera, Emilio. No te vayas. ¡Emilio! ¡No le hagan daño a González! ¡Emilio!
CRIADO	Señor, ¡despiértese, despiértese! Habrá sido una pesadilla. ¿Qué pasó? Llamaba a Emilio. Él no ha llegado todavía de la primaria —el chófer fue a recogerlo.
GONZALO	¡Puf! ¡Qué alivio! Soñaba que habían secuestrado al Sr. González.
CRIADO	Pero, señor, aquello pasó anoche. Hoy lo encontraron muerto, el pobre.
EMILIO	¡Hola, papá! ¿Oíste lo del Sr. González?

A escuchar: De vacaciones   p. 208

CD Track 24

Escuche la siguiente situación y complete las actividades.

Pepe y su hermano Pablo, cubanos exiliados en Miami, y un matrimonio chileno, María y Fernando, se conocen mientras están de viaje en el Perú. De vuelta a Cuzco, despúes de haber visitado Machu Picchu, toman un café juntos.

PABLO	¡Qué país maravilloso es el Perú! Cuando volvamos a casa tendremos maravillas que contar,… lo colonial, lo incaico,… la selva…
FERNANDO	El habernos conocido también formará parte de este viaje. Uds. son los primeros cubanos de Miami que conocemos.
PEPE	Eso hay que agradecérselo a Fidel. Nosotros éramos muy niños cuandon llegamos con mamá a Nueva York. Años después, papá pudo reunirse con nosotros.
PABLO	A mí se me olvidó casi todo de cómo era el pueblo donde vivíamos…
MARÍA	Pues en Chile también se sufrió mucho cuando lo de Pinochet… Mi mamá perdió a su hermano, que desapareció una noche…
FERNANDO	Sí… fue como una pesadilla… Pero, gracias a Dios, hemos vuelto a la democracia… Entonces, Uds. ya llevan viviendo muchísimos años en los Estados Unidos…
MARÍA	Se sentirán como si fueran de allí…
PEPE	¡Seguro!
PABLO	¡Claro! ¡Claro!

Ejercicio de comprensión   p. 208

CD Track 25

Ud. va a escuchar un comentario sobre la política de Hispanoamérica en el siglo XX. Después del comentario, va a escuchar varias oraciones. Indique si la oración es **verdadera** (V) o **falsa** (F), trazando un círculo alrededor de la letra que corresponde a la respuesta correcta.

La existencia de la pobreza sin esperanzas y otros males de carácter político crearon una situación inestable en la política de Hispanoamérica en el siglo XX. Los medios violentos como las revoluciones, los golpes de estado y la existencia de guerrilleros caracterizaron su política, pero los resultados no fueron iguales.

Los cambios de gobierno por medios ilegales generalmente se llaman golpes de estado. Aunque frecuentes en algunos países, estos cambios casi nunca introducen modificaciones profundas en la estructura social y política, ya que generalmente reemplazan a un grupo por otro. A veces estos cambios se efectúan sin violencia.

Las verdaderas revoluciones en las que se cambian las bases del poder, por ejemplo, de una clase social a otra, fueron relativamente pocas, pero sí han ocurrido durante el siglo XX en algunos países como México, Bolivia, Cuba y Nicaragua.

Ahora, escuche las siguientes oraciones.

1. Hubo muchas revoluciones en Hispanoamérica en el siglo XX.
2. Los golpes de estado generalmente cambian sólo los individuos que ejercen el poder.
3. Los golpes de estado siempre son violentos.
4. Nunca ha habido una revolución verdadera en Hispanoamérica.

Unidad 9

En contexto: Esperando al profesor de historia p. 214   CD Track 26

Antes de leer el diálogo, escúchelo con el libro cerrado. ¿Cuánto comprendió?

(Los alumnos del Colegio San Martín esperan la llegada del profesor de historia.)

PACO	Oye, Beto, ¿has preparado la lección para hoy?
BETO	Muy poco. Iba a estudiar, pero llegaron unos amigos, y nos fuimos para «La Gitana» para hojear el nuevo número de «Superhombre».
PACO	¿Y tú, Manolo?
MANOLO	Sí, leí el capítulo dos veces e hice un esquema de las fechas.
PACO	Pues, mi padre me mandó a la tienda por tabaco, y me quedé ahí a charlar con Tonia para ver si quería ir al cine el domingo. Al volver no tuve tiempo de estudiar. ¿Me puedes hacer un resumen del capítulo para poder responder si el maestro me hace una pregunta?
MANOLO	Cuando te haga una pregunta, te paso la respuesta. ¿Vale?
PACO	Ah, este Manolo, siempre lo sabe todo. ¿Por qué estudias tanto?
MANOLO	Lo hago para poder entrar en la Facultad de Medicina. Papá se muere por verme médico. Si no salgo bien en los exámenes este año, temo que me eche de casa. ¿No piensas entrar a una universidad?
PACO	Sí, pero en comercio, para poder trabajar con el viejo en su fábrica. Pero, ¿para qué tanta prisa? Si no apruebas este año, aprobarás el otro. Aquí uno se divierte más —allá en la «uni» la cosa se pone seria.
BETO	Es lo que digo yo. Ya llevo siete años aquí. Hasta el portero sabe mi nombre.
PROF.	*(Entrando)* Buenos días, jóvenes. El tema de esta semana es la Primera Guerra mundial.
PACO	Pssst, Manolo, ¿ganamos esa guerra?
MANOLO	Cállate, idiota, fue una guerra europea.
PROF.	Primero vamos a hablar de las causas inmediatas de aquella gran tormenta que sacudió el mundo.
PACO	Beto, mira a Nacho —ya se durmió.
PROF.	En 1914 la guerra fue declarada por Alemania…
PACO	¿Para qué quiero yo saber estas cosas? Superhombre es más interesante.

MANOLO	No seas bruto. No te gradúas sin que lo sepas, a menos que te hagan preguntas sobre Superhombre en los exámenes.
PROF.	Cuando en 1915 fue atacado el navío Lusitania…
PACO	Oye, Beto, ¿quieres ver este número? Superhombre se encuentra en una batalla en Verdún. No sé dónde queda eso pero…
PROF.	Si no dejas de cuchichear, Paco, te van a expulsar de la clase. ¿Entiendes?
PACO	Ah, sí, perdone, Beto y yo estábamos comentando un libro que leí recientemente sobre ese mismo asunto de la guerra. Se lo recomendaba a Beto.
PROF.	Bueno, después de que terminemos aquí, te quiero ver en mi oficina. Con tal que me des un informe completo sobre ese libro, te perdono.
PACO	Pero Profesor, tengo sólo unos quince minutos antes de la próxima clase. Manolo, ¿qué hago ahora? ¡Sí que estoy perdido!

A escuchar: Carreras p. 233

CD Track 27

Escuche la siguiente situación y complete las actividades.

Conversación entre Javier, pintor de gran éxito, amigo de la familia, y Marina, estudiante, unos días antes del examen de selectividad que da ingreso a la universidad en España. Los dos, que están esperando la llegada de los padres de Marina, se han encontrado en la cafetería del Museo Reina Sofía, donde ha tenido lugar la inauguración de una muestra de la pintura de Javier.

JAVIER	Todavía no me has contado si ya te decidiste por la carrera que vas a estudiar el año que viene.
MARINA	¡Es que estoy hecha un verdadero lío! Y no es por las notas… Creo que puedo entrar a la universidad que me apetezca.
JAVIER	Pues, chica, el asunto de las notas es lo que trae de cabeza a todos los estudiantes…
MARINA	Sí, claro… Lo que a mí me pasa es que no sé qué elegir. Desde que me fui por ciencias he estado pensando en estudiar medicina… Lo que no veo claro es al terminar, para escoger especialidad… ¡A ver quién aprueba el examen y entra a la especialidad que quiere! Hasta los amigos médicos de mis padres me aconsejan que lo piense.
JAVIER	Tan joven, tan guapa y con tantas decisiones… Yo pensé que te interesaría ser química y dedicarte a la investigación, como tu padre.
MARINA	¡Qué horror! ¡No! Los laboratorios me repelen. Hasta he pensado en irme por economía, o combinar empresariales con derecho. Por ahí hay muchas salidas. Además es donde está la «pasta».
JAVIER	¡Las chicas hoy sois muy ambiciosas! Os aplaudo… En mis tiempos no había tantas chicas en la facultad. Cuando veo las cantidades de universitarios que tenemos, ni se parece a la universidad de antes.

Ejercicio de comprensión p. 233

CD Track 28

Ud. va a escuchar un comentario sobre la educación en el mundo hispánico. Después del comentario, va a escuchar tres oraciones. Indique si la oración es **verdadera** (V) o **falsa** (F), trazando un círculo alrededor de la letra que corresponde a la respuesta correcta.

El sistema de educación de una cultura refleja sus actitudes y aspiraciones. Si comparamos el sistema básico del mundo hispánico con el norteamericano, encontramos unas diferencias notables.

En primer lugar el sistema hispánico incluye en la educación formal sólo las materias fundamentales para la formación del individuo, como la historia, los idiomas, las matemáticas, las ciencias, etc.; estas clases son las que se enseñan en las escuelas secundarias. Las clases de práctica como la pintura, la música, el teatro, etc., casi siempre se consideran como responsabilidad de la familia del alumno, y no de la escuela. Por lo tanto, si el alumno quiere aprender a tocar un instrumento musical, generalmente tiene que tomar lecciones particulares.

Ahora, escuche las siguientes oraciones.

1. El sistema de la educación es el mismo en todas las culturas.
2. La música y la pintura casi nunca se enseñan en las escuelas hispánicas.
3. En el sistema hispánico, para aprender a tocar un instrumento musical hay que tomar lecciones particulares.

Unidad 10

En contexto: En el Café Alfredo   p. 238   CD Track 29

Antes de leer el diálogo, escúchelo con el libro cerrado. ¿Cuánto comprendió?

En la Ciudad de México, Tomás y Carlos se reúnen casi todos los días en el Café Alfredo, un restaurante al aire libre.

TOMÁS   Hola, Carlos. ¿No vino Dieguito?

CARLOS   No. Tuvo que visitar a un amigo que está en el hospital.

TOMÁS   ¡Hombre! Mira a esas dos muchachas. Qué guapitas las dos ¿eh?

CARLOS   Guapetonas. A la morenita la vi pasar antes sola. Oye, ¿qué vamos a hacer esta noche?

TOMÁS   No sé. ¿Qué quieres hacer tú? Con tal que no cueste nada, porque mis bolsillos están que chillan del hambrote que traen.

CARLOS   A ver si Isabel y Sonia quieren salir a pasear. Te puedo prestar un poquito para que vayamos al cine. O podríamos ir al museo —no cuesta nada.

TOMÁS   ¡Uf! Pero es media hora en camión. Luego tendríamos que esperar hasta que se vistieran y luego otra media hora de vuelta. Ni que fueran Julia Roberts y Keira Knightley.

CARLOS   En el metro llegaríamos en quince minutos.

TOMÁS   Si tuviéramos un coche sólo nos tomaría diez minutos. Voy a buscarme una novia que viva en el centro. ¡Mira! Esas dos acaban de sentarse allí. Si esa pelirroja fuera mi novia, iría al fin del mundo en camión.

CARLOS   Tal vez esté resuelta la cuestión del programa para esta noche. Ve a hablarles. Ya me enamoré.

TOMÁS   Bueno, pero ¿qué les digo?

CARLOS   Invítalas a ir a bailar con nosotros.

TOMÁS   Pero, si aceptan… a menos que traigas dinero para los dos…

CARLOS   Sí, sí, yo te presto. Vamos al «Jacaranda». Tienen un conjunto formidable. Pero date prisa, antes de que se nos vayan.

TOMÁS   Bueno, bueno, ya voy. *(Se acerca a la mesa de Tere y Lola.)* Perdonen, señoritas, ¿saben Uds. dónde queda «El Jacaranda»?

TERE   Sí, allí en la esquina. ¿No ve el letrero ahí —el de las letras grandotas?

TOMÁS   Ah, ¿cómo no lo había notado? ¿Sabe si es un buen lugar para bailar?

TERE	Pues, así dicen. Yo nunca estuve adentro.
TOMÁS	Entonces, permítanme invitarlas. Si nos acompañaran a mi amigo y a mí, podríamos averiguar si merece la fama que tiene. ¿De acuerdo?
LOLA	Sólo si les pide permiso a nuestros novios, que se acercan ahí detrás de Ud.
TOMÁS	¿Cómo? ¿Novios? Ah... este... Gracias por la información. Buenas noches, caballeros. Pedía un poquitín de información. Si hubiera sabido, no habría molestado. Bueno, con su permiso... *(Vuelve a su mesa.)* Oye, Carlos, viéndolas de cerca no son tan bonitas.
CARLOS	Sí, veo que las acompañan unos tipos. Bueno, ¿qué quieres hacer esta noche?
TOMÁS	Pues, vamos en el metro a casa de Isabel y Sonia, ¿quieres? Pensándolo bien, no está tan lejos.
CARLOS	Bueno, vámonos.

A escuchar: ¿Al rancho? p. 250

CD Track 30

Escuche la situación siguiente y complete las actividades.

María Luisa, ecuatoriana del primer curso de universidad, charla por teléfono con su novio Darío sobre la amiga que tiene en Texas. María Luisa y Amy se escriben desde que estaban en el segundo curso de secundaria, y se visitaron en una ocasión durante el verano.

MARÍA LUISA	Cariño, hoy recibí carta de Amy.
DARÍO	Cuenta, cielito. ¿Qué dice?
MARÍA LUISA	Todavía no está segura de que vaya a continuar en periodismo el año que viene... Lo que le gusta más es la historia... Pero lo está pesando bomba, de fiesta en fiesta.
DARÍO	¿Qué pasó con el club aquel del que quería formar parte?
MARÍA LUISA	Bueno... por lo visto ya es miembro de ese club. Me dice que es una hermandad... ¿Qué será eso?... Y que vive en la casa de la hermandad.
DARÍO	Pues será una especie de residencia... No tengo ni idea...
MARÍA LUISA	Quiere que vaya a Texas este verano. Pero a mí no me apetece... ¡Si fuera me aburriría como una ostra!
DARÍO	Y tú allí, y yo aquí sin ti... Además... ¿a quién le va a gustar vivir en un rancho?...
MARÍA LUISA	¿En un rancho? ¡No! ¡En un ranchazo!... Con lo grande que es, y lo lejos que está de cualquier ciudad... A los gringos yo no los entiendo... Son diferentes a todo el mundo, mi amor... Mira que gustarles vivir aislados, en el campo, con los animalitos...

Ejercicio de comprensión p. 250

CD Track 31

Ud. va a escuchar un comentario sobre la importancia de la ciudad en el mundo hispánico. Después del comentario, va a escuchar varias oraciones. Indique si la oración es **verdadera** (V) o **falsa** (F), trazando un círculo alrededor de la letra que corresponde a la respuesta correcta.

La cultura hispánica al igual que todas las culturas occidentales, vio cómo la ciudad aumentó su importancia durante el siglo XX y principios del siglo XXI, pero en la hispánica esta tendencia fue más fuerte que en las otras. Este proceso dio dos resultados serios: primero, la distinción entre la cultura de los habitantes urbanos y la de los del campo que llegó a ser más profunda, y segundo, las ciudades se vieron cada vez menos capaces de proporcionar los servicios necesarios a los barrios humildes que rodeaban la ciudad. El desempleo y la pobreza se agregaron en el medio urbano porque los pobres ni siquiera tenían la posibilidad de cultivar un pequeño terreno. Además la migración de miles de personas del campo sin las capacidades o los conocimientos técnicos necesarios hizo aún más grave el problema de encontrar trabajo.

Ahora, escuche las siguientes oraciones.

1. El desempleo era un problema grave en las ciudades hispánicas.
2. La migración hacia las ciudades era menor en el mundo hispánico que en los Estados Unidos.
3. Había poca diferencia entre la cultura urbana y la cultura campesina.
4. Los pobres vivían generalmente en barrios humildes que rodeaban las ciudades.

Unidad 11

En contexto: Después de los exámenes finales   p. 256   CD Track 32

Antes de leer el diálogo, escúchelo con el libro cerrado. ¿Cuánto comprendió?

Carlos, un estudiante mexicano, se reúne con Bob y Rudi, dos estudiantes chicanos, en la cafetería. Charlan de un viaje que Rudi y Bob piensan hacer a México después de los exámenes finales.

BOB   ¿Cómo estuvo el examen?

CARLOS   ¡Uf! Difícil, amigo. Sólo con suerte me aprobaron.

RUDI   Pero tú siempre sales bien en química. ¿Qué pasó?

CARLOS   Pues, el profe nos hizo una mala jugada. Preguntó mucho sobre las primeras lecciones. Se me había olvidado todo eso. Pero, no hablemos de cosas desagradables. Vamos a hablar del viaje. Van primero a la capital, ¿verdad?

BOB   Sí. Pensamos pasar unas dos semanas en la capital y luego ir en autobús hasta Yucatán. Terminamos en Cancún para descansar en la playa.

CARLOS   Buen programa. ¿Dónde van a alojarse en México? ¿Han escogido un hotel?

RUDI   Todavía no. ¿Nos puedes recomendar uno que no sea muy caro, eh? No estamos en plan de turistas ricos. Queremos viajar mucho con poco dinero.

CARLOS   Claro. Después les doy una lista. Hay varios hoteles cómodos de precios muy moderados. ¿Quieren estar en el centro?

BOB   Creo que sí. A propósito, ¿es difícil andar por la ciudad? No tendremos coche.

CARLOS   Al contrario. Hay toda clase de transporte público. Tener coche es un lío en la ciudad. Puesto que Uds. hablan español, pueden pedir información en cualquier parte.

RUDI   ¿Y qué ciudades del interior nos recomiendas?

CARLOS   Pues, hay varias interesantes entre la capital y Yucatán. Oaxaca, por ejemplo, es muy bella y las ruinas de Monte Albán están muy cerca.

RUDI   Benito Juárez nació en Oaxaca, ¿verdad?

CARLOS   Sí. Y si quieres ver otras ruinas, puedes ir a Palenque. Y luego a Villahermosa y Mérida, Uxmal y Chichén Itzá.

BOB   Pero, hombre, espérate. ¿Cómo vamos a recordar todo eso?

CARLOS   Miren, les voy a traer un libro de guía. Señalaré las ciudades más importantes e interesantes. ¿Por qué no van a Guatemala y a los otros países centroamericanos?

BOB	No hay suficiente tiempo. Pensamos ir a Centroamérica el verano que viene. Queremos ver todos los países de habla española.
RUDI	También queremos ir al Brasil, donde hablan portugués, y a Haití, donde hablan francés. Además, hay islas como Trinidad y Tobago, donde el idioma oficial es el inglés.
BOB	Antes yo no sabía que había tanta variedad lingüística en Latinoamérica.
CARLOS	Existe mucha variedad cultural también, aun entre los países de habla española. Hay que darse cuenta de la diferencia entre un país como Guatemala y otro como la Argentina.
BOB	Pero todos los países hispanos tienen las mismas raíces culturales. Hablan la misma lengua, tienen la misma religión…
CARLOS	Pero han tenido una historia diferente y probablemente tendrán un destino propio. Verán —¡incluso hay diferencias dentro de México, entre la capital y Yucatán!

A escuchar: Política   p. 271

CD Track 33

Escuche la siguiente situación y complete las actividades.

Dos empresarios del sector de la industria turística de Veracruz, México, durante su estancia en Houston, se encuentran viendo un partido de baloncesto. En el descanso charlan de diversos temas, entre ellos de política y de las próximas elecciones en los Estados Unidos.

MANOLO	¿Has visto el periódico de hoy?
PANCHO	Sí, pero no había nada de interés. La sección de deportes era increíble… aunque no contaba nada de México.
MANOLO	Nooo…, no me refiero a los deportes. De los deportes siempre tienen mucho… Había una notita curiosa sobre un tema que nos toca, y que suele aparecer por el tiempo de las elecciones…
PANCHO	¿De qué se trata? Yo no vi nada que pudiera interesarme…
MANOLO	Por lo visto, se calcula que un segmento de la opinión pública está contra el Tratado de Libre Comercio, por el posible desempleo… por…
PANCHO	No me extraña… Ésa es una opinión característica de los conservadores. Texas forma parte de los estados del sur, y el ser conservador es su gran orgullo…
MANOLO	¡Qué explicación más ecuánime!… Para mí sólo es la posición típica gringa frente a México… y también a Hispanoamérica.
PANCHO	No creo que vaya a ser un tema de gran importancia en la elecciones. Además, las fuerzas económicas del país están a favor del Tratado… No hay que preocuparse.

Ejercicio de comprensión   p. 271

CD Track 34

Ud. va a escuchar un comentario sobre las relaciones entre los Estados Unidos e Hispanoamérica durante el siglo XX. Después del comentario, va a escuchar varias oraciones. Indique Ud. si la oración es **verdadera** (V) o **falsa** (F), trazando un círculo alrededor de la letra que corresponde a la respuesta correcta.

Durante el siglo XX y principios del siglo XXI las relaciones entre los Estados Unidos e Hispanoamérica se han basado principalmente en cuestiones económicas, con la única excepción del incidente del canal de Panamá. El apoyo de los Estados Unidos a Panamá en el logro de su independencia fue motivado por su interés en la construcción del canal, hecho histórico que ha sido motivo de conflictos posteriores.

La capacidad de dominio económico de los Estados Unidos ha dado lugar a una serie de problemas en sus relaciones con el resto del hemisferio. Para asegurar la estabilidad de estas relaciones económicas los Estados Unidos han apoyado gobiernos no populares en Hispanoamérica. Por otro lado, tratando de atraer el capital norteamericano, los capitalistas hispanoamericanos han firmado acuerdos comerciales que benefician más al extranjero que a su propio país. Esto ha ocasionado que los intereses norteamericanos dominen en casi todos los países hispanoamericanos y haya un resentimiento profundo en contra de los «yankis» de parte del pueblo.

La tendencia de las naciones a sólo preocuparse por sus propios intereses en la escena internacional, resulta en la historia del proceso de evolución de países vecinos. Esta falta de comprensión mutua sólo aumenta las divisiones y conflictos entre los países.

Ahora, escuche las siguientes oraciones.

1. El canal de Panamá fue construido en el siglo XIX.
2. Los Estados Unidos tienden a dominar las relaciones económicas con el resto del hemisferio.
3. Los Estados Unidos sólo apoyan gobiernos democráticos en Hispanoamérica.
4. Los capitalistas hispanoamericanos sólo trabajan a favor de su propio país.
5. Hay resentimiento en Hispanoamérica contra los «yanquis».
6. Todos nos comprendemos perfectamente.

Unidad 12

En contexto: Los viajes de verano   p. 276   CD Track 35

Antes de leer el diálogo, escúchelo con el libro cerrado. ¿Cuánto comprendió?

Carlos, Bob y Rudi vuelven a encontrarse en la cafetería de la universidad para seguir su charla sobre los viajes de verano. Esta vez hablan del viaje que Carlos piensa hacer al suroeste de los Estados Unidos.

CARLOS   Bueno, esta tarde tengo el último examen y mañana voy a hacer turismo. ¿Y Uds.? ¿Cuándo salen?

BOB   No salimos hasta el lunes. ¿Adónde vas primero?

CARLOS   Esperaba que Uds. me aconsejaran. Quiero ver lugares que demuestren la influencia mexicana. ¿Sería mejor ir a Phoenix, Tucson u otra ciudad?

RUDI   Pues, en cuanto a la influencia mexicana, hay relativamente poca en Phoenix, pero mucha en Tucson. Aquélla fue establecida mucho más tarde. La misión de San Xavier del Bac, cerca de Tucson, fue construida en 1700.

BOB   En realidad, casi toda la influencia hispánica en Arizona es reciente, pero en el norte de Nuevo México y en el sur de Colorado hay pueblos que se fundaron en los tiempos coloniales. Ver esa región es indispensable.

RUDI   Si tienes mucho tiempo, te puedo recomendar algunos sitios magníficos en las montañas de Nuevo México. Pero por lo menos te daré la dirección de mis tíos en Santa Fe —ellos te pueden guiar por la ciudad.

CARLOS   Y la gente de Texas, ¿no es de procedencia mexicana también?

BOB   Bueno, Texas es más semejante a California —una mezcla de gente mexicana cuyos antepasados llegaron en el siglo XVIII, o inmigraron recientemente. El aspecto colonial se limita a varias misiones aisladas.

CARLOS	¿No son los estados de más concentración hispánica?
RUDI	Sí, es cierto, pero en Texas y en California ha habido más contacto con la cultura anglosajona que en otras partes como Nuevo México. ¿Cómo viajas? ¿En avión?
CARLOS	Sí, porque en autobús llevaría demasiado tiempo, ya que la distancia es enorme. Si pudiera, iría en tren, pero es difícil.
RUDI	No sólo difícil, sino imposible.
CARLOS	Tengo pasaje de Los Ángeles a San Antonio, y puedo hacer escala en cualquier ciudad de en medio. Pensaba que podía tomar el autobús para visitar los pueblos pequeños.
RUDI	¿Compraste boleto de ida y vuelta?
CARLOS	No. Es un boleto de ida porque voy a viajar de San Antonio a México para pasar unos días con mis padres antes de volver a la universidad.
BOB	Hablando de México, ¿cuándo vas a orientarnos un poco más? Partimos el lunes para la capital.
CARLOS	Lo haré con mucho gusto. Si fuera posible, los acompañaría en una gira por mi patria. Pero creo que les puedo dar algunos consejos sobre los lugares más pintorescos e interesantes.
BOB	¿Por ejemplo?
CARLOS	Miren, tengo otro examen en diez minutos. Quisiera repasar mis apuntes una vez más antes de entrar. ¿Qué tal si nos reunimos aquí a las seis?
RUDI	Perfecto. Que salgas bien en el examen.
BOB	Sí, buena suerte.
CARLOS	Gracias. La voy a necesitar. Hasta luego. Nos vemos a las seis.

A escuchar: Lo colonial   p. 292

CD Track 36

Escuche la situación siguiente y complete las actividades.

Un grupo de estudiantes hispánicos graduados tiene una tertulia, reunidos en el apartamento de dos de ellos. Intercambian impresiones sobre las recientes vacaciones de primavera de las que acaban de volver. Unos se fueron de viaje y otros se quedaron a estudiar.

ÁLVARO	Uds. tienen una suerte… Yo,… desde que estoy estudiando aquí, no he visto nada… me paso la vida en el laboratorio de física.
PILAR	Y yo tres cuartos en lo mismo… Pero, ¡cuéntenos cómo lo pasaron!
JAIME	¡Hombre!… lo que soy yo… ¡a esquiar no vuelvo! Me torcí un tobillo, y aún me duele… Pero me hubiera quedado más tiempo en Santa Fe. Es una ciudad con algo muy especial…
ISABEL	Sin duda… Aquella plaza central que tiene me recuerda las coloniales de las ciudades nuestras… Pero no conozco ninguna ciudad que tenga las casas hechas de adobe… con aquel color que confunde con la tierra…
JAIME	Y las iglesias… ¡impresionante!… tan sencillas. Nooo,… primitivas… de arquitectura tan elemental, pero que irradian espiritualidad…
ÉLIDA	Pues, yo me fui a San Antonio. Ya saben que una de mis compañeras me llevó a su casa. San Antonio debe ser la ciudad más divertida de los Estados Unidos…, y todas las misiones que tiene… ¿Saben que fue fundada por colonizadores canarios? Lo mismito que mi Montevideo del alma…

Ud. va a escuchar un comentario sobre la influencia hispánica en los Estados Unidos. Después del comentario, va a escuchar varias oraciones. Indique Ud. si la oración es verdadera (V) o falsa (F), trazando un círculo alrededor de la letra que corresponde a la respuesta correcta.

Entre los grupos culturales que habitan en los Estados Unidos existen más de veintitrés millones de personas de origen hispánico. Se pueden dividir en tres grupos distintos: Los puertorriqueños que concentran en el este, especialmente en Nueva York —esta ciudad ha estado recibiendo inmigración de la isla durante más de treinta años— los puertorriqueños por ser ciudadanos de Estados Unidos transitan libremente en el país. Otro grupo lo constituyen los cubanos, con su mayor concentración en el estado de Florida. Muchos de ellos llegaron como refugiados del gobierno revolucionario de Fidel Castro desde1959. A diferencia de la mayoría de los puertorriqueños, los cubanos generalmente pertenecían a las clases alta y media. Esta fue la razón por la cual estaban preparados para integrarse más fácilmente a la sociedad norteamericana y para establecerse en otras partes de los Estados Unidos, además de la Florida. El tercer grupo lo integran los mexicanoamericanos, cuya mayoría habita en el suroeste del país. A los mexicanoamericanos se les conoce también como a hispanos o «chicanos». Son un grupo variado, compuesto de elementos que descienden de los primeros pobladores de la región y de emigrantes recientes de México.

Ahora, escuche bien las siguientes oraciones.

1. Hay más de cien millones de personas de origen hispánico en los Estados Unidos.
2. Los puertorriqueños transitan libremente en los Estados Unidos.
3. Todos los cubanos que habitan en los Estados Unidos viven en el estado de la Florida.
4. Los cubanos estaban más preparados para entrar en la sociedad norteamericana.
5. Todos los chicanos inmigraron recientemente.

AMÉRICA DEL SUR

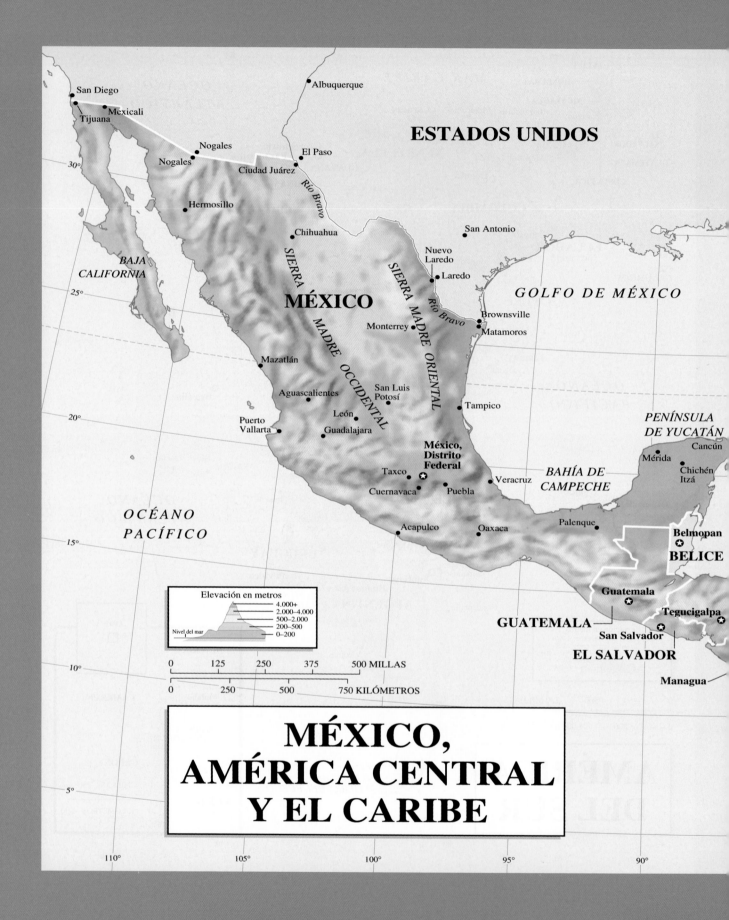

San Diego
Albuquerque
Tijuana
Mexicali
Nogales
Nogales
El Paso
Ciudad Juárez

ESTADOS UNIDOS

30°

Río Bravo

Hermosillo

Chihuahua

San Antonio

Nuevo
Laredo

*BAJA
CALIFORNIA*

25°

SIERRA

SIERRA MADRE ORIENTAL

Laredo

GOLFO DE MÉXICO

MÉXICO

Río Bravo

Monterrey

Brownsville
Matamoros

Mazatlán

MADRE

San Luis
Potosí

20°

Aguascalientes

OCCIDENTAL

León

Tampico

*PENÍNSULA
DE YUCATÁN*

Puerto
Vallarta

Guadalajara

Cancún

Mérida

**México,
Distrito
Federal**

Taxco ✪

Veracruz

*BAHÍA DE
CAMPECHE*

Chichén
Itzá

Cuernavaca

Puebla

*OCÉANO
PACÍFICO*

15°

Acapulco

Oaxaca

Palenque

Belmopan
✪
BELICE

Elevación en metros
4.000+
2.000–4.000
500–2.000
200–500
0–200
Nivel del mar

Guatemala
✪

Tegucigalpa
✪

GUATEMALA

0   125   250   375   500 MILLAS

San Salvador
✪

10°

0   250   500   750 KILÓMETROS

EL SALVADOR

Managua

5°

MÉXICO,
AMÉRICA CENTRAL
Y EL CARIBE

110°   105°   100°   95°   90°

Conversación y repaso
Ninth Edition

Intermediate Spanish

Lynn Sandstedt
University of Northern Colorado

Ralph Kite

THOMSON

HEINLE

Australia | Brazil | Canada | Mexico | Singapore | Spain | United Kingdom | United States

THOMSON

™

HEINLE

Conversación y repaso
Intermediate Spanish
Ninth Edition
Sandstedt • Kite

Editor in Chief: PJ Boardman
Senior Acquisitions Editor: Helen Alejandra Richardson
Development Editor: Marisa Garman
Senior Content Project Manager: Esther Marshall
Assistant Editor: Meg Grebenc
Editorial Assistant: Natasha Ranjan
Associate Content Project Manager: Jessica Rasile
Marketing Manager: Lindsey Richardson
Senior Marketing Assistant: Marla Nasser
Senior Marketing Communication Manager: Stacey Purviance

Managing Technology Project Manager: Wendy Constantine
Manufacturing Buyer: Elizabeth Donaghey
Composition & Project Management: Greg Johnson,
    Art Directions
Senior Permissions Accounts Manager, Images: Sheri Blaney
Photo Researcher: Jill Engebretson
Permissions Editor: Llanca Letelier
Text & Cover Designer: Brian Salisbury
Senior Art Director: Cate Rickard Barr
Text & Cover Printer: C&C Offset Printing Co. Ltd.

Cover Photos: ©sun calendar: Peter Horree/Index Stock
Imagery; crowd: Felix Stenson/Alamy; Mayan sculpture: RF/
Corbis; bridge: Sebastian/RF/Alamy; llama: Fotos & Photos/
Index Stock Imagery; dancer: blickwinkel/Alamy; fish mola:
RF/Corbis; couple: Benno deWilde/RF/Alamy; Easter Island:
Angelo Cavalli/Index Stock Imagery

Thomson Higher Education
25 Thomson Place
Boston, MA 02210-1202
USA

Printed in China
1 2 3 4 5 6 7   10 09 08 07

Library of Congress Control Number: 2006936560

Student Edition: ISBN 978-1-4130-3012-9 / 1-4130-3012-2

For more information about our products, contact us at:
Thomson Learning Academic Resource Center
1-800-423-0563
For permission to use material from this text or product, sub-
mit a request online at **http://www.thomsonrights.com.**
Any additional questions about permissions can be submitted
by email to **thomsonrights@thomson.com**

Credits appear on page 332, which constitutes a continuation of
the copyright page.

Índice

Preface

With the publication of the **Intermediate Spanish Series,** the materials available for use at the intermediate level took a step in a new direction. We had long believed that it would be desirable to have a "package" of materials, unified in content but varied in the possibilities for use in the classroom, that would be flexible enough that the instructor could easily adapt them to his or her own teaching style and particular interests.

With this in mind, we devised the three highly successful textbooks that made up our intermediate level program. *Conversación y repaso* reviews and expands upon the essential points of grammar covered in the first year and also includes dialogues for listening and reading practice, listening exercises, abundant personalized exercises, speaking strategies, and a variety of activities intended to stimulate conversation. *Civilización y cultura* presents a variety of topics related to Hispanic culture. The approach in this reader is thematic rather than purely historical, and the topics have been chosen both for the insights that they offer into Hispanic culture and for their interest to students. The exercises are designed to reinforce the development of reading, writing, and speaking skills, to build vocabulary, and to stimulate class discussion. *Literatura y arte* introduces the student to literary works by both Spanish and Spanish-American writers and to the rich and diverse contributions of Hispanic artists to the fine arts. The accompanying exercises also stress the development of reading, writing, and speaking skills and include vocabulary-building and conversational activities.

One of the unique features of the program is the thematic unity of the texts. Each unit of each textbook has the same theme as the corresponding unit of the others. For example, Unit 7 of the grammar textbook deals with the subject of poverty and the problem of the migration of workers in Hispanic culture in its dialogues and conversational activities. The same theme "Aspectos económicos de Hispanoamérica," is treated in the seventh unit of the civilization and culture reader, and further explored in Unit 7 of the literature and art reader in the short story "Es que somos muy pobres" and in the essay on the murals of Diego Rivera.

We have found that this thematic unity offers several advantages to the teacher and student: (1) the teacher may combine the basic grammar and conversation book with either or both of the readers and be assured that essentially the same cultural and linguistic information will be presented to the students; (2) the amount of material to be covered may be adjusted through the choice of one textbook or more, making it possible to balance the quantity of material and the amount of classroom contact available; (3) if one book is used in the classroom, another may be used for outside work by those students who wish additional contact with the language; (4) for individualized programs, only those units may be assigned that are relevant to the student's particular interests. Learning also may be reinforced by using the workbook and Lab Audio Program (available on CD or in downloadable MP3 format) that accompany the series.

If several books are used, students will absorb a considerable amount of vocabulary related to the theme, and by the end of their study of the topic, will have overcome, at least in part, their reluctance to express their own ideas in Spanish. We have tested this "saturation" method in our own classrooms and have found it to be quite effective. We suggest that if several books are used, the grammar and initial dialogue should be studied first, followed by one or more of the other textbooks, and finally, the conversation stimulus section of the grammar and conversation text.

Like the earlier editions, this Ninth Edition of the **Intermediate Spanish Series** contains materials that will be of interest to students of different disciplines. Throughout, our goal has been to present materials that will enable students to develop effective communicative skills in Spanish and motivate them to want to know more about the culture they are studying.

We would like to thank the following colleagues for their valuable comments and suggestions:

Robert G. Black, *Carroll College*
Martin Camps, *University of North Florida*
Culley Carson-Grefe, *Austin Peay State University*
Gregory K. Cole, *Newberry College*
Ava Conley, *Harding University*
Michelle Connolly, *Community College of Rhode Island*
Robert Colvin, *BYU-Idaho*
William O. Deaver Jr., *Armstrong Atlantic State University*
Dr. Victor Manuel Duran, *University of South Carolina-Aiken*
John L. Finan, *William Rainey Harper College*
Alexandra Fitts, *University of Alaska Fairbanks*
Guadalupe Flores, *University of Texas at Browsville*
Carl L. Garrott, *Virginia State University*
Eduardo Gonzalez, *University of Nebraska at Kearney*
Piet Koene, *Northwestern College*
Monica Malamud, *Canada College*
Deanna H. Mihaly, *Eastern Michigan University*
Kay Past, *Coastal Bend College*
Catherine Quibell, *Santa Rosa Jr. College*
Dr. Emilio Ramon, *Siena College*
Ray S. Rentería, *Sam Houston State University*
Daniel Robins, *Cabrillo College*
Irene Stefanova, *Santa Clara University*
Angela R. Tauro, *Fairfield University*
Michael Wong-Russell, *Framingham State College*

Furthermore, we express our deepest appreciation to the great team at Heinle for their support and collaboration in every phase of this project. Throughout the development and the production of this program, the team at Heinle has provided invaluable guidance and expertise, and in particular to Helen Richardson, Marisa Garman, Esther Marshall, and Meg Grebenc. Thanks also go to all the other people at Heinle involved with this project and to the freelancers: Greg Johnson, Brian Salisbury, Jill Engebretson, Peggy Hines, and Patrice Titterington.

Introduction to *Conversación y repaso*

Conversación y repaso is a review grammar and conversational text designed for second-year college courses. It is intended to be used with one or both of the accompanying readers, *Civilización y cultura* and *Literatura y arte,* but it may also be used with other second-year materials. The purpose of the text is to review and expand upon the essential points of grammar covered in the first year and to provide the student with ample opportunity for developing communication skills through the application of these concepts in real life situations.

The material presented in each of the twelve units of *Conversación y repaso* consists of the following:

1. An opening dialogue in the **En contexto** section relates thematically to the corresponding units in *Civilización y cultura* and *Literatura y arte.* These dialogues are not intended for memorization; their purpose is to introduce the vocabulary and structures as well as various aspects of the culture that will be studied in each

unit. They may also be used for listening and reading practice and as a stimulus for conversation. A recording of the dialogues is available on the free Text Audio CD included with each new copy of the text

2. **Vocabulario activo** is a vocabulary list of the new words presented in **En contexto.** This list is not comprehensive; it contains only those words and idioms that students would not be expected to know after the first year of Spanish. A complete Spanish-English vocabulary appears at the end of the text. This section also includes activities that require the active use of the new vocabulary.

3. **Notas culturales** clarify some of the more subtle cultural points referred to in the dialogue. This section is intended to expand students' knowledge and understanding of the various cultures of the Spanish-speaking world. A new **Actividad cultural** gives students the opportunity to discuss the similarities and differences between the cultures of the Spanish-speaking world and their own. A series of comprehension questions as well as personalized questions give students the opportunity to express their opinions on some of the cultural points presented in the dialogue.

4. A grammar section, **Estructura,** comprises the major portion of each unit. This section begins with a clear, concise explanation of a particular grammatical concept, accompanied by numerous examples. The concept is then immediately applied through a series of contextualized written and oral exercises.

   These exercises are primarily designed for paired and group work. The grammar organization of this text is rather unique. The authors have found through extensive teaching experience at the intermediate level that students have great difficulty mastering the subjunctive mood. Because of this, all tenses of the indicative are reviewed and practiced in the first four units of the text.

   Beginning with Unit 5, a step-by-step, systematic presentation of the subjunctive is begun. One major use of the subjunctive is presented in each of the subsequent six chapters, thus allowing the student to master one concept before proceeding to the next. We feel that this type of presentation minimizes confusion and misunderstanding on the part of the student.

5. A grammar review section called **Repaso,** consisting of exercises on the most important points of grammar presented in the unit. The exercises may be done orally or in writing. Each review section includes activities that are meant to encourage more student interaction.

6. **A conversar** presents and practices strategies for developing effective conversational skills in Spanish. It is comprised of a controlled conversation designed to help students to formulate a short, logical exchange of ideas; and a role-playing situation that gives students the opportunity to express themselves on a topic of everyday importance. This is followed by a drawing accompanied by questions designed to give students practice in describing and expressing personal opinions on a variety of issues. New to this addition are correlations to the **Heinle Transparency Bank,** which provides additional images for discussion and analysis. The authors have found that these personalized activities motivate the students to use the language and lead to a very exciting and stimulating exchange of ideas.

7. An **A escuchar** section, based on a short, authentic dialogue on the Text Audio CD, provides the opportunity to develop listening skills. Post-listening exercises check comprehension and provide varied opportunities for interactive elaboration upon the topic presented. These authentic dialogues also introduce the students to additional cultural concepts found in the Spanish-speaking world. New to this edition, students will encounter a second listening segment called **Ejercicio de comprensión.** This second segment provides a chapter-related cultural commentary followed by a true/false series that checks comprehension.

8. The **Intercambios** section emphasizes the development of communicative skills. These usually include a "value clarification" exercise and a series of "topics for conversation" encouraging students to express their own feelings and ideas about topics they may meet in everyday life.

9. **Investigación y presentación** follows and this section features a task-based, integrated skill activity designed for small group work.

10. This activity is followed by an all-new **Expansión,** which encourages students to research a topic of interest that will help them gain a better understanding of cultural and historic facets of the Spanish-speaking world either on the Internet, or in the accompanying *Civilización y cultura* and *Literatura y arte* volumes. To successfully achieve the objectives of this activity students have to engage in active communication to help them to further develop their communicative skills in the interpersonal, interpretive, and presentational areas of communication.

New to the Ninth Edition of *Conversación y repaso*

In response to suggestions made by users of the previous editions as well as reviewers, the following changes have been implemented in the Ninth Edition of the *Conversación y repaso.*

■ New unit openers now include more detailed content, correlations to the other ancillaries in the program, especially the two readers that accompany this textbook as well as **vMentor**™ and **Heinle iRadio**.

■ A new **Actividad cultural** gives students the opportunity to discuss the similarities and differences between the cultures of the Spanish-speaking world and their own.

■ The **Repaso** review section in each chapter becomes a more integral part of the chapter progression. Students can review the vocabulary and structures they've learned in the unit, before moving on to the more open-ended activities.

■ The **A escuchar** listening activities and the **Intercambios** open-ended communicative activities have a more gradual step-by-step approach to guide students through their listening comprehension and manage their communicative tasks. **A escuchar** now incorporates the **Ejercicio de comprensión** previously found under **Intercambios** in order to focus the listening practice to one targeted area.

■ An all-new **Expansión** encourages students to research a topic of interest that will help them gain a better understanding of cultural and historic facets of the Spanish-speaking world either on the Internet, or in the accompanying *Civilización y cultura* and *Literatura y arte* volumes.

■ An increased number of marginal annotations in the Annotated Instructor's Edition offer teaching tips and how to integrate the various ancillaries. There are also additional marginal annotations directed to students to give them helpful learning tips and remind them about previously presented material.

The Complete Intermediate Spanish Program

The Ninth Edition of this **Intermediate Spanish Series** is accompanied by an extensive collection of resources to provide a flexible, supported teaching experience. The complete program includes:

For the Student

Conversación y repaso Text/Audio CD Package 1-4130-3012-2

Includes all 12 chapters of the main text plus accompanying Text Audio CD for use with **En contexto** and **A escuchar** sections.

Literatura y arte 1-4130-3011-4

This second volume of the series features literary readings as well as artistic masterpieces from the Spanish-speaking world. This volume's 12 units are thematically tied to *Conversación y repaso*.

Civilización y cultura 1-4130-3010-6

Civilización y cultura is a thematic approach to Hispanic culture consisting of readings written for the third or fourth semester college course as well as authentic journalistic readings in Spanish. The essays present twelve topics, both historical and contemporary, that serve to introduce the student to various aspects of Hispanic tradition, customs, and values. Most of the points apply equally to Spain and to Spanish America, although some treat one or the other exclusively. A strong emphasis is placed on culture contrast in order for the student more readily to relate the material to his or her own experience.

Workbook/Lab Manual 1-4130-3186-2

The **Workbook/Lab Manual** has four major divisions: (a) listening comprehension exercises that expose the student to the vocabulary and grammatical structures of each unit in a variety of new situations; (b) oral drills for review and reinforcement of the grammatical concepts presented in each unit; (c) controlled and open-ended written exercises utilizing the same vocabulary and structures; and (d) a Composition writing section which contains guidelines to help students learn to write a composition. Answers for these exercises and the Lab Audio Script are posted on the Instructor's side of the companion website in order to give instructors the choice of offering students the opportunity for immediate self-correction.

The **Lab Audio Program (1-4130-3187-0)** stresses listening comprehension, oral drill on the important points of grammar, and the development of speaking skills. The Lab Audio can also be downloaded in MP3 format from **www.ichapters.com.**

Video on DVD 1-4282-0510-1

The new DVD to accompany the Intermediate Spanish series presents—unit by unit—a specially selected cultural topic relating directly to material covered in *Civilización y cultura.* Corresponding activities found in the text prepare students for viewing the DVD, review useful vocabulary, summarize the video, test student comprehension, and solicit individual reactions to the film.

vMentor™ 0-5342-5355-5

Available free with every new copy of the text, **vMentor** gives students access to one-on-one, online tutoring help from a subject-area expert. In **vMentor's** virtual classroom, students interact with the tutor and other students using two-way audio, an interactive whiteboard for illustrating the problem, and instant messaging.

Atajo 4.0 CD-ROM: Writing Assistant for Spanish 1-4130-0060-6

The **Atajo 4.0 CD-ROM: Writing Assistant for Spanish** program combines the features of a word processor with databases of language reference material, a searchable dictionary, a verb conjugating reference, and audio recordings of vocabulary and example sentences. It provides easy access to authentic samples of the language, with a focus on information that is useful to the learner. New to this edition is a unique partnership with Merriam-Webster®, Inc. that integrates the entire contents of *Merriam-Webster's® Spanish English Dictionary* into the Writing Assistant program's searchable dictionary.

Sonidos, sabores y palabras with Nuevo Latino Music CD 1-4130-2169-7

Sonidos, sabores y palabras is a culturally rich program designed to use music to increase understanding of not only the Spanish language, but also the cultures and messages music conveys. *Sonidos, sabores y palabras* with Putumayo's **Nuevo Latino** Music CD is designed with the latest research in music and second language acquisition and learning scenarios that reflect the national standards and the current focus on performance based assessment.

Typing Accents for Spanish Bookmark 0-7593-0659-1

The laminated bookmark includes keyboard instructions on how to type in accents, making it an invaluable tool for anyone composing on the computer.

Heinle iRadio (Visit www.thomsonedu.com/spanish)

Heinle iRadio is a program Heinle World Languages has introduced to deliver language-specific podcasts to its customers. The program takes advantage of a technology known as podcasting. Podcasts function much like a short radio show or program, and can be played on your computer or downloaded directly onto portable MP3 players.

For Instructors

Conversación y repaso Annotated Instructor's Edition/Text Audio CD Package
1-4130-3183-8

The Annotated Instructor's Edition contains all of the content from the main text and in addition provides instructors with answers to all closed-ended activities as well as numerous teaching tips to provide assistance in teaching the program effectively.

Instructor's Resource CD-ROM 1-4130-3185-4

The Instructor's Resource CD-ROM contains 4 folders with documents in either PDF, Windows 3.1, Windows 95, or Word 6.0 formats. Clicking on any one of these will give three folders containing files related to *Civilización y cultura, Conversación y repaso* and *Literatura y arte*.

Civilización y cultura
- one document contains exams for Units 1–12
- one document contains answers to those exams

Conversación y repaso
- contains 1 answer key for all 12 tests
- each test for each unit is labeled CR1_01, CR1_02, etc...
- the oral portion of the test is labeled CR1-ORAL and it has the oral strand for all 12 units

Literatura y arte
- one document contains exams for Units 1–12
- one document contains answers to those exams

The Heinle Spanish Transparency Bank 0-8384-0987-3

Over 100 color transparencies, identified by alpha-numeric code.

Heinle Voices Literary Database

Recommendations for further reading in the **Heinle Voices Database** at **http://voices.thomsoncustom.com** are included at the end of the reading selection in each unit in both *Civilización y cultura* and *Literatura y arte*.

Guía básica 1-4130-1468-2

This guide combines both the theory of literary criticism and the practicality of how to write a literary paper into a single text.

Situation Cards 0-0302-6769-2

This set of 144 situation cards may be used for extemporaneous speaking practice or for evaluating speaking in oral interviews.

This Ninth Edition of the **Intermediate Spanish Series**
is dedicated to the memory of John G. "Pete" Copeland,
an inspirational teacher and an equally inspired
friend and colleague.

Ralph Kite and Lynn Sandstedt

Orígenes de la cultura hispánica: Europa

Se puede ver este acueducto romano en Segovia, España. Todavía lleva agua corriente de las montañas cercanas. Describa esta escena y el contraste entre lo antiguo y lo moderno.

vMentor

Before beginning this and other **unidades,** refer students to the **vMentor** for live online help. Available FREE to students when you adopt **Conversación y repaso,** vMentor is one-to-one online tutoring help with a Spanish expert who has a copy of this text. **vMentor** features two-way audio, an interactive whiteboard for displaying presentation materials, and instant messaging. For more information on **vMentor** (including hours the virtual classroom is open), contact your Thomson representative.

Literatura y arte: Note that the themes of each **unidad** of **Literatura y arte** correspond to those of **Conversación y repaso. Unidad 1** of this text presents the well-known short story, **"El conde Lucanor,"** written by D. Juan Manuel. In the section on **Arte,** the beauty of **La Alhambra** is the focus of study. Some or all of this material can be assigned as you proceed through the **unidad** so that students have a better and more in-depth understanding of the theme.

En contexto

Mi clase de cultura hispánica

Civilización y cultura: Note that the themes of each **unidad** of **Civilización y cultura** correspond to those of **Conversación y repaso,** as they do in **Literatura y arte.** **Civilización y cultura** presents a series of perspectives and practices related to the topic of origins of the Hispanic culture in Europe. There are four sections devoted to this theme: **La cultura romana, La cultura visigoda, La cultura árabe,** and **Otras influencias en la cultura española.** Some or all of this material can be assigned as you proceed through the **unidad** so that students have a better and more in-depth understanding of the theme.

Estructura

- Nouns and articles
- Subject pronouns
- The present indicative of regular verbs
- Stem-changing verbs
- Other stem-changing verbs
- Spelling-change verbs
- The present indicative of irregular verbs
- Adjectives
- The personal **a**

Repaso

www.thomsonedu.com/spanish/intermediatespanish

A conversar
Nonverbal communication

A escuchar
¿Catalán o castellano?

Intercambios

Investigación y presentación
El sur
Expansión

www.thomsonedu.com/spanish/intermediatespanish

1

Mi clase de cultura hispánica

Suggestion: Assign **Vocabulario activo** as homework. During class time, before having students listen to the dialogue, you can quickly review the **Para practicar** section.

Vocabulario activo

Estudie estas palabras.

Verbos
aportar *to bring into, contribute*
callarse (cállate) *to be quiet*
conquistar *to conquer*
distraer *to distract*
dormirse (ue) *to fall asleep*
durar *to last*
encontrarse (ue) (con) *to meet, by chance/run into*
olvidarse (de) *to forget*
opinar *to think, have an opinion*

Sustantivos
la base *basis*
el idioma *language*

la lengua *language*
la ortografía *spelling*
el sabor *flavor*
el siglo *century*

Adjetivos
antiguo(a) *old, ancient*
distinto(a) *different*
extranjero(a) *foreign*
predilecto(a) *favorite*

Otras expresiones
se me ocurre *it occurs to me*

1-1 Para practicar. Complete el párrafo siguiente con palabras escogidas de la sección **Vocabulario activo**. No es necesario usar todas las palabras.

En el 1. __siglo__ antes de Cristo, los romanos 2. __conquistan__ la Península Ibérica. Ellos 3. __aportan__ a la península un nuevo 4. __idioma__ que sirve como la 5. __base__ del español moderno. A veces nosotros 6. __nos olvidamos__ de lo que pasa cuando dos civilizaciones 7. __se encuentran__. La influencia de la civilización 8. __antigua__ de los romanos 9. __dura__ hasta hoy por el español que llega a ser la 10. __lengua__ 11. __predilecta__ de España y uno de los idiomas 12. __extranjeros__ más estudiados del mundo.

Text Audio CD, Track 2 **Mi clase de cultura hispánica.** Antes de leer el diálogo, escúchelo con el libro cerrado. ¿Cuánto comprendió?

ELENA   Oye, Ramón, ¿tienes los ejercicios para hoy?

RAMÓN   No, no los tengo. Nunca[1] entiendo bien la explicación del profesor. ¿La entiendes tú?

ELENA   Sí, pero nunca termino los ejercicios. Me duermo mientras los hago.

RAMÓN   Tenemos que distraer al profesor. Cuando empieza a hablar de sus temas predilectos, se olvida de la lección.

ELENA   Se me ocurre una idea…

RAMÓN   ¡Cállate! —ahí viene.

PROF.   Buenos días, jóvenes. Hoy vamos a estudiar los verbos reflexivos. Estos verbos… ¿una pregunta, Elena?

ELENA   Sí, señor. ¿Por qué no nos explica por qué el español y el francés son tan distintos?[1] Nos hablaba de[2] las influencias extranjeras sobre el idioma español, pero sólo hasta los visigodos…

PROF.   Ah, sí. Pues bien, la base del español moderno es el latín que hablan los romanos que conquistan la Península Ibérica en el año 200 antes de Cristo. En el siglo V después de Cristo, invaden la península los visigodos del norte de Europa. Ellos aportan al idioma más de 300 palabras del alemán antiguo. Pero una influencia más importante es la de los moros, que vienen del norte de África.[2] Hay más de 6.000 palabras en el español moderno que proceden del árabe, por ejemplo, casi todas las palabras que comienzan con «al» como «almacén»[3], «álgebra», «alcalde»[4], etcétera.

RAMÓN   ¿En qué época llegan los moros y por cuánto tiempo ocupan la península?

PROF.   Llegan en el año 711 a la península…

ELENA   (a Ramón) ¡Nos escapamos una vez más!

Notas culturales

[1] **el español y el francés son tan distintos:** *Los dos idiomas tienen mucho en común, pero también muestran muchas diferencias. Lo mismo se puede decir de las otras lenguas neolatinas: el italiano, el portugués, el rumano, etc. A veces las diferencias son de ortografía, pero otras veces las palabras son de origen distinto y de evolución variada.*

[2] **los moros, que vienen del norte de África:** *La invasión de la Península Ibérica por los pueblos islámicos en el siglo VIII llega hasta los Pirineos. Este contacto entre moros y cristianos, que dura hasta 1492, le da un sabor distinto a la cultura y también a la lengua española.*

[1] Nunca *Never*   [2] Nos hablaba de *You were talking about*   [3] almacén *warehouse, department store*
[4] alcalde *mayor*

1-2 Actividad cultural. En el diálogo y en las **Notas culturales** se menciona que a veces una lengua puede influir otra lengua. En grupos de tres personas, hagan un análisis lingüística sobre la influencia que la lengua española ha tenido sobre la lengua inglesa. Todos los grupos necesitan un papel dividido en tres columnas que representan las categorías de palabras españolas que ahora son una parte del vocabulario inglés: (1) la geografía; (2) la comida; (3) los lugares. Después de escribir sus listas de palabras, compárenlas con los otros grupos.

1-3 Comprensión. Conteste las siguientes preguntas.

1. ¿Por qué no tiene Ramón los ejercicios?
2. ¿Por qué no los tiene Elena?
3. ¿Cuál es la idea de Ramón?
4. ¿Qué van a estudiar hoy?
5. ¿Qué quieren saber Elena y Ramón?
6. ¿Qué lengua es la base del español moderno?
7. ¿Cuáles son algunas de las influencias extranjeras sobre el español?
8. ¿Cómo comienzan muchas palabras de origen árabe?

1-4 Opiniones. Conteste las siguientes preguntas.

1. ¿Estudia Ud. la lección todos los días? ¿Por qué?
2. ¿Distrae Ud. a sus profesores? ¿Cuándo?
3. ¿Cree Ud. que es fácil aprender un idioma extranjero? ¿Por qué?
4. Si Ud. no entiende bien una pregunta en español, ¿qué hace?
5. ¿Por qué quiere Ud. estudiar español?
6. ¿Tiene la oportunidad de hablar español? ¿Dónde y con quién?

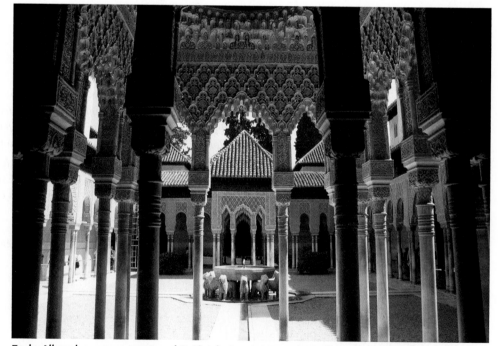

En la Alhambra se encuentra el Patio de Los Leones. ¿Dónde está la Alhambra? ¿Por qué se llama este patio el Patio de Los Leones? El edificio es un buen ejemplo de la arquitectura mora. Descríbala.

Grammar considerations: Assign this section as homework so that you can dedicate more class time to the activities in the **Práctica** section. In class, quickly review the information on nouns and articles by asking students to provide examples. Then, write them on the board.

Nouns and articles

A. Singular forms

In Spanish, nouns are often accompanied by articles.

1. Nouns ending in **-o** are usually masculine and are introduced by a masculine article. Those ending in **-a** are usually feminine and are introduced by a feminine article.

Definite articles	Indefinite articles
the	**a, an**
el hijo *the son*	un chico *a boy*
la hija *the daughter*	una chica *a girl*

2. Some nouns that end in **-a** are masculine.

el día *day*	el idioma *language*	el problema *problem*
el mapa *map*	el clima *climate*	el programa *program*
el drama *drama*	el poeta *poet*	el cura *priest*

3. Some nouns that end in **-o** are feminine.

la mano *hand*	la foto *photo*	la moto *motorcycle*

4. Nouns ending in **-dad, -tad, -tud, -ión, -umbre,** and **-ie** are usually feminine.

la ciudad *city*	la conversación *conversation*
la voluntad *will*	la muchedumbre *crowd*
la actitud *attitude*	la especie *species*

5. Some other nouns can be either masculine or feminine, depending on their meaning.

el capital *money*	el corte *cut*	el cura *priest*
la capital *capital city*	la corte *court*	la cura *cure*

el guía *guide (male)*
la guía *guide (female), guidebook*

el policía *police officer (male)*
la policía *police force, police officer (female)*

6. Other nouns ending in **-s** or in other consonants can be either masculine or feminine.

el paraguas *umbrella*	el papel *paper*
la crisis *crisis*	la pared *wall*
el lunes *Monday*	el rey *king*
la tesis *thesis*	

7. Nouns ending in **-ista** may be either masculine or feminine.

el pianista	la pianista
el artista	la artista

8. Nouns referring to males are usually masculine and those referring to females are usually feminine, regardless of their endings.

el joven *the young man*   el estudiante *the (male) student*
la joven *the young lady*   la estudiante *the (female) student*
BUT

la persona *the person*   el individuo *the individual*

B. Plural forms

1. Nouns ending in a vowel add **-s.**

un libro *book*   unos libros *books*
una chica *girl*   unas chicas *girls*

2. Nouns ending in a consonant add **-es.**

una mujer *woman*   unas mujeres *women*

3. Nouns ending in **-z** change **z** to **c** and add **-es.**

el lápiz *pencil*   los lápices *pencils*

4. Nouns ending in **-n** or **-s** preceded by an accented vowel generally drop the accent mark in the plural.

la lección *lesson*   las lecciones *lessons*
el compás *compass*   los compases *compasses*

Note that nouns of more than one syllable ending in **-n** generally add an accent mark in the plural.

el examen *exam*   los exámenes *exams*
la orden *order*   las órdenes *orders*

Práctica

Out-of-class assignments, 1-5 & 1-6: Have students complete these activities at home so that you can dedicate more time to the activity that follows. At the beginning of the next class, correct at least one of the activities or have students compare their answers. If there does not seem to be any problem, then proceed with the rest of the **Práctica** section.

1-5 Una estudiante universitaria. Lea la información sobre Juana, una estudiante de la Universidad de Madrid. Luego complete cada oración con el artículo definido apropiado.

Juana, 1. __la__ hija de 2. __los__ señores (*Mr. and Mrs.*) González, asiste a 3. __la__ Universidad de Madrid. Estudia 4. __la__ música de 5. __la__ Edad Media (*Middle Ages*) y 6. __del__ Renacimiento (*Renaissance*) español. 7. __La__ Facultad de Música es muy buena, y 8. __los__ profesores tienen fama mundial por 9. __las__ investigaciones que ellos han hecho sobre esta clase de música. 10. __El__ programa escolar es muy exigente, pero 11. __las__ clases son interesantes. 12. __El__ problema que Juana tiene no es 13. __la__ dificultad de 14. __las__ lecciones, sino 15. __la__ falta de tiempo para leer y estudiar. No quiere pasar todos 16. __los__ días en 17. __la__ biblioteca. Prefiere visitar 18. __los__ museos de 19. __la__ ciudad y asistir a 20. __los__ dramas que se presentan en 21. __el__ Teatro Nacional. También a ella le gusta ir a 22. __las__ discotecas por 23. __la__ noche para bailar y charlar con 24. __los__ jóvenes que ella conoce.

1-6 La sala de clase. Identifique las varias cosas que se encuentran en una sala de clase. Complete las oraciones siguientes según el modelo.

> **Modelo**   Hay _____ en la clase. *(table)*
> *Hay una mesa en la clase.*

1. students
2. walls
3. books
4. door
5. windows

6. professor
7. pencil
8. girls
9. map
10. boys

Ahora, identifique otras cosas que hay en su clase.

1-7 Una comparación. Con un(a) compañero(a) de clase, hablen de las cosas que Uds. tienen en sus cuartos. Luego hagan una lista de las cosas que Uds. llevan a sus clases diariamente. ¿Cuántas cosas tienen en común?

> **Modelo**   Estudiante 1: *Tengo un televisor en mi cuarto y una computadora.*
> Estudiante 2: *Tengo una computadora también, pero sólo tengo un televisor en mi cuarto en casa.*
> Estudiante 1: *Siempre llevo mis libros a clase.*
> Estudiante 2: *También llevo mis libros y un bolígrafo.*

Subject pronouns

A. Forms

Singular	Plural
yo	nosotros(as)
tú	vosotros(as)
él	ellos
ella	ellas
usted	ustedes

The pronoun **tú** is used when talking with close friends, children, and family members. In more formal relationships **usted** is used to show respect. It should be noted, however, that the familiar **tú** form is often used in place of the formal **usted** form in everyday conversation in many regions of the Hispanic world. In Latin America the plural, informal **vosotros** form has been replaced by **ustedes** and its corresponding verb forms, possessives, and object pronouns. The **vosotros** form is still used in most parts of Spain.

B. Uses

1. Subject pronouns are not used as frequently in Spanish as in English. They are used mainly for emphasis or for clarification, since the ending of the verb often indicates the subject.

   Vamos a la clase de español, ¿verdad? No, yo no quiero ir.
   We're going to Spanish class, aren't we? No, I don't want to go.

   ¿Tienes los ejercicios?   *Do you have the exercises?*

   Vivimos en un pueblo pequeño.   *We live in a small town.*

2. **Usted** is used somewhat more frequently for both clarity and courtesy.

¿Puede Ud. explicar la base del español moderno?
Can you explain the basis of modern Spanish?

Ud. entiende la lección, pero no quiere ir a clase.
You understand the lesson, but you don't want to go to class.

3. The impersonal English subject pronoun *it* does not have an equivalent form in Spanish.

Es imposible olvidarse de eso.	*It is impossible to forget that.*
¿Qué es? Es una palabra extranjera.	*What is it? It's a foreign word.*

4. Subject pronouns are often used after the verb **ser** *(to be)*.

¿Quién es el profesor de esta clase? Soy yo.
Who is the professor of this class? I am.

5. Subject pronouns are frequently used when the main verb is not expressed.

¿Quién distrae al profesor? Ella.	*Who distracts the teacher? She does.*
Ellos van a España, pero nosotros no.	*They are going to Spain, but we aren't.*

Práctica

Answers 1-8: 1. yo; 2. ella; 3. tú; 4. nosotros; 5. ellos; 6. vosotros, ustedes; 7. él

1-8 Hablando de personas. ¿Cuál de los pronombres personales se usa cuando está hablando:

1. de Ud. mismo(a)?
2. de una muchacha?
3. a un(a) amigo(a)?
4. de Ud. mismo(a) y un grupo de personas?
5. de un grupo de muchachos?
6. a un grupo de niños?
7. de Roberto?

1-9 Cortesía. Escriba cinco nombres de personas que Ud. conoce bien (no sólo amigos[as]) y dígale a un(a) compañero(a) de clase qué pronombres personales Ud. usa cuando habla con ellas: ¿tú o usted?

The present indicative of regular verbs

A. Formation

Grammar considerations: Assign this section as homework so that you can dedicate more class time to the activities in the **Práctica** section.

The present indicative of regular verbs is formed by dropping the infinitive ending and adding the personal endings **-o, -as, -a, -amos, -áis, -an** to the stem of **-ar** verbs; **-o, -es, -e, -emos, -éis, -en** to the stem of **-er** verbs; and **-o, -es, -e, -imos, -ís, -en** to the stem of **-ir** verbs.

hablar *to speak*		**comer** *to eat*		**vivir** *to live*	
hablo	hablamos	como	comemos	vivo	vivimos
hablas	habláis	comes	coméis	vives	vivís
habla	hablan	come	comen	vive	viven

Common verbs that are regular in the present tense:

-ar verbs:	aceptar *to accept*	estudiar *to study*
	llegar *to arrive*	preguntar *to ask*
	invitar *to invite*	
-er verbs:	aprender *to learn*	beber *to drink*
	leer *to read*	vender *to sell*
-ir verbs:	abrir *to open*	descubrir *to discover*
	recibir *to receive*	asistir *to attend*
	escribir *to write*	

B. Uses

1. To describe an action or event that occurs regularly or repeatedly.

Juan estudia en la biblioteca.
Juan is studying in the library.

Los Hernández siempre comen a las diez de la noche.
The Hernández family always eats at 10 P.M.

2. In place of the future tense to give a statement or question more immediacy, or in place of the past tense in narrations to relate a historical event.

Hablo con ella mañana.
I'll speak with her tomorrow.

Los romanos conquistan España en el siglo II.
The Romans conquered Spain in the second century.

3. In place of the imperative to express a mild command or a wish.

Primero desayunas y después escribes la lección.
First have breakfast and afterwards write the lesson.

Práctica

Suggestion 1-10: Have students do this activity in pairs. Ask them to listen to each other carefully to correct any potential errors.

Answers 1-10: 1. tú: Estudias, Aprendes, Recibes; 2. nosotros: Estudiamos, Aprendemos, Recibimos; 3. Jaime: Estudia, Aprende, Recibe; 4. María y Elena: Estudian, Aprenden, Reciben; 5. Uds.: Estudian, Aprenden, Reciben

Answers 1-11: *Answers will vary.*

1-10 Una narrativa breve. Lea la narrativa breve que sigue. Luego, cuéntela desde el punto de vista de las personas indicadas. ¿Qué es el tema de esta narrativa?

Estudio español en la universidad. Aprendo mucho de la cultura hispánica en la clase también. Recibo buenas notas en este curso.

(tú, nosotros, Jaime, María y Elena, Uds.)

1-11 La rutina diaria. Use oraciones completas para describir ocho actividades que Ud. hace diariamente. (Use sólo verbos regulares.) Luego, compare su lista con la de su compañero(a) de clase. ¿Cuántas actividades son similares? Siga el modelo.

Modelo *Desayuno a las siete todos los días.* etc.
Tomás desayuna a las siete también. etc.

1-12 Una entrevista. Entreviste a un(a) compañero(a) de clase, utilizando las preguntas siguientes. Luego, comparen sus actividades diarias. ¿Cuáles son las semejanzas y diferencias?

> **Modelo** Estudiante 1: *¿Dónde estudias tú?*
> Estudiante 2: *Yo estudio en casa.*
> Estudiante 1: *Yo estudio en la biblioteca.*

1. ¿A qué hora te levantas todos los días?
2. ¿Desayunas? ¿Por qué?
3. ¿Vives cerca o lejos de la universidad? ¿Dónde?
4. ¿A qué hora llegas a la universidad todos los días?
5. ¿Asistes a todas tus clases todos los días? ¿Por qué?
6. ¿Qué estudias en la clase que te gusta más?
7. ¿Comprendes mucho o poco en esta clase? ¿Por qué?
8. ¿Recibes buenas o malas notas en tus clases? ¿Por qué?

Luego, su profesor(a) hará una encuesta de todos los estudiantes de la clase para saber lo que hace la mayoría de ellos. Él (Ella) va a escribir los resultados en la pizarra.

> **Modelo** *¿Qué lugar es el más popular?*
> *¿Cuántos estudiantes estudian en casa? ¿En la biblioteca?*
> *¿En la cafetería? ¿En otros lugares?*

1-13 Una carta. Ud. está escribiéndole una carta a un(a) amigo(a) para compartir algunas de sus experiencias en la universidad. Incluya las ideas siguientes en su carta.

1. Describe where you live.
2. Tell where you take your meals and why you eat there.
3. Describe your favorite classes and your favorite professor.
4. Give your impressions of the classes. Are they difficult? Interesting? Do you have to study a lot?
5. Explain what you do when you have free time.
6. Describe a new friend that you have made.
7. Tell your friend that you will write again after exam week.

Léale *(Read)* su carta a otro(a) estudiante. ¿Cuáles de sus experiencias de la universidad son diferentes? ¿semejantes *(similar)*?

Stem-changing verbs

Some verbs have a stem vowel change in the **yo, tú, él (ella, Ud.),** and **ellos (ellas, Uds.)** forms of the present indicative. This change occurs only when the stress falls on the stem vowel. Because of this, the **nosotros** and **vosotros** forms do not have a stem change.

Note: **pensar de** = *to think of (have an opinion);* **pensar en** = *to think about;* **pensar** + infinitive = *to intend, to plan.*

1. In some **-ar, -er,** and **-ir** verbs the stem vowel **e** changes to **ie** when it is stressed.

pensar *to think*		**entender** *to understand*		**preferir** *to prefer*	
pienso	pensamos	entiendo	entendemos	prefiero	preferimos
piensas	pensáis	entiendes	entendéis	prefieres	preferís
piensa	piensan	entiende	entienden	prefiere	prefieren

Other common stem-changing **-ar, -er,** and **-ir** verbs:

cerrar	perder	convertir
comenzar	querer	mentir
despertar		sentir
empezar		

2. In some **-ar, -er,** and **-ir** verbs the stem vowel **o** changes to **ue** when it is stressed.

contar *to count*		**poder** *to be able*		**dormir** *to sleep*	
cuento	contamos	puedo	podemos	duermo	dormimos
cuentas	contáis	puedes	podéis	duermes	dormís
cuenta	cuentan	puede	pueden	duerme	duermen

Other common **-ar, -er,** and **-ir** verbs with the same stem changes:

almorzar	mostrar	volver	morir
costar	recordar		
encontrar			

3. In some **-ir** verbs the stem vowel **e** changes to **i** when it is stressed.

pedir *to ask for*	
pido	pedimos
pides	pedís
pide	piden

Other common **-ir** verbs with the same stem change:

medir *(to measure)*	servir
repetir	vestir

Other stem-changing verbs

Some stem-changing verbs vary somewhat from the above patterns. The verb **jugar** changes **u** to **ue.** The verb **oler** (**o** to **ue**) adds an initial **h** to the forms requiring a stem change.

jugar *to play*		**oler** *to smell*	
juego	jugamos	huelo	olemos
juegas	jugáis	hueles	oléis
juega	juegan	huele	huelen

Práctica

Out-of-class assignments, 1-14 & 1-15: Have students complete these activities at home so that you can dedicate more time to the rest of the activities that follow. At the beginning of the next class, correct at least one of the activities or have students compare their answers. If there does not seem to be any problem, then proceed with the more open-ended activities.

Answers 1-14: 1. Claudia: Piensa, Quiere, Duerme, puede, Sirve, muestra; 2. Raúl y yo: Pensamos, Queremos, Dormimos, podemos, Servimos, mostramos; 3. los estudiantes: Piensan, Quieren, Duermen, pueden, Sirven, muestran; 4. Ud.: Piensa, Quiere, Duerme, puede, Sirve, muestra

1-14 Una narrativa breve. Lea la narrativa breve que sigue. Luego, cuéntela desde el punto de vista de las personas indicadas. ¿Qué es el tema de la narrativa?

Pienso volver de España el sábado. Quiero ir directamente a casa. Duermo dos días antes de visitar a mis amigos. Luego puedo invitarlos a casa para una fiesta. Sirvo unos refrescos y les muestro a ellos las fotos del viaje.

(Claudia, Raúl y yo, tú, los estudiantes, Ud.)

Modelo *Claudia piensa volver de España el sábado. (etcétera)*

1-15 Los sábados de Carlos. Describa lo que hace Carlos los sábados. Complete el párrafo con la forma del verbo en el tiempo presente. Use los verbos de la lista siguiente.

oler	pensar	jugar	servir	querer
almorzar	costar	preferir	empezar	volver

Carlos 1. ___piensa___ ir al gimnasio hoy. Él 2. ___juega___ al baloncesto con sus amigos todos los sábados por la mañana. Ellos 3. ___empiezan___ a jugar a las nueve. Después de dos horas Carlos 4. ___quiere___ ir a la cafetería en el centro estudiantil para comer. Sus amigos no 5. ___quieren___ ir con él porque trabajan por las tardes en una tienda en el centro. Carlos 6. ___prefiere___ comer con ellos, pero 7. ___vuelve___ solo a la universidad y 8. ___almuerza___ en la cafetería a las doce. Allí ellos no 9. ___sirven___ buena comida, y a veces 10. ___huele___ mal, pero a él no le importa porque no 11. ___cuesta___ mucho.

Answers 1-16: *Answers will vary.*

1-16 El fin de semana. Se han terminado las clases de la semana. Use los verbos indicados para describir los planes de Ud., sus amigos y su familia para el fin de semana. Siga el modelo.

> **Modelo** mis amigos / querer
> *Mis amigos quieren jugar al tenis.*

1. yo / querer
2. mi novia / preferir
3. mi mejor amigo / pensar

4. mis hermanos / empezar
5. mis padres / poder
6. mi compañero de cuarto / jugar

Ahora describa otros planes que Ud. tiene para el fin de semana y compárelos con los de otro(a) estudiante de la clase. ¿Hay una cosa que ambos de Uds. van a hacer? Explique.

Answers 1-17: *Answers will vary.*

1-17 Un viaje. Sus amigos hablan de un viaje que ellos quieren hacer. Conteste las preguntas sobre sus planes. Siga el modelo.

> **Modelo** Le contamos los planes del viaje al profesor. ¿Qué le cuentas tú?
> *Le cuento los planes del viaje al profesor.*

1. Queremos ir a Francia. ¿Adónde quieres ir tú?
2. Pensamos estudiar francés antes de ir. ¿Qué piensas estudiar tú?
3. Podemos llegar temprano al café esta noche para hablar del viaje. ¿Cuándo puedes llegar tú?
4. Preferimos viajar por tren en Francia. ¿Cómo prefieres viajar tú?
5. En Francia almorzamos en los mejores restaurantes. ¿Dónde almuerzas tú?
6. Les pedimos permiso para ir a nuestros padres. ¿A quién le pides permiso tú?

Compare sus respuestas con las de otro(a) compañero(a) de clase. ¿Tienen mucho en común?

Spelling-change verbs

Many verbs undergo a spelling change in the first person singular of the present indicative in order to maintain the pronunciation of the last consonant of the stem.

1. Verbs ending in a vowel plus **-cer** or **-cir** have a change from **c** to **zc** in the first person singular.

conducir:	conduzco	**ofrecer:**	ofrezco
conocer:	conozco	**producir:**	produzco
obedecer:	obedezco	**traducir:**	traduzco

Grammar considerations: Assign this section as homework so that you can dedicate more class time to the activities in the **Práctica** section. In class, quickly review the spelling-change verbs by asking students questions that require their use. For instance, **¿Conduce Ud. su coche para llegar a la universidad?**, etc.

Note that some spelling-change verbs also have a stem vowel change. The stem vowel change occurs, as usual, in the first, second, and third person singular and in the third person plural.

2. Verbs ending in **-guir** have a change from **gu** to **g** in the first person singular.

conseguir	(**e** *to* **i** *stem change*)
consigo	conseguimos
consigues	conseguís
consigue	consiguen

Other commonly used **-guir** verbs:

distinguir: distingo   **seguir:** sigo (**e** *to* **i** *stem change*)

3. Verbs ending in **-ger** or **-gir** have a change from **g** to **j** in the first person singular.

corregir	(**e** *to* **i** *stem change*)
corrijo	corregimos
corriges	corregís
corrige	corrigen

Other commonly used **-ger** and **-gir** verbs:

coger *(to catch, pick):* cojo   **dirigir** *(to direct):* dirijo

Práctica

Out-of-class assignment, 1-18 & 1-19: Have students complete these activities at home. At the beginning of the next class, correct at least one of the activities or have students compare their answers. If there does not seem to be any problem, then proceed with the more open-ended activity in this **Práctica** section.

Answers 1-18: 1. Conozco; 2. Corrijo; 3. Consigo; 4. Cojo; 5. Traduzco; 6. Sigo; 7. Dirijo; 8. Distingo; 9. Obedezco; 10. Produzco

1-18 A imitar. Cada vez que sus amigos dicen que ellos hacen algo, dice que Ud. hace la misma cosa también. Siga el modelo.

Modelo   Conducimos a Barcelona.
                    Yo conduzco a Barcelona también.

1. Conocemos a María.
2. Corregimos las oraciones.
3. Conseguimos el pasaporte.
4. Cogemos las flores.
5. Traducimos las oraciones.
6. ¿Seguimos por esta calle?
7. Dirigimos el proyecto.
8. Distinguimos entre lo malo y lo bueno.
9. Obedecemos al profesor.
10. Producimos programas especiales.

1-19 Un proyecto cultural. Complete la conversación entre María y José. Use el tiempo presente de un verbo apropiado. Practique el diálogo con un(a) compañero(a) de clase. Más tarde su profesor(a) va a escoger una pareja de estudiantes para que ellos puedan presentarle el diálogo a la clase.

JOSÉ   Hola, María. ¿Conoces a Juan?

MARÍA   Sí, lo **1.** ___conozco___ .

JOSÉ   ¿Sabes que él dirige el proyecto cultural de nuestra clase?

MARÍA   Sí, y yo **2.** ___dirijo___ el mismo proyecto en mi clase también.

JOSÉ   Como parte de tu proyecto, ¿es necesario traducir muchos artículos al inglés?

MARÍA   Pues, a veces **3.** ___traduzco___ artículos de los periódicos y revistas del mundo hispánico que tratan del tema de la cultura hispana.

JOSÉ   ¿Dónde consigues estas publicaciones?

MARÍA   Por lo general, las **4.** ___consigo___ en una librería en el centro.

JOSÉ   ¿Me recoges unas revistas cuando estés en el centro?

MARÍA   ¡Cómo no! Te **5.** ___recojo___ varios diarios y revistas.

JOSÉ   Gracias, María. Hasta la vista.

MARÍA   Adiós, José. Hasta luego.

1-20 Una entrevista breve. Con un(a) compañero(a) de clase, háganse las preguntas siguientes.

1. ¿Conoces a alguien famoso? ¿A quién?
2. ¿A quién obedeces? Explica.
3. ¿Consigues mucho dinero todos los meses? ¿Cómo?
4. ¿Sigues un curso difícil o fácil en la universidad? ¿Cuál?
5. ¿Corriges todos o algunos de los errores de tu tarea? ¿Por qué?

Grammar considerations: Assign this section as homework so that you can dedicate more class time to the activities in the **Práctica** section. In class, quickly review the present indicative of irregular verbs by asking students questions that require their use. For instance, **¿A qué hora sale de su casa los sábados?** or **¿Sale de su casa los sábados?** etc.

The present indicative of irregular verbs

Some Spanish verbs are irregular in the present tense.

1. Commonly used verbs that have irregularities only in the first person singular of the present indicative:

caer:	caigo, caes, cae, caemos, caéis, caen
hacer:	hago, haces, hace, hacemos, hacéis, hacen
poner:	pongo, pones, pone, ponemos, ponéis, ponen
saber:	sé, sabes, sabe, sabemos, sabéis, saben
salir:	salgo, sales, sale, salimos, salís, salen
traer:	traigo, traes, trae, traemos, traéis, traen
valer:	valgo, vales, vale, valemos, valéis, valen
ver:	veo, ves, ve, vemos, veis, ven

2. Commonly used verbs that have irregularities in other forms in addition to the first person singular:

Hay is the impersonal form of the verb **haber.** It means *there is* or *there are.*

decir:	digo, dices, dice, decimos, decís, dicen
estar:	estoy, estás, está, estamos, estáis, están
haber:	he, has, ha, hemos, habéis, han
ir:	voy, vas, va, vamos, vais, van
oír:	oigo, oyes, oye, oímos, oís, oyen
ser:	soy, eres, es, somos, sois, son
tener:	tengo, tienes, tiene, tenemos, tenéis, tienen
venir:	vengo, vienes, viene, venimos, venís, vienen

Out-of-class assignments, 1-21 & 1-22: Have students complete these activities at home. At the beginning of the next class, correct at least one of the activities or have students compare their answers. If there does not seem to be any problem, then proceed with the more open-ended activities.

Answers 1-21: 1. ella: Dice, Hace, oye, Está, sabe, tiene que; 2. los estudiantes: Dicen, Hacen, oyen, Están, saben, tienen que; 3. tú: Dices, Haces, oyes, Estás, sabes, tienes que; 4. nosotros: Decimos, Hacemos, oímos, Estamos, sabemos, tenemos que; 5. Uds.: Dicen, Hacen, oyen, Están, saben, tienen que

Práctica

1-21 Una narrativa breve. Lea la siguiente narrativa breve. Luego, cuéntela desde el punto de vista de las personas indicadas.

Digo la verdad. Hago la tarea durante la clase. Por eso no oigo bien al profesor. Estoy aquí para estudiar idiomas extranjeros, pero sé que tengo que estudiar más para tener éxito en las clases.

(ella, los estudiantes, tú, nosotros, Uds.)

1-22 Lo que hacemos o no hacemos. Use las frases siguientes para indicar si Ud. y sus amigos hacen las actividades siguientes o no. Siga el modelo.

Modelo   yo / hacer la tarea en la biblioteca
Hago la tarea en la biblioteca.
-o-
No hago la tarea en la biblioteca.

1. mi amigo / poner sus libros en la mesa del profesor
2. mi amigo y yo / saber muchas palabras del español antiguo
3. yo / salir para la universidad a las ocho
4. mis amigos / traer sus cuadernos a la clase
5. mi novio(a) / ir a la conferencia *(lecture)* esta noche
6. mis amigos / oír la explicación del profesor

 1-23 Una descripción personal. Haga cinco oraciones descriptivas de sí mismo(a), usando los verbos de esta lista: **decir, tener, ir, oír, estar, ver, salir, ser.** Luego, compare las oraciones con las de un(a) compañero(a) de clase. ¿Cuáles de las características personales que Uds. tienen son iguales? ¿diferentes?

1-24 Una entrevista. Con un(a) compañero(a) de clase, háganse las preguntas siguientes.

1. ¿Siempre dices la verdad? ¿Por qué?
2. ¿Vienes temprano a la clase todos los días? ¿Por qué?
3. ¿Vas a la cafetería después de la clase? ¿Por qué?
4. ¿Sales ahora para la biblioteca? ¿Por qué?
5. ¿En este momento estás en la clase de historia? ¿Dónde está?
6. ¿Sabes todas las respuestas de los ejercicios? ¿Por qué?
7. ¿Traes papel y lápiz a la clase? ¿Por qué?
8. ¿Eres buen(a) estudiante? Explique.

1-25 A conversar. Con un(a) compañero(a) de clase hablen de las cosas que quieren y tienen que hacer este fin de semana. Sigan el modelo.

Modelo   Estudiante 1: *Quiero ir al partido de fútbol este fin de semana.*
Estudiante 2: *Sí, yo también, pero tengo que trabajar en la cafetería el sábado.*

Adjectives

A. Singular forms

Heinle iRadio: To hear more about Adjectives, visit . . . **www.thomsonedu.com/spanish.**

Grammar considerations: Assign this section as homework so that you can dedicate more class time to the activities in the **Práctica** section.

1. Adjectives agree in gender and number with the nouns they modify. The singular endings are **-o** for masculine adjectives and **-a** for feminine ones.

el muchacho americano   la muchacha americana

After **ser,** predicate adjectives agree in number and gender with the subject. **Él es francés. Ellas son francesas.**

2. Adjectives that end in **-dor** in the masculine are made feminine by adding **-a.** Adjectives of nationality that end in a consonant are also made feminine by adding **-a.**

un hombre trabajador   una mujer trabajadora
un coche francés   una bicicleta francesa
el profesor español   la profesora española

3. Some adjectives are the same in the masculine and feminine.

un examen difícil	una lección difícil
un libro interesante	una novela interesante
el amigo ideal	la amiga ideal

B. Plural forms

1. Adjectives form their plurals the same way nouns do. An **-s** is added to adjectives that end in a vowel, and an **-es** is added to those that end in a consonant. If the adjective ends in **z**, the **z** changes to **c** and **-es** is added.

la corbata roja	las corbatas rojas
el guitarrista español	los guitarristas españoles
el niño feliz	los niños felices

2. If an adjective follows and modifies both a masculine and a feminine noun, the masculine plural form is used.

Los señores y las señoras son simpáticos.
El libro y la pluma son nuevos.

3. When an adjective precedes two nouns of different genders, it will agree with the closest noun.

Hay muchas plumas y papeles aquí.
Hay varios libros y fotos en la mesa.

C. Position of adjectives

There are two classes of adjectives in Spanish: limiting and descriptive.

1. Limiting adjectives include numerals, demonstratives, possessives, and interrogatives. They usually precede the noun.

dos fiestas	la segunda lección
algunos compañeros	mucho dinero
ese boleto	nuestra clase

a. Ordinal numbers may follow the noun when greater emphasis is desired.

la lección segunda	el capítulo octavo

b. Stressed possessive adjectives always follow the noun.

un amigo mío *(stressed)*	unas tías nuestras *(stressed)*

2. Descriptive adjectives may either precede or follow the noun they modify.

a. When they follow a noun, they distinguish that noun from another of the same class.

la casa blanca	el hombre gordo
la casa verde	el hombre flaco

b. When they precede a noun, they denote an inherent quality of that noun, that is, a characteristic normally associated with the particular noun.

los altos picos	un complicado sistema
la blanca nieve	

c. Adjectives of nationality always follow the noun.

Tiene un coche alemán.

3. Some adjectives change their meaning depending on whether they precede or follow the noun.

mi viejo amigo	mi amigo viejo
my old friend (of long standing)	*my friend who is old*
mi antiguo coche	mi coche antiguo
my previous car	*my old car*
el pobre hombre	el hombre pobre
the poor man (unfortunate)	*the poor man (impoverished)*
las grandes mujeres	las mujeres grandes
the great women	*the big women*
varios libros	libros varios
several books	*miscellaneous books*
el mismo cura	el cura mismo
the same priest	*the priest himself*
el único hombre	un hombre único
the only man	*a unique man*
medio hombre	el hombre medio
half a man	*the average man*

4. When two or more adjectives follow the noun, the conjunction **y** is generally used before the last adjective.

gente sencilla y pobre	gente sencilla, pobre y oprimida
simple, poor people	*simple, poor, and oppressed people*

D. Shortening of adjectives

Some adjectives are shortened when they precede certain nouns.

1. The following common adjectives drop their final **-o** before masculine singular nouns: **uno, bueno, malo, primero, tercero.**

buen tiempo   mal ejemplo
el primer día   el tercer viaje
un hombre

2. Both **alguno** and **ninguno** drop their final **-o** before masculine singular nouns and add an accent on the final vowel.

Algún día llegaré a tiempo.	*Someday I'll arrive on time.*
No hay ningún remedio.	*There is no solution.*

3. **Santo** becomes **San** before masculine saints' names, except those beginning with **Do-** or **To-.**

San Francisco
BUT
Santo Domingo
Santo Tomás

4. Grande is shortened to **gran** before singular nouns of either gender.

un gran día   una gran mujer

5. Ciento becomes **cien** before all nouns and before **mil** *(thousand)* and **millones** *(million)*. It is not shortened before any other numeral.

cien hombres
cien mil coches
cien millones de pesos

BUT
ciento cincuenta jugadores

Práctica

1-26 El tema de la unidad. Cambie al plural las siguientes oraciones.

1. El ejercicio es difícil.
2. El estudiante es perezoso.
3. El verbo es reflexivo.
4. La lengua es extranjera.
5. Es una palabra alemana.

1-27 El tema continúa. Continúe el repaso temático. Cambie las oraciones siguientes al singular.

1. Los profesores son viejos.
2. Las clases son interesantes.
3. Los jóvenes son malos estudiantes.
4. Los profesores siempre hablan de sus temas predilectos.
5. Los idiomas extranjeros son muy fáciles.

1-28 Su clase de español. Describa su clase de español y a sus compañeros de clase. Complete las oraciones siguientes con un adjetivo apropiado. Luego compare sus descripciones con las de un(a) compañero(a) de clase. ¿Están de acuerdo?

1. Los estudiantes de esta clase (no) son _____.
(inteligente / simpático / trabajador / viejo / bueno / malo / único / feliz / francés)
2. La clase (no) es _____.
(grande / difícil / interesante / bueno / aburrido / fácil)

1-29 A describir. Escriba dos o tres oraciones que describan a la gente y cosas siguientes usando adjetivos apropiados. Luego comparta sus descripciones con las de un(a) compañero(a) de clase. ¿Hay semejanzas? ¿diferencias?

1. un(a) viejo(a) amigo(a)
2. un pariente favorito
3. el (la) novio(a) ideal
4. un libro que te gusta
5. la ciudad donde vives
6. la ciudad de Nueva York
7. una película que te gusta
8. tu programa predilecto de televisión
9. el presidente de los Estados Unidos
10. esta universidad

Answers 1-30: *Answers will vary.*

1-30 A conocernos. Para conocer mejor a un(a) compañero(a) de clase, descríbale a él (ella) cinco de sus mejores características físicas y cinco características notables de su personalidad. Su compañero(a) de clase va a hacer la misma cosa. ¿Cómo son Uds. diferentes y cómo son semejantes? Siga el modelo.

Modelo   Estudiante 1: *Yo soy alto y alegre.*
Estudiante 2: *Yo soy bajo y alegre.*
Estudiante 1: *Él no es alto sino bajo, pero él es alegre como yo.*

Answers 1-31: *Answers will vary.*

1-31 A adivinar. Describa a un(a) compañero(a) de clase, otra persona, un lugar o una cosa famosa. Añada una oración descriptiva cada minuto hasta que su compañero(a) pueda adivinar la identidad de la persona, el lugar o la cosa. Su compañero(a) va a hacer la misma actividad. Siga el modelo.

Modelo   *Es muy grande. Hay muchos edificios altos allí.*
Está en la costa Atlántica. Millones de personas viven allí.
Tiene el apodo (nickname) de la «manzana grande». ¿Qué es?

Ahora, su profesor(a) va a escoger a varios estudiantes para que den sus descripciones. ¿Puede Ud. adivinar lo que describen?

The personal *a*

Grammar considerations: Assign this section as homework so that you can dedicate more class time to the activities in the **Práctica** section.

A. Uses

The personal **a** is used:

1. when the direct object of the verb refers to a specific person or persons.

   Él lleva a Marta al baile.   *He is taking Marta to the dance.*
   Invito a tus hijas a la fiesta.   *I'm inviting your daughters to the party.*

2. when the direct object of the verb is a personified noun or a pet.

   Teme a la muerte.   *He fears death.*
   Busco a mi perro.   *I'm looking for my dog.*

3. with the indefinite pronouns **alguien, nadie, cada uno, alguno(a),** and **ninguno(a).**

   ¿Ves a alguien en la calle?   *Do you see someone (anyone) in the street?*
   No veo a nadie.   *I don't see anyone.*
   No conozco a ninguno.   *I don't know any (of them).*

4. with **¿quién(es)?** when the expected answer would require a personal **a.**

   ¿A quién ve Paco?   *Whom does Paco see?*
   Ve a su mamá.   *He sees his mother.*

B. Exceptions

1. There is a tendency to omit the personal **a** before collective nouns.

   Conozco la familia.   *I know the family.*

2. The personal **a** usually is not used after **tener.**

   Tengo algunos amigos cubanos.   *I have some Cuban friends.*

Práctica

Note that the personal **a** contracts with **el** to form **al.**

Suggestion, 1-32 & 1-33: After completing these activities, have students compare and justify their answers.

1-32 La *a* personal. Complete las oraciones siguientes con la **a** personal cuando sea necesario.

1. Llama _a_ su hija por teléfono.
2. Ellos tienen _–_ muchos primos en España.
3. Tratan de encontrar _–_ unos libros distintos.
4. Invito _a_ los jóvenes al baile.
5. Espero _–_ el autobús para ir a la escuela.
6. Paco mira _a_ su profesor.
7. Encuentro _a_ mis amigas en el café.
8. Ellas oyen _–_ su música predilecta.
9. Susana visita _–_ la casa de su abuela todos los días.
10. Veo _a_ mis tíos en la tienda.

Answers 1-33: 1. Busco una casa (–, a un amigo, a un profesor, –, a unas chicas, –). 2. Miramos las fotografías (a nuestros padres, –, a las mujeres, al presidente, –).

1-33 Más práctica con la *a* personal. Complete las oraciones siguientes con la **a** personal cuando sea necesario.

1. Busco una casa. (un libro / un amigo / un profesor / un lápiz / unas chicas / unos papeles)
2. Miramos las fotografías. (nuestros padres / la televisión / las mujeres / el presidente / la ventana)

Answers 1-34: 1. ¿Tienes muchos amigos?; 2. ¿Les escribes muchas veces (con frecuencia) a tus amigos?; 3. ¿Conoces a alguien que hable bien el español?; 4. ¿Ves muchas películas?; 5. ¿Visitas a tus parientes los fines de semana?

1-34 Pidiendo información. Hágale las siguientes preguntas a un(a) compañero(a) de clase.

1. if he/she has many friends
2. if he/she writes to her/his friends often
3. if he/she knows someone who speaks Spanish well
4. if he/she sees many movies
5. if he/she visits her/his relatives on weekends

❂ Repaso

For more practice of vocabulary and structures, go to the book companion website at **www.thomsonedu.com/ spanish/intermediatespanish.**

Antes de empezar la última parte de esta **unidad,** es importante repasar el vocabulario nuevo y la estructura y hacer las actividades que siguen.

1-35 Es lógico. Haga oraciones siguiendo el modelo.

> **Modelo** Él vive en España. Habla español. (los chicos)
> *Los chicos viven en España. Hablan español.*

Review the present tense of regular and irregular verbs.

Answers 1-35: 1. Nosotros vivimos en México. Empezamos a estudiar inglés.; 2. Estoy en casa. Debo salir en seguida.; 3. Las mujeres trabajan en la capital. Son del campo.; 4. Tú eres vieja. No sales nunca.

1. María vive en México. Empieza a estudiar inglés. (nosotros)
2. El hombre está en casa. Debe salir en seguida. (yo)
3. Tomás trabaja en la capital. Es del campo. (las mujeres)
4. Elena es vieja. No sale nunca. (tú)

 1-36 A construir oraciones. Haga oraciones con las palabras siguientes, en el orden indicado. Haga todos los cambios necesarios para hacer una oración correcta. Puede añadir los elementos (artículos, preposiciones, etc.) que sean necesarios para completar el sentido de la oración. Luego, compare sus oraciones con las de otro(a) compañero(a) de clase. ¿Están de acuerdo?

Review the present tense of regular, stem-changing, and spelling-change verbs.

Answers 1-36: 1. Ramón no quiere ir a clase hoy.; 2. Elena prefiere distraer al profesor.; 3. Todos deben escuchar la explicación del profesor.; 4. El profesor habla de las influencias extranjeras sobre el español.; 5. La lengua española tiene algunas palabras alemanas.; 6. Los árabes aportan muchas palabras a la lengua española moderna.; 7. Yo conozco bien la influencia latina sobre el español.; 8. Los estudiantes discuten los ejercicios aunque tienen sueño.

1. Ramón / no / querer / ir / clase / hoy
2. Elena / preferir / distraer / profesor
3. todos / deber / escuchar / explicación / profesor
4. profesor / hablar / influencias / extranjero / sobre / español
5. lengua / español / tener / alguno / palabras / alemán
6. árabes / aportar / mucho / palabras / lengua / español / moderno
7. yo / conocer / bien / influencia / latín / sobre / español
8. estudiantes / discutir / ejercicios / aunque / tener / sueño

Answers 1-37: *Answers will vary.*

1-37 Una entrevista. Hágale las preguntas siguientes a un(a) compañero(a) de clase. Después, su profesor(a) va a hacerles una encuesta *(survey)* a los otros estudiantes de la clase. Él (Ella) va a escribir los resultados en la pizarra para hacer una comparación de actividades y opiniones entre los estudiantes.

1. ¿De dónde eres?
2. ¿Por qué estudias en esta universidad?
3. ¿Qué curso sigues?
4. ¿Cuál es tu clase favorita?
5. ¿Crees que los idiomas extranjeros son interesantes? ¿Por qué?
6. ¿Crees que es importante saber más de un idioma? ¿Por qué?
7. ¿Cómo puedes usar el idioma que estudias?
8. ¿Crees que es necesario saber la base de cada idioma? ¿Por qué?

Review the present tense of regular, stem-changing, spelling-change, and irregular verbs.

Answers 1-38: *Answers will vary.*

1-38 Lo que hacemos en ciertas situaciones. Con un(a) compañero(a) de clase, cuéntense lo que hacen en los lugares siguientes.

> **Modelo** en su cuarto
> Ud.: *Yo duermo en mi cuarto.*
> Su compañero(a): *Yo estudio en mi cuarto.*

Review the present tense of regular, stem-changing, spelling-change, and irregular verbs.

1. en la cafetería	4. en la biblioteca	7. en el centro	10. en el gimnasio
2. en la clase de español	5. en el teatro	8. en la iglesia	11. en el estadio
3. en el parque	6. en el cine	9. en el museo	12. en la playa

Communication strategies

When you want to converse in Spanish, there are various strategies that can enhance your ability to communicate clearly. Used on a regular basis, these strategies can help you to understand the speaker's message and to respond meaningfully to what is said. They can also provide you with techniques to initiate, maintain, and end conversations. Some basic strategies for communication will be presented in this and subsequent units of the text. Whenever possible, try to use them along with what you already know about communicating in your own language and about human interaction in general.

Nonverbal communication

A great deal of meaning is conveyed to the listener through facial expressions, gestures, and body language. These nonverbal clues will often tell you if the speaker is sad, happy, angry, content, tired, bored, etc. Certain gestures will tell you if the speaker understands what you are saying; others will indicate if the speaker is hungry, thirsty, on the point of leaving, saying good-bye, etc. Be aware of these signs, as they will help you better understand the meaning of the message that the speaker is trying to convey.

 Situación. Con un(a) compañero(a) de clase, preparen un diálogo utilizando unas de las ideas mencionadas sobre la comunicación no verbal. Había un examen en la clase de español hoy. Usted y su compañero(a) terminan el examen y salen de la clase. Su compañero(a) parece muy desanimado(a) pero Ud. está muy alegre. Ustedes se explican el uno al otro por que se sienten así.

Descripción y expansión

Esta unidad empezó en una clase de español con un grupo de estudiantes que no quería estudiar los verbos reflexivos. En esta página hay un dibujo de otra clase más o menos típica de cualquier escuela o universidad. Estudie el dibujo y después haga las actividades.

¿Qué hay en la clase? Identifique todos los objetos que se pueden ver en el dibujo.

> **Modelo** *Hay un escritorio en la clase.*

¿Qué pasa en la clase? Describa lo que pasa en la clase.

Más preguntas. Conteste las siguientes preguntas.

a. ¿En qué clase estamos?

b. ¿Qué península podemos ver?

c. ¿Qué países están en esta península?

d. ¿Dónde está Madrid?

e. ¿Por qué es importante la ciudad de Madrid?

f. ¿Es España un país grande o pequeño? ¿y Portugal?

g. ¿Quiere Ud. visitar España? ¿Por qué?

Opiniones. En grupos de tres personas contesten la pregunta siguiente. Cada grupo de la clase debe hacer una lista de las ventajas y desventajas de saber un idioma extranjero. Luego hagan una lista de lo que es difícil y lo que es fácil al aprender otro idioma. Compartan sus listas con las de los otros grupos para ver si sus opiniones son iguales o diferentes a las de los otros estudiantes.

¿Cuál es su opinión respecto al estudio de los idiomas extranjeros?

Text Audio CD, Track 3

¿Catalán o castellano?

Suggestion: Have students first obtain a general idea of the audio's content by listening without looking at the activities. Then, have them read the activities that follow, and them listen to the audio for a second time. Have students take notes while listening to the dialogue.

¿Sabe Ud. que se hablan cuatro lenguas en España? Se habla el gallego en Galicia en el noroeste del país, el vascuence en los Países Vascos en el norte y el catalán en Cataluña en el noreste. Sin embargo, la lengua oficial de España es el castellano (español). A veces esta variedad de lenguas puede causar un conflicto lingüístico porque una persona que puede hablar más de dos lenguas no sabe cuál de las lenguas debe usar. Escuche la situación siguiente y complete las actividades.

Los padres de Mari-Carmen están en Barcelona: don Carlos, por asuntos de negocios, y doña Celinda lo acompaña. Todos los días pasan un rato con Mari-Carmen, su única hija, que estudia arquitectura en la Universidad de Barcelona. Doña Celinda y su hija se han encontrado en la Plaza de Cataluña, y están en la cafetería de El Corte Inglés.

La Plaza de Cataluña es un lugar muy popular en Barcelona. Describa Ud. la plaza y lo que hace la gente. ¿Qué le parece?

Información. Primero, ¿son **verdaderas** (V) o **falsas** (F) las siguientes oraciones?

  a. En Sevilla vive doña Celinda. __V__
  b. En España sólo se habla español. __F__
  c. A doña Celinda le gusta que le hablen en catalán. __F__
  d. La madre y la hija están en una cafetería. __V__
  e. Mari-Carmen tiene tres hermanas. __F__

Segundo, complete las siguientes oraciones.

  a. La Plaza de Cataluña está __en Barcelona__.
  b. En Barcelona se habla __catalán__.
  c. Don Carlos está en Barcelona por __asuntos de negocios__.

Conversación. Con dos o tres estudiantes debatan los aspectos positivos, o negativos, del bilingüismo. Un estudiante puede mantener la posición de la mamá, otro la de Mari-Carmen y un tercero la de un hispanohablante en los Estados Unidos de hoy.

Situaciones. Con un(a) compañero(a) de clase, preparen un diálogo que corresponda a una de las situaciones siguientes. Utilicen gestos mientras estén hablando para indicarle a la otra persona que Ud. es una persona alegre y simpática, o que a Ud. le gusta mucho la otra persona.

Nuevos amigos. *Un(a) estudiante se encuentra con otro(a) estudiante en el pasillo (hallway). No se conocen. Empiezan a hablar. Cada estudiante quiere saber de dónde es el (la) otro(a), por qué está en esta universidad, qué estudia y las razones por las que estudia español. Luego tienen que ir a clase, pero antes de salir deciden reunirse después de la clase para tomar un café.*

La clase de español. *Dos estudiantes van a la clase de español. Mientras caminan hablan de la clase. A la chica no le gusta y explica sus razones. Al chico le gusta mucho la clase y le da a la chica una lista de razones de por qué opina así. Él no puede convencerla, pero ella dice que a pesar de todo, ella piensa que es importante aprender a comunicarse en español porque tanta gente en los Estados Unidos habla español hoy en día.*

Text Audio CD, Track 4

Suggestion: Have students first obtain a general idea of the audio's content by listening to the commentaries without playing the sentences. Then, play the audio for the second time and have them listen to the sentences so they can perform the activity.

Ejercicio de comprensión. Ud. va a escuchar dos comentarios breves sobre los idiomas extranjeros. Después de cada comentario, va a escuchar dos oraciones. Indique si la oración es **verdadera** (V) o **falsa** (F), trazando un círculo alrededor de la letra que corresponde a la respuesta correcta.

Primer comentario   **Segundo comentario**

1. (V) F   **3.** V (F)

2. V (F)   **4.** (V) F

Ahora escriba una cosa que Ud. aprendió al oír el comentario que no sabía antes. Luego escriba un título para cada uno de los dos comentarios que refleje el contenido de ellos. Compare los títulos con los de otros estudiantes. En su opinión, ¿cuáles son los mejores títulos?

Hay tres pasos en esta actividad. **Primer paso:** Se divide la clase en grupos de tres personas. Lean la introducción a la discusión. **Segundo paso:** Cada miembro del grupo tiene que observar los temas y escoger la letra de la posibilidad que corresponde a su opinión. **Tercer paso:** Después, comparen sus respuestas. El (La) profesor(a) va a escribir las letras en la pizarra para ver cuáles de las opiniones dominan. Estén preparados para explicar su opinión.

Discusión: las lenguas y las influencias extranjeras. El departamento de lenguas extranjeras está conduciendo una encuesta sobre las lenguas y las influencias extranjeras. Indique sus reacciones ante las siguientes ideas y explique por qué. Después, compare sus reacciones con las de sus compañeros de clase.

1. Cuando uno habla inglés, español u otro idioma, debe…
   a. usar cualquier palabra extranjera que quiera.
   b. rechazar completamente el uso de palabras extranjeras.
   c. usar sólo palabras extranjeras que no tienen equivalente en su lengua.

2. El uso de palabras extranjeras…
   a. contamina el idioma.
   b. enriquece el idioma.
   c. no tiene ninguna importancia.

3. La influencia del inglés sobre otros idiomas es…
   a. buena porque el inglés debe ser el idioma dominante en el mundo.
   b. útil porque presta palabras nuevas que son necesarias.
   c. mala porque destruye la individualidad de los otros idiomas.

4. Una lengua debe…
   a. mantenerse fija e invariable.
   b. aceptar palabras nuevas, pero mantener su estructura fundamental.
   c. adaptarse y evolucionar con el tiempo, incluso en su gramática.

5. Los hablantes de cada idioma deben…
   a. reconocer un dialecto oficial y rechazar otros dialectos.
   b. aceptar todos los dialectos, pero usar sólo uno en la lengua escrita.
   c. aceptar todos los dialectos.

6. En el mundo moderno…
   a. se necesita una lengua universal.
   b. todos deben aprender lenguas extranjeras.
   c. no es necesario tener una lengua universal ni aprender otras lenguas porque hay traductores e intérpretes.

A T A J O ◀

Temas de conversación o de composición

Suggestion: To help students write their composition, refer them to ATAJO 4.0 Writing Assistant for Spanish.

1. ¿Sabe Ud. si hoy día el idioma inglés tiene alguna influencia sobre el español? ¿sobre otros idiomas? ¿Por qué?
2. ¿Sabe Ud. si el inglés contiene palabras que vienen del español? Dé algunos ejemplos. (Si necesita inspirarse, puede mirar un mapa de los Estados Unidos.)
3. ¿Qué otras lenguas aportan palabras o expresiones al inglés? Dé algunos ejemplos.
4. ¿Qué sabe Ud. acerca de la evolución del inglés?

Hace muchos siglos varios grupos invadieron la Península Ibérica y dejaron una huella *(trace)* indestructible de su civilización en la península. Muchos de estos grupos se establecieron en el sur de España en la región que hoy se llama Andalucía. Por eso se dice que Andalucía es la encrucijada *(crossroads)* cultural de la península.

En esta sección Ud. va a leer un ensayo breve sobre Andalucía. Luego hay una serie de preguntas que contestar. Después de compartir las respuestas con la clase, su profesor(a) va a dividir la clase en cuatro grupos. Cada uno de los grupos va a recibir un tema relacionado con el tema del ensayo, y va a tener dos o tres días para investigar su tema y para preparar una presentación oral que su grupo va a hacer enfrente de la clase.

www.thomsonedu.com/spanish/
intermediatespanish

Los cuatro temas son: (1) Sevilla, (2) Granada, (3) Córdoba, (4) la Semana Santa.

Preguntas

Lea la lectura en la página 28 y conteste las siguientes preguntas.

1. ¿Cómo se llama la región más austral de España?
2. A veces se dice que esta región es la encrucijada cultural de la península. ¿Por qué?
3. ¿Cómo se llaman los varios grupos que se establecieron en esta región?
4. ¿Cuál es una de las tradiciones o elementos del folklore andaluz que es muy conocida? ¿Cómo es?
5. ¿Cuáles son las tres ciudades principales de Andalucía?
6. ¿Cuál es una característica de cada una de estas tres ciudades?

El sur

Los recuerdos de los fenicios, siempre entreverados[1] de personajes olímpicos; la huella romana (¿quién no conoce a Trajano y Adriano, nacidos en Itálica?); la cultura musulmana, exquisita y lírica; la filosofía hebrea y los más brillantes momentos del arte occidental componen un catálogo artístico que habla bien a las claras del atractivo que siempre ha ejercido esta hermosa región.

Su cultura tradicional es de una riqueza y una variedad que sólo pueden abarcar[2] los muy entendidos. El flamenco es, en realidad, una música que expresa los tonos más festivos y también lo más lúgubres[3] lamentos; la fiesta de toros puede ser el arte más academicista y también la expresión más personal de un diestro[4]. La Semana Santa responde a ritos no codificados[5], pero siempre idénticos a sí mismos.

Son muchas ciudades para visitar: Sevilla, con una imponente Catedral gótica cuyos cimientos[6] se asientan sobre una desaparecida mezquita[7] almohade (el símbolo de la victoria de una religión sobre otra), de la que sólo queda en pie ese magnífico alminar[8] que es la Giralda, propone al viajero muchas visitas.

Granada, al pie de Sierra Nevada, ha sido el tema favorito de escritores y grabadores[9] románticos. La Alhambra y el Generalife figuran en lugar muy destacado[10] entre los palacios de todo el Islam. Una arquitectura ligera[11] y sensual, una decoración exquisita y abstracta y unos patios y jardines que parecen un auténtico manifiesto de esa sabia manera de concebir[12] el placer que demostró la lírica árabe, conforman un bellísimo conjunto que en la primavera alcanza la categoría de pequeño paraíso terrestre.[13]

También Córdoba es lugar de peregrinación[14] para los amantes[15] del arte islámico. La mezquita, edificada en el siglo X, en lo que se ha dado en llamar el período clásico del arte andalusí, es un sobrecogedor[16] bosque[17] de columnas. De nuevo hay una sorpresa arquitectónica: una Catedral gótico renacentista irrumpe en el uniforme espacio interior.

La mezquita central está rodeada de un barrio[18] que reúne en una superficie no muy extensa una abrumadora cantidad de rincones[19] bellísimos y sugerentes. La sinagoga[20], muy cerca, preside una judería hecha de callejuelas[21] y recovecos[22] cuyos nombres evocan un brillante pasado de filósofos y mercaderes.

---

[1] mixed; [2] to include, take in; [3] mournful; [4] right, skillful; [5] codified; [6] foundations; [7] mosque; [8] minaret *(tower)*; [9] engravers; [10] outstanding; [11] light; [12] to conceive, imagine; [13] earthly; [14] pilgrimage; [15] lovers; [16] startling; [17] forest; [18] neighborhood; [19] corners *(of a room)*; [20] synagogue; [21] small side streets; [22] turns, bends *(of a street)*

Expansión

This is a prime opportunity to expand to the website for additional activities, and it offers other resources if the companion books are not being used by students.

Hay dos libros que acompañan *Conversación y repaso:* uno es *Civilización y cultura* y el otro es *Literatura y arte.* Para aprender más sobre la cultura de España es importante leer tres de las lecturas culturales que se encuentran en el texto *Civilización y cultura* que dan información sobre los romanos, los visigodos y los moros. Trabajando en grupos de tres personas, hablen de lo que leyeron en las lecturas. Luego, hagan una lista que contiene las contribuciones hechas por los invasores al desarrollo de la cultura de España. Al terminar las listas, cada persona de su grupo debe escoger a uno de los invasores y preparar un reportaje para presentar a la clase. Para terminar, la clase debe decidir cuál de los invasores contribuyó las cosas más importantes al desarrollo de la cultura de España y el invasor que contribuyó lo menos.

Orígenes de la cultura hispánica: América

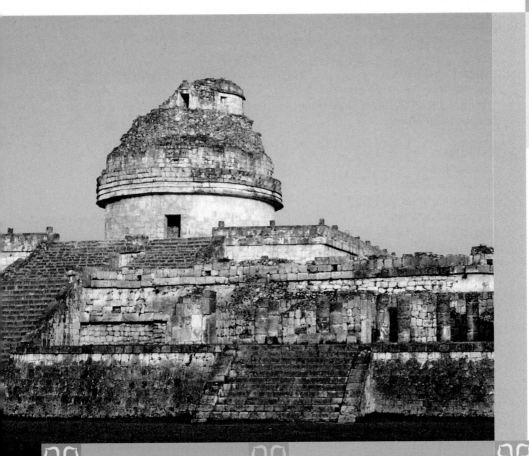

El observatorio maya en Chichén Itzá, Yucatán, México. Fue uno de los grandes centros mayas. ¿Qué revela esta foto de la civilización maya? ¿Qué te parece?

Mentor

Literatura y arte: Recall that the themes of each **unidad** of *Literatura y arte* correspond to those of *Conversación y repaso.* **Unidad 2** presents the well-known chronicle, "Naufragios," written by Alvar Núñez Cabeza de Vaca. In the section on **Arte**, the art of the Aztecs is the focus of study. Some or all of this material can be assigned as you proceed through the **unidad** so that students have a better and more in-depth understanding of the theme.

Civilización y cultura: Recall that the themes of each **unidad** of *Civilización y cultura* correspond to those of *Conversación y repaso* as well as to those in *Literatura y arte.* In *Civilización y cultura* more detailed information is given about the three major precolumbian civilizations, namely the Incas, Mayas, and Aztecs. Some or all of this material can be assigned as you proceed through the **unidad** so that students have a better and more in-depth understanding of the theme.

En contexto

El día siguiente en mi clase de cultura hispánica

Estructura

- The imperfect tense
- The preterite tense of regular verbs
- The preterite tense of irregular verbs
- Uses of the imperfect and the preterite
- Direct object pronouns
- The reflexive verbs and pronouns

Repaso

www.thomsonedu.com/spanish/intermediatespanish

A conversar
Language functions
Verbal communication

A escuchar
Una visita

Intercambios

Investigación y presentación
México: Fascinante, múltiple y diverso
    México le ofrece…
Expansión

www.thomsonedu.com/spanish/intermediatespanish

El día siguiente en mi clase de cultura hispánica

Suggestion: Assign **Vocabulario activo** as homework. During class time, before having students listen to the dialogue, quickly review the **Para practicar** section.

Vocabulario activo

Estudie estas palabras.

Verbos

comentar *to discuss*
encantar *to delight, enchant*
  le encanta *he/she loves (something)*
reemplazar *to replace*

Sustantivos

el asunto *matter*
el cacao *chocolate*
el comestible *food, foodstuff*
el huracán *hurricane*
el maíz *corn, maize*
la papa *potato*
el préstamo *loan*
el remedio *solution*

Adjetivos

culto(a) *cultured, refined*
escolástico(a) *scholastic*
indígena *indigenous; Indian*
poderoso(a) *powerful*
próximo(a) *next*
tecnológico(a) *technological*

Otras expresiones

quedarle a uno *to have left*
no les quedó más remedio *they had no*
  other solution
claro (que) *of course*
eso de *the matter of*
lo que *what*
¡Qué lástima! *What a shame!*

2-1 Para practicar. Complete el párrafo siguiente con palabras escogidas de la sección **Vocabulario activo**. No es necesario usar todas las palabras.

A la mujer le **1.** ___encanta___ cocinar. Tiene que ir al mercado para comprar algunos **2.** ___comestibles___ antes de preparar la cena. No tiene dinero y por eso le pide un **3.** ___préstamo___ a su vecina. A ella no le **4.** ___queda más remedio___. En el mercado compra el **5.** ___cacao___ para hacer una torta especial. También compra algunas **6.** ___papas___ para asar y el **7.** ___maíz___ para hacer tortillas. Quiere hacer una salsa especial para las tortillas, pero el mercado no tiene **8.** ___lo que___ necesita para hacerla. Vuelve a casa y llama a su amiga para invitarla a cenar. Su amiga le dice que el meteorólogo acaba de anunciar que habrá un **9.** ___huracán___ **10.** ___poderoso___ esa noche por la costa. Ella no quiere salir de su casa. Ellas deciden tener la cena la **11.** ___próxima___ noche. **12.** ¡___Qué lástima___!

Text Audio CD, Track 5

Suggestion: Assign the corresponding material in the Workbook/Lab Manual as you progress through the **unidad**.

Suggestion: Have students first obtain a general idea of the audio content by listening without looking at the activities. Next, have them read the activities that follow, and then listen to the audio for the second time. This time, ask them to take notes while listening to the dialogue.

El día siguiente en mi clase de cultura hispánica. Antes de leer el diálogo, escúchelo con el libro cerrado. ¿Cuánto comprendió?

RAMÓN Todavía no he podido estudiar[1] los verbos reflexivos. ¿Y tú?

ELENA No. Tenemos que distraer al profesor de nuevo. Tú le puedes hacer la pregunta esta vez.

RAMÓN Bien. Creo que se la voy a hacer sobre el mismo asunto. La última vez habló toda una hora acerca de las influencias extranjeras sobre el español. Le encantó ese tema. Mira, ya está aquí.

PROF.	Buenos días. Hoy vamos a analizar los verbos reflexivos. Ah, sí, Ramón, ¿tienes una pregunta?
RAMÓN	En la clase anterior estábamos comentando eso de las influencias extranjeras. Su discusión fue muy interesante, pero solamente llegó hasta los moros. ¿No hubo otras influencias?
PROF.	Claro que hubo otras.
RAMÓN	¿Cuáles fueron? Hubo influencia de los indígenas americanos, ¿no?
PROF.	Sí, los españoles tomaron muchas palabras, o lo que llamamos préstamos, de las lenguas indígenas, especialmente del náhuatl y del quechua.[1]
RAMÓN	¿Por qué?
PROF.	Pues, los españoles encontraron en América muchos animales y plantas desconocidos. Naturalmente, el español no tenía nombres para estas cosas. No les quedó más remedio que incorporar al idioma las palabras que empleaban los indígenas.
ELENA	¿Cuáles son algunos de los préstamos?
PROF.	Bueno, entre los comestibles la batata[2], la papa, el maíz, el chocolate, el tomate y el cacao. Como puedes ver, algunas de estas palabras después pasaron del español al inglés.
RAMÓN	¿Sólo nombres de comestibles?
PROF.	No, otros también como huracán, hule[3], hamaca[4] y nombres de animales como el puma, el caimán[5], el cóndor y el tiburón[6]. La mayoría de estos préstamos se refieren a cosas de la naturaleza. Bueno, y ahora volvamos a los verbos…
ELENA	Pero, ¿y después de la influencia indígena?
PROF.	Después hubo influencia del francés[2] en el siglo XVIII, cuando Francia era[7] un país muy poderoso en Europa. También el inglés ha influido mucho[3] en el siglo XX, especialmente en el vocabulario tecnológico. Pero debemos volver a la lección.
RAMÓN	Ya no queda tiempo, profesor.
PROF.	Ah, ¡qué lástima! Ahora ya no pueden hacer preguntas sobre los verbos reflexivos. Aparecen en el examen que vamos a tener al principio de la próxima clase.
ELENA	*(a Ramón)* ¡Ay, Dios mío! ¿Qué hacemos ahora, Ramón?

Notas culturales

[1] **del náhuatl y del quechua:** *El náhuatl es el idioma de los aztecas; el quechua es el de los incas. Estas lenguas todavía se hablan en los países donde hay grandes concentraciones de población indígena: México, Guatemala, el Perú, Bolivia y el Ecuador.*

[2] **influencia del francés:** *En el siglo XVIII, Francia llegó a dominar la cultura europea. El francés influyó en el español de la época, especialmente en el lenguaje culto, escolástico y gubernamental. Esta influencia se limitó a la introducción de galicismos (palabras y frases francesas) que reemplazaron palabras y frases que venían usándose en español. Más tarde hubo una reacción en contra de esta tendencia.*

[3] **También el inglés ha influido mucho:** *En los siglos XIX y XX, el poder económico y político de Inglaterra primero, y de los Estados Unidos después, facilitó la introducción de anglicismos en casi todas las lenguas del mundo.*

[1] no he podido estudiar *have not been able* [2] la batata *sweet potato* [3] hule *rubber*
[4] hamaca *hammock* [5] el caimán *alligator* [6] el tiburón *shark* [7] era *was*

2-2 Actividad cultural. En el diálogo y en las Notas culturales se aprende más de las lenguas extranjeras y la influencia que estas lenguas tienen sobre algunas de las otras. Para ver si Ud. ha entendido esta información, conteste estas preguntas. Después, compare sus respuestas con las de otro(a) estudiante.

1. ¿De qué lenguas indígenas tomaron palabras los españoles?
2. ¿Qué son los préstamos?
3. ¿Por qué necesitaban tomar palabras de esas lenguas?
4. ¿Cuáles son algunos de los préstamos?
5. ¿Qué otras lenguas han influido en el español moderno?

2-3 Comprensión. Conteste las siguientes preguntas.

1. ¿Por qué tienen que hacer otra pregunta los alumnos?
2. ¿Quién la va a hacer esta vez?
3. ¿Sobre qué tema es la pregunta?
4. ¿Le gusta al profesor el tema de las influencias extranjeras?
5. ¿Hasta dónde llegó el profesor en la clase anterior?
6. ¿De qué influencias habla el profesor hoy?
7. ¿Por qué no terminaron la clase?
8. ¿Sobre qué va a ser el examen de la próxima clase?

2-4 Opiniones. Conteste las siguientes preguntas.

1. En su opinión, ¿cuál de estas dos civilizaciones indígenas es más interesante —la de los aztecas o la de los incas? ¿Por qué?
2. ¿Quiere Ud. aprender más acerca de las civilizaciones e idiomas indígenas de las Américas? ¿Por qué?
3. ¿Cuál de los comestibles indígenas le gusta más a Ud.?
4. ¿Le encanta a Ud. estudiar las influencias extranjeras sobre el español? ¿Por qué?
5. ¿Cree que el estudio de un idioma extranjero le ayuda a entender mejor su propio idioma? ¿Por qué?
6. ¿Por qué cree que es esencial estudiar los verbos de un idioma?

Unas mujeres indígenas de Guatemala miran una exposición de textiles. Describa esta foto. ¿Qué le parecen estas mujeres indígenas? ¿De dónde son estas indígenas? ¿Qué están haciendo las mujeres? ¿Qué le parece más interesante de esta foto? ¿Quiere visitar esta región algún día? ¿Por qué?

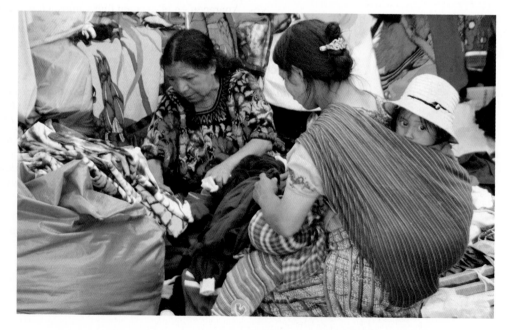

🎧 Heinle iRadio: To hear more about the Preterite and the Imperfect, visit . . . **www.thomsonedu.com/spanish.**

Grammar considerations: Assign this section as homework so that you can dedicate more class time to the activities in the **Práctica** section.

The imperfect tense

A. Regular verbs

The imperfect tense is formed by dropping the infinitive endings and adding the following endings to the stem: **-aba, -abas, -aba, -ábamos, -abais,** and **-aban** for **-ar** verbs; **ía, -ías, -ía, -íamos, -íais,** and **-ían** for **-er** and **-ir** verbs.

llamar *to call*		**comer** *to eat*		**vivir** *to live*	
llamaba	llamábamos	comía	comíamos	vivía	vivíamos
llamabas	llamabais	comías	comíais	vivías	vivíais
llamaba	llamaban	comía	comían	vivía	vivían

B. Irregular verbs

Only three verbs are irregular in the imperfect.

ir:	iba, ibas, iba, íbamos, ibais, iban
ser:	era, eras, era, éramos, erais, eran
ver:	veía, veías, veía, veíamos, veíais, veían

The imperfect tense has the following English equivalents:

Tú llamabas $\begin{cases} \textit{You called} \\ \textit{You used to call} \\ \textit{You were calling} \end{cases}$

Práctica

Out-of-class assignments, 2-5 & 2-6: In addition to assigning the grammar review section as homework, assign activities 2-5 and 2-6 to be completed outside of class. The following day quickly go over the answers to see how well students did. If there are no apparent problems, you should spend the majority of class time doing the open-ended pair and group communicative activities that follow.

Answers 2-5: 1. ellas: comentaban, aprendían, iban, eran, veían, hablaban; 2. tú: comentabas, aprendías, ibas, eras, veías, hablabas; 3. nosotros: comentábamos, aprendíamos, íbamos, éramos, veíamos, hablábamos; 4. Juana: comentaba, aprendía, iba, era, veía, hablaba; 5. los estudiantes: comentaban, aprendían, iban, eran, veían, hablaban; 6. Uds.: comentaban, aprendían, iban, eran, veían, hablaban

2-5 Una narrativa breve. Lea esta narrativa breve y después cuéntela desde el punto de vista de las personas indicadas. Luego, describa lo que hacían estas personas durante un día típico.

En la clase yo comentaba siempre las influencias indígenas sobre el vocabulario del español. También aprendía a analizar los verbos reflexivos con frecuencia. Todas las noches iba a la biblioteca para hacer la tarea de la clase. Yo era un buen estudiante. Muchas veces veía a los amigos allá y hablaba con ellos.

(ellas, tú, nosotros, Juana, los estudiantes, Uds.)

2-6 El Nuevo Mundo. Complete esta breve historia con la forma correcta del imperfecto de los verbos entre paréntesis. Luego, describa el tema de esta narrativa con ejemplos.

Las civilizaciones indígenas (ser) **1.** ___eran___ muy interesantes, especialmente las de los indígenas que (vivir) **2.** ___vivían___ en el altiplano del Perú durante el tiempo del encuentro con los españoles en el Nuevo Mundo. Los conquistadores (ver) **3.** ___veían___ cosas nuevas todos los días, incluso varias plantas que (ser) **4.** ___eran___ desconocidas en España. Los indígenas (comer) **5.** ___comían___ con frecuencia papas, batatas, maíz y cacao como parte de su dieta diaria. (Haber) **6.** ___Había___ muchos tipos de nuevos comestibles.

2-7 Una entrevista. Con un(a) compañero(a) de clase pregúntense las cosas siguientes, para saber más de lo que Uds. hacían durante su niñez. Comparen las respuestas para ver qué actividades tenían en común.

1. ¿Dónde vivías durante tu niñez?
2. ¿Dónde vivías cuando asistías a la escuela secundaria?
3. ¿Estudiabas español cuando estabas en la escuela secundaria, antes de venir a la universidad?
4. ¿Eras un(a) buen(a) o mal(a) estudiante?
5. ¿Cuál era tu pasatiempo favorito?
6. ¿Qué hacías durante los fines de semana?
7. ¿Ibas a la biblioteca o te quedabas en casa para estudiar?
8. Cuando eras muy joven, ¿qué querías ser al graduarte de la universidad?

2-8 Su niñez. Dígale a un(a) compañero(a) de clase tres cosas que Ud. hacía todos los veranos durante su niñez. Luego, escuche mientras su compañero(a) hace lo mismo. Termine haciendo un resumen de sus experiencias para ver cuáles de éstas eran similares y cuáles eran diferentes.

Modelo   Ud.: *Yo iba a la playa todos los veranos cuando era pequeño(a).*
     Su compañero(a) de clase: *Yo iba a la playa también.*
     -o-
     Yo no iba a la playa.
     Yo iba a las montañas.

Ahora, su profesor(a) va a conducir una encuesta para saber la actividad del verano en la cual la mayoría de los estudiantes participaba.

The preterite tense of regular verbs

The preterite tense of regular verbs is formed by dropping the infinitive endings and adding the following endings to the stem: **-é, -aste, -ó, -amos, -asteis,** and **-aron** for **-ar** verbs; **í, -iste, -ió, -imos, -isteis,** and **-ieron** for **-er** and **-ir** verbs.

escuchar *to listen to*		**comer** *to eat*		**salir** *to leave*	
escuché	escuchamos	comí	comimos	salí	salimos
escuchaste	escuchasteis	comiste	comisteis	saliste	salisteis
escuchó	escucharon	comió	comieron	salió	salieron

Práctica

2-9 Una narrativa breve. Lea esta narrativa breve y después cuéntela desde el punto de vista de las personas indicadas. Luego, explique lo que pasó ayer a Tomás y Luisa.

Escuché su conferencia acerca de las influencias extranjeras sobre el español con mucho interés. Después salí con unos amigos para comer en un café y discutir el asunto. Comí una variedad de cosas de origen indígena, como papas fritas con salsa de tomate y una taza (cup) *de chocolate. Pasé una noche muy agradable* (pleasant) *con buenos amigos, comida deliciosa y conversación animada* (lively).

(Elena y yo, tú, mi hermano, Tomás y Luisa, Ud.)

2-10 Las actividades de ayer. Diga lo que hicieron las personas siguientes ayer.

> **Modelo** mi padre / comprar un coche nuevo
> *Mi padre compró un coche nuevo ayer.*

1. el joven / escribir una carta
2. tú / perder tus libros
3. los estudiantes / asistir a la clase de historia
4. las muchachas / hablar con el profesor
5. mi hermana / trabajar en la biblioteca
6. mi amigo y yo / salir de casa
7. yo / escuchar música en la radio

2-11 Anoche. Con un(a) compañero(a) de clase háganse las preguntas siguientes para saber lo que él (ella) hizo anoche. Si Uds. no hicieron ninguna de las cosas indicadas, díganse lo que hicieron en realidad.

> **Modelo** Ud.: *¿Almorzaste en casa o en la cafetería anoche?*
> Su compañero(a) de clase: *No almorcé ni en casa ni en la cafetería.*
> *Almorcé en un café cerca de la universidad.*

1. ¿Asististe a una conferencia anoche o fuiste al cine?
2. ¿Saliste después con unos amigos para comer algo o decidiste ir a la biblioteca para estudiar?
3. ¿Volviste tarde o temprano a casa?
4. Al llegar a casa, ¿miraste un programa de televisión o te acostaste?
5. Antes de acostarte anoche, ¿preparaste la lección o le escribiste una carta a tu novio(a)?

Ahora, haga un resumen *(summary)* de sus respuestas y compártalo con la clase. ¿Cuántos de sus compañeros de clase hicieron cosas semejantes? ¿diferentes?

2-12 Antes de la clase. Usando algunos de los verbos siguientes, dígale a su compañero(a) de clase cinco cosas que Ud. hizo antes de venir a clase hoy. Él (Ella) va a decirle lo que él (ella) hizo también.

escuchar	comer	descansar	escribir
trabajar	hablar	llamar	visitar
comprar	cantar	nadar	comentar

The preterite tense of irregular verbs

1. **Ir** and **ser** have the same forms in the preterite tense.

ir *to go* / **ser** *to be*	
fui	fuimos
fuiste	fuisteis
fue	fueron

Paula **fue** a clase anoche.
*Paula **went** to class last night.*

Fue una clase interesante.
*It **was** an interesting class.*

2. **Dar** and **ver** are also irregular in the preterite.

dar:	di, diste, dio
	dimos, disteis, dieron
ver:	vi, viste, vio
	vimos, visteis, vieron

3. Irregular verbs with the **u** change in the stem.

andar:	anduve, anduviste, anduvo
	anduvimos, anduvisteis, anduvieron
estar:	estuve, estuviste, estuvo
	estuvimos, estuvisteis, estuvieron
haber:	hube, hubiste, hubo
	hubimos, hubisteis, hubieron
poder:	pude, pudiste, pudo
	pudimos, pudisteis, pudieron
poner:	puse, pusiste, puso
	pusimos, pusisteis, pusieron
saber:	supe, supiste, supo
	supimos, supisteis, supieron
tener:	tuve, tuviste, tuvo
	tuvimos, tuvisteis, tuvieron

4. Irregular verbs with the **i** change in the stem.

hacer:	hice, hiciste, hizo
	hicimos, hicisteis, hicieron
querer:	quise, quisiste, quiso
	quisimos, quisisteis, quisieron
venir:	vine, viniste, vino
	vinimos, vinisteis, vinieron

5. Irregular verbs with the **j** change in the stem.

Other verbs ending in **-ducir** conjugated like **producir: conducir, traducir.**

decir:	dije, dijiste, dijo
	dijimos, dijisteis, dijeron
producir:	produje, produjiste, produjo
	produjimos, produjisteis, produjeron
traer:	traje, trajiste, trajo
	trajimos, trajisteis, trajeron

Note that the verbs in items 3 and 4 above have the same irregular preterite endings. The verbs in item 5 also have the same irregular endings in all forms of the preterite with the exception of third person plural, which is **-eron,** not **-ieron.**

A. Spelling-change verbs

1. Verbs ending in **-car, -gar,** and **-zar** make the following changes in the first person singular of the preterite:

-car:	**c** to **qu**
-gar:	**g** to **gu**
-zar:	**z** to **c**
buscar:	busqué, buscaste, buscó
	buscamos, buscasteis, buscaron
llegar:	llegué, llegaste, llegó
	llegamos, llegasteis, llegaron
empezar:	empecé, empezaste, empezó
	empezamos, empezasteis, empezaron

2. Certain **-er** and **-ir** verbs change **i** to **y** in the third person singular and plural. Note the accents.

caer:	caí, caíste, cayó
	caímos, caísteis, cayeron
creer:	creí, creíste, creyó
	creímos, creísteis, creyeron
leer:	leí, leíste, leyó
	leímos, leísteis, leyeron
oír:	oí, oíste, oyó
	oímos, oísteis, oyeron

B. Stem-changing verbs

1. Stem-changing **-ir** verbs that change **e** to **ie** or **o** to **ue** in the present tense change **e** to **i** and **o** to **u** in the third person singular and plural forms of the preterite.

preferir		**dormir**	
preferí	preferimos	dormí	dormimos
preferiste	preferisteis	dormiste	dormisteis
prefirió	prefirieron	durmió	durmieron

2. Stem-changing **-ir** verbs that change **e** to **i** in the present tense also change **e** to **i** in the third person singular and plural of the preterite.

repetir		**pedir**	
repetí	repetimos	pedí	pedimos
repetiste	repetisteis	pediste	pedisteis
repitió	repitieron	pidió	pidieron

3. The majority of **-ar** and **-er** stem-changing verbs in the present tense are regular in the preterite.

Práctica

Suggestion: Before you have students work on the activities in the **Práctica** section, put them in groups of three or four and ask them to develop a short quiz that targets these irregular preterite verb forms. Then, have them exchange quizzes and take the short test. Finally, share with the class the scores of each group.

Out-of-class assignments, 2-13, 2-14, and 2-15: Have students complete activities 2-13, 2-14, and 2-15 at home so that you can dedicate more time to the open-ended activity that follows.

Answers 2-13: 1. yo: Llegué, Busqué, fui, oí, Tuve, dije, me despertara; 2. los profesores: Llegaron, Buscaron, fueron, oyeron, Tuvieron, dijeron, los despertara; 3. tú: Llegaste, Buscaste, fuiste, oíste, Tuviste, dijiste, te despertara; 4. Francisco: Llegó, fue, Buscó, oyó, Tuvo, dijo, lo despertara

Answers 2-14: 1. Toqué la trompeta. 2. Pagué la cuenta en la tienda. 3. Comencé a trabajar a las siete. 4. Jugué al tenis el sábado. 5. Le dediqué este poema a la profesora. 6. Reemplacé los libros viejos de español.

2-13 Una narrativa breve. Lea la narrativa que sigue y después cuéntela desde el punto de vista de las personas indicadas. Luego, explique dónde pasó la acción y cuándo durante el día.

Llegamos a Buenos Aires anoche. Buscamos un hotel en el centro. Después de comer, fuimos a un club nocturno (night club) *donde oímos discos de ritmos latinoamericanos. Tuvimos que volver al hotel a la medianoche. Al entrar al hotel, le dijimos al empleado que nos despertara* (to wake us up) *temprano por la mañana.*

(yo, los profesores, tú, Francisco)

2-14 Transformación. Cambie los verbos en las oraciones siguientes a la primera persona singular del pretérito.

1. Tocamos la trompeta.
2. Pagamos la cuenta en la tienda.
3. Comenzamos a trabajar a las siete.
4. Jugamos al tenis el sábado.
5. Le dedicamos este poema a la profesora.
6. Reemplazamos los libros viejos de español.

2-15 El viaje de Carmen. Complete este cuento sobre un viaje que Carmen hizo a México, usando la forma correcta del pretérito de los verbos entre paréntesis.

Carmen (hacer) **1.** ___hizo___ un viaje a México la semana pasada. Al llegar a la capital no (poder) **2.** ___pudo___ pasar por la aduana porque su madre no le (poner) **3.** ___puso___ su pasaporte en su maleta. Ella (traer) **4.** ___trajo___ una tarjeta de turismo con ella y por eso los funcionarios de la aduana le (permitir) **5.** ___permitieron___ entrar al país. Su amigo Raúl (ir) **6.** ___fue___ al aeropuerto para llevarla a la casa de su familia. Por un instante ella (tener) **7.** ___tuvo___ mucho miedo *(was very afraid),* pero al conocer a los padres de Raúl ella (darse) **8.** ___se dio___ cuenta *(realized)* de que no habría ningún problema. El próximo día Raúl le (pedir) **9.** ___pidió___ el coche a su padre y los dos jóvenes (salir) **10.** ___salieron___ para hacer una gira por las ruinas indígenas.

Answers 2-16: *Answer will vary.*

Grammar considerations: Assign this section as homework. Since this is a difficult grammar concept for students to master, review the uses of the imperfect and the preterite prior to working on the activities in the **Práctica** section. An alternative for an in-class review is to have students name the uses of the two tenses as you are keeping notes on the chalkboard.

2-16 Una historia personal. Ahora escriba una narrativa semejante a la narrativa del ejercicio **2-15,** relatando la aventura más inolvidable que Ud. o un(a) amigo(a) tuvo en el pasado. Use algunos de los verbos de la lista siguiente. Comparta esta experiencia con la clase.

llegar	pedir	almorzar	entrar
buscar	empezar	traer	hacer
ir	pagar	tener	jugar

Heinle iRadio: To hear more about the Preterite and the Imperfect, visit . . . **www.thomsonedu.com/spanish.**

Uses of the imperfect and the preterite

A. Summary of uses

The two simple past tenses in Spanish, the imperfect and the preterite, have specific uses and express different things about the past. They cannot be interchanged.

The imperfect is used:

1. to tell that an action was in progress or to describe a condition that existed at a certain time in the past.

   Estudiaba en España en aquella época.
   He was studying in Spain at that time.

   En el cine yo me reía mientras los demás lloraban.
   In the movie theater I was laughing while the rest were crying.

   Había muchos estudiantes en la clase de química.
   There were a lot of students in the chemistry class.

   Hacía mucho frío en la sala de conferencias.
   It was very cold in the lecture hall.

2. to relate repeated or habitual actions in the past.

   Mis amigas estudiaban todas las noches en la biblioteca.
   My friends used to study every night in the library.

   Los chicos viajaban por la península todos los veranos.
   The boys used to travel through the peninsula every summer.

3. to describe a physical, mental, or emotional state in the past.

   Los jóvenes estaban muy enfermos.
   The young people were very ill.

   No comprendíamos la lección sobre el lenguaje culto y escolástico de la época.
   We didn't understand the lesson about the refined and scholastic language of the era.

   Yo creía que Juan era rico y poderoso.   La chica quería quedarse en casa.
   I thought that Juan was rich and powerful.   *The girl wanted to stay at home.*

4. to tell time in the past.

   Eran las siete de la noche.
   It was seven o'clock in the evening.

The preterite is used:

1. to report a completed action or an event in the past, no matter how long it lasted or how many times it took place. The preterite views the act as a single, completed past event.

   Fuimos a clase ayer.   Traté de llamar a Elsa repetidas veces.
   We went to class yesterday.   *I tried to call Elsa many times.*

   Llovió mucho el año pasado.   Ella salió de casa, fue al centro y compró el regalo.
   It rained a lot last year.   *She left the house, went downtown, and bought the gift.*

2. to report the beginning or the end of an action in the past.

   Empezó a hablar con los estudiantes.   Terminaron la tarea muy tarde.
   He started to talk with the students.   *They finished the assignment very late.*

3. to indicate a change in mental, physical, or emotional state at a definite time in the past.

Después de la explicación lo comprendimos todo.
After the explanation we understood everything.

B. The preterite and the imperfect used together

1. The preterite and imperfect tenses can best be understood by examining their use together in the same sentence.

El profesor hablaba cuando Elena entró.
The professor was talking when Elena entered.

Él explicaba las influencias extranjeras cuando terminó la clase.
He was explaining the foreign influences when the class ended.

Me dormí mientras hacía los ejercicios.
I fell asleep while I was doing the exercises.

In the above sentences, note that the imperfect describes the way things were or what was going on while the preterite relates a completed act that interrupted the scene or action.

2. Note the use of the preterite and the imperfect in the following paragraphs.

Los españoles llegaron a América en 1492, donde se encontraron con los indígenas de este nuevo mundo. Los indígenas eran de una raza desconocida. Todo era distinto incluso el color de su piel, la ropa, sus costumbres y sus lenguas. Los españoles creían que estaban en la India y por eso llamaron a los habitantes de estas tierras «indios».

Cuando los españoles empezaron a explorar estos nuevos territorios supieron que ya había tres civilizaciones muy avanzadas: la maya, la azteca y la incaica. Estos indígenas tenían sus propios sistemas de gobierno, sus propias lenguas y en cada civilización la religión hacía un papel muy importante en la vida diaria de la gente. Había muchos templos y los indios participaban en numerosas ceremonias dedicadas a sus dioses. Había gran cantidad de diferencias entre la cultura de los españoles y la de los indígenas. Por eso los españoles no pudieron entender bien a los indígenas ni ellos a los españoles.

The Spaniards arrived (completed act) in America in 1492 where they found (completed act) the native inhabitants of this new world. The natives were (description) from an unknown race. Everything was (description) different including the color of their skin, their clothing, their customs, and their languages. The Spaniards believed (thought process) that they were (location over a period of time) in India and therefore called (completed act) the inhabitants of these lands "Indians."

When the Spaniards started (beginning of an act) to explore these new territories they found out (meaning of saber in the preterite) that there were (description) already three very advanced civilizations: the Mayan, the Aztec, and the Incan. These Indians had (description) their own systems of government, their own languages and in each civilization, religion played (description) a very important role in the daily life of the people. There were (description) many temples and the Indians participated (continuous or habitual act) in many ceremonies dedicated to their gods. There were (description) many differences between the culture of the Spaniards and that of the Indians. For that reason the Spaniards could not (meaning of poder in the preterite) understand the Indians well nor the Indians the Spaniards.

C. Verbs with special meanings in the preterite

In the imperfect tense, some verbs describe a physical, mental, or emotional state, while in the preterite they report a changed state or an event.

conocer: Conocí a Elena anoche. ¿Conocías a Elena en aquella época?
I met (became acquainted with) Elena last night. *Did you know Elena at that time?*

saber: Supo que ella era rica. Sabía temprano que ella era rica.
He found out that she was rich. *He knew early that she was rich.*

querer: Quiso llamarla. Quería llamarla.
He tried to call her. *He wanted to call her.*

 No quiso hacerlo. No quería hacerlo.
He refused to do it. *He didn't want to do it.*

poder: Pudo hacerlo. Podía hacerlo.
She succeeded in doing it (managed to do it). *She was able to do it (capable of doing it).*

 No pudo hacerlo. No podía hacerlo.
She failed to do it. *She wasn't able to do it.*

Práctica

2-17 A decidir. Complete las oraciones siguientes con el pretérito o el imperfecto de los verbos entre paréntesis.

1. Mi amigo ___estudiaba___ (estudiar) cuando yo ___entré___ (entrar).
2. Los invitados ___comían___ (comer) cuando mis padres ___llegaron___ (llegar).
3. Ella ___salió___ (salir) cuando el reloj ___daba___ (dar) las seis.
4. Nosotros ___dormíamos___ (dormir) cuando el policía ___llamó___ (llamar) a la puerta.
5. Yo ___hablaba___ (hablar) con el profesor cuando los estudiantes ___entraron___ (entrar) en la clase.
6. Siempre me ___llamaba___ (llamar) cuando él ___estaba___ (estar) en la ciudad.
7. La chica ___era___ (ser) muy bonita. Ella ___tenía___ (tener) pelo rubio y ojos verdes.
8. Los moros ___invadieron___ (invadir) España en 711 y ___salieron___ (salir) en 1492.
9. Ramón ___fue___ (ir) a la biblioteca y ___estudió___ (estudiar) por dos horas.
10. Cuando nosotros ___estábamos___ (estar) de vacaciones en la península, ___hacía___ (hacer) calor todos los días.

2-18 Una tarde con Ramón. Escriba el párrafo otra vez cambiando todos los verbos al pretérito o al imperfecto.

Son las tres de la tarde. Ramón está en casa. Hace buen tiempo y por eso decide llamar a Elena para preguntarle si quiere dar un paseo con él. Llama dos veces por teléfono pero nadie contesta. Entonces sale de casa. Anda por la plaza cuando ve a Elena frente a la catedral. Ella está con su amiga Concha. Ramón corre para alcanzarlas. Cuando ellas lo ven, lo saludan con gritos y risas. Ramón las saluda y empieza a hablar con Elena. No hablan por mucho tiempo porque las chicas tienen que estar en casa de Concha a las cinco, y ella vive muy lejos. Ramón conoce a Concha también, pero ella nunca lo invita porque cree que él es muy antipático. Por eso los jóvenes se despiden y Ramón le dice a Elena que va a llamarla más tarde.

Suggestion, 2-19: Place students in groups of three to four and take turns asking each group to translate a sentence for the class. Be sure to provide opportunities where all groups have expressed their version and justified their choice of translation.

Answers 2-19: Querido(a): Te escribo para decirte lo que hice el fin de semana pasado. Salía con José todos los sábados, pero ayer vi a Ramón en la librería y decidimos ir al cine. Era una película interesante sobre las culturas indígenas antiguas de México. Más tarde fuimos a un club que estaba cerca del Zócalo. Nos encontramos con algunos amigos allí, y bailamos hasta las dos de la mañana. Eran las tres cuando llegué a casa. Yo estaba muy cansado(a), y por eso me acosté. Dormí hasta las cuatro de la tarde. Me levanté, estudié, cené y miré televisión. Fue un fin de semana muy ocupado, pero me divertí mucho. Hasta luego, Tu amigo(a)

Answers 2-20: *Answers will vary.*

2-19 Una carta a un(a) amigo(a). Escríbala en español.

Querido(a):

I am writing to you to tell you what I did last weekend. I used to go out with José every Saturday, but I saw Ramón yesterday in the bookstore and we decided to go to a movie. It was an interesting film about the early indigenous cultures of Mexico. Later we went to a nightclub that was near the Zócalo. We met some friends there and danced until 2:00 in the morning. It was 3:00 when I arrived home. I was very tired so I went to bed. I slept until 4:00 in the afternoon. I got up, studied, ate supper, and watched television. It was a busy weekend, but I enjoyed myself a lot.

Until later,
Your friend

2-20 Su fin de semana pasado. Ahora escríbale una carta a un(a) amigo(a) diciéndole lo que Ud. hizo el fin de semana pasado. Luego, compare su carta con la de un(a) compañero(a) de clase. Para terminar, comparta sus experiencias con la clase. ¿Cuántos estudiantes hicieron las mismas cosas y cuántos estudiantes hicieron cosas diferentes? Su profesor(a) va a escribir una lista de estas actividades en la pizarra para comparar las diferencias y semejanzas.

Direct object pronouns

A. Forms and usage

Grammar considerations: Assign this section as homework so that you can dedicate more class time to the activities in the **Práctica** section.

me	*me*	nos	*us*
te	*you*	os	*you*
lo	*him, you, it*	los	*them, you*
la	*her, you, it*	las	*them, you*

In Spain, **le** is generally used instead of **lo** to refer to people (masculine). **Lo** is the preferred form in Latin America. In Latin America, the **os** has been replaced by **los** and **las**.

Direct object pronouns take the place of nouns used as direct objects. They agree in gender and number with the nouns they replace.

Compro **la revista.**   **La** compro.
No necesitan **los zapatos.**   No **los** necesitan.

B. Position

1. They normally precede the conjugated form of a verb.

   Me ven en la escuela.   **Lo** tengo aquí.
   They see me at school.   *I have it here.*

Note: The position of object pronouns with the present participle, the progressive tenses, and commands will be reviewed in subsequent units.

2. They usually follow and are attached to an infinitive.

   Salió sin hacer**lo.**   Traje los libros para vender**los.**
   He left without doing it.   *I brought the books to sell them.*

   However, when an infinitive immediately follows a conjugated verb form, the pronoun may either be attached to the infinitive or placed before the entire verb phrase.

   Enrique quiere comprar**las.**
   OR
   Enrique **las** quiere comprar.
   Enrique wants to buy them.

Práctica

Out-of-class assignment, 2-21: Have students complete activity 2-21 at home so that you can dedicate more time to the open-ended activities.

Answers 2-21: 1. Juan / nos, te, los, la, lo, las / ve. 2. Nosotros / la, lo, los, las / leemos. 3. Quiero verlas, verla, verlos, verte, verlo, verlo, verlas. 4. Salió sin escribirlas, escribirlo, escribirla, escribirlos.

2-21 Manipulación. Haga el ejercicio siguiente cambiando las palabras entre paréntesis a pronombres directos. Luego, póngalos en la oración original.

> **Modelo**   Yo te llamé. (Raúl)
> *Yo lo llamé.*

1. Juan me ve. (nosotros / tú / ellos / ella / él / ellas)
2. Nosotros lo leemos. (la carta / el artículo / los periódicos / las novelas)
3. Quiero verla. (las montañas / la playa / ellos / tú / el pueblo / Tomás / las revistas)
4. Salió sin escribirlo. (las cartas / el cuento / la composición / los artículos)

Answers 2-22: 1. Los alumnos los estudian. 2. Las mujeres salieron sin pagarla. 3. Cristóbal Colón lo descubrió. 4. Elena quiere discutirla. Elena la quiere discutir. 5. Estaba muy cansado después de terminarlo. 6. Los moros las conocían bien. 7. Ellos los leen. 8. Después de encontrarla, se sentó. 9. El profesor las explicó. 10. Los españoles los derrotaron en 1492.

2-22 Transformación. Cambie las palabras escritas en letra cursiva a pronombres directos. Luego, escriba la oración otra vez poniendo los pronombres en la posición correcta.

1. Los alumnos estudian *los verbos reflexivos*.
2. Las mujeres salieron sin pagar *la cuenta*.
3. Cristóbal Colón descubrió *el Nuevo Mundo*.
4. Elena quiere discutir *la historia de la lengua española*. (two ways)
5. Estaba muy cansado después de terminar *el trabajo*.
6. Los moros conocían bien *las tierras de España*.
7. Ellos leen *libros históricos*.
8. Después de encontrar *una silla desocupada*, se sentó.
9. El profesor explicó *las influencias extranjeras*.
10. Los españoles derrotaron *a los moros* en 1492.

Answers 2-23: *Answers will vary.*

2-23 Una persona inquisitiva. Su compañero(a) de clase es una persona muy inquisitiva y siempre le hace muchas preguntas. Contéstelas usando pronombres directos.

> **Modelo**   Su compañero(a) de clase: *¿Leíste el periódico hoy?*
> Ud.: *Sí, lo leí.*
>
> -o-
>
> *No, no lo leí.*

1. ¿Escribiste la carta ayer?
2. ¿Estudiaste la lección para hoy?
3. ¿Comiste todos los dulces?
4. ¿Compraste todos los libros para tus clases?
5. ¿Hiciste tu tarea para mañana?
6. ¿Aprendiste los verbos irregulares?
7. ¿Entendiste la conferencia del profesor?
8. ¿Llamaste a tu novio(a) anoche?

The reflexive verbs and pronouns

1. A reflexive verb may be identified by the reflexive pronoun se, which is attached to the infinitive to indicate that the verb is reflexive. When a reflexive verb is conjugated, the appropriate reflexive pronoun must accompany each form of the verb.

levantarse *to get (onself) up*	
me levanto	nos levantamos
te levantas	os levantáis
se levanta	se levantan

The reflexive construction is used when the action of the verb reflects back and acts upon the subject of the sentence.

Me levanto a las ocho.
I get (myself) up at 8:00.
Se llama Elena.
Her name is Elena. She calls (herself) Elena.

2. The reflexive pronouns may either precede a conjugated form of a verb or follow and be attached to the infinitive.

¿Vas a bañar**te** ahora?
¿No **te** vas a bañar ahora?

Note that the Spanish reflexive is often translated as *to become* or *to get* plus an adjective. The verb **ponerse** plus various adjectives also means *to become* or *to get*.

acostumbarse	*to get used to*	enojarse	*to become angry*
casarse	*to get married*	ponerse pálido(a)	*to become pale*
enfermarse	*to get sick*	ponerse triste	*to become sad*

A. Verbs used reflexively and non-reflexively

1. Many Spanish verbs may be used reflexively or non-reflexively; the use of the reflexive pronoun changes the meaning of the verb.

For example:

Lavo mi coche todos las sábados.
I wash my car every Saturday.

Me lavo antes de comer.
I wash (myself) before eating.

2. Note the following verbs:

acercar	*to bring near*	acercarse (a)	*to approach*
acordar	*to agree (to)*	acordarse (de)	*to remember*
acostar	*to put to bed*	acostarse	*to go to bed*
bañar	*to bathe (someone)*	bañarse	*to bathe (oneself)*
burlar	*to trick, to deceive*	burlarse (de)	*to make fun of*
decidir	*to decide*	decidirse (a)	*to make up one's mind*
despedir	*to discharge, to fire*	despedirse (de)	*to say good-bye*
despertar	*to awaken (someone)*	despertarse	*to wake up*
divertir	*to amuse*	divertirse	*to have a good time*
dormir	*to sleep*	dormirse	*to fall asleep*
enojar	*to anger (someone)*	enojarse	*to get angry*

fijar *to fix, to fasten*	fijarse (en) *to notice*
hacer *to do, to make*	hacerse *to become*
levantar *to raise, to lift*	levantarse *to get up*
llamar *to call*	llamarse *to be called, to be named*
negar *to deny*	negarse (a) *to refuse*
parecer *to seem, to appear*	parecerse (a) *to resemble*
poner *to put, to place*	ponerse *to put on (clothing)*
	ponerse a *to begin*
preocupar *to preoccupy*	preocuparse (de, por, *or* con) *to worry about*
probar *to try, to taste*	probarse *to try on*
quitar *to take away, to remove*	quitarse *to take off*
sentar *to seat someone*	sentarse *to sit down*
vestir *to dress (someone)*	vestirse *to get dressed*
volver *to return*	volverse *to turn around*

3. The following verbs are normally reflexive:

atreverse (a) *to dare*	jactarse (de) *to boast*
arrepentirse (de) *to repent*	quejarse (de) *to complain*
darse cuenta (de) *to realize*	suicidarse *to commit suicide*

B. Reflexive pronouns for emphasis

Colloquially, a reflexive pronoun may be used to intensify an action or to emphasize the personal involvement of the subject. Note the following conversational examples.

Se murió el abuelo el año pasado.
My grandfather died last year.

¿Los viajes? Me los pago yo.
The trips? I'm paying for them.

Lo siento, me lo comí todo.
I'm sorry, I ate it all up.

Práctica

Out-of-class assignment, 2-24: Have students complete activity 2-24 at home so that you can dedicate more time to the rest of the activities in this **Práctica** section.

Answers 2-24: 1. mis amigos y yo: nos levantamos, Nos bañamos, nos vestimos, nos desayunamos, nos pusimos, nos fuimos, decidimos, Nos divertimos, nos cambiamos, nos acostamos, nos dormimos; 2. Carmen: se levantó, se bañó, se vistió, se desayunó, se puso, se fue, decidió, Se divirtió, se cambió, se acostó, se durmió; 3. Uds.: se levantaron, Se bañaron, se vistieron, se desayunaron, se pusieron, se fueron, decidieron, Se divirtieron, se cambiaron, se acostaron, se durmieron; 4. tú: te levantaste, Te bañaste, te vestiste, te desayunaste, te pusiste, te fuiste, decidiste, Te divertiste, te cambiaste, te acostaste, te dormiste; 5. ellas: se levantaron, Se bañaron, se vistieron, se desayunaron, se pusieron, se fueron, decidieron, Se divirtieron, se cambiaron, se acostaron, se durmieron

Answers 2-25: 1. José se levanta temprano. 2. Yo me baño todos los días. 3. La madre se acuesta a las ocho. 4. La señora se viste. 5. El criado se sienta cerca de la ventana. 6. Las mujeres se quitan los zapatos.

2-24 Una narrativa breve. Lea esta narrativa breve y después cuéntela desde el punto de vista de las personas indicadas. Luego, diga cuatro cosas que Carmen hizo ayer.

Ayer me levanté temprano. Me bañé, me vestí y me desayuné. Más tarde, me puse la chaqueta y me fui para la universidad. Después de mis clases, decidí ir a estudiar en la biblioteca antes de volver a casa. Me divertí mucho leyendo el cuento para la clase de español. Al llegar a casa, me cambié de ropa, me acosté y me dormí pronto.

(mis amigos y yo, Carmen, Uds., tú, ellas)

2-25 Un cambio de sentido. Cambie las oraciones a la forma reflexiva. Fíjese en el cambio de sentido entre la forma reflexiva y la forma original.

Modelo   Ella lava los platos.
              Ella se lava.

1. José levanta a su hermano temprano.
2. Yo baño a mi perro todos los días.
3. La madre acuesta a sus niños a las ocho.
4. La señora viste a su nieta.
5. El criado sienta a los invitados cerca de la ventana.
6. Las mujeres quitan los zapatos de la mesa.

Orígenes de la cultura hispánica: América ■ **45**

Suggestion, 2-25 & 2-26: As a follow-up to activities 2-25 and 2-26, you may have students compare and justify their answers.

Answers 2-26: 1. El profesor se levantó tarde. 2. Yo me lavé antes de salir de mi casa. 3. Mis padres se acostaron temprano. 4. Tú te dormiste durante la conferencia. 5. Mis amigos y yo nos divertimos mucho durante la fiesta.

Answers 2-27: *Answers will vary.*

Answers 2-28: *Answers will vary.*

2-26 Actividades de ayer. Diga lo que hicieron las personas siguientes ayer.

1. el profesor / levantarse tarde
2. yo / lavarse antes de salir de mi casa
3. mis padres / acostarse temprano
4. tú / dormirse durante la conferencia
5. mis amigos y yo / divertirse mucho durante la fiesta

2-27 Su vida en la escuela secundaria. Con un(a) compañero(a) de clase háganse estas preguntas para saber lo que hacían durante sus años en la escuela secundaria. ¿Hay semejanzas y diferencias? ¿Cuáles son?

1. ¿Te sentabas en el mismo lugar en tus clases todos los días?
2. ¿Te preocupabas mucho de tus estudios?
3. ¿Te acostabas todas las noches a las nueve?
4. ¿Te burlabas de tus maestros muchas veces?
5. ¿Te quejabas de tus clases con frecuencia?

2-28 Su horario diario. Ud. y su compañero(a) de clase van a comparar su horario diario. Dígale cinco cosas que Ud. hizo ayer y a qué hora las hizo. Su compañero(a) de clase va a hacer la misma cosa. Compare las diferencias y semejanzas de sus actividades. Use los verbos siguientes y otros, cuando sea necesario.

despertarse	vestirse	volverse
levantarse	irse	quitarse
bañarse	llegar	acostarse

Repaso

For more practice of vocabulary and structures, go to the book companion website at **www.thomsonedu.com/spanish/intermediatespanish.**

Antes de empezar la última parte de esta **unidad,** es importante repasar el vocabulario nuevo y la estructura y hacer las actividades que siguen.

2-29 Sus actividades de ayer. Cuente lo que hizo ayer, cambiando los verbos en la narrativa breve, del tiempo presente al pretérito.

A las siete me despierto. Me levanto *en seguida y* voy *al baño.* Me lavo, me peino y me visto. Salgo *de mi cuarto a las siete y media.* Voy *al comedor para desayunarme. Después de comer,* salgo *para la universidad.* Llego *a mi primera clase a las ocho. Cuando* termina *la clase* voy *a la biblioteca para estudiar.* Estudio *tres horas.* Vuelvo *a casa a las doce.* Preparo *el almuerzo y me lo* como. *Por la tarde* duermo. *A las cinco mi amigo* pasa *por mi casa y* vamos *a la cafetería donde* trabajamos. Regreso *a casa muy tarde.* Me acuesto *inmediatamente.*

Review the regular and irregular verb forms of the preterite tense.

Answers 2-29: 1. me desperté; 2. Me levanté, fui; 3. Me lavé, me peiné, me vestí; 4. Salí; 5. Fui; 6. salí; 7. Llegué; 8. terminó; 9. Estudié; 10. Volví; 11. Preparé, comí; 12. dormí; 13. pasó, fuimos, trabajamos; 14. Regresé; 15. Me acosté

2-30 Las actividades de ayer de su compañero(a) de clase. Pregúntele a un(a) compañero(a) de clase si él (ella) hizo las cosas siguientes ayer.

> **Modelo** despertarse temprano
> —*¿Te despertaste temprano ayer?*
> —*Sí, me desperté temprano ayer.*
>   -o-
> —*No, no me desperté temprano ayer.*

1. levantarse a las ocho
2. bañarse antes de vestirse
3. peinarse con mucho cuidado
4. vestirse rápidamente
5. ponerse perfume

Review the regular and irregular verb forms of the preterite tense and the reflexive verbs and pronouns.

Answers 2-30: *Answers will vary.*

2-31 Las actividades de su familia y sus amigos. Diga lo que hacían su familia y sus amigos generalmente todos los días, y lo que hicieron en cambio *(instead)* ayer. Siga el modelo.

> **Modelo** mi madre / preparar la comida en casa
> *Mi madre siempre preparaba la comida en casa, pero ayer mi hermano la preparó.*
>
> mi hermana / estudiar todo el tiempo
> *Mi hermana estudiaba todo el tiempo, pero ayer fue a la playa.*

1. mis hermanos / acostarse a las ocho
2. yo / ir a la playa todos los martes
3. mis padres / venir a visitarme todos los fines de semana
4. mis amigos y yo / estudiar todas las noches en la biblioteca
5. tú / distraer al profesor durante la clase
6. Carlos / dormirse en la clase de español

Review the uses of the preterite and the imperfect tenses.

Answers 2-31: *Answers will vary.*

2-32 Descríbale a la clase una experiencia inolvidable de su pasado y las razones por las que no puede olvidarla.

Review the uses of the preterite and the imperfect tenses.

Answers 2-32: *Answers will vary.*

Language functions

Being able to carry out specific language functions is essential to effective communication. Some of the basic language functions that you must practice are asking and answering questions, describing, narrating, expressing likes and dislikes, expressing and supporting opinions, stating preferences, giving and following directions, hypothesizing, persuading, and discussing abstract concepts. In each unit of the text you will be given the opportunity to use these functions.

Verbal communication

In verbal communication be aware of the tone of voice used by the speaker. This can indicate the mood of the speaker, which will alert you to what kind of message is being conveyed. The intonation of a phrase or sentence can also tell you whether the speaker is asking a question, exclaiming, or making a statement.

Situación. Ud. acaba de recibir un regalo de sus padres en forma de un viaje a Sudamérica. Ud. llama a uno(a) de sus amigos(as) para decirle de su buena fortuna. Ud. le exclama del regalo que recibió de sus padres. Su amigo(a) le hace muchas preguntas en cuanto al viaje.

Descripción y expansión

¿Qué sabe Ud.? Durante los siglos XV and XVI los españoles exploraron muchas partes del Nuevo Mundo. En Sudamérica encontraron culturas indígenas que eran muy avanzadas. También vieron muchos animales y plantas exóticas. ¿Cuánto sabe Ud. de esta tierra encantada? Refiriéndose al mapa, conteste las siguientes preguntas.

a. ¿Cuántos países hay en Sudamérica? ¿En qué países no se habla español?

b. ¿Cómo se llama la capital de la Argentina?, ¿de Chile?, ¿del Perú?, ¿del Ecuador?, ¿de Colombia?, ¿de Bolivia?, ¿del Uruguay?, ¿del Paraguay?, ¿de Venezuela?, ¿del Brasil?

c. ¿Cuál es el río más grande de Sudamérica?

d. ¿Cómo se llama la cordillera de montañas que está en el oeste de Sudamérica?

e. ¿Cuál es el país más grande de Sudamérica?

f. ¿Qué océano está al este del Brasil? ¿Qué océano está al oeste de Chile? ¿Cuáles son los países de Sudamérica que no dan al mar?

g. Si Ud. quisiera *(would like)* pasar el verano en la Argentina, ¿deberé ir en julio o en enero? ¿Por qué?

Opiniones. Haga las siguientes actividades.

a. Comparta sus impresiones de Sudamérica con la clase.

b. ¿Cuál de los países de Sudamérica le interesa más? ¿Por qué?

c. ¿Ha viajado Ud. a algún país de Sudamérica? ¿A cuál(es)? ¿Qué pensó de él (ellos)?

Text Audio CD, Track 6 🔊 **Una visita**

Suggestion: Have students first obtain a general idea of the audio content by listening without looking at the activities. Next, have them read the activities that follow, and have them listen to the audio for the second time. This time, ask them to take notes while listening to the dialogue.

Escuche la situación siguiente y complete las actividades.

Al final del verano Raúl, un mexicano, invitó a David, estudiante de la Universidad de Chicago, y a Teresa, natural de Madrid, a su casa en Taxco para pasar unos días antes de volver a sus respectivos países. En Guatemala los tres formaron parte de un grupo de trabajo en una excavación arqueológica maya, y se hicieron amigos. Raúl ha ido al aeropuerto para recogerlos.

Información. Complete las oraciones con una de las tres posibilidades que se le ofrecen.

1. Los tres amigos trabajaron en el…
   a. invierno.
   b. mes de enero.
   c. verano. *(c)*

2. La chica es de…
   a. Taxco.
   b. Madrid. *(b)*
   c. Guatemala.

3. El viaje…
   a. duró mucho tiempo. *(a)*
   b. empezó a la hora en punto.
   c. tuvo lugar durante un huracán.

4. Raúl los invitó…
   a. el próximo verano.
   b. a su casa. *(b)*
   c. a dormir con los mayas.

 Conversación. Mantenga una conversación con un(a) compañero(a) basándose en los temas abordados. Pueden empezarla haciéndose las siguientes preguntas.

1. ¿En qué país era la excavación?
2. ¿Qué recuerdas de los mayas?
3. Si te interesa la arqueología, ¿qué pueblo de la antigüedad te fascina?
4. ¿Por qué te gusta tanto?

Situaciones. Con un(a) compañero(a) de clase, preparen un diálogo que corresponda a una de las siguientes situaciones. Es posible que sea necesario presentar el diálogo frente a la clase.

En la biblioteca. *Ud. trabaja en la biblioteca de la universidad. Un(a) estudiante entra y empieza a buscar un libro. Ud. le pide la información siguiente: el título del libro, el autor, la compañía que lo publicó y en cuál de sus clases va a usarlo.*

Otro día en la clase de español.
Ramón se encuentra con (runs into) Elena otra vez en la clase de español. Él le pregunta a ella lo que hizo anoche. Ella le describe en detalle todo lo que hizo. Luego ella le pregunta lo que hizo él. Ramón contesta que él fue al cine. Elena le hace muchas preguntas sobre la película que él vio. Ramón contesta en detalle todas sus preguntas.

Ejercicio de comprensión. Ud. va a escuchar dos comentarios breves sobre la llegada de los españoles al Nuevo Mundo y la influencia que los idiomas indígenas tuvieron sobre el español. Después de cada comentario Ud. va a escuchar dos oraciones. Indique si la oración es **verdadera** (V) o **falsa** (F), trazando un círculo alrededor de la letra que corresponde a la respuesta correcta.

Primer comentario

1. (V) F
2. V (F)

Segundo comentario

3. V (F)
4. (V) F

Ahora escriba un título para cada uno de los dos comentarios que refleje el contenido de ellos. Compare los títulos con los de otros estudiantes. En su opinión, ¿cuáles son los mejores títulos? Luego, escriba una cosa que Ud. aprendió de estos comentarios que no sabía antes.

Hay tres pasos en esta actividad. **Primer paso:** Se divide la clase en grupos de tres personas. Lean la introdución a la discusión. **Segundo paso:** Cada miembro del grupo tiene que observar los siete temas, y escoger la letra de las tres posibilidades que corresponde a su opinión. **Tercer paso:** Después, comparen sus respuestas. El (La) profesor(a) va a escribir las letras en la pizarra para ver cuáles de las opiniones dominan. Estén preparados para explicar su opinión.

Discusión: La astrología, la magia y la ciencia. Los indígenas de las civilizaciones precolombinas de las Américas estudiaron el cielo y los astros *(heavenly bodies)*. Creían que algunos de sus dioses vivían en el cielo y tenían poderes especiales que podían usar para controlar la vida diaria del pueblo. Si los dioses estaban contentos, había cosechas abundantes. Si los dioses estaban descontentos, había una gran escasez de comida y muchos terremotos y erupciones volcánicas. ¿Cree que las estrellas pueden influir en su vida diaria? Explique. Indique sus opiniones respecto a las siguientes posibilidades y explique por qué.

1. Los astros…
   a. controlan la vida humana.
   b. influyen en la vida de todos.
   c. no influyen nada en nuestra vida.

2. En cuanto a los horóscopos…
   a. los leo todos los días porque quiero saber lo que va a pasar.
   b. no los leo nunca.
   c. los leo de vez en cuando, pero no creo en ellos.

3. Los rasgos típicos de los que nacen bajo mi signo del zodíaco…
   a. son cualidades con las que me identifico.
   b. pueden atribuirse a cualquier persona.
   c. son cualidades que no describen ni mi personalidad ni mi carácter.

4. La magia…
   a. sólo existe como explicación de lo que todavía no se entiende científicamente.
   b. sí existe en todas partes del mundo.
   c. es una parte esencial de toda religión.

5. Los fenómenos psíquicos…
   a. indican que hay fuerzas inexplicables.
   b. se basan en el hecho de que existen ondas *(waves)* cerebrales que son capaces de moverse por el aire.
   c. no existen y son producto de la imaginación.

6. La ciencia…
   a. puede resolver todos los problemas de la humanidad.
   b. es menos importante que la filosofía o la religión.
   c. es la base de nuestra cultura.

7. El verdadero científico…
   a. sólo cree en lo tangible y lo material.
   b. también puede ser una persona religiosa.
   c. es la persona más indicada para gobernar el mundo moderno.

El horóscopo. Busque su signo y explíquele a su compañero(a) de clase si se identifica o no con las características que se asocian con él. Su compañero(a) debe hacer la misma cosa.

ARIES: 21 marzo–20 abril
Rasgos: impulsivo, egoísta, enérgico

TAURO: 21 abril–20 mayo
Rasgos: obstinado, estoico, paciente

GÉMINIS: 21 mayo–21 junio
Rasgos: inteligente, impaciente, inconstante

CÁNCER: 22 junio–22 julio
Rasgos: caprichoso, malhumorado, emocional

LEO: 23 julio–22 agosto
Rasgos: poderoso, dominante, orgulloso

VIRGO: 23 agosto–21 septiembre
Rasgos: tímido, solitario, trabajador

LIBRA: 22 septiembre–22 octubre
Rasgos: justiciero, artístico, indeciso

ESCORPIÓN: 23 octubre–21 noviembre
Rasgos: vengativo, honesto, leal

SAGITARIO: 22 noviembre–22 diciembre
Rasgos: sincero, descortés, gracioso

CAPRICORNIO: 23 diciembre–21 enero
Rasgos: ambicioso, serio, callado

ACUARIO: 22 enero–21 febrero
Rasgos: independiente, idealista, inestable

PISCIS: 21 febrero–20 marzo
Rasgos: imaginativo, optimista, compasivo

 A T A J O

Temas de conversación o de composición

1. En su opinión, ¿por qué hay tantas personas que creen en la astrología? ¿Es una cosa buena o mala? Explique.
2. Escoja a un miembro de su familia o a un(a) amigo(a) especial y lea el horóscopo que está bajo la fecha de su cumpleaños. ¿Son cualidades que describen o no describen su personalidad y su carácter? Explique.

Se puede dividir la historia de México en tres épocas: la precolombina, la colonial que empezó durante la primera parte del siglo XVI con la llegada de los conquistadores españoles y la moderna que empezó después de ganar la guerra de independencia contra España.

En esta sección, va a leer un anuncio que apareció en la revista *Viajar*. Estudie el anuncio con cuidado. Luego hay una serie de preguntas que contestar. Al terminar con las preguntas su profesor(a) va a dividir la clase en seis grupos. Cada uno de los grupos va a recibir un tema relacionado con el anuncio y va a tener dos o tres días para investigar su tema y para preparar una presentación oral que su grupo va a hacer enfrente de la clase.

Los seis temas son: (1) los mayas, (2) los aztecas, (3) la época colonial, (4) el barroco mexicano, (5) la Ciudad de México (6) y Cancún. Ud. puede hacer sus investigaciones en la biblioteca, o usando el Internet. Hay muchas páginas de la Web que contienen información sobre la historia de México.

www.thomsonedu.com/spanish/
intermediatespanish

Preguntas

Lea el anuncio sobre México en la página 54 y conteste las preguntas siguientes.

1. Según el anuncio ¿cómo es México?
2. ¿Cómo eran las civilizaciones precolombinas? ¿Por qué?
3. ¿Qué clase de herencia dejó la época colonial en México? Explique Ud.
4. ¿Por qué es la Ciudad de México tan importante? ¿De qué se puede disfrutar en esta ciudad?
5. ¿Qué se puede encontrar por las costas del mar Caribe y el océano Pacífico?

Suggestion: Have students work in groups or do this activity as a class. Before you explore the activity, give students 3–4 minutes to prepare.

¿Conoces México? Su profesor(a) va a conducir una encuesta para saber si hay estudiantes que han visitado México. Los que han pasado tiempo en México van a decirle a la clase por qué estuvieron en México, van a describir la parte que ellos visitaron y a dar sus impresiones sobre la gente y el país.

👥 Expansión

This is a prime opportunity to expand to the website for additional activities, and it offers other resources if the companion books are not being used by students.

Para entender mejor la historia de los indígenas en el Nuevo Mundo de hoy y ayer, se puede encontrar más información en **Unidad 2** de *Civilización y cultura.* Cada miembro de su grupo tiene que contribuir información que refleje lo que ellos han leído sobre «Las minorías étnicas en la actualidad hispanoamericana». Después de investigar este tema, cada grupo tiene que preparar un reportaje breve que una persona de su grupo tiene que presentar a la clase.

méxico

Fascinante, múltiple y diverso México le ofrece...

viajes
apasionantes
a través de sus
PAISAJES
y de su
HISTORIA

FITUR:
Pabellón México

En un tiempo fue la época precolombina con sus civilizaciones misteriosas que han dejado testimonios magníficos : olmecas, toltecas, mayas, aztecas... Enseguida el período colonial y su herencia barroca - el barroco mexicano - Palacios, iglesias como Santa Prisca en Taxco; ciudades evocadoras como Guanajuato, San Miguel de Allende y Oaxaca. Y la Ciudad de México con sus largas avenidas, su Universidad, sus museos que exhiben tesoros de un gran pasado y del arte contemporáneo... sin olvidar Guadalajara, importante ciudad moderna que ha conservado su encanto tradicional. Playas innumerables en que siempre dora el sol, algunas mundialmente conocidas : Acapulco, Puerto Vallarta, Cancún y las de la Baja California. Asimismo los nuevos centros turísticos en la costa del Pacífico como Ixtapa-Zihuatanejo, Careyes... Toda una gama de hoteles y de restaurantes de distintas categorías. Y la calurosa hospitalidad mexicana.

México sigue compitiendo en precios.
Consulte a su Agente de Viajes.
Numerosos vuelos diarios unen Europa a México.

SECRETARÍA DE TURISMO - CONSEJO NACIONAL DE TURISMO - MÉXICO D.F.
DIRECCIÓN GENERAL PARA EUROPA, 34, AV. GEORGE V, 75008 PARIS, FRANCIA
DELEGACIÓN EN ESPAÑA : VELÁZQUEZ Nº 126, MADRID 6, TEL. 261.18.27

La religión en el mundo hispánico

Desfile durante la Semana Santa con diseños de flores que cubren la calle. ¿Qué es la Semana Santa? ¿Cuándo se celebra la Semana Santa? ¿En qué consiste esta celebración? ¿Dónde se celebra esta celebración? ¿Qué le parece?

Mentor

Literatura y arte: Six religious and philosophical poems are presented in **Unidad 3.** Some of the poets who are represented are Sor Juana Inés de la Cruz, Miguel de Unamuno, and Rubén Darío.

Civilización y cultura: Four basic aspects of religion are presented in **Unidad 3,** including **Religión y sociedad, La religión y la vida personal, La religión en Hispanoamérica,** and **La iglesia de hoy.**

En contexto

El Día de los Difuntos

Estructura

- The **ir a** + *infinitive* construction
- The future tense and the conditional
- The future and conditional to express probability
- Indirect object pronouns
- Double object pronouns
- **Gustar** and similar verbs
- The verbs **ser** and **estar**

Repaso

www.thomsonedu.com/spanish/intermediatespanish

A conversar
Guessing from context

A escuchar
Recién casados

Investigación y presentación
Juan Diego y la Virgen de Guadalupe
Expansión

www.thomsonedu.com/spanish/intermediatespanish

El Día de los Difuntos *All Soul's Day*

El Día de los Difuntos°

Suggestion: Assign **Vocabulario activo** as homework. During class time, before having students listen to the dialogue, quickly review the **Para practicar** section.

Vocabulario activo

Estudie estas palabras.

Verbos
bautizar *to baptize*
dejar de *to stop*
demostrar (ue) *to show*
desilusionar *to disappoint, disillusion*
influir (en) *to influence*
renovar (ue) *to renew, renovate*
rezar *to pray*
servir (i) de *to serve as*

Sustantivos
el bautizo *baptism*
la boda *wedding*
el campo *country*
el clero *clergy*
el consuelo *consolation*

el cura *priest*
el diablo *devil*
la fe *faith*
el fiel, los fieles *the faithful, the devout*
la misa *Mass*
el valor *value*

Adjetivos
único(a) *only*

Otras expresiones
con permiso *excuse me*
de todos modos *anyway*
es cierto *it's true*
igual que *the same as, just like*

3-1 Para practicar. Complete el párrafo siguiente con las palabras escogidas de la sección **Vocabulario activo.** No es necesario usar todas las palabras.

La 1. __boda__ de los novios tendrá lugar en la misma iglesia donde el 2. __cura__ 3. __bautizó__ a la novia después de su nacimiento. Esta iglesia 4. __influía__ mucho en la vida diaria de las familias de la pareja *(couple).* Todos los domingos las familias asistían a la 5. __misa__ para 6. __renovar__ su 7. __fe__. Ellos le 8. __rezaban__ a Dios y meditaban. La iglesia era un gran 9. __consuelo__ para estas familias que vivían una vida sencilla y tranquila en el 10. __campo__ cerca de las montañas.

Suggestion: Have students first obtain a general idea of the audio's content by listening without looking at the activities. Next, have them read the activities that follow, and then listen to the audio for the second time. This time, ask them to take notes while listening to the dialogue.

El Día de los Difuntos. Antes de leer el diálogo, escúchelo con el libro cerrado. ¿Cuánto comprendió?

(Después de la comida)

CARLOS   Con permiso.

MAMÁ   ¿Adónde vas, hijo?

CARLOS   Voy a dormir la siesta. Me estoy muriendo de sueño.

MAMÁ   Pero, ¿no te gustaría ir a misa conmigo?

CARLOS   No, mamá, no quiero ir.

MAMÁ   ¿Qué te pasa, Carlos? Ya casi nunca vas a misa. Cuando eras niño y vivíamos en el campo[1] te gustaba ir todos los domingos y los días de obligación[1]. Son esos amigos tuyos de la universidad que te están influyendo, ¿verdad?

CARLOS   Bueno, mamá, es cierto que muchos de mis amigos no van. Pero no me hace falta ir a misa. Es posible creer en Dios sin ir a misa todo el tiempo.

MAMÁ   Ah, hijo. Hablas igual que hablaba tu padre.[2] Que en paz descanse[2]. Tampoco quería ir a misa. Pero las palabras del cura renovarán tu fe. Vamos.

CARLOS   El cura es sólo un hombre, como yo. En los pueblos, sí, los curas son los únicos hombres educados y por eso tienen mucha influencia. Pero aquí en la ciudad es diferente.

MAMÁ   Carlos, me desilusionas mucho. Sabes que son hombres dedicados a Dios.

CARLOS   Tal vez, pero yo puedo creer en Dios sin tener que ir a misa. La iglesia es para las bodas y los bautizos.[3] Bueno, claro, y también para cuando se estira la pata[3]. Como un seguro de viaje[4] para las últimas vacaciones.

MAMÁ   Carlos, ¡cállate! ¡Eres exactamente como tu padre! Ofenderás a Dios con esas blasfemias[5]. No sé qué pasaría con tu padre. Nunca iba a misa y un día murió de repente[6]. (Comienza a llorar.)

CARLOS   ¡Mamá, está bien! No llores. Papá estará muy bien en el cielo. Tú rezas bastante para toda la familia.

MAMÁ   Pues, para mí la religión siempre será muy importante. Es un gran consuelo en tiempos difíciles.

CARLOS   Sí, ya lo sé. Es cuestión de valores diferentes. Deja de llorar. Voy contigo a misa. No podría dormir de todos modos. ¡Qué dolor de cabeza tengo!

Notas culturales

[1] *Cuando… vivíamos en el campo:* En los pueblos pequeños la iglesia sirve de centro social además de centro religioso.

[2] *Hablas igual que hablaba tu padre:* En el mundo hispánico los hombres frecuentemente son católicos, pero no son practicantes.

[3] *La iglesia es para las bodas y los bautizos:* Aún los hombres que casi nunca van a misa, esperan casarse y bautizar a sus hijos en la iglesia. También quieren la presencia del clero en la hora de la muerte.

[1] los días de obligación *holy day of obligation*   [2] Que en paz descanse *May he rest in peace*
[3] se estira la pata *when you die*   [4] seguro de viaje *travel insurance*   [5] blasfemias *blasphemies*
[6] murió de repente *he died suddenly*

3-2 Actividad cultural. Las notas culturales refieren a la importancia de la iglesia en el mundo hispánico. En grupos de tres personas hablen de las diferencias y semejanzas que existen en los Estados Unidos en cuanto a la importancia de la religión en nuestra sociedad y nuestra vida personal. Expliquen por qué en su opinión. Cada grupo tiene que escribir una síntesis de su discusión para presentación oral a la clase. ¿Cuáles son los distintos puntos de vista entre los grupos?

3-3 Comprensión. Conteste las preguntas siguientes.

1. ¿Qué quiere hacer Carlos después del almuerzo?
2. ¿Adónde va a ir su mamá?
3. ¿Va Carlos a misa todos los días de obligación?
4. ¿Quiénes influyen en Carlos, según la mamá?
5. ¿Dice Carlos que es necesario ir a misa?
6. ¿Por qué tienen los curas mucha influencia en los pueblos pequeños?
7. Según la mamá, ¿por qué son buenos los curas?
8. Según Carlos, ¿para qué sirve la iglesia?
9. Según la madre, Carlos es como su padre. ¿Cómo era su padre?
10. ¿Para qué le sirve la religión a la madre de Carlos?
11. ¿Por qué decide Carlos ir a misa con su mamá?

3-4 Opiniones. Conteste las preguntas siguientes.

1. ¿Va a la iglesia todos los domingos? ¿Por qué?
2. ¿Cree que una persona puede ser religiosa sin asistir a una iglesia? ¿Por qué?
3. ¿Cree que una persona debe discutir sus creencias religiosas con otras personas, o es algo demasiado personal?
4. ¿Cree que la religión tiene un papel muy importante en la vida diaria de cada persona? ¿Por qué?
5. ¿Es posible que una persona sea buena sin asistir a una iglesia? Explique.
6. ¿Qué piensa de una persona que dice que no cree en Dios?
7. ¿Piensa que los jóvenes de hoy son menos religiosos que sus padres? ¿Por qué?
8. En su opinión, ¿sería el mundo mejor o peor sin la religión? Explique.

La religión tiene un papel importante en la vida diaria del pueblo hispano. Esta mujer está encendiendo velas y rezando en la Capilla. ¿Dónde está esta mujer? ¿Qué hace ella? ¿Es este ritual parecido a uno de los Estados Unidos? Explique.

Estructura

The *ir a* + infinitive construction

The present indicative of the verb **ir** followed by **a** and the infinitive is often used in Spanish to express an action that will take place in the immediate future.

¿Qué vas a hacer?
What are you going to do?

Voy a vender la pintura.
I am going to sell the painting.

Va a invitar a tu hija.
She is going to invite your daughter.

Vamos a tener mucho éxito.
We are going to be very successful.

Va a ser un gran consuelo para la gente.
It is going to be a great consolation for the people.

Práctica

Grammar considerations: Assign this section as homework so that you can dedicate more class time to the activities in the **Práctica** section.

3-5 Una narrativa breve. Lea esta narrativa breve. Después, cuéntela desde el punto de vista de las personas indicadas. Luego explique lo que pasa en la narrativa.

Vamos a asistir a la misa mañana. Vamos a celebrar el bautizo de nuestra sobrina. Vamos a invitar a toda la familia. Después de la misa, vamos a tener una comida especial en casa.

(yo, ella, Felipe y Juana, tú, Ud.)

Out-of-class assignments, 3-5 & 3-6: Have students complete these activities at home so that you can dedicate more time to the more open-ended activities that follow. In the beginning of next class correct at least one to see if students understood the new grammatical concepts. If there does not seem to be any problem, then proceed with the rest of the activities.

Answers 3-5: 1. yo: Voy, Voy, Voy, voy; 2. ella: Va, Va, Va, va; 3. Felipe y Juana: Van, Van, Van, van; 4. tú: Vas, Vas, Vas, vas; 5. Ud.: Va, Va, Va, va

Answers 3-6: 1. El clero va a influir mucho en la gente. 2. Los fieles van a renovar su fe en la iglesia. 3. Yo voy a servir de cocinero durante la fiesta. 4. Carlos y su madre no se van a meter en los problemas de la ciudad. 5. ¿Vas a comer tú antes de ir a misa?

3-6 Comentarios religiosos. Cambie las oraciones siguientes, usando la estructura **ir a** + el infinitivo.

1. El clero influye mucho en la gente.
2. Los fieles renuevan su fe en la iglesia.
3. Yo sirvo de cocinero (cook) durante la fiesta.
4. Carlos y su madre no se meten en los problemas de la ciudad.
5. ¿Comes tú antes de ir a misa?

Suggestion, 3-7: Ask students to work in groups in order to complete this activity and then, share their answers with the class.

Answers 3-7: *Answers will vary.*

3-7 ¿Adónde va Ud. y por qué? Cuando alguien va a un lugar generalmente es por una razón específica. Diga adónde van las personas de la columna **A** y por qué van allí.

Modelo   *Yo voy a la biblioteca. Voy a leer un libro.*

A	B	C
Su madre	a la fiesta	divertirse
Yo	a la iglesia	renovar la fe
Tú	al centro	tomar el sol
Carlos y Teresa	a la biblioteca	nadar en el mar
Mis amigos y yo	a las montañas	comprar unos comestibles
	a un concierto	preparar la tarea
	a la misa de gallo (*midnight Mass*)	escuchar la música
	a la playa	hablar español
	a la clase	visitar al cura
	a la universidad	bailar
	a una discoteca	estudiar lenguas extranjeras
		mirar los picos altos
		rezar

3-8 ¿Qué vas a hacer? Ahora hágale cinco preguntas a un(a) compañero(a) de clase para saber lo que él/ella va a hacer durante el resto del día. ¿Van a hacer las mismas cosas?

Modelo   Ud.: —*¿Qué vas a hacer después de salir?*
Su compañero(a) de clase: —*Voy a la librería para comprar los libros*
para la clase de español.

The future tense and the conditional

A. The future of regular verbs

1. In Spanish, the future tense of regular verbs is formed by adding the following endings to the complete infinitive: **-é, -ás, -á, -emos, -éis, -án.** Note that the same endings are used for all three conjugations.

hablar		comer		vivir	
hablaré	hablaremos	comeré	comeremos	viviré	viviremos
hablarás	hablaréis	comerás	comeréis	vivirás	viviréis
hablará	hablarán	comerá	comerán	vivirá	vivirán

Grammar considerations: Assign this section as homework so that you can dedicate more class time to the activities in the **Práctica** section.

2. The future tense in Spanish corresponds to the English auxiliaries *will* and *shall,* and it is generally used as in English.

¿A qué hora volverán?
At what time will they return?

Iremos a misa a las ocho.
We shall go to Mass at eight.

When the English word *will* is used to make a request, the verb **querer** + an infinitive is used in Spanish rather than the future tense: **¿Quiere Ud. abrir la ventana?** *(Will you open the window?)*

3. The future may also be used as a softened substitute for the direct command.

Ud. volverá mañana a la misma hora.
You will return tomorrow at the same time.

4. The following are often substituted for the future:

a. **Ir a** (in the present) plus the infinitive, referring to the near future.

Van a dejar de fumar.
They are going to stop smoking.

Voy a hacer compras mañana.
I am going to shop tomorrow.

b. The present tense.

El partido de tenis empieza a las dos.
The tennis game will begin at two.

B. The conditional of regular verbs

1. The conditional endings are also added to the complete infinitive: **-ía, -ías, -ía, -íamos, -íais, -ían.** The endings are the same for all three conjugations.

hablar		comer		vivir	
hablaría	hablaríamos	comería	comeríamos	viviría	viviríamos
hablarías	hablaríais	comerías	comeríais	vivirías	viviríais
hablaría	hablarían	comería	comerían	vivirías	vivirían

2. The conditional corresponds to the English auxiliary *would* and is generally used as in English.

> Me dijo que lo renovarían.
> *He told me that they would renovate it.*

> Me gustaría estudiar contigo.
> *I would like to study with you.*

3. Specifically, the conditional is used:

a. to express a future action from the standpoint of the past.

> Carlos le dijo que no dormiría la siesta.
> *Carlos told her that he would not take his nap.*

b. to express polite or softened statements, requests, and criticisms.

> Tendría mucho gusto en llevar a tu hermana.
> *I would be very happy to take your sister.*

> ¿Podría Ud. ayudarme?
> *Could you (Would you be able to) help me?*

> ¿No sería mejor ayudarlo?
> *Wouldn't it be better to help him out?*

c. to state the result of a conditional *if*-clause.

> Si viviéramos en el campo, irías a la iglesia todos los domingos.
> *If we lived in the country, you would go to church every Sunday.*

C. Irregular future and conditional verbs

Some commonly used verbs are irregular in the future tense and conditional. However, the irregularity is only in the stem; the endings are regular.

Verb	Future	Conditional	Verb	Future	Conditional
caber	cabré	cabría	querer	querré	querría
decir	diré	diría	saber	sabré	sabría
haber	habré	habría	salir	saldré	saldría
hacer	haré	haría	tener	tendré	tendría
poder	podré	podría	valer	valdré	valdría
poner	pondré	pondría	venir	vendré	vendría

Práctica

3-9 ¿Qué hará la gente? Indique lo que cada persona hará en las situaciones siguientes.

Modelo   Al llegar a la biblioteca (yo / estudiar) la lección.
Al llegar a la biblioteca yo estudiaré la lección.

1. Al levantarse (Carlos / vestirse) rápidamente.
2. Al entrar en la iglesia (nosotros / sentarse) inmediatamente.
3. Al llegar a casa (tú / poner) los libros en la sala.
4. Al recibir el dinero (ellos / ayudar) a los pobres.
5. Al terminar la clase (María / salir) para la casa.

Repita el ejercicio **3-9** diciendo lo que Ud. hará.

3-10 ¿Cuándo va a hacerlo? Pregúntele a un(a) compañero(a) de clase cuándo va a hacer las cosas siguientes.

> **Modelo** escuchar las palabras del cura
> *¿Vas a escuchar las palabras del cura ahora?*
> *No, escucharé las palabras del cura mañana.*

1. devolver el libro
2. almorzar con los amigos
3. asistir a la iglesia
4. salir a pasear
5. tener una cita
6. tomar el tren
7. hacer la tarea
8. rezar en la iglesia

3-11 Transformación. Cambie las oraciones para concordar con los verbos entre paréntesis.

> **Modelo** Sé que vendrá en coche. (sabía)
> *Sabía que vendría en coche.*

1. Me dicen que Ramón la llevará a la iglesia. (dijeron)
2. Creo que el cura contestará nuestras preguntas. (creía)
3. Estoy seguro de que la misa terminará a tiempo. (estaba)
4. Creo que nos dirá la verdad. (creía)
5. Les dice que discutirán sobre religión más tarde. (dijo)

3-12 ¿Qué harían ellos? Diga lo que harían estas personas en las situaciones siguientes.

> **Modelo** Al recibir el cheque (yo / hacer) un viaje.
> *Al recibir el cheque yo haría un viaje.*

1. Al visitar México (Laura / asistir) a una fiesta religiosa.
2. Al hacer un viaje (sus padres / enviarnos) unos recuerdos.
3. Al volver tarde (nosotros / acostarse) sin comer.
4. Al mirar la televisión (tú / divertirse) mucho.
5. Al mudarse a la ciudad (los campesinos / poder) encontrar empleo.

Repita el ejercicio **3-12** diciendo lo que Ud. haría.

3-13 Una entrevista. Hágale estas preguntas a un(a) compañero(a) de clase para saber lo que hará en las situaciones siguientes. Comparta esta información con otro(a) compañero(a) de clase.

> **Modelo** Estudiante 1: *¿Qué harás después de esta clase?*
> Estudiante 2: *Iré a la cafetería.*
> Estudiante 1: *Carlos dijo que iría a la cafetería.*

1. ¿Qué harás al ir a la biblioteca?
2. ¿Qué harás al llegar a casa esta tarde?
3. ¿Qué harás al asistir a la fiesta?
4. ¿Qué harás antes de estudiar esta noche?
5. ¿Qué harás al graduarte de la universidad?

Answers 3-14: *Answers will vary.*

3-14 Un millón de dólares. Haga una lista de cinco cosas que haría si tuviera un millón de dólares. Luego, compare su lista con la de un(a) compañero(a) de clase. Después su profesor(a) va a escribir sus ideas en la pizarra. ¿Cuáles son las cinco cosas que todos los estudiantes quieren hacer?

The future and conditional to express probability

A. The future of probability

Grammar considerations: Assign this section as homework so that you can dedicate more class time to the activities in the **Práctica** section. In class, review quickly the uses of the future and conditional by asking students to provide examples for each use that you write on the chalkboard.

The future tense is used to express probability at the present time. This construction is used when the speaker is conjecturing about a situation or occurrence in the present.

¿Qué hora será?
I wonder what time it is. (What time do you suppose it is?)

Serán las once.
It is probably eleven o'clock. (It must be eleven o'clock.)

¿Dónde estará Rosa?
I wonder where Rosa is. (Where do you suppose Rosa is?)

B. The conditional of probability

The conditional is used to express probability in the past.

¿Qué hora sería?
I wonder what time it was. (What time do you suppose it was?)

Serían las once.
It was probably eleven o'clock. (It must have been eleven o'clock.)

Estaría en la iglesia.
She was probably in the church. (I suppose that she was in the church.)

Notice that probability in the present or the past may also be expressed by using the word **probablemente** with either the present or the imperfect tense.

Probablemente están en la biblioteca.   Estarán en la biblioteca.
Probablemente sabía la respuesta.   Sabría la respuesta.

Práctica

Out-of-class assignments, 3-15 & 3-17: Have students complete these activities at home so that you can dedicate more time to the open-ended activities of the **Práctica** section.

Answers 3-15: 1. vivirán; 2. tendrán; 3. estarán; 4. nos esperarán; 5. será

3-15 Buscando a unos amigos. Ud. está buscando a unos amigos que se mudaron a otra ciudad. Ud. está en el barrio donde ellos viven pero no sabe exactamente dónde está su casa. Está conjeturando sobre la dirección de la casa. Exprese su incertidumbre cambiando las oraciones al futuro de probabilidad.

Modelo   Probablemente ellos no viven en este barrio.
            Ellos no vivirán en este barrio.

1. Probablemente ellos viven cerca de aquí.
2. Probablemente ellos tienen una casa muy grande.
3. Probablemente ellos no están en casa.
4. Probablemente ellos no nos esperan.
5. Probablemente la casa amarilla es su casa.

3-16 Incertidumbre. Alguien está haciéndole a Ud. varias preguntas. Ud. no sabe las respuestas, pero contesta con incertidumbre. Exprese sus dudas contestando las preguntas con el futuro de probabilidad.

> **Modelo**   ¿Qué hora es? (las doce)
> *Serán las doce.*

1. ¿A qué hora viene el cura? (a las nueve)
2. ¿Adónde va Carlos ahora? (a misa)
3. ¿A qué hora empieza el programa? (a las ocho)
4. ¿Cómo está su amiga? (muy cansada)
5. ¿Dónde trabaja su novio? (en un almacén)
6. ¿Qué tiene Ud. que hacer hoy? (ayudar a mi hermano)

Ahora hazle cinco preguntas a otro(a) estudiante y él (ella) tendrá que contestar con incertidumbre.

3-17 No estoy seguro(a). Conteste las preguntas siguientes usando el condicional de probabilidad para indicar falta de confianza en sus respuestas. Reemplace el objeto directo con un pronombre directo.

> **Modelo**   *¿Quién contestó las preguntas? (Ramón)*
> *Ramón las contestaría.*

1. ¿Quiénes hicieron las preguntas? (las alumnas)
2. ¿Quién escribió este cuento? (Cervantes)
3. ¿Quiénes mandaron estos ensayos? (mis amigos)
4. ¿Quién compró los libros? (mi primo)
5. ¿Quién puso la composición aquí? (el profesor)

3-18 El clero. Con un(a) compañero(a) de clase exprese el diálogo en español, conjeturando de la situación presentada. Después de practicarlo, su profesor(a) va a escoger a dos o tres parejas, invitándolas a presentarle el diálogo a la clase.

SEÑORA 1   I wonder who he is.
SEÑORA 2   He is probably a priest.
SEÑORA 1   Where do you suppose he's from?
SEÑORA 2   He's probably from Spain.
SEÑORA 1   I wonder when he arrived.
SEÑORA 2   He probably came last night with the other members *(miembros)* of the clergy.

Ahora, preparen un diálogo semejante con otras profesiones.

Indirect object pronouns

A. Forms

1. The indirect object pronouns are identical in form to the direct object pronouns except for the third person singular and plural forms **le** and **les.**

me	*(to) me*	nos	*(to) us*
te	*(to) you*	os	*(to) you*
le	*(to) him, her, you, it*	les	*(to) them, you*

2. Since **le** and **les** have several possible meanings, a prepositional phrase (**a él, a ella,** etc.) is sometimes added to clarify the meaning of the object pronoun.

Le dio el dinero a él.
He gave the money to him.

Les mandé un cheque a ellos.
I sent a check to them.

B. Usage

1. To indicate to whom or for whom something is done.

Les dio el único cuaderno.
He gave the only notebook to them.

Mi marido me preparó la comida.
My husband prepared the meal for me.

2. To express possession in cases where Spanish does not use the possessive adjectives (**mi, tu, su,** etc.) This usually is the case with parts of the body and articles of personal clothing.

Me corta el pelo.
She is cutting my hair.

Nos limpia los zapatos.
He is cleaning our shoes.

3. With impersonal expressions.

Le es muy difícil hacerlo.
It is very difficult for him to do it.

Me es necesario hablar con él.
It is necessary for me to talk with him.

4. With verbs such as **gustar, encantar, faltar,** and **parecer.** This use will be discussed later in this unit.

5. The indirect object pronoun is usually included in the sentence even when the indirect object noun is also expressed.

Le entregué el dinero a Juan.
I handed the money to Juan.

Les leí el cuento a los niños.
I read the story to the children.

Mario le da el regalo a Delia.
Mario is giving the present to Delia.

C. Position

Indirect object pronouns follow the same rules for position as direct object pronouns. They generally precede a conjugated form of the verb or are attached to infinitives and present participles.

Note that when two pronouns are attached to the present participle, a written accent is required on the original stressed syllable.

Van a leerte el cuento.
They are going to read you the story.

Te van a leer el cuento.
They are going to read the story to you.

Están escribiéndole una carta.
They are writing a letter to him.

Le están escribiendo una carta.
They are writing him a letter.

Double object pronouns

1. When both a direct and an indirect object pronoun appear in the same sentence, the indirect object pronoun always precedes the direct.

   Me lo contó.
   He told it to me.

Note that when two pronouns are attached to an infinitive, a written accent is required on the original stressed syllable.

2. Double object pronouns follow the same rules for placement as single object pronouns.

   Va a contármelo. Me lo va a contar.   Está contándomelo. Me lo está contando.
   He's going to tell it to me.   *He's telling it to me.*

3. When both pronouns are in the third person, the indirect object pronoun **le** or **les** changes to **se.**

   Le doy el libro.   Se lo doy.
   I give him the book.   *I give it to him.*

   Les mandé los cheques.   Se los mandé.
   I sent them the checks.   *I sent them to them.*

4. Since **se** may have several possible meanings, a prepositional phrase (**a ella, a Ud., a Uds., a ellos,** etc.) is often added for clarification.

   Se lo dio a Ud.
   He gave it to you.

5. Reflexive pronouns precede object pronouns.

   Se lo puso.
   He put it on.

6. The prepositional phrases **a mí, a ti, a nosotros,** and so forth may also be used with the corresponding indirect and direct object pronouns for emphasis.

   A mí me dice la verdad.
   She tells me the truth.

Práctica

Out-of-class assignments, 3-19 & 3-20: Have students complete these activities at home so that you can dedicate more time to the open-ended activities that follow.

Answer 3-19: 1. a nosotros: Nos habló, contándonos, nos dijo, mandarnos; 2. a ti: Te habló, contándote, te dijo, mandarte; 3. a ella: Le habló, cantándole, le dijo, mandarle; 4. a ellos: Les habló, contándoles, les dijo, mandarles; 5. a Uds.: Les habló, contándoles, les dijo, mandarles

Answers 3-20: 1. Voy a traérsela. Se la voy a traer. 2. Se la dije. 3. Su padre se lo prestó. 4. Tengo que comprárselos. Se los tengo que comprar. 5. Nos las mandan. 6. Está explicándoselo. Se lo está explicando. 7. Carlos los invitó. 8. La compañía se la vendió. 9. Elena quiere dársela. Elena se la quiere dar. 10. Van a mostrármelos. Me los van a mostrar.

3-19 Una narrativa breve. Lea esta narrativa breve. Después, cuéntela desde el punto de vista de las personas indicadas. Luego, explique lo que pasó anoche.

Me habló por teléfono anoche. Estaba contándome sus experiencias en México, cuando alguien interrumpió la conversación. Por eso me dijo que iba a mandarme una carta con unas fotos describiendo todo.

(a nosotros, a ti, a ella, a ellos, a Uds.)

3-20 Los pronombres directos e indirectos. Diga cada oración otra vez cambiando las palabras escritas en letra cursiva a pronombres directos o indirectos.

   Modelo   Voy a mandar *las fotos a mamá.*
                 Voy a mandárselas.

1. Voy a traer *la maleta a Juana.*
2. Dijo *la verdad a sus padres.*
3. Su padre prestó *dinero a Luz María.*
4. Tengo que comprar *los boletos para Juan y Felipe.*

5. Nos mandan *las cartas*.
6. Está explicando *el motivo a mi amigo*.
7. Carlos invitó *a los extranjeros*.
8. La compañía vendió *la maquinaria al cliente*.
9. Elena quiere dar *su cámara a los turistas*.
10. Van a mostrarme *sus apuntes*.

Answers 3-21: *Answers will vary.*

3-21 Un(a) amigo(a) ensimismado(a). Ud. tiene un(a) amigo(a) que es bastante egoísta. Siempre está pidiéndole algo a Ud. Con un(a) compañero(a) de clase (quien va a hacerle las preguntas siguientes), conteste las preguntas con una oración negativa o afirmativa. Siga el modelo. ¡Cuidado con los pronombres directos e indirectos!

Modelo   ¿Vas a escribirme muchas cartas este verano?
         Sí, voy a escribirte muchas cartas este verano.
         Sí, voy a escribírtelas este verano.

1. ¿Vas a darme tus apuntes hoy?
2. ¿Vas a prepararme comida mexicana esta noche?
3. ¿Me dirás las respuestas mañana?
4. ¿Me compraste los libros ayer?
5. ¿Estás haciéndome los ejercicios para hoy?
6. ¿Tus padres te prestan dinero para comprarme un regalo?

Answers 3-22: *Answers will vary.*

3-22 La boda. Sus amigos van a casarse. ¿Qué hará Ud. para celebrar la boda? Use pronombres en sus respuestas.

Modelo   ¿Les comprarás unos regalos?
         Sí, se los compraré.

1. ¿Les arreglarás su luna de miel?
2. ¿Les construirás una casa nueva?
3. ¿Les comprarás un coche nuevo?
4. ¿Les darás un cheque de mil dólares?
5. ¿Les harás un brindis?
6. ¿Les enviarás muchas flores?

Diga cinco otras cosas que Ud. hará. Después, compare sus ideas con las de los otros estudiantes.

Gustar and similar verbs

A. Gustar

Heinle iRadio: To hear more about **Gustar,** visit . . . **www.thomsonedu.com/spanish.**

Grammar considerations: Assign this section as homework so that you can dedicate more class time on the activities in the **Práctica** section. In class, quickly review the verb **gustar** and similar ones by telling them a story about your friends' likes and dislikes. Use comprehension checks to elicit answers that require the use of verbs like **gustar.**

1. The Spanish verb **gustar** means *to please* or *to be pleasing*. The equivalent in English is *to like*. In the Spanish construction with **gustar,** the English subject (I, you, Juan, etc.) becomes the indirect object of the sentence, or the one *to whom* something is pleasing. The English direct object, or the thing that is liked, becomes the subject. The verb **gustar** agrees with the Spanish subject; consequently, it almost always is in the third person singular or plural.

Nos gusta bailar.
We like to dance. (Dancing pleases us.)

Me gustó la música.
I liked the music. (The music was pleasing to me.)

¿Te gustan las conferencias del profesor Ramos?
Do you like Professor Ramos's lectures?

Les gustaban sus cuentos.
They used to like his stories.

2. When the indirect object is a noun, it must be preceded by the preposition **a.** (The indirect object pronoun is still used.)

A mis hermanos les gustan los discos.
My brothers like the records.

A Pablo le gusta el queso.
Pablo likes cheese.

B. Other verbs like *gustar*

Other common verbs that function like **gustar** are **faltar** *(to be lacking, to need)*, **hacer falta** *(to be necessary)*, **quedar** *(to remain, to have left)*, **parecer** *(to appear, to seem)*, **encantar** *(to delight, to charm)*, **pasar** *(to happen, to occur)*, and **importar** *(to be important, to matter)*.

Me faltan tres billetes.
I am lacking (need) three tickets.

Nos hace falta estudiar más.
It is necessary for us to study more.

Les quedan tres pesos.
They have three pesos left.

No me importa el dinero.
Money doesn't matter to me.

Me encantan las rosas.
I love roses.

¿Qué te parece? ¿Vamos a la iglesia o no?
What do you think? Shall we go to church or not?

¿Qué te pasa?
What's happening to you? What's wrong?

Out-of-class assignment, 3-23: Have students complete this activity at home so that you can dedicate more time to the open-ended activities that follow.

Answers 3-23: 1. Te gustan las películas. Le gusta la misa. Nos gustan los deportes. Le gusta la comida. Les gustan las fiestas. Le gusta la raqueta. Les gusta viajar. 2. Te faltaban zapatos. Le faltaba una cámara. Nos faltaba un coche. Les faltaban billetes. Me faltaba un lápiz. 3. ¿Qué te pareció el concierto? ¿Qué le pareció el clima? ¿Qué les parecieron los partidos? ¿Qué le parecieron las lecturas? ¿Qué le pareció la discoteca? ¿Qué les parecieron los bailes mexicanos?

Answers 3-24: 1. ¿Te gustaron las ruinas indias? 2. ¿Les gustan esos jardines? 3. ¿Le gusta el movimiento feminista? 4. ¿Te gusta la política? 5. ¿Les gusta dormir la siesta?

Suggestion 3-24: Encourage students to find different types of questions for each answer. For instance, for number 1, there may be several variations: ¿**Te gustaron la ruinas indias?**, **Te gustaron las ruinas indias, ¿no?**, etc. Have students work in groups and then, have them share their answers with the rest of the class. Write on the board the different types of questions for each answer.

Práctica

3-23 Opiniones y observaciones. Haga el ejercicio siguiente, según el modelo.

Modelo   Me gustan los regalos. (a él / el poema)
              Le gusta el poema.

1. Me gusta la canción. (a ti / las películas; a Ud. / la misa; a nosotros / los deportes; a Raúl / la comida; a las chicas / las fiestas; a Rosa / la raqueta; a ellos / viajar)
2. Le faltaba a Ud. el dinero. (a ti / los zapatos; a ella / una cámara; a nosotros / un coche; a Rosa y a Pedro / los billetes; a mí / un lápiz)
3. ¿Qué les parecieron a Uds. las clases? (a ti / el concierto; a Elena / el clima; a tus hermanos / los partidos; a ella / las lecturas; a Ud. / la discoteca; a ellos / los bailes mexicanos)

3-24 ¿Cuál es la pregunta? Haga preguntas que produzcan la información siguiente.

1. Sí, me gustaron las ruinas indias.
2. Sí, nos gustan esos jardines.
3. No, a él no le gusta el movimiento feminista.
4. No, a mí no me gusta la política.
5. Sí, nos gusta dormir la siesta.

Ahora, diga lo que les gusta a cinco de sus amigos.

3-25 ¿Qué les gusta? Con un(a) compañero(a) de clase háganse preguntas para saber lo que les gusta o no les gusta. Después de contestar, expliquen por qué.

Modelo   estudiar mucho
—*¿Te gusta estudiar mucho?*
—*Sí, me gusta estudiar mucho porque quiero aprender.*
  -o-
—*No, no me gusta estudiar mucho porque prefiero escuchar música.*

1. las ciudades grandes
2. mirar televisión
3. vivir en el campo
4. la comida española
5. hablar y escribir en español
6. los bailes latinos
7. asistir a la iglesia
8. esta escuela

3-26 La vida universitaria. Haga una lista de cinco cosas que le gustan de la vida universitaria y cinco cosas que no le gustan. Compare su lista con la de un(a) compañero(a) de clase para saber las diferencias y semejanzas que existen entre Uds. Luego, compare su lista con las otras de la clase. ¿Cuáles son las cinco cosas que a la mayor parte de los estudiantes no les gustan? ¿Qué les gustan?

Heinle iRadio: To hear more about **Ser** and **Estar,** visit . . . **www.thomsonedu.com/spanish.**

Grammar considerations: The use of **ser** and **estar** has always been a challenge for Spanish language students. Assign this section as homework and during class have groups prepare a quiz on the contrast between the two verbs. Then, have the groups exchange quizzes and take the test. The group that performs best in the quiz is the winner.

The verbs *ser* and *estar*

The verbs **ser** and **estar** are translated as the English verb *to be*. However, their usage in Spanish is quite different. They can never be interchanged without altering the meaning of a sentence or in certain contexts producing an incorrect sentence.

A. *Estar* is used:

1. to express location.

La ciudad de Granada está en España.   Ellos están en la clase de español.
The city of Granada is in Spain.   *They are in the Spanish class.*

2. to indicate the condition or state of a subject when that condition is variable or when it is a change from the norm. Note that in some of the examples below **estar** can be translated by a verb other than to be (*to look, to taste, to seem, to feel,* etc.).

La ventana está sucia.   Juan está muy contento hoy.
The window is dirty.   *Juan is (seems) very happy today.*

Yo estoy muy desilusionado.   ¡Qué delgada está Teresa!
I am (feel) very disillusioned.   *How thin Teresa is (looks)!*

La cena está lista.   La sopa está riquísima.
The dinner is ready.   *The soup is (tastes) delicious.*

3. with past participles used as adjectives to describe a state or condition that is the result of an action.

El profesor cerró la puerta. La puerta está cerrada.
The professor closed the door. The door is closed.

El autor escribió el libro. El libro está escrito.
The author wrote the book. The book is written.

See **Unidad 4.**

4. with the present participle to form the progressive tenses.

Los estudiantes están analizando los verbos reflexivos.
The students are analyzing the reflexive verbs.

B. *Ser* is used:

1. to describe an essential or inherent characteristic or quality of the subject.

Su hija es bonita.
Your daughter is pretty.

El hombre es pobre.
The man is poor.

Mis tíos son ricos.
My uncles are rich.

La isla es pequeña.
The island is small.

Su abuelo es viejo. (in years)
His grandfather is old.

Su hermana es joven. (in years)
Her sister is young.

2. with a predicate noun that identifies the subject.

El señor Pidal es profesor.
Mr. Pidal is a professor.

Juan es el cónsul español.
Juan is the Spanish consul.

María es ingeniera.
María is an engineer.

Ramón es su amigo.
Ramón is her friend.

3. with the preposition **de** to show origin, possession, or the material from which something is made.

Roberto es de España.
Roberto is from Spain.

El libro es de Teresa.
The book is Teresa's.

El reloj es de oro.
The watch is (made of) gold.

La casa es de madera.
The house is made of wood.

4. to express time and dates.

Son las ocho.
It's eight o'clock.

Es el cinco de mayo.
It's the fifth of May.

5. when *to be* means "to take place."

La conferencia es aquí a las seis.
The lecture is (taking place) here at 6:00.

El concierto fue en el Teatro Colón.
The concert was (took place) in the Teatro Colón.

6. to form impersonal expressions (**es fácil, es difícil, es posible,** etc.).

Es necesario entender los tiempos verbales.
It is necessary to understand the verb tenses.

7. with the past participle to form the passive voice. (This will be discussed further in **Unidad 11.**)

El fuego fue apagado por el viento.
The fire was put out by the wind.

La lección fue explicada por el profesor.
The lesson was explained by the professor.

C. *Ser* and *estar* used with adjectives

It is important to note that both **ser** and **estar** may be used with adjectives. However, the meaning or implication of the sentence changes depending on which verb is used.

ser	estar
Elena es bonita.	Ella está bonita hoy.
Elena is pretty (a pretty girl).	*She looks pretty today.*
Tomás es pálido.	Tomás está pálido.
Tomás is pale-complexioned.	*Tomás looks pale.*
Él es bueno (malo).	Está bueno (malo).
He's a good (bad) person.	*He's well (ill).*
Es feliz (alegre).	Está feliz (contenta).
She's a happy (cheerful) person.	*She's in a happy (contented) mood.*
El profesor es aburrido.	Está aburrido.
The professor is boring.	*He's bored.*
Carlos es borracho.	Carlos está borracho.
Carlos is a drunkard.	*Carlos is drunk.*
José es enfermo.	José está enfermo.
José is a sickly person.	*José is sick (now).*
Las sandalias son cómodas.	Estas sandalias están muy cómodas.
Sandals are (generally) comfortable.	*These sandals feel very comfortable.*
Carolina es lista.	Carolina está lista para salir.
Carolina is clever (alert).	*Carolina is ready to leave.*

Práctica

Out-of-class assignments, 3-27 & 3-28: Have students complete these activities at home. During class time, put them in groups and ask them to compare their answers with those of other students. When sharing the answers with the class ask them to be ready to justify their choice of verbs.

3-27 *Ser* y *estar.* Complete las oraciones siguientes con la forma correcta de **ser** o **estar.**

1. La casa de Patricia __está__ muy lejos de aquí.
2. Su casa __es__ de ladrillo.
3. Marina __es__ la esposa de Juan.
4. Mi amigo __está__ muy cansado hoy.
5. __Es__ el primero de octubre.
6. Esta sopa __está__ muy caliente.
7. Él __es__ muy buena persona, pero __está__ enojado ahora.
8. Mi primo __está__ enfermo hoy.
9. __Son__ más ricos que los reyes de España.
10. Ya __está__ apagado el fuego.
11. Elena __es__ bonita, y hoy __está__ más bonita que nunca.
12. ¿De quién __es__ este libro?
13. La conferencia __es__ a las ocho.
14. Yo __estoy__ muy contento porque los zapatos __están__ muy cómodos.
15. El libro __es__ muy aburrido y por eso yo __estoy__ aburrido.

3-28 Un día en la vida de Enrique. Complete el cuento de Enrique con la forma correcta de **ser** o **estar**.

___Eran___ *las siete cuando Enrique se despertó.* ___Era___ *el día de los exámenes finales y él* ___estaba___ *muy nervioso. Su primer examen* ___era___ *a las nueve y quería llegar temprano para poder estudiar. Después de vestirse, empezó a buscar los libros. No* ___estaban___ *ni en la sala ni en el estudio. Al fin, su madre le dijo que* ___estaban___ *detrás de la puerta de su cuarto.*

Ahora ___estaba___ *listo y salió para la escuela. Cuando llegó, ya* ___estaban___ *sus amigos en la biblioteca.* ___Estaban___ *muy aburridos de esperar tanto, pero no dijeron nada. Todos* ___estaban___ *seguros de que iban a salir mal en el examen.* ___Eran___ *las nueve menos cinco. Ya* ___era___ *muy tarde y ellos tenían que apurarse para llegar a clase a tiempo.*

Después del examen, todos ___estaban___ *cansados pero contentos porque el examen había sido* (had been) *muy fácil.*

El bautizo es una ocasión importante en la vida hispánica. A menudo se celebra con una gran fiesta familiar después de la ceremonia religiosa. Comente sobre una ocasión importante en la vida de su familia.

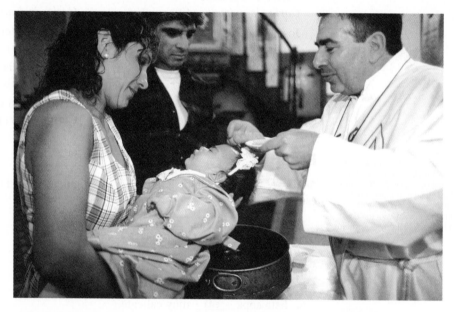

3-29 El bautizo. Describa la foto arriba usando una forma de **ser** o **estar** y las cosas de la lista.

Modelo   iglesia
La iglesia es muy grande.

las personas
Las personas están en la iglesia.

1. el bautizo
2. la pareja (el padre) (la madre)
3. la bebé
4. el cura de pelo negro
5. el hombre
6. la mujer
7. el altar

Ahora, añada otras dos oraciones descriptivas. Comparta su descripción con la clase. ¿Están todos de acuerdo?

For more practice of vocabulary and structures, go to the book companion website at **www.thomsonedu.com/ spanish/intermediatespanish.**

Antes de empezar la última parte de esta **unidad,** es importante repasar el vocabulario nuevo y la estructura y hacer las actividades que siguen.

3-30 Una carta de Carlos. Carlos está escribiéndole una carta a su prima para contarle lo que él y sus amigos harán durante el semestre que viene. Exprese estas ideas, cambiando el verbo entre paréntesis al futuro. Luego, léale esta carta a un(a) compañero(a) de clase.

Review the future tense.

Answers 3-30: 1. estudiaré; 2. harán; 3. asistiremos; 4. tendrá; 5. me divertiré; 6. se graduarán

1. Yo (estudiar) más este semestre que viene.
2. Mis amigos (hacer) la tarea todas las noches.
3. Juan y yo (asistir) a las conferencias especiales con más frecuencia.
4. Enrique (tener) que escribir un trabajo sobre la importancia de la Iglesia en México.
5. A pesar de los estudios, yo (divertirse) mucho.
6. José y Carmen (graduarse) de la universidad en mayo.

3-31 Al graduarse. Diga lo que harán las personas siguientes después de graduarse.

Review the future tense.

Answers 3-31: 1. haremos un viaje… ; 2. trabajarás para… ; 3. comprarán un… ; 4. Alicia entrará a… ; 5. Roberto saldrá…

> **Modelo**   Ana (casarse con un hombre rico)
> *Ana se casará con un hombre rico.*

1. nosotros (hacer un viaje alrededor del mundo)
2. tú (trabajar para un banco internacional)
3. mis amigos (comprar un coche nuevo)
4. Alicia (entrar a un convento)
5. Roberto (salir para España a estudiar)

3-32 ¿Qué haría Ud.? Diga lo que haría en las situaciones siguientes. Luego, su compañero(a) de clase va a hacer la misma cosa. Comparen sus respuestas.

Review the conditional.

Answers 3-32: *Answers will vary.*

> **Modelo**   ¿Qué harías al terminar la lección?
> *Al terminar la lección me acostaría.*

1. Al recibir un cheque de mil pesos _____.
2. Al entrar a la clase de español _____.
3. Al ir a un buen restaurante _____.
4. Al ver a tu mejor amigo(a) _____.
5. Al ir de vacaciones _____.
6. Al despertarte temprano _____.

3-33 A escoger. Si pudiera escoger, ¿cuál de las cosas siguientes haría y por qué?

Review the conditional.

Answers 3-33: *Answers will vary.*

> **Modelo**   asistir a una misa o a un concierto
> *Asistiría a un concierto.*

1. estudiar en México o en Colombia
2. vivir en la playa o en las montañas
3. ver una película española o una película francesa
4. salir temprano o tarde de la clase de español

Review all grammar points addressed in **Unidad 3,** and especially, the usage of **ser** and **estar.**

Answers 3-34: *Answers will vary.*

3-34 Una entrevista. Hágale estas preguntas a un(a) compañero(a) de clase. Luego comparta la información con la clase. Los otros miembros de la clase van a hacer la misma cosa para saber cuántos estudiantes tienen ideas semejantes o diferentes.

1. ¿Piensas que una persona debe casarse con otra persona que tiene creencias religiosas diferentes? ¿Por qué?
2. En tu opinión, ¿cuál es la religión más verdadera y aceptable de todas las religiones? ¿Por qué?
3. ¿Crees que es importante que los padres bauticen a sus hijos en una iglesia? ¿Por qué?
4. ¿Piensas que debe haber solamente una religión mundial? Explica.
5. ¿Crees que las religiones causan o resuelven la mayor parte de los problemas del mundo? Explica.

Guessing from context

Being a good listener can make you a better conversationalist. In the initial phases of language learning and acquisition, you will not know all of the vocabulary needed to understand every word that is spoken. Being aware of the linguistic and social contexts of the message will enable you to understand a conversation through word and phrase association and through the social situation in which the conversation is taking place. Also try to determine the topic or gist of the conversation. Then by making some logical assumptions and with sensible guessing, you should be able to determine the meaning of what you are hearing, which will enable you to make appropriate responses during the conversation. Practice your listening in the **A escuchar** and **Comprensión oral** sections found in this section of this **unidad.**

Descripción y expansión

Suggestion: This section is designed to give students practice in describing things and actions based on an image.

Suggestion, Descripción y expansión: Have students work in groups or do the following activities as a class. Before you have students explore the activities, give them 3–4 minutes to prepare.

▌ The following transparencies from the Heinle Transparency Bank are also recommended: **E-3 Varias familias, E-4 La boda, F-1 Los lugares públicos, F-2 Un pueblo, F-4 La ciudad.**

En la plaza. Muchas veces la plaza mayor de un pueblo hispano sirve de centro social para la gente que vive allí. Estudie este dibujo de una plaza típica y después haga las actividades siguientes.

1. Describa la plaza de este pueblo hispánico.
2. Describa la iglesia.
3. ¿Qué pasa en el dibujo?
   a. ¿Cuántas personas hay en el dibujo?
   b. ¿Qué hace el cura?
   c. ¿Qué hacen los niños?
   d. ¿Dónde están los jóvenes?
   e. ¿Qué hacen los jóvenes?
   f. ¿Qué venden los vendedores?
   g. ¿Qué compra la señora?

Opiniones. Con un(a) compañero(a) de clase, escriban los siguientes títulos en una hoja de papel: *Ciudad* y *Pueblo pequeño.* Debajo del título *Ciudad,* escriban diez ventajas y diez desventajas de vivir en una ciudad. Luego, escriban diez ventajas y diez desventajas de vivir en un pueblo debajo del título *Pueblo pequeño.* Después de terminar este ejercicio, su profesor(a) va a escribir los mismos títulos en la pizarra. Luego, él (ella) va a conducir una encuesta de todas las parejas, escribiendo las ventajas y desventajas presentadas por cada pareja. ¿Cuántos estudiantes prefieren vivir en una ciudad? ¿Por qué? ¿En un pueblo pequeño? ¿Por qué? ¿Dónde prefiere vivir Ud.? Explique.

Text Audio CD, Track 9 🎧 **Recién casados**

Suggestion: Have students first obtain a general idea of the audio's content by listening without looking at the activities. Next, have them read the activities that follow, and then listen to the audio for the second time. This time, ask them to take notes while listening to the dialogue.

Escuche la siguiente situación y complete las actividades.

Maribel y Elena, tomando la merienda, charlan muy alegres en una cafetería del centro de Buenos Aires. Maribel le cuenta a su hermana acerca de la luna de miel, de la cual acaba de regresar y de sus primeros días de recién casada en su nuevo hogar.

Información. Complete las siguientes oraciones, basándose en lo escuchado.

1. Maribel y Ramón fueron de __la luna de miel__.
2. Elena y Maribel son ___hermanas___.
3. La mamá piensa que los novios no irían a _____la misa_____.
4. La música entusiasma a _____Ramón_____.
5. Para Maribel el café está _____divino_____.

 Conversación. Con uno(a) o dos compañeros(as) entablen una conversación, intercambiando opiniones y experiencias sobre: la necesidad o no de que los esposos sean/no sean religiosos, tengan/no tengan la misma religión. Si no tienen la misma religión, ¿cómo se resolvería el problema religioso de los hijos? ¿Conocen algún matrimonio en esa situación?

 Situaciones. Con un(a) compañero(a) de clase, preparen un diálogo que corresponda a una de las siguientes situaciones. Es posible que sea necesario presentar el diálogo frente a la clase.

Un(a) niño(a) no quiere asistir a la iglesia. *Una familia está lista para salir para la iglesia. Un(a) niño(a) de la familia no quiere ir. La madre le explica por qué él (ella) debe asistir y el (la) niño(a) le da a ella las razones por las cuales no quiere ir.*

La vida ideal. *Dos amigos(as) conversan sobre lo que piensan de cómo sería la vida ideal. Están comparando sus ideas. Uno(a) explica en qué consistiría la vida ideal y el (la) otro(a) responde con su perspectiva de la vida perfecta.*

Text Audio CD, Track 10 🎧 **Ejercicio de comprensión.** Ud. va a escuchar dos comentarios breves sobre la religión en el mundo hispánico. Después de cada comentario, Ud. va a escuchar dos oraciones. Indique si la oración es **verdad** (V) o **falsa** (F), trazando un círculo alrededor de la letra que corresponde a la respuesta correcta.

Primer comentario

1. V (F)
2. (V) F

Segundo comentario

3. V (F)
4. (V) F

Ahora escriba un título para cada uno de los dos comentarios, que refleje el contenido de ellos. Compare los títulos con los de otros estudiantes. En su opinión, ¿cuáles son los mejores? Para terminar, escriba una cosa que Ud. aprendió de estos comentarios que no sabía antes.

Hay tres pasos en esta actividad. **Primer paso:** Se divide la clase en grupos de tres personas. Lean los cinco modos de vivir y cada persona tiene que indicar su reacción ante cada uno de ellos. **Segundo paso:** Compare sus reacciones con las de sus compañeros de clase. **Tercer paso:** Cada miembro del grupo debe describir brevemente su propio modo de vivir y su filosofía personal.

Discusión: Modos de vivir. A continuación se presentan cinco modos de vivir. Aquí está la lista de reacciones que Uds. deben usar.

a. Me gusta mucho.

d. No me gusta mucho.

b. Me gusta un poco.

e. No me gusta nada.

c. No me importa.

1. En este modo de vivir, el individuo participa activamente en la vida social de su pueblo, pero no busca cambiar la sociedad, sino comprender y preservar los valores establecidos. Evita todo lo excesivo y busca la moderación y el dominio sobre sí mismo. La vida, según esta filosofía, debe ser activa, pero también debe tener claridad, control y orden.

2. El individuo que participa en este modo de vivir se retira de la sociedad. Vive apartado donde puede pasar mucho tiempo solo y controlar su propia vida. Hay mucho énfasis en la meditación, la reflexión y en conocerse a sí mismo. Para este individuo el centro de la vida está dentro de sí mismo, y no debe depender de otras personas ni de otras cosas.

3. Según esta filosofía, la vida depende de los sentidos y se debe gozar de ella sensualmente. Uno debe aceptar a las personas y las cosas y deleitarse con ellas. La vida es alegría y no la escuela donde uno aprende la disciplina moral. Lo más importante es abandonarse al placer y dejar que los acontecimientos y las personas influyan en uno.

4. Ya que el mundo exterior es transitorio y frío, el individuo sólo puede encontrar significado y verdadera gratificación en la vida pensativa y en la religión. Como han dicho los sabios, esta vida no es más que una preparación para la otra, la vida eterna. Todo lo físico debe ser subordinado a lo espiritual. El individuo debe juzgar sus acciones y sus deseos a la luz de la eternidad.

5. Sólo al usar la energía del cuerpo podemos gozar completamente de la vida. Las manos necesitan fabricar y crear algo. Los músculos necesitan actuar: saltar, correr, esquiar, etcétera. La vida consiste en conquistar y triunfar sobre todos los obstáculos.

ATAJO ◀

Temas de conversación o de composición

Suggestion: If the students are asked to write a short essay related to one of these questions, you may want to refer them to ATAJO 4.0 Writing Assistant for Spanish.

1. El casarse con alguien de otra religión ya no presenta problemas en nuestra sociedad.

2. Todas las religiones son esencialmente iguales. Por eso, deberían unirse en una gran religión universal.

3. Las mujeres y los hombres deberían participar igualmente en la dirección de los ritos religiosos.

4. Ninguna religión debe recibir el apoyo del estado.

5. Las creencias religiosas siempre se basan en ideas supersticiosas.

La religión y la Virgen de Guadalupe

La Virgen (morena) de Guadalupe tiene un papel muy importante en la vida religiosa de la gente de Hispanoamérica, especialmente en México.

Lea Ud. el titular *(heading)* del periódico *REPORTERO* publicado en Santa Fe, Nuevo México, y el artículo que sigue para aprender *(learn)* más sobre la importancia de esta virgen de la Iglesia. Luego conteste las preguntas sobre la lectura y haga la actividad final.

www.thomsonedu.com/spanish/
intermediatespanish

Lectura

El Reportero NACIONAL — **Del otro lado** — JULIO 31- AGOSTO 6 — 7 A

EL PAPA EN MEXICO CONTRA VIENTO Y MAREA

CIUDAD DE MÉXICO.- La delicada salud de Juan Pablo II originó durante seis meses dudas entre los mexicanos sobre la visita del pontífice a su país. Pero contra los pronósticos negativos, el Papa sorprende, una vez más, a los fieles con su presencia. La misión de este viaje es la canonización del indio Juan Diego y la beatificación de los mártires oaxaqueños, es decir, lo que se considera la reivindicación de los pueblos indígenas.

Juan Diego y la Virgen de Guadalupe

La Virgen de Guadalupe fue la primera de una serie de apariciones milagrosas en México. Después de la conquista de México por Cortés y los conquistadores españoles, el fraile Juan de Zumárraga, primer arzobispo de México, ordenó la destrucción de todos los dioses y sepulcros paganos. La diosa más popular entre los indígenas cerca de la capital era la diosa virgen azteca de la tierra y del maíz, Tonantzin, cuyo sepulcro estaba sobre cerro Tepeyac. Los indígenas lamentaron tanto la pérdida de esta diosa, que

Tonantzin, la diosa de la tierra y del maíz.

la Virgen morena de Guadalupe fue enviada para reemplazarla.

Se dice que era muy temprano por la mañana, el sábado, el 9 de diciembre de 1531, cuando un indígena pobre llamado Juan Diego iba camino a Tlatelolco para recibir instrucciones cristianas en la iglesia franciscana. Al pasar cerca del cerro del Tepeyac, oyó una voz de una mujer que le preguntaba adónde iba él. Juan Diego le contestó que iba a la iglesia de Tlatelolco.

Luego ella le dijo que fuera[1] al obispo de México para decirle que María Madre de Dios le había hablado[2] y que ella deseaba un templo en ese sitio. El indígena joven fue a hablar al obispo pero él no quiso creerle a Juan Diego. El indígena salió de la oficina del obispo muy triste y desesperado. Volvía a su casa cuando la Virgen le apareció

Aparición de la Virgen de Guadalupe.

otra vez en el mismo lugar. La Virgen le mandó que fuera a ver al obispo otra vez. Esta vez el obispo le habló y le pidió a Juan Diego que le llevara una prueba o señal de la Virgen.

[1] que fuera *to go*   [2] había hablado *had spoken*

La capilla construida en honor a la Virgen de Guadalupe encima del cerro de Tepeyac.

El 12 de diciembre, Juan Diego volvió al Tepeyac y vio otra vez a la Virgen. Le pidió a ella una prueba para el obispo. La Virgen le mandó a Juan Diego subir al cerro y cortar unas rosas para llevárselas al obispo. Juan Diego sabía que no había nada más que cactos en el cerro, pero obedeció. Cuando llegó a la cumbre del cerro se sintió muy sorprendido de ver algunas rosas bonitas que crecían entre las rocas.

El indígena las cortó y las puso en su tilma[3] y se las llevó al obispo. Al dejarlas caer sobre el suelo, vio pintada en la tilma la imagen de la Virgen, donde las rosas la habían estado. El obispo se dio cuenta de que era un milagro y ordenó la construcción de una capilla en honor a la Virgen en la cumbre del cerro de Tepeyac. Desde entonces se venera a la Virgen de Guadalupe en todas partes de México, y desde el año 1910, se ha reconocido a la Virgen como la patrona de los otros países hispanoamericanos.

Al pie de la colina hoy se puede ver una iglesia grande y hermosa que es la Basílica de la Virgen de Guadalupe. Aquí y en otras partes de Hispanoamérica, todos los años se celebra el día oficial de la Virgen, el 12 de diciembre.

La antigua Basílica de la Virgen de Guadalupe. Sobre el altar principal está colgada la tilma de Juan Diego con la imagen de la Virgen.

Las palabras que la Santa María de Guadalupe le dijo a Juan Diego. Esta placa de bronce está colgada cerca de la entrada de la Basílica.

[3] tilma cloak

Preguntas

Conteste las siguientes preguntas.

1. ¿Quiénes conquistaron a México?
2. ¿Qué hizo el arzobispo de México después de la conquista? ¿Por qué?
3. ¿Cómo se llamaba la diosa popular de los aztecas? ¿De qué era ella? ¿Dónde estaba su sepulcro?
4. ¿Quién reemplazó a esta diosa? En su opinión, ¿por qué fue necesario reemplazarla?
5. ¿Quién era Juan Diego? ¿Adónde iba él? ¿Cuándo?
6. ¿Qué le pasó a él al pasar por el cerro de Tepeyac? ¿Quién le habló y qué quería?
7. ¿Por qué no le creía a Juan el obispo? ¿Qué necesitaba el obispo?
8. ¿Qué hizo Juan Diego el 12 de diciembre de 1531?
9. ¿Qué le mandó hacer la Virgen?
10. ¿Qué encontró Juan Diego al subir a la cumbre del cerro?
11. ¿Qué pasó cuando Juan Diego abrió la tilma para mostrarle la prueba al obispo?
12. ¿Qué se puede ver cerca del cerro de Tepeyac hoy?
13. ¿Qué llegó a ser la Virgen de Guadalupe en otros países de Hispanoamérica?
14. ¿Cuál es la fecha oficial del día de fiesta de la Virgen morena de Guadalupe?
15. ¿Hay diferencias y semejanzas entre la diosa Tonantzín y la Virgen de Guadalupe? ¿Cuáles son?
16. ¿Piensa que había estas semejanzas por casualidad? Explique.
17. En su opinión, ¿por qué fue canonizado Juan Diego después de casi quinientos años en vez de muchos años antes?

Expansión

This is a prime opportunity to expand to the website for additional activities, and it offers other resources if the companion books are not being used by students.

Por todos los siglos, la religión tiene un papel importante en la vida diaria de todos los seres humanos. A veces la religión puede unir a la gente, y a veces puede desunirla. Por ejemplo, cuando los moros invadieron y conquistaron a los habitantes de la Península Ibérica no fue sólo por motivos religiosos sino por razones políticas también. Esta invasión resultó en una península dividida y en la gran Reconquista de la península de parte de los cristianos. Esta Reconquista empezó en 718 y duró hasta 1492. Los españoles se reunieron bajo la bandera de Santiago, el santo patrón de España, y los moros bajo la bandera de islam.

Su profesor(a) va a dividir la clase en grupos de tres personas para discutir el papel de la religión en la vida diaria de todos los seres humanos. Después de buscar más información en el Internet y en *Civilización y cultura,* sobre el impacto de la religión en la vida diaria de la gente, hagan una lista de diez aspectos positivos de la religión desde su perspectiva, y diez cosas negativas. También, todos los miembros de los grupos deben escribir un ejemplo de la importancia de la religión en la sociedad y en la vida personal de la gente hispana y explicar por qué la **Unidad 3** de *Civilización y cultura* dice que los españoles están atrapados en las redes de sectas destructivas. Luego, compartan sus listas y sus ejemplos con las de los otros grupos. ¿Cuáles son las diez cosas positivas que la mayor parte de la clase ha escogido? ¿Y las negativas?

Aspectos de la familia en el mundo hispánico

Una madre y su hija preparando la comida para la familia. Describa la familia. ¿Dónde está la familia? Identifique los platos que están preparando. ¿Qué le parece esta familia y la comida que van a comer?

Mentor **Literatura y arte:** This text presents the new short story, **"Caperucita roja o casco rojo"** by Beatriz Guido. Some of the art of Pablo Ruiz Picasso that depicts themes related to the family is also shown and discussed. Some or all of this material could be assigned as you proceed through the **unidad** so that your students have a better and more in-depth understanding of the theme presented in **Conversación y repaso.**

Civilización y cultura: Four aspects of family life in the Hispanic world are presented: **Los lazos familiares, La familia y la sociedad, El significado de la familia,** and **La familia contemporánea.** Some or all of this material can be assigned as you proceed through the **unidad** so that students have a better and more in depth understanding of the theme.

Suggestion: It is recommended that the corresponding material in the Workbook/Lab Manual be assigned as you progress through the **unidad.**

En contexto

¿Vamos al cine?

Estructura

- The progressive tenses
- The perfect tenses
- The future and conditional perfect
- Possessive adjectives and pronouns
- Interrogative words
- **Hacer** and **haber** with weather expressions
- **Hacer** with expressions of time

Repaso

www.thomsonedu.com/spanish/intermediatespanish

A conversar
Initiating and ending a conversation

A escuchar
Buenos días

Intercambios

Investigación y presentación
¿De qué se quejan los españoles?
Expansión

www.thomsonedu.com/spanish/intermediatespanish

¿Vamos al cine?

Vocabulario activo

Suggestion: Assign **Vocabulario activo** as homework. During class time, and before having students listen to the dialogue, review quickly the **Para practicar** section.

Estudie estas palabras.

Verbos

aguantar *to put up with*
arreglar *to arrange*
probar (ue) *to taste, to sample*
significar *to mean*

Sustantivos

el bocado *bite, taste*
el cariño *affection*
la(s) gana(s) *desire, wish*
la pantalla *movie screen*
la película *movie, film*

Adjetivos

asado(a) *roasted*
ciego(a) *blind*
listo(a) *clever*
solitos *dimin. of* solos *alone*
surrealista *surrealistic*

Otras expresiones

atrás *in back*
acabar de *to have just*
hace dos semanas que *it has been two weeks since*
valer la pena *to be worthwhile*

4-1 Para practicar. Complete el párrafo siguiente con palabras escogidas de la sección **Vocabulario activo.** No es necesario usar todas las palabras.

Yo no podía **1.** ___aguantar___ más los estudios. Tenía **2.** ___ganas___ de ir al cine. **3.** ___Hace dos semanas que___ vi una **4.** ___película___ buena. Mis amigos estaban ocupados y por eso fui **5.** ___solo___. Entré en el cine y me senté en la parte de **6.** ___atrás___ del teatro. Casi no podía ver la **7.** ___pantalla___, pero no me importó porque no podía entender lo que **8.** ___significaba___ el argumento *(plot)* que era muy **9.** ___surrealista___. Salí para casa a las diez pensando que esa película no **10.** ___valía la pena___. Tenía hambre y por eso pasé por un café. Yo **11.** ___probé___ un **12.** ___bocado___ de carne **13.** ___asada___, pero decidí pedir una tortilla española. Fue la única cosa buena de aquella noche.

Text Audio CD, Track 11

¿Vamos al cine? Antes de leer el dialogo escúchelo con el libro cerrado. ¿Cuánto comprendió?

Suggestion: Have students first obtain a general idea of the audio's content by listening without looking at the activities. Then, have them read the activities that follow, and then listen to the audio for the second time. This time, ask them to take notes while listening to the dialogue.

(Carlos y Concha piensan ir al cine, pero encuentran varios obstáculos.)

CARLOS   Oye, Concha, no hemos visto esa nueva película italiana.[1] ¿Quieres ir esta noche?

CONCHA   ¡Ah! Me encantaría. Pero, sabes, mi mamá querrá ir también.[2]

CARLOS   ¿No hay manera de ir solos? Tu mamá es una buena persona, pero yo sólo deseaba verte a ti.

CONCHA Carlitos,[3] tú sabes cómo es ella. Siempre se enoja cuando no la invitamos. Tendrás que llevarla a ella también.

CARLOS ¿Y si le decimos que la película es de esas surrealistas? La última vez la invitamos, pero no quiso ir.

CONCHA ¡Ah, sí! Dice que siempre se duerme. Pero, ¿cómo vamos a convencerla?

CARLOS Déjamelo a mí. Yo lo arreglaré.

(Van a la cocina donde encuentran a la mamá de Concha y al tío Paco, de ochenta y seis años.)

MAMÁ ¡Hola, Carlos! ¿Cómo estás? Te quedas a comer con nosotros, ¿verdad?[4]

CARLOS Gracias, acabo de comer en casa. Venimos a ver si Ud. querría acompañarnos al cine. Vamos a ver la película italiana que dan en el Cine Mayo. No la ha visto, ¿verdad?

MAMÁ ¿Qué película es? Para decir la verdad me gustan más las norteamericanas con Brad Pitt o George Clooney. Prueba esta carne asada, Carlos.[5]

CARLOS Bueno, un bocado nada más. Esas películas comunes y corrientes[1] no valen la pena. Ésta sí que debe ser buena; fue premiada[2] en Europa.

CONCHA ¿Vienes o no, mamá?

MAMÁ Bueno, pensándolo bien, es mejor que vayan Uds. solos. La última vez me dormí apenas comenzada la película.

TÍO A mí sí que me gustan las películas de ese… ¿cómo se llama? … Fettucini, creo. Yo iré con Uds. Hace dos semanas que no voy a cine.

CARLOS Bueno… no lo había pensado…

CONCHA *(en voz baja a Carlos)* No te preocupes, tonto. Está tan ciego el tío Paco, que tiene que sentarse muy cerca de la pantalla. Le diremos que no aguantamos eso, y nos sentaremos atrás, solitos.

CARLOS Ah, Conchita, ¡eres tan lista!

Notas culturales

[1] **película italiana:** *Las películas extranjeras son muy populares en Europa y en Hispanoamérica. En España, en la Argentina y en México hay una industria cinematográfica notable, pero no alcanza a satisfacer al público hispánico.*

[2] **mi mamá querrá ir también:** *Es común en el mundo hispánico que salgan juntas personas de diversas edades. No hay la división según la edad que hacemos en los Estados Unidos.*

[3] **Carlitos:** *Es común usar diminutivos para indicar cariño o familiaridad.*

[4] **Te quedas a comer con nosotros, ¿verdad?:** *Es casi automática esta invitación a comer, pero es falsa. La respuesta, también automática, es negativa pero cortés.*

[5] **Prueba esta carne asada, Carlos:** *La segunda invitación, siempre hecha con más fuerza, es verdadera y debe ser aceptada, con ganas o no.*

[1] comunes y corrientes *common and ordinary*   [2] fue premiada *was awarded a prize*

4-2 Actividad cultural. En grupos de tres personas, hablen de estos temas.

1. Cada miembro del grupo que ha visto una película extranjera tiene que dar el título de la película y después tiene que descubrirla. Las personas que han visto tal película tienen que explicar por qué les gustó o no les gustó.

2. ¿Cuántos miembros de su grupo han ido al cine con su novio(a) acompañados por sus padres u otros miembros de su familia? ¿Qué le parece la idea de ser acompañado por sus padres cuando va al cine con su novio(a)?

3. Como Uds. pueden ver la forma diminutivo de Carlos es Carlitos. ¿Cuáles son las letras que se usan para hacer esta forma? Luego, haga la forma diminutivo de PABLO y de CONCHA.

4. Si una persona de los EE.UU. recibe una invitación a comer, ¿se acepta automáticamente o no? ¿Le parece que es más cortés o menos cortés hacer una invitación automática?

Suggestion, 4-3 & 4-4: Have students work in groups or do these activities as a class. Before you explore the activities, give students 3–4 minutes to prepare.

Possible answers 4-3: 1. Piensan ir al cine.; 2. Porque la mamá de Concha querrá ir también.; 3. La mamá se enoja cuando no la invitan.; 4. Quieren ver una película italiana.; 5. Siempre se duerme.; 6. La mamá de Concha y tío Paco.; 7. Le pregunta qué película es.; 8. A la mamá le gustan las películas norteamericanas con Brad Pitt o George Clooney.; 9. El tío Paco.; 10. En el cine van a sentarse atrás para estar solitos.

4-3 Comprensión. Conteste las preguntas siguientes.

1. ¿Qué piensan hacer Carlos y Concha?
2. ¿Por qué no podrán ir solos?
3. ¿Qué hace la mamá cuando no la invitan?
4. ¿Qué clase de película quieren ver?
5. ¿Qué hace la mamá cuando ve una película surrealista?
6. ¿Quiénes están en la cocina?
7. ¿Qué le pregunta la mamá a Carlos?
8. ¿Cuáles son las películas que le gustan a la mamá?
9. ¿Quién va a ir al cine con los jóvenes?
10. ¿Qué van a hacer los jóvenes para estar solos en el cine?

4-4 Opiniones. Conteste las preguntas siguientes.

1. ¿Le gustan a Ud. las películas extranjeras? ¿Por qué sí o por qué no?
2. ¿Qué películas ha visto recientemente?
3. ¿Le gustan las películas surrealistas? Explique.
4. ¿Con quién prefiere ir al cine? ¿Por qué?
5. ¿Cuáles son sus películas favoritas?
6. ¿Quién es su actor favorito? ¿su actriz favorita?
7. En su opinión, ¿vale la pena ver películas modernas? ¿Por qué?

Grammar considerations: Assign this section as homework so that you can dedicate more class time to the activities in the **Práctica** section.

The progressive tenses

A. The present participle

1. The present participle is formed by adding **-ando** to the stem of all **-ar** verbs and **-iendo** to the stem of most **-er** and **-ir** verbs.

aprender:	*aprend*iendo	*learning*
hablar:	*habl*ando	*speaking*
vivir:	*viv*iendo	*living*

2. Some common verbs have irregular present participles. In **-er** and **-ir** verbs, the **i** of **-iendo** is changed to **y** when the verb stem ends in a vowel.

caer:	cayendo		**leer:**	leyendo
creer:	creyendo		**oír:**	oyendo
ir:	yendo		**traer:**	trayendo

3. Stem-changing **-ir** verbs and some **-er** verbs have the same stem changes in the present participle as in the preterite.

decir:	diciendo		**pedir:**	pidiendo
divertir:	divirtiendo		**poder:**	pudiendo
dormir:	durmiendo		**sentir:**	sintiendo
mentir:	mintiendo		**venir:**	viniendo

B. The present progressive

1. The present progressive is usually formed with the present tense of **estar** and the present participle of a verb.

estoy			
estás	}	bailando	*I am dancing, etc.*
está			
estamos	}	bebiendo	*I am drinking, etc.*
estáis			
están	}	escribiendo	*I am writing, etc.*

2. The present progressive is used to stress that an action is in progress or is taking place at a particular moment in time.

Están demostrando mucho interés en las religiones del mundo.
They are showing a lot of interest in the religions of the world.

Estoy leyendo mis apuntes.
I am reading my notes.

Están viviendo solitos en México.
They are living all alone in Mexico.

3. Certain verbs of motion are sometimes used as substitutes for **estar** in order to give the progressive a more subtle meaning.

ir:	Va aprendiendo a tocar la guitarra.
	He is (slowly, gradually) learning to play the guitar.
seguir, continuar:	Siguen hablando.
	They keep on (go on) talking.
venir:	Viene contando los mismos chistes desde hace muchos años.
	He has been telling the same jokes for many years.
andar:	Anda pidiendo limosna para los pobres.
	He is going around asking for alms for the poor.

C. The past progressive

1. The past progressive is usually formed with the imperfect of **estar** plus a present participle.

estaba		
estabas	mirando	*I was looking at, etc.*
estaba		
estábamos	vendiendo	*I was selling, etc.*
estabais		
estaban	saliendo	*I was leaving, etc.*

A second past progressive tense is the preterite progressive, formed with the preterite of **estar** plus a present participle. It is used to stress that a completed action was in progress at a specific time in the past: **Estuve estudiando hasta las seis.** *(I was studying until six.)*

2. This tense is used to stress that an unfinished action was in progress at a specific time in the past.

Yo estaba mirando un programa de televisión, en vez de estudiar.
I was watching a television program instead of studying.

El cura estaba explicando las influencias extranjeras sobre la Iglesia cuando lo interrumpieron.
The priest was explaining the foreign influences on the Church when they interrupted him.

3. As in the present progressive, the verbs of motion **ir, seguir, continuar, venir,** and **andar** may also be used to form the past progressive.

Seguía escribiendo poemas.
She kept on writing poems.

Andaba diciendo mentiras.
He was going around telling lies.

D. Position of direct object pronouns with the participle

Direct object pronouns are attached to the present participle. But in the progressive tenses the object pronoun may either precede **estar** or be attached to the participle.

Leyéndolo, vio que yo tenía razón.
Reading it, he saw that I was right.

Estoy arreglándola.
    OR
La estoy arreglando.
I am repairing it.

Note that when the pronoun is attached to the participle, a written accent is required on the original stressed syllable of the participle.

Práctica

Out-of-class assignments, 4-5 & 4-7: Have students complete these activities at home so that you can dedicate more time to the open-ended activities in the **Práctica** section. At the beginning of the next class session, correct at least one activity to see if students understood the corresponding grammatical concepts. If there does not seem to be any problems, then proceed with the more communicative activities.

4-5 El cine. Ud. ha ido al cine. Describa lo que está pasando. Termine esta narrativa breve, usando la forma correcta de **estar** y el participio presente.

Yo (observar) __estoy observando__ a la gente que (llegar) __está llegando__ al cine. Hay mucha gente que (comprar) __está comprando__ entradas. Otras personas (entrar) __están entrando__ al cine. Un hombre (pedir) __está pidiendo__ palomitas (*popcorn*) y su amiga (beber) __está bebiendo__ un refresco. Yo (morirme) __estoy muriéndome__ de hambre, pero me falta dinero para comprar refrescos. Muchas personas (sentarse) __están sentándose__ cerca de la pantalla, otras no. Varias personas (leer) __están leyendo__ su programa. Me parece que todos (divertirse) __están divirtiéndose__ mucho.

Answers 4-6: *Answers will vary.*

4-6 Lo que está pasando ahora. Usando algunos de los verbos siguientes, diga cinco cosas que están haciendo los estudiantes en la clase en este momento.

observar	leer	escuchar	hablar	abrir
mirar	escribir	poner	hacer preguntas	sacar

Answers 4-7: 1. El tío Paco no está mirando la película. Está durmiendo.; 2. Concha no está estudiando. Está hablando con Carlos.; 3. El estudiante no está escribiendo cartas. Está estudiando la lección.; 4. Nosotros no estamos leyendo. Estamos buscando un libro.; 5. Yo no estoy mintiendo. Estoy diciendo la verdad.; 6. Sus padres no están comiendo. Están escuchando música.

4-7 ¿Qué está haciendo la gente? Indique lo que varias personas están o no están haciendo ahora. Use el progresivo presente con **estar.**

Modelo   su mamá (mirar la televisión / preparar la comida)
Su mamá no está mirando la televisión. Está preparando la comida.

1. el tío Paco (mirar la película / dormir)
2. Concha (estudiar / hablar con Carlos)
3. el estudiante (escribir cartas / estudiar la lección)
4. nosotros (leer / buscar un libro)
5. yo (mentir / decir la verdad)
6. sus padres (comer / escuchar música)

Ahora, repita el ejercicio **4-7** usando **seguir.**

Modelo   *El tío Paco no está mirando la película, sigue durmiendo. etc.*

Answers 4-8: 1. ...el gato estaba durmiendo.; 2. ...Carlos estaba leyendo el periódico.; 3. ...sus hermanos estaban jugando.; 4. ...su tío estaba mirando televisión.; 5. ...su madre estaba preparando la comida.; 6. ...Carlos y su madre estaban hablando del cine.

4-8 El regreso a casa. Describa lo que estaba pasando ayer cuando Concha entró a su casa.

Modelo   *su amigo / esperarla*
Cuando llegó a casa ayer, su amigo estaba esperándola.

1. el gato / dormir
2. Carlos / leer el periódico
3. sus hermanos / jugar
4. su tío / mirar televisión
5. su madre / preparar la comida
6. Carlos y su madre / hablar del cine

Ahora, diga a la clase cinco cosas que estaban pasando en su casa cuando volvió a casa ayer.

Answers 4-9: *Answers will vary.*

4-9 Actividades de ayer. Con un grupo de compañeros de clase, hablen de las cosas que estaban haciendo ayer a las horas indicadas. Hagan una lista de las cosas que eran iguales, y otra lista de las cosas diferentes. Comparen sus actividades.

Modelo   a las diez de la noche
Estaba mirando las noticias a las diez de la noche.

1. a las seis de la mañana
2. a las ocho y media de la mañana
3. a las doce y quince de la tarde
4. a las tres de la tarde
5. a las seis de la tarde
6. a las ocho y cuarenta y cinco de la noche

4-10 Anoche en la casa de Concha. Haga el papel de Concha y describa lo que estaba pasando anoche en su casa. Luego, compare su descripción con la de un(a) compañero(a) de clase.

1. I was reading the newspaper.
2. My mother went on preparing the meal.
3. Our uncle was (gradually) answering our questions.
4. Carlos was trying to find the entertainment guide (*Guía del Ocio*).
5. He was telling us that they keep on repeating the same films all week.
6. My mother was describing her favorite film to us.
7. Carlos went around asking for money for the show.
8. We kept on talking about the movies until midnight.

The perfect tenses

A. The past participle

1. The past participle of regular verbs is formed by dropping the infinitive ending and adding **-ado** to **-ar** verbs and **-ido** to **-er** and **-ir** verbs.

comer:	comido	*eaten*
hablar:	hablado	*spoken*
vivir:	vivido	*lived*

2. Some common verbs have irregular past participles.

abrir:	abierto	**hacer:**	hecho
cubrir:	cubierto	**morir:**	muerto
decir:	dicho	**poner:**	puesto
descubrir:	descubierto	**resolver:**	resuelto
devolver:	devuelto	**romper:**	roto
envolver:	envuelto	**ver:**	visto
escribir:	escrito	**volver:**	vuelto

3. Some forms carry a written accent. This occurs when the stem ends in a vowel.

caer:	caído	**oír:**	oído
creer:	creído	**reír:**	reído
leer:	leído	**traer:**	traído

4. The past participle in Spanish is used with the auxiliary verb **haber** to form the perfect tenses. It can also be used as an adjective to modify nouns with **ser** or **estar,** or it can modify nouns directly. When used as an adjective, it must agree in gender and number with the noun.

La puerta está cerrada.
The door is closed.

El tío Paco está aburrido porque la película es aburrida.
Uncle Paco is bored because the movie is boring.

Tenemos que memorizar las palabras escritas en la pizarra.
We have to memorize the words written on the chalkboard.

The past participle may also be used with a form of **estar** to describe the resultant condition of a previous action.

Juan escribió los ejercicios. Ahora los ejercicios están escritos.
Juan wrote the exercises. Now the exercises are written.

Su madre cerró la ventana. Ahora la ventana está cerrada.
His mother closed the window. Now the window is closed.

B. The present perfect tense

1. The present perfect is formed with the present tense of **haber** plus a past participle.

he has ha	hablado	*I have spoken, etc.*
hemos	comido	*I have eaten, etc.*
habéis han	vivido	*I have lived, etc.*

2. The present perfect is used to report an action or event that has recently taken place and whose effects are continuing up to the present.

Ellos han encontrado varios obstáculos.
They have encountered several obstacles.

Esta semana he pensado mucho en ver esa película.
This week I have thought a lot about seeing that movie.

3. The parts of the present perfect construction are never separated and the past participles do not agree with the subject in gender or number. They always end in **-o.**

¿Lo ha probado María?   Han visto una película italiana.
Has María tasted it?   *They have seen an Italian movie.*

4. **Acabar de** plus an infinitive is used idiomatically in the present tense to express *to have just + past participle.* The present perfect tense is not used in this construction.

Ella acaba de preparar la comida.
She has just prepared the meal.

C. The pluperfect tense

The preterite of **haber** plus a past participle forms the preterite perfect, which is generally a literary tense.

1. The past perfect tense, also called the pluperfect, is formed with the imperfect tense of **haber** plus a past participle.

había habías había	hablado	*I had spoken, etc.*
habíamos	comido	*I had eaten, etc.*
habíais habían	vivido	*I had lived, etc.*

2. The past perfect is used to indicate an action that preceded another action in the past.

Cuando llamé, ya habían salido.
When I called, they had already left.

Dijo que ya había ido al cine.
He said that he had already gone to the movies.

3. Negative words and pronouns precede the auxiliary verb form of **haber.**

> No ha probado un bocado.
> *He hasn't tasted a bite.*

> Mamá se durmió cuando apenas había comenzado la película.
> *Mom fell asleep when the movie had barely started.*

4. **Acabar de** plus an infinitive is used idiomatically in the imperfect tense to express *had just + past participle*. The pluperfect tense is not used in this construction.

> Ellos acababan de salir del teatro, cuando los vi.
> *They had just left the theater, when I saw them.*

Práctica

Out-of-class assignments, 4-11 & 4-12: Have students complete these activities at home so that you can dedicate more time to the open-ended activities that follow. In the beginning of the next class check their answers or correct at least one to see if students understood the formation and use of these tenses. If there does not seem to be any problem, then proceed with the more communicative activities.

4-11 No quiere hacerlo. Diga por qué la gente no quiere hacer las cosas indicadas. Use el presente perfecto.

Answers 4-11: *Answers will vary.*

> **Modelo**   Concha no quiere ver esta película porque _____.
> *Concha no quiere ver esta película porque ya la ha visto.*

1. Su madre no va a preparar la comida porque _____.
2. Carlos y ella no quieren probar el arroz porque _____.
3. Nosotros no vamos a hacer los platos mexicanos porque _____.
4. Tú no vas a escribir la carta porque _____.
5. Yo no pienso comprar las entradas porque _____.
6. Enrique no va a devolver el regalo porque _____.

Answers 4-12: 1. …había cenado.; 2. …habían hablado con su madre.; 3. …había hecho la comida.; 4. …habías resuelto el problema.; 5. …habíamos escrito la composición.; 6. …habían vuelto.

4-12 Ya habíamos hecho eso. Diga lo que las personas siguientes ya habían hecho antes de hacer las cosas indicadas. Use el pasado perfecto.

> **Modelo**   Antes de ir al cine ya (ellos / comprar las entradas).
> *Antes de ir al cine ya habían comprado las entradas.*

1. Antes de asistir al teatro ya (yo / cenar).
2. Antes de entrar a la cocina ya (ellos / hablar con su madre).
3. Antes de salir de la casa ya (ella / hacer la comida).
4. Antes de hablar con tus padres ya (tú / resolver el problema).
5. Antes de ir a la biblioteca ya (nosotros / escribir la composición).
6. Antes de nuestra llegada ya (ellos / volver).

Answer 4-13: *Answers will vary.*

4-13 Antes de la clase. Con un(a) compañero(a) de clase comparta cinco cosas que Ud. ha hecho para prepararse para la clase. ¿Cuántas cosas que Uds. han hecho son iguales?

> **Modelo**   *Para prepararme para la clase, hoy yo he estudiado todos los verbos.*

Answers 4-14: *Answers will vary.*

4-14 Antes de acostarse. Con un(a) compañero(a) de clase describan cinco cosas que Uds. habían hecho antes de acostarse anoche. ¿Hicieron algunas de las mismas cosas?

> **Modelo**   *Yo había hablado por teléfono con un(a) amigo(a) antes de acostarme anoche.*

4-15 El resultado de sus acciones. Ayer muchos de los miembros de su familia hicieron varias cosas. Dígale a un(a) compañero(a) de clase lo que hicieron y use los verbos a continuación para indicar tales resultados. Siga el modelo y sea creativo. Ahora, su compañero(a) de clase va decirle lo que pasó en su casa. ¿Hay semejanzas y diferencias? ¿Cuáles son?

> **Modelo** preparar
> *Ahora la comida está preparada.*

Use los verbos siguientes:

1. romper
2. hacer
3. arreglar
4. escribir
5. lavar

The future and conditional perfect

Grammar considerations: Assign this section as homework so that you can dedicate more class time to the activities in the **Práctica** section. Since the future and conditional perfect are not as commonly used as other tenses, in class review them by contextualizing them. That is, share a short story with your students about what you will/would have done in a given situation.

A. Future perfect

1. The future perfect tense is formed with the future tense of the verb **haber** plus a past participle.

habré			
habrás	hablado	*I will have spoken, etc.*
habrá			
habremos	comido	*I will have eaten, etc.*
habréis			
habrán	salido	*I will have left, etc.*

2. It expresses a future action that *will have taken place* by some future time.

Habrán salido a eso de las diez.
They will have left by ten.

Habrá terminado la lección antes de comer.
He will have finished the lesson before eating.

B. Conditional perfect

1. The conditional perfect is formed with the conditional tense of **haber** plus a past participle.

habría			
habrías	hablado	*I would have spoken, etc.*
habría			
habríamos	comido	*I would have eaten, etc.*
habríais			
habrían	salido	*I would have left, etc.*

2. This tense is used to express something that *would have* taken place.

Yo habría estudiado en vez de ir al cine.
I would have studied instead of going to the movies.

¿Qué habrías contestado tú?
What would you have answered?

C. Probability

The future and conditional perfects may be used to express probability.

¿Habrá terminado su trabajo a tiempo?
I wonder if he has finished his work on time.

¿Habría terminado su trabajo a tiempo?
I wonder if he had finished his work on time.

Habrán llegado a las ocho.
They must have arrived at eight.

Habrían llegado a las ocho.
They had probably arrived at eight.

Práctica

Out-of-class assignment, 4-16: Have students complete this activity at home so that you can dedicate more time to the open-ended activities that follow.

Answers 4-16: 1. Ellos (no) habrán cenado.; 2. Carlos (no) habrá estacionado el coche.; 3. Concha (no) habrá comprado las entradas.; 4. Ellos (no) nos habrán esperado una hora antes de entrar.; 5. Concha (no) habrá entrado al teatro.; 6. Ellos (no) se habrán sentado en su butaca.

4-16 El teatro. Ud. va al teatro a encontrarse con sus amigos. Ud. conjetura sobre lo que ellos ya habrán hecho (probablemente) antes de su llegada.

> **Modelo** ellos / llegar temprano
> *Ellos ya habrán llegado temprano.*

1. ellos / cenar
2. Carlos / estacionar el coche
3. Concha / comprar las entradas
4. ellos / esperarnos una hora antes de entrar
5. Concha / entrar al teatro
6. ellos / sentarse en su butaca

Answers 4-17: *Answers will vary.*

4-17 Unas decisiones difíciles. ¿Qué habría hecho Ud. en las situaciones siguientes? Con un(a) compañero(a) de clase lean las situaciones siguientes. Luego háganse la pregunta y contéstela con lo que habría hecho.

> **Modelo** Mi amigo encontró una cartera *(wallet)* en la calle y se la devolvió al dueño.
> —*¿Qué habrías hecho tú?*
> —*Yo se la habría devuelto al dueño también.*

1. Ricardo se ganó un millón de dólares en la lotería y luego hizo un viaje alrededor del mundo.
2. Los estudiantes recibieron malas notas en el examen, pero luego decidieron estudiar más.
3. Era el cumpleaños de su novio(a), y le compró muchos regalos.
4. Alguien me invitó a cenar en un restaurante elegante, pero no acepté su invitación.
5. El cocinero nos ofreció un bocado de carne asada, pero no lo aceptamos porque no teníamos hambre.

Answers 4-18: ROBERTO ¿Adónde habrán ido? MARGARITA Habrán decidido ir al cine. ROBERTO ¿Nos habrían tratado de llamar antes de salir de la casa? MARGARITA Tal vez, pero no habríamos llegado a casa todavía. ROBERTO (Ellos) habrán pensado que ya habíamos visto la película o nos habrían invitado a ir con ellos.

4-18 A conjeturar. Con un(a) compañero(a) de clase hagan esta conversación en español.

ROBERTO   Where do you suppose they have gone?
MARGARITA They must have decided to go to the show.
ROBERTO   I wonder if they had tried to call us before leaving the house.
MARGARITA Maybe, but we had probably not arrived home yet.
ROBERTO   They must have thought that we had already seen the movie or they probably would have invited us to go with them.

Possessive adjectives and pronouns

A. Possessive adjectives—unstressed (short) forms

1. The unstressed (short) forms of the possessive adjectives:

mi, mis	*my*	**nuestro(a, os, as)**	*our*
tu, tus	*your*	**vuestro(a, os, as)**	*your*
su, sus	*his, her, its, your*	**su, sus**	*their, your*

The **vuestro(a, os, as)** form has been replaced by **su, sus** in Latin America.

Grammar considerations: Assign this section as homework so that you can dedicate more class time to the activities in the **Práctica** section. In class, quickly review the possessive adjectives and pronouns by talking about your students' personal items and incorporating a variety of the possessive forms. Use as many comprehension checks as possible that elicit the use of possessive adjectives and pronouns.

2. Possessive adjectives agree with the thing possessed and not with the possessor. The unstressed forms always precede the noun.

Él es cortés con mi mamá.
He is polite with my mother.

Su hermano es muy listo.
His (her, your, their) brother is very clever.

Tus composiciones son muy interesantes.
Your compositions are very interesting.

3. All possessive adjectives agree in number with the nouns they modify, but **nuestro** and **vuestro** show gender as well as number.

Nuestros padres van mañana.
Our parents are going tomorrow.

Nuestra casa está lejos del centro.
Our house is far from downtown.

4. The possessive **su** has several possible meanings: *his, her, its, your,* or *their.* For clarity, **su** plus a noun is sometimes replaced by the definite article + noun + prepositional phrase.

¿Dónde vive su madre?
  OR
¿Dónde vive la madre de él? (de ella, de Ud., de ellos, etc.)
Where does his (her, your, their, etc.) mother live?

El padre de él y el tío de ella son amigos.
His father and her uncle are friends.

5. Definite articles are generally used in place of possessives with parts of the body, articles of clothing, and personal effects. If the subject does the action to someone else, the indirect object pronoun indicates the possessor (**Les limpié los zapatos =** *I cleaned their shoes*). If the subject does the action to himself or herself, the reflexive pronoun is used (**Ella se lava las manos =** *She washes her hands*). However, if the part of the body or article of clothing is the subject of the sentence, or if any confusion exists regarding the possessor, then the possessive adjective is used.

Tus pies son enormes.
Your feet are enormous.

Pedro dice que mis brazos son muy fuertes.
Pedro says that my arms are very strong.

B. Possessive adjectives—stressed (long) forms

1. The stressed (long) forms of the possessive adjectives:

mío(a, os, as)	*(of) mine*
tuyo(a, os, as)	*(of) yours*
suyo(a, os, as)	*(of) his, hers, its, yours*
nuestro(a, os, as)	*(of) ours*
vuestro(a, os, as)	*(of) yours*
suyo(a, os, as)	*(of) theirs, yours*

Vuestro(a, os, as) has been replaced by **suyo(a, os, as)** in Latin America.

2. The stressed forms agree in gender and number with the noun they modify; they always follow the noun.

unas amigas mías
some friends of mine

una tía nuestra
an aunt of ours

3. The stressed possessive adjectives may function as predicate adjectives or they may be used to mean *of mine, of theirs,* and so forth.

Unas amigas mías vinieron al club.
Some friends of mine came to the club.

Ésa es la raqueta suya, ¿verdad?
That's your racquet, isn't it?

4. It is important to note in the previous examples that the stress is on the possessive adjective and not on the noun: **unas amigas mías, una raqueta suya.** In contrast, the short forms of the possessive adjective are not stressed: **mis amigas, su raqueta.**

5. Since **suyo** has several possible meanings, the construction **de + él, ella, Ud.,** etc., may be used instead for clarity.

Un amigo suyo viene a verme.
  OR
Un amigo de Ud. viene a verme.
A friend of yours is coming to see me.

C. Possessive pronouns

1. The possessive pronouns are formed by adding the definite article to the stressed forms of the possessive adjectives.

Possessive adjectives		Possessive pronouns	
el coche mío	*my car*	el mío	*mine*
la finca nuestra	*our farm*	la nuestra	*ours*

Carlos tiene la maleta suya y las mías.
Carlos has his suitcase and mine (plural).

2. For clarification, **el suyo (la suya,** etc.) may be replaced by the **de + él (ella, Ud.,** etc.) construction.

Esta casa es grande.   *This house is large.*

La suya es pequeña. }
La de él es pequeña. }   *His is small.*

3. After the verb **ser** the definite article is usually omitted.

¿Son tuyos estos boletos?
Are these tickets yours?

Notice that an article may be used to stress selection: **Es el mío.** *It's mine.*

Práctica

Out of class assignment, 4-19 &
4-20: Have students complete these activities at home so that you can dedicate more time to the open-ended activities that follow. In the beginning of the next class, correct at least one to see if students are comfortable with the grammatical concepts. If there does not seem to be a problem, then proceed with the more communicative activities.

4-19 Familias. Dos personas están comparando sus familias. Con un(a) compañero(a) de clase completen esta comparación con la forma correcta de los adjetivos posesivos.

1. *(My)* __Mi__ tío vive con *(our)* __nuestra__ familia.
2. *(His)* __Sus__ hermanas visitan a *(your [fam. sing.])* __tus__ primas, ¿verdad?
3. *(Their)* __Su__ casa está cerca de *(her)* __su__ apartamento.
4. *(Her)* __Sus__ parientes conocen a *(my)* __mis__ abuelos.

Answers 4-20: 1. Un tío nuestro...; 2. Unos primos tuyos...; 3. Unas primas mías...; 4. Una hermana suya...; 5. Una abuela mía...

4-20 Más información sobre algunas familias. Cambie las oraciones según el modelo.

Modelo Mi amigo vive cerca de la universidad.
Un amigo mío vive cerca de la universidad.

1. Nuestro tío es casi ciego.
2. Tus primos viven en España.
3. Mis primas son simpáticas.
4. Su hermana estudia en México.
5. Mi abuela dice que es su idea.

4-21 La comparación continúa. Con un(a) compañero(a) de clase completen las oraciones siguientes con un pronombre o un adjetivo posesivo.

1. *(My)* __Mi__ familia es grande. *(Yours [fam. sing.])* __La tuya__ es pequeña.
2. *(His)* __Su__ hermana es joven. *(Mine)* __La mía__ es vieja.
3. *(Her)* __Sus__ parientes viven en España. *(Ours)* __Los nuestros__ viven aquí.
4. *(Your [formal])* __Sus__ primos asisten a esta universidad. *(Hers)* __Los suyos (los de ella)__ prefieren estudiar en Chile.

Answers 4-22: *Answers will vary.*

4-22 ¿De quién es? Hágale estas preguntas a un(a) compañero(a) de clase. Él (Ella) debe contestar usando pronombres posesivos en sus respuestas.

Modelo ¿Es tuyo este libro?
Sí, es mío.
-o-
No, no es mío.

1. ¿Son tuyas estas revistas?
2. ¿Es de ella este auto?
3. ¿Son tuyas estas recetas?
4. ¿Es tuyo ese traje de baño?
5. ¿Es de Juan esta casa?

Ahora, haga cinco preguntas más que requieran el uso de los pronombres posesivos en la respuesta.

4-23 Más comparaciones. Compare las cosas siguientes, usando pronombres o adjetivos posesivos en sus respuestas. Comparta sus comparaciones con su compañero(a) de clase. ¿Tienen mucho en común?

> **Modelo** your family and a friend's family
> *Mi familia es pequeña; la suya es grande.*

1. our class with their class
2. your favorite food and your friend's favorite food
3. your car with your friend's car
4. your grades with your friend's grades
5. our university and your friend's university

4-24 Información de sus familias. Con un(a) compañero(a) de clase háganse cinco preguntas sobre sus familias. Contesten usando adjetivos o pronombres posesivos.

> **Modelo** —¿De dónde es su familia?
> —La mía es de Utah.

Interrogative words

A. Forms of the interrogatives

¿quién? ¿quiénes?	who?
¿de quién? ¿de quiénes?	whose, of whom, about whom?
¿a quién? ¿a quiénes?	to whom?
¿con quién? ¿con quiénes?	with whom?
¿qué?	what?
¿cuál? ¿cuáles?	what, which, which one(s)?
¿cuánto? ¿cuánta?	how much?
¿cuántos? ¿cuántas?	how many?
¿cómo?	how? what?
¿para qué?	why (for what purpose)?
¿por qué?	why (for what reason)?
¿dónde?	where?
¿adónde?	to where?
¿cuándo?	when?

¿Quién ha ganado el premio Nobel?
Who has won the Nobel prize?

¿Cuánto dinero necesitas?
How much money do you need?

¿Qué busca Ud.?
What are you looking for?

¿Por qué va a casarse?
Why are you going to get married?

¿Cuál es su religión?
What is his religion?

¿Adónde van ellos en el invierno?
Where are they going in the winter?

B. *¿Qué?* versus *¿cuál?*

1. **¿Qué?** *(What?)* asks for a definition or explanation. It is also used to ask for a choice when the things involved are general or abstract nouns.

¿Qué es una pantalla?
What is a screen?

¿Qué te pasó?
What happened to you?

¿Qué prefieres, la poesía o la prosa?
What do you prefer—poetry or prose?

Heinle iRadio: To hear more about Question Words, visit . . . **www.thomsonedu.com/ spanish.**

Notice that all interrogatives have written accents.

Grammar considerations: Assign this section as homework so that you can dedicate more class time to the activities in the **Práctica** section. In class, quickly review the interrogative words by asking your students questions and by having them ask you questions.

2. When an identification is being asked for in a question that contains a noun, either expressed or implied, **¿qué?** is always used. Note that **¿qué?** always comes before the noun in this construction.

¿Qué (cosa) le dio ella de comer a Carlos?
What (thing) did she give Carlos to eat?

¿Qué libro quieres?
What book do you want?

3. **¿Cuál?** *(Which? Which one?),* on the other hand, is used when asking for a selection or choice among specific objects or when asking questions involving a number of possibilities as answers.

Hay muchos coches en la calle. ¿Cuál es el tuyo?
There are many cars on the street. Which one is yours?

Tengo muchas clases difíciles. ¿Sabes cuál es la más difícil?
I have many difficult classes. Do you know which one is the most difficult?

¿Cuál prefieres, el tuyo o el mío?
Which one do you prefer—yours or mine?

4. **¿Cuál?** is a pronoun and usually is not used as an adjective to modify a noun.

Note that in parts of Latin America **¿cuál?** is frequently used as an adjective with a noun. In Spain it is not. **¿Cuál libro prefieres?** *(Which book do you prefer?)*

¿Cuál es la fecha de su carta?
What is the date of his letter?
BUT
¿Qué fecha prefieres?
Which date do you prefer?

5. Note that **¿cuál?** is always used before a phrase introduced by **de.**

¿Cuál de los dos quieres?
Which of the two do you want?

Práctica

Answers 4-25: *Answers will vary.*

4-25 Preguntas. Haga una serie de preguntas que produzcan la información siguiente.

Modelo   Carlos y Berta van al teatro.
¿Quiénes van al teatro?
-o-
¿Adónde van Carlos y Berta?

1. Esa chica es mi amiga.
2. Vamos a salir para Toledo el sábado.
3. Su casa está cerca de la iglesia.
4. El coche es de mi papá.
5. Aurelio llama a Elena.
6. Es una cámara.
7. Quiero las maletas rojas.
8. Les tengo mucho cariño a ellos.
9. Van al Cine Mayo para ver la película francesa.
10. Estoy bien, gracias.

4-26 La salida. Su amigo(a) va a salir esta noche. Siendo una persona de mucha curiosidad, Ud. le hace muchas preguntas porque quiere saber muchas cosas. Su compañero(a) de clase va a contestar sus preguntas.

1. who is he/she going out with
2. where are you going
3. when are you going
4. how are you going to get there
5. why did you decide to go there
6. how long will you be there
7. what will you do there before coming home
8. at what time will you come home
9. who is going to pay for the evening
10. when can he/she call you to talk with you about the date

4-27 Periodista. Haga el papel de un(a) periodista que trabaja con un diario importante. Ud. está investigando un robo de un banco. Va a tener una entrevista con un funcionario del banco [su compañero(a) de clase] que puede darle la información básica que Ud. necesita. Haga las cinco preguntas básicas que son esenciales en el buen periodismo:

¿Qué?   ¿Dónde?   ¿Cuándo?   ¿Cómo?   ¿Quién?

Hacer and *haber* with weather expressions

A. Expressions with *hace (hacía)*

1. Most expressions that describe the weather are formed with the impersonal (third person singular) forms of **hacer.**

¿Qué tiempo hace?	Hace mal tiempo.
What's the weather like?	*The weather is bad.*
Hace fresco.	Hace buen tiempo.
It is cool.	*The weather is good.*
Hacía frío.	Hace viento.
It was cold.	*It is windy.*
Hace calor.	Hacía sol.
It is hot.	*It was sunny.*

2. The adjective **mucho** (*not* **muy**) is the equivalent of *very* in most of these expressions since **frío, calor,** and **sol** are nouns.

Hace mucho frío (calor, sol).
It is very cold (hot, sunny).

3. The verb **tener** is used with animate beings to describe a physical state.

Yo tengo frío (calor).
I am cold (hot).

B. Expressions with *hay (había)*

Hay, the impersonal form of **haber,** is used to describe weather conditions that are visible. **Había** is used for the past.

Hay polvo (nubes, niebla).	Hay chubascos.
It is dusty (cloudy, foggy).	*There are squalls, sudden rainstorms.*
Había sol (luna).	Hay chubascos de nieve.
The sun (moon) was shining.	*There are snowstorms.*

Práctica

Answers 4-28: *Answers will vary.*

4-28 El tiempo. Describa el tiempo de hoy, el de ayer y el de mañana según el pronóstico para la región dónde vive.

Answers 4-29: *Answers will vary.*

 4-29 Las estaciones. Con un(a) compañero(a) de clase describan el tiempo de su estado durante la primavera, el verano, el otoño y el invierno. Luego, hagan una lista de las cosas que a Uds. les gusta hacer en cada una de las estaciones y digan por qué. Comparen la información. ¿Hace el mismo tiempo en sus estados durante las estaciones del año? ¿A Uds. les gusta hacer las mismas cosas?

Answers 4-30: *Answers will vary.*

4-30 Pronóstico de tiempo *(Weather forecast)* **para España.** Después de repasar los mapas de España, contesten Ud. y un(a) compañero(a) de clase las preguntas siguientes.

1. ¿Qué tiempo hace en España el domingo? ¿el lunes? ¿el martes?
2. ¿En cuál de los tres días va a hacer peor tiempo? ¿Mejor tiempo?
3. ¿En qué día va a llover mucho?
4. ¿En qué día hará mucho viento?
5. ¿En qué día hará mucho sol?
6. Lea Ud. el reportaje, «Pasará otro frente *(front)*». ¿Qué pasará sobre el océano? ¿Hará mal o buen tiempo? ¿Qué pasará sobre la Península Ibérica de oeste a este? ¿Hará mucho viento en la península?

The following images are recommended from the Heinle Spanish Transparency Bank: **H-1 Las estaciones del año, H-2 La hora y la temperatura, H-3 El tiempo, H-4 El tiempo de España, H-5 El tiempo de la América Latina.**

HOY

Pasará otro frente

Otro día más, desde hace más de una larga semana, podemos observar en el mapa previsto la profunda borrasca oceánica, y asociada a la misma, un nuevo frente cruzando la Península Ibérica de oeste a este. Las lluvias, en consecuencia, serán casi generalizadas, correspondiendo las de mayor intensidad a la vertiente atlántica. El viento de poniente también seguirá soplando con fuerza en la mayoría de las regiones.

PRONÓSTICO PARA ESPAÑA

- **DOMINGO** pasado por agua
- **MENOS** inestable por el Mediterráneo
- **VIENTOS** muy fuertes
- **MAÑANA** disminuirán las precipitaciones
- **MARTES** continuará la mejoría

Despejado Nuboso Chubascos Lluvia Cubierto Tormentas Nieve Niebla Marejada Mar gruesa Mar rizada

▼ **Lunes**   ▼ **Martes**

Hacer with expressions of time

Grammar considerations: Assign this section as homework so that you can dedicate more class time to the activities in the **Práctica** section. In class, quickly review these expressions of time by asking your students questions. For instance, **¿Cuánto tiempo hace que vives en esta ciudad?** etc.

1. The impersonal form of **hacer (hace)** is used with expressions of time to indicate the duration of an action that began in the past and continues into the present. The normal word order in these constructions is **hace** + expression of time + **que** + verb in the present tense.

   Hace dos años que vivo aquí.
   I have lived here for two years.

   ¿Cuánto tiempo hace que estás aquí?
   How long have you been here?

2. When an action had been going on for a period of time in the past and was still continuing when something interrupted the action, it is expressed by **hacía** + a time expression + **que** + verb in the imperfect tense.

   Hacía dos años que él vivía aquí cuando murió.
   He had been living here for two years when he died.

   Vivo aquí desde hace dos años.
   I have lived here for two years.

   Vivía aquí desde hacía dos años cuando murió.
   He had been living here for two years when he died.

An alternate construction for expressing the same idea is: verb phrase + **desde hace** or **hacía** + expression of time.

   The present tense of any verb + **desde** + a specific day, month, or year is used to express *since* in sentences such as:

   Trabajo día y noche desde junio. *(I have been working day and night since June.)*
   Trabajo aquí desde el lunes. *(I have been working here since Monday.)*

3. **Hace** plus an expression of time may also be used to express the idea of *ago*. The normal word order in this construction is **hace** + expression of time + **que** + verb in the preterite tense.

   Hace más de dos mil años que los romanos lo construyeron.
   The Romans built it more than two thousand years ago.

   The word order in this construction may also be reversed.

   Los romanos lo construyeron hace más de dos mil años.

Práctica

Out-of-class assignment, 4-31: Have students complete this activity at home so that you can dedicate more time to the open-ended activity that follows. Have students give their answers to this activity at the beginning of the next class to see if they understand the concept. Then proceed to the other activity.

Answers 4-31: 1. Hace cuatro años que toco el piano.; Hacía cuatro años que tocaba el piano.; 2. Hace diez meses que trabajan aquí. Hace diez meses que trabajaban aquí.; 3. Hace media hora que hablas con Rosa. Hacía media hora que hablabas con Rosa.; 4. Hace más de una hora que Carlos tiene ganas de comer. Hacía más de una hora que tenía ganas de comer.

4-31 La duración del tiempo. Cambie las oraciones siguientes según el modelo.

> **Modelo** (nosotros) viajar / dos meses
> *Hace dos meses que viajamos.*
> *Hacía dos meses que viajábamos.*

1. (yo) tocar el piano / cuatro años
2. (ellos) trabajar aquí / diez meses
3. (tú) hablar con Rosa / media hora
4. (Carlos) tener ganas de comer / más de una hora

4-32 Preguntas personales. Con un(a) compañero(a) de clase háganse preguntas para saber cuánto tiempo hace que Uds. hacen algo. Siga el modelo.

Modelo estudiar español
Tú: *¿Cuánto tiempo hace que estudias español?*
Su compañero(a) de clase: *Estudio español desde hace un año.*

1. asistir a esta universidad
2. vivir en este estado
3. conocer a tu mejor amigo(a)
4. visitar otro país

Para expresar «ago»

Modelo mudarse
Tú: *¿Cuánto tiempo hace que te mudaste aquí?*
Su compañero(a) de clase: *Me mudé aquí hace tres años.*

5. graduarse de la escuela secundaria
6. leer una novela buena
7. hacer un viaje largo
8. comprar un coche nuevo

✿ Repaso

For more practice of vocabulary and structures, go to the book companion website at **www.thomsonedu.com/spanish/intermediatespanish.**

Antes de empezar la última parte de esta **unidad,** es importante repasar el vocabulario nuevo y la estructura y hacer las actividades que siguen.

4-33 Lo que hizo Ricardo ayer. Cuente las experiencias que Ricardo tuvo ayer, cambiando todos los verbos en estos párrafos a un tiempo pasado.

Review all past tenses in the **Estructura** section of **Unidad 4.**

Answers 4-33: 1. Era; 2. Eran; 3. Salió; 4. parecía; 5. iba; 6. Tenía; 7. me sentía; 8. me quedé; 9. Me dijo; 10. quería; 11. pasaría; 12. Seguí; 13. vino; 14. Salimos; 15. estábamos; 16. Había; 17. estaba; 18. Vi; 19. me saludaba; 20. Me dijo; 21. estaba; 22. hablamos; 23. Le contesté; 24. eran; 25. había; 26. pregunté; 27. contestó; 28. estaban; 29. Estábamos; 30. vimos; 31. parecían; 32. miré; 33. era; 34. Me di cuenta de que; 35. estamos hablando; 36. hacía; 37. Había prometido

Es sábado. Son las seis de la mañana. Sale el sol y parece que va a hacer fresco. Tengo mucho que hacer, pero como me siento perezoso, me quedo en casa hablando por teléfono con un amigo. Me dice que quiere ir a la playa y que pasará por mi casa dentro de poco. Sigo charlando con un vecino hasta las nueve cuando viene mi amigo a recogerme. Salimos.

Al llegar a la playa estamos muy contentos. Hay una vista magnífica y el agua está fresca. Veo que un antiguo compañero de clase me saluda. Me dice que está trabajando en una fábrica. Durante media hora habla de la ignorancia, la mala fe y la falsa conciencia de los eruditos universitarios. Le contesto que no todos son así y que no hay que dejarles las universidades a los pedantes y a los intrigantes.

Para cambiar de tema le pregunto por su novia. Me contesta que están reñidos (on bad terms) a causa de sus ideas respecto al feminismo. Estamos hablando de esto y de otras cosas cuando vemos acercarse un bote a la playa. Por las muchas cañas de pesca, los hombres parecen pescadores. En ese momento, miro el reloj. Ya es muy tarde. Me doy cuenta de que estamos hablando desde hace casi dos horas. He prometido encontrarme con mi novia a las cinco.

4-34 Para pedir información. Para hacer estas preguntas cambie las palabras entre paréntesis al español.

Review possessive adjectives and pronouns.

1. *(My)* ___Mis___ libros están aquí. ¿Dónde están *(yours [formal])* ___los suyos___?
2. *(His)* ___Su___ casa está cerca. ¿Dónde está *(theirs)* ___la suya___?
3. *(Their)* ___Su___ coche está enfrente del teatro. ¿Dónde está *(ours)* ___el nuestro___?
4. *(Her)* ___Su___ novio vive cerca del cine. ¿Dónde vive *(yours [fam.])* ___el tuyo___?
5. *(Our)* ___Nuestra___ mamá está en la sala. ¿Dónde está *(his)* ___la suya___?

4-35 Una entrevista. Hágale estas preguntas a un(a) compañero(a) de clase. Luego, Ud. debe contestar las mismas preguntas que su compañero(a) va a hacerle. ¿Hay semejanzas entre Uds.? ¿Cuáles son?

Review interrogative words.

Answers 4-35: *Answers will vary.*

1. ¿De dónde eres?
2. ¿Dónde vives aquí?
3. ¿Adónde vas generalmente durante el fin de semana?
4. ¿Quién es tu mejor amigo(a)?
5. ¿A quién le escribes todas las semanas?
6. ¿Con quién sales mucho?
7. ¿De qué hablas con tu amigo(a)?
8. ¿Por qué estudias español?
9. ¿Cuál de tus clases es tu favorita?
10. ¿Cuándo termina tu última clase del día?
11. ¿Qué haces después de tu última clase?
12. ¿Cuántas veces por semana vas a estudiar a la biblioteca?

4-36 Una descripción de su familia y de Ud. Complete cada una de las oraciones siguientes con información sobre su familia y sobre Ud. mismo(a). Luego, comparta esta información con la clase. Su profesor(a) va a escoger a varios estudiantes para que ellos le presenten una descripción de su familia a la clase. Use expresiones de tiempo con **hacer.**

1. (Hacer) ____Hace____ años que mis antepasados (llegar) ___llegaron___ a este país.

2. (Hacer) ____Hace____ años que mi familia (vivir) ____vive____ en ___–___.

3. Yo (nacer) ____nací____ en ___–___ (hacer) ____hace____ años.

4. Yo (decidir) ____decidí____ asistir a esta universidad (hacer) ____hace____.

5. Yo (llegar) ____llegué____ aquí (hacer) ____hace____.

6. Yo (estar) ____estoy____ aquí (hacer) ____hace____.

7. Yo (estudiar) ____estudio____ español en esta clase (hacer) ____hace____.

8. Antes de entrar a esta clase, yo (estudiar) ___estudiaba___ español desde (hacer) ____hacía____ ___–___.

Communication strategies

One of the primary goals of second language learning is oral communication. Therefore, it is essential that you learn the ways in which native speakers of Spanish organize conversations in order to communicate effectively. One of the first steps toward effective communication is to learn phrases for initiating and ending a conversation. The following are some useful expressions.

Initiating a conversation

Hola, ¿qué tal?	*Hello, how are you?*
Buenos días, ¿cómo estás?	*Good morning, how are you?*
Hola, me llamo…	*Hello, my name is . . .*
Hola, ¿cómo te llamas?	*Hello, what is your name?*
Hola, soy…	*Hello, I am . . .*
¿Qué hay de nuevo?	*What's new? (What's going on?)*
¿Adónde vas?	*Where are you going?*
¿Eres… ?	*Are you . . .?*
¿De dónde eres?	*Where are you from?*
¿Qué estudias?	*What are you studying?*

Ending a conversation

Adiós. Tengo que irme a casa.	*Good-bye. I have to go home.*
Hasta luego.	*See you later.*
Hasta mañana.	*See you tomorrow.*

Suggestion: Select one or two pairs to present their short conversation to class.

 Situación. Con un(a) compañero(a) de clase conduzcan una conversación utilizando algunas de las expresiones arriba para empezar y terminar una conversación.

Descripción y expansión

Opiniones. En el mundo hispánico el concepto de la familia incluye no solamente a la madre, al padre y a sus hijos, sino también a los tíos, a los primos y a los abuelos. Se refiere a esta clase de familia como a una «familia extensa». En cambio, una familia de los Estados Unidos por lo general consiste en sólo los padres y los hijos, y se llama una «familia nuclear».

a. ¿Qué clase de familia hay en el dibujo, en su opinión? ¿Por qué opina esto?

b. ¿Qué está pasando en el dibujo?
   ¿Dónde está la madre? ¿Qué está haciendo?
   ¿Dónde está el padre? ¿Qué está haciendo?
   ¿Dónde están los niños pequeños? ¿Qué están haciendo?
   ¿Dónde están los jóvenes? ¿Qué están haciendo?
   ¿Dónde está la abuela? ¿Qué está haciendo ella?

c. Compare las actividades de la familia en el dibujo con las de su familia.
   ¿Cuáles son las diferencias y semejanzas?

Encuesta. Su profesor(a) va a conducir una encuesta de la clase. Va a escribir las opiniones de cada estudiante, relacionadas con las preguntas siguientes, en la pizarra.

a. ¿Es común que el abuelo o la abuela vivan con sus hijos en nuestra sociedad? En su opinión, ¿deben vivir juntas varias generaciones? ¿Por qué?

b. ¿Qué clase de familia prefiere Ud., una familia extensa o una familia nuclear? ¿Por qué?

✿ A escuchar

Text Audio CD, Track 12 🔊 **Buenos días.**

Suggestion: Have students first obtain a general idea of the audio's content by listening without looking at the activities. Next, have them read the activities that follow, and then listen to the audio for the second time. This time, ask them to take notes while listening to the dialogue.

Escuche la situación siguiente y complete las actividades.

Pedro, estudiante universitario de segundo curso de ingeniería industrial de la universidad de Caracas, siempre se acuesta tarde, y le es difícil levantarse por la mañana. Por eso, rara vez puede darle los buenos días a su papá, que se marcha a las siete menos diez para la oficina. La abuela, Juan y la mamá se quedan en casa.

Información. Entreviste a un(a) compañero(a), haciéndole cinco preguntas, para asegurarse de que ha comprendido bien el contenido del diálogo.

1. ¿Por qué llama la mamá a Pedro?
2. ¿Quién lleva a Pedro a la universidad?
3. ¿Qué piensa Juan sobre su hermano?
4. ¿El papá de Pedro está de viaje de negocios?
5. Miguel come tostadas con el café, ¿verdad?

Conversación. Cuéntele a un(a) compañero(a), en forma narrativa, qué se hace en su casa cuando su familia se levanta. ¿Tiene hermanos perezosos? ¿Prepara su mamá el desayuno? ¿Quién es el primero en salir de casa?… Luego pídale a su compañero(a) que compare a su familia con la suya.

Situaciones. Con un(a) compañero(a) de clase, prepare un diálogo que corresponda a una de las siguientes situaciones. Estén listos para presentarle el diálogo a la clase.

Una reunión familiar. *Ud. y otro miembro de su familia están planeando una reunión familiar. Tienen que decidir dónde y cuándo será la reunión, quién va a hacer las invitaciones, qué clase de comida van a preparar, quién va a sacar fotos y quién va a preparar las actividades en que los niños puedan participar para divertirse.*

El cine. *Ud. y un(a) amigo(a) hablan del cine. Ud. habla de una película que vio hace dos semanas. A Ud. le gustó mucho, y su amigo(a) quiere saber por qué. Ud. le explica las razones y después Ud. le pide a su amigo(a) que le describa una película buena que él (ella) haya visto (has seen). Más tarde Uds. deciden ir al cine.*

Text Audio CD, Track 13 🔊 **Ejercicio de comprensión.** Ud. va a escuchar un comentario breve sobre una familia del mundo hispánico. Después del comentario, va a escuchar dos oraciones. Indique si la oración es **verdadera** (V) o **falsa** (F), trazando un círculo alrededor de la letra que corresponde a la respuesta correcta.

Suggestion: Have students first obtain a general understanding of the audio's content by listening without playing the two sentences. The, play the audio for the second time and have them listen to the two sentences that are either true or false so that they can carry out the activities.

1. V Ⓕ
2. Ⓥ F

Ahora, escriba un título para el comentario que refleje el contenido. Compare su título con los otros de la clase. ¿Cuál de ellos es el mejor en su opinión? Luego, escriba una cosa que Ud. aprendió del comentario que nunca sabía antes de escucharlo.

106 ■ UNIDAD 4

Hay tres pasos en esta actividad. **Primer paso:** Se divide la clase en grupos de tres personas. Lean la introducción a la discusión. **Segundo paso:** Cada miembro del grupo tiene que tomar un papel para representar la escena. **Tercer paso:** Después actúen la situación frente a la clase entera.

Discusión: Un dilema familiar. A continuación se describe a una familia que se ve confrontada con un problema típico. Acaban de informarle al padre que lo van a ascender a director de su compañía. Su familia tendrá que mudarse a una ciudad que queda lejos del pueblo donde siempre ha vivido. Los miembros de la familia son:

EL PADRE — tipo conservador, ambicioso, que quiere controlar a su familia. A él le gusta la idea de mudarse y de ascender a director. Así ganará más dinero para pagar los estudios de sus hijos. Además, podrá comprarse una casa más lujosa y pasar las vacaciones en Europa. Aunque pide la opinión de los demás, está convencido de que será una oportunidad maravillosa para todos.

LA MADRE — mujer bondadosa que siempre busca reconciliar las diferencias entre la familia. Ella tiende a apoyar a su marido en cuestiones de negocios. Por eso, dice que su marido tiene razón, que habrá más posibilidades para todos y que los problemas de la mudanza se resolverán fácilmente.

LA ABUELA — viuda, vieja, muy vinculada al pueblo donde vive ahora, donde está enterrado su marido. Ella sabe que va echar de menos su pueblo, ya que todas sus amistades se encuentran allí, y ella es muy vieja para cambios de esa clase.

EL PRIMO — joven desocupado que no ha podido encontrar trabajo. Le parece que su pueblo no ofrece muchas oportunidades para un joven. Ya conoce la otra ciudad y está seguro de que allá podrá encontrar empleo.

EL HIJO — muchacho de unos quince años que siempre ha creído que el pueblo de ellos es muy atrasado. Le gusta conocer a gente nueva y visitar lugares desconocidos. Le parece que ya ha explorado todo en su pueblo y está aburrido con su vida actual. También cree que si su padre gana más dinero es posible que le regale un auto el año que viene.

LA HIJA — muchacha de unos diecisiete años que está enamorada de un joven, vecino de ellos. Para ella, su Pepe es el hombre más sofisticado que hay, puesto que tiene veintidós años y sabe tanto del mundo. Además, su íntima amiga Julia piensa casarse en el verano y ella no quiere perderse la boda.

En grupos, preparen una escena breve, pero emocionante en la cual participan todos los miembros de la familia. Discutan las ventajas y desventajas de mudarse.

Después de preparar y practicar una escena breve, el (la) profesor(a) va a escoger a dos grupos para presentar su escena a la clase.

A T A J O

Temas de conversación o de composición.

Suggestion: To help students write their **Resumenes,** if might be beneficial to refer to the ATAJO 4.0 Writing Assistant for Spanish.

En grupos de tres personas, hablan de uno de los temas siguientes. Después, todas las personas de todos los grupos tienen que escribir un resumen de lo que contesta cada miembro de su grupo. Será necesario compartir sus ideas con los otros estudiantes.

1. ¿Se ha mudado mucho su familia? ¿Cuántas veces? ¿Le gusta la idea de mudarse a menudo o prefiere quedarse en un lugar?

2. En cuestiones económicas, ¿debe funcionar la familia como una pequeña democracia o debe mandar el padre? ¿Por qué?

3. ¿Qué importancia deben tener las opiniones de los niños en una familia? ¿Cree Ud. que en su familia se toman en serio sus opiniones?

LOS DIEZ LAMENTOS

1. Vivienda *(La estrella de las quejas. Casi 60.000 reclamaciones entre viviendas compradas y alquiladas: pisos en mal estado, rentas disparatadas...)*

2. Reparación de automóviles *(Los talleres, aunque mejoran ligeramente, son uno de los tormentos de los consumidores: más de 6.000 quejas en 1998).*

3. Telefonía *(Fija o móvil, da lo mismo. La factura, los teléfonos móviles por tarjeta pre-pago e internet se llevan la palma).*

4. Tintorerías *(Limpiar una prenda puede ser un borrón en la relación comercio-cliente. Las principales reclamaciones son las prendas maltratadas y la calidad de los servicios).*

5. Gas *(Reparaciones caras e innecesarias y muchos fraudes de compañías fantasmas convierten este sector en muy conflictivo).*

6. Servicios técnicos *(Trabajos mal realizados y grandes diferencias de precios por trabajos similares. Un descaro).*

7. Transportes *(La cruz de los españoles es viajar en avión, que suspenden sin remisión; sin embargo, los ferrocarriles de largo recorrido y cercanías aprueban. Los transportes urbanos dejan que desear).*

8. Gasolineras *(Aunque la situación ha cambiado respecto al año pasado, todavía hay estaciones de servicios que se «pasan» con los conductores).*

9. Bancos y servicios financieros *(Créditos imposibles, comisiones desmesuradas, problemas con tarjetas de crédito... las reclamaciones en ventanilla no paran)*

10. Viajes *(Grandes diferencias entre el viaje contratado y el que se realiza. A veces, los folletos son sorprendentes. La realidad, sorprende).*

Fuente: elaboración propia. Datos procedentes de Organizaciones de Consumidores, Servicios de Consumo de comunidades autónomas (Castilla-La Mancha, Cataluña, Galicia, Madrid, País Vasco y Valencia), OMIC y organizaciones profesionales

En la sociedad de hoy, hay cosas que afectan la vida diaria de una persona o de una familia. Se publicó un artículo en la revista *CAMBIO 16* de España que se llama «De qué se quejan *(complain)* los españoles». En este artículo se presentan una serie de problemas que existen en España hoy que afectan negativamente la calidad de la vida diaria de la gente. Según el artículo, los españoles están tratando de reclamar sus derechos y hacer reformas.

En esta sección, Ud. va a leer un fragmento del artículo que incluye una lista de los diez lamentos o quejas de los españoles. Después de leerlo, conteste las preguntas que siguen.

www.thomsonedu.com/spanish/intermediatespanish

Lectura

De qué se quejan los Españoles

Los españoles están perdiendo el miedo a reclamar sus derechos. Asociaciones de consumidores y organismos públicos son los canales por los que tramitan las más de 500.000 reclamaciones por servicios y trabajos mal hechos. La vivienda, los talleres de reparación de automóviles, la telefonía ocupan el podio de honor de los lamentos hispanos

Preguntas

Conteste las preguntas siguientes.

1. ¿Cuáles son los tres lamentos principales de los españoles?
2. ¿Qué están perdiendo los españoles?
3. Para mejorar el problema, ¿qué tienen que reclamar?
4. ¿Cuáles son los canales por los que tramitan las reclamaciones?
5. ¿Cuántas reclamaciones hay?
6. Según el artículo, ¿cómo son los servicios y trabajos que reciben los españoles?

Una encuesta. Ahora su profesor(a) va a dividir la clase en diez parejas o grupos. Cada uno de los grupos va a hablar de uno de los lamentos que tienen los españoles para ver si es algo de que nosotros nos quejamos en los Estados Unidos. ¿Son las perspectivas de este problema iguales o hay diferencias? Cada uno de los grupos va a presentarle oralmente sus opiniones a la clase.

Luego, la clase va a organizar una encuesta sobre este tópico. Todos los estudiantes van a conducir esta encuesta con un pariente o con sus padres. La encuesta debe incluir la lista de los diez lamentos de los españoles pero en un orden diferente. Uds. van a pedirles a sus parientes que pongan los lamentos en orden —con los más serios al principio de la lista y los de menos importancia al último.

Los parientes pueden incluir otros lamentos que existen en la sociedad de los Estados Unidos que en su opinión deben ser incluidos en la lista.

En la clase, todos los estudiantes van a presentar la lista nueva para ver si los parientes están de acuerdo con la lista de los españoles. Si hay un estudiante que tiene algo diferente de lo que hay en la lista de España, tiene que explicar la razón. (Su profesor[a] escribirá esta información en la pizarra.)

Expansión

This is a prime opportunity to expand to the website for additional activities, and it offers other resources if the companion books are not being used by students.

Si Ud. quiere saber más acerca de la vida diaria de la familia hispana y su importancia en la sociedad de los países hispanos, lea **Unidad 4** de *Civilización y cultura.* Escriba un ensayo breve que incluye información sobre estos temas:

1. Los lazos familiares en los países hispanos
2. La familia y la política
3. La familia y la sociedad
4. El significado de la familia
5. La familia contemporánea. ¿Le parece que la familia es más importante en la sociedad hispana que la norteamericana?

El hombre y la mujer en la sociedad hispánica

¿Cómo es la mujer? ¿el hombre? Describa el elemento de la foto que le atrae más. ¿Por qué?

Mentor 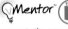 **Literatura y arte:** **Unidad 5** of this text presents the one-act play, *Mañana del sol,* by Hermanos Quintero. It provides the students with the opportunity for role-playing. The unit ends with a series of paintings by Diego Rodrígues de Silva y Velázquez that reflect the theme of "el hombre y la mujer."

Civilización y cultura: This text presents several perspectives of the role of men and women in Hispanic society. There are four basic topics covered: **Los nombres hispánicos, La sociedad patriarcal, Las mujeres en la literatura hispánica,** and **Las mujeres en la política.**

Suggestion: It is recommended that the corresponding material in the Workbook/Lab Manual be assigned as you progress through the **unidad.** Since the activities in the Workbook/Lab Manual can be self-corrected easily, students will receive immediate feedback on how well they understand the concepts currently under study.

En contexto

En el cine

Estructura

- The subjunctive mood
- Some uses of the subjunctive
- Commands
- Relative pronouns

Repaso

www.thomsonedu.com/spanish/intermediatespanish

A conversar
Techniques for maintaining a conversation

A escuchar
La joven profesional

Intercambios

Investigación y presentación
El hombre y la mujer
¿Hay igualdad de sexos en este país?
Expansión

www.thomsonedu.com/spanish/intermediatespanish

En el cine

Suggestion: Assign **Vocabulario activo** as homework. During class time, before having students listen to the dialogue, quickly review the **Para practicar** section.

Vocabulario activo

Estudie estas palabras.

Verbos
evitar *to avoid*
perder (ie) *to miss, to lose*

Sustantivos
el (la) amante *lover*
la butaca *theater seat*
la fila *row*
la función *show*
la telenovela *television serial (soap opera)*

Adjetivos
fenomenal *great, terrific*

Otras expresiones
a tiempo *on time, in time*
darse prisa *to hurry*
echarse una siestecita *to take a little nap*
ojalá (que) *I hope that*
¿Qué demonios pasa? *What the devil is going on?*
tal vez *perhaps*

5-1 Para practicar. Complete Ud. el párrafo siguiente con las palabras escogidas de la sección **Vocabulario activo**. No es necesario usar todas las palabras.

Después de 1. <u>echarse una siestecita</u> la mujer se levantó, se baño y se vistió. Quería asistir a una 2. <u>función</u> en un teatro cercano. Era tarde y por eso ella 3. <u>se dio prisa</u> para llegar 4. <u>a tiempo</u> al teatro. Ella compró una entrada y entró en el teatro. Decidió sentarse en una 5. <u>butaca</u> en la última 6. <u>fila</u> del teatro. Quería 7. <u>evitar</u> a su 8. <u>amante</u> si él había decidido asistir también. Ella no quería verlo jamás. La función era 9. <u>fenomenal</u>. Mejor que la 10. <u>telenovela</u> que ella había visto en la televisión anoche.

Text Audio CD, Track 14 **En el cine.** Antes de leer el diálogo, escúchelo con el libro cerrado. ¿Cuánto comprendió?

(Carlos, Concha y tío Paco llegan al cine, compran los boletos y entran.)

TÍO PACO   ¿Qué hora es? Ojalá que lleguemos a tiempo para ver los dibujos animados del «Pájaro Loco».[1]

CARLOS   No se preocupe, tío. ¿Quieren que les traiga algo? Voy a comprar una gaseosa.

CONCHA   Un chocolate, por favor.

TÍO PACO   Gracias, para mí nada.

CARLOS   *(Después de volver.)* Bueno, pues, entremos.

TÍO PACO   Sentémonos muy cerca. No veo nada.

CONCHA   Tío, Carlos y yo no queremos estar tan cerca de la pantalla. Nos vamos a sentar atrás. Lo veremos a Ud. después.

TÍO PACO	Bueno, bueno, váyanse. *(Se sienta en la segunda fila.)*
CARLOS	¿Nos sentamos en aquellas butacas allí, las que están en el medio?
CONCHA	Donde sea[1], pero date prisa. Estamos perdiendo las primeras escenas.
CARLOS	Bueno, sígueme. Permiso, con permiso señora muy amable, con permiso, muchas gracias. ¡Uf! ¡Perdone! ¿Ves bien?
CONCHA	Sí, muy bien. Cállate.

(Voces de la pantalla.)

MUJER	¡Qué contenta me siento en tus brazos, mi amor!
HOMBRE	Sí, yo también, pero se está haciendo tarde. Tu marido se estará preguntando[2] dónde estás. Tenemos que separarnos una vez más.
MUJER	Apenas son las diez de la noche. Sabes que él nunca deja a tu esposa antes de las doce.
HOMBRE	Sí, pero tal vez llegue Jorge antes de la hora convenida[3]. Debemos evitar escenas desagradables.

(Voces del auditorio.)

CARLOS	¿Qué demonios pasa? ¿Quién es Jorge?
CONCHA	No sé. Nos perdimos eso al principio.

(Pasan dos horas. Termina la función.)

CONCHA	¡Qué película fenomenal!
CARLOS	Sí, me gustó. Pero, ¿dónde está tío Paco? Busquémoslo.
CONCHA	Ahí está. Tío, ¿le gustó la película?
TÍO PACO	Pues, la verdad, sobrina, tenían esos dos tantos esposos y amantes que me dio un sueño terrible y me eché una siestecita. ¿Cómo terminó?
CARLOS	Pues… este… bueno, tío, es demasiado complicado. Vámonos.
TÍO PACO	Francamente, me gustan más las telenovelas como «María Mercedes».[2] ¡Ésa sí que vale la pena!

Notas culturales

[1] *los dibujos animados del «Pájaro Loco»: La gran mayoría de los dibujos animados, o «caricaturas», son de origen norteamericano. Entre los más populares están «El Pájaro Loco»* (Woody Woodpecker), *«El Pato Donald»* (Donald Duck) *y «El Correcaminos y el Coyote»* (Roadrunner).

[2] *«María Mercedes»: La telenovela es un tipo de programa muy popular en el mundo hispánico. A diferencia de* (Unlike) *las «soap operas» en los Estados Unidos, las telenovelas son episodios cortos que terminan en un año, o más. Generalmente estos programas se transmiten sólo una vez por semana, pero duran una o dos horas. «María Mercedes» ha sido una de las más populares del mundo hispánico.*

[1] Donde sea *Wherever*   [2] se estará preguntando *he'll be wondering*   [3] convenida *agreed upon*

5-2 Actividad cultural. En grupos de tres personas, respondan a estas preguntas. Después de hablar de sus preferencias, comparta la información con los otros grupos para ver cuántas personas son aficionados del cine o de las telenovelas *(soap operas).*

1. ¿Le gustan más las películas o prefiere las telenovelas? ¿Por qué?
2. ¿Cómo se llama su película favorita? ¿Por qué?
3. ¿Qué programa de televisión le gusta más? ¿Por qué?
4. ¿Le gustaría ser actor (actriz) de televisión? ¿del cine? ¿Por qué?
5. ¿Quiénes son sus actores (actrices) favoritos(as)? ¿Por qué?

5-3 Comprensión. Conteste las preguntas siguientes.

1. ¿Adónde van Carlos, Concha y el tío Paco?
2. ¿Qué compran antes de entrar?
3. ¿Qué es el «Pájaro Loco»?
4. ¿Qué compra Carlos?
5. ¿Dónde se sienta el tío Paco?
6. ¿Por qué no saben quién es Jorge?
7. Según Concha, ¿cómo fue la película?
8. ¿A Carlos le gustó la película?
9. ¿Qué hizo el tío Paco durante la película?
10. Al tío Paco, ¿qué le gusta más que las películas?

5-4 Opiniones. Conteste las preguntas siguientes.

1. ¿Va a menudo al cine? ¿Cuántas veces por mes?
2. ¿Dónde se sienta en el cine?
3. ¿Le gustan las películas italianas? ¿Por qué?
4. ¿Qué clase de refrescos toma en el cine?

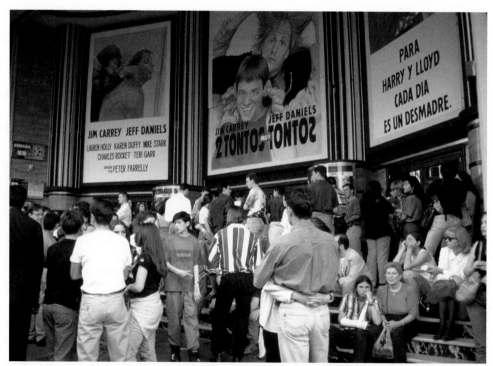

¿Le parece que las películas son muy populares en España? ¿Cómo puede decir eso?

Heinle iRadio: To hear more about the Subjunctive Mood, visit . . . **www.thomsonedu.com/ spanish.**

Grammar considerations: Since this section focuses mainly on the formation of the subjunctive, assign it as homework so that you can dedicate more class time to the activities in the **Práctica** section.

The subjunctive mood

In general, the indicative mood is used to relate or describe something that is definite, certain, or factual. In contrast, the subjunctive mood is used after certain verbs or expressions that indicate desire, doubt, emotion, necessity, or uncertainty. In this unit the formation of the present subjunctive and the use of the subjunctive after the expressions **tal vez, acaso, quizás,** and **ojalá** will be presented.

Forms of the present subjunctive

A. The present subjunctive of regular verbs

The present subjunctive of most verbs is formed by dropping the **-o** of the first person singular of the present indicative and adding the endings **-e, -es, -e, -emos, -éis, -en** to **-ar** verbs and **-a, -as, -a, -amos, -áis, -an** to **-er** and **-ir** verbs.

hablar		comer		vivir	
hable	hablemos	coma	comamos	viva	vivamos
hables	habléis	comas	comáis	vivas	viváis
hable	hablen	coma	coman	viva	vivan

B. Irregular verbs

1. Most verbs that are irregular in the present indicative are regular in the present subjunctive. Three examples are:

venir		traer		hacer	
venga	vengamos	traiga	traigamos	haga	hagamos
vengas	vengáis	traigas	traigáis	hagas	hagáis
venga	vengan	traiga	traigan	haga	hagan

2. The following six common verbs, which do not end in **-o** in the first person singular of the present indicative, are irregular in the present subjunctive.

dar		estar		haber	
dé	demos	esté	estemos	haya	hayamos
des	deis	estés	estéis	hayas	hayáis
dé	den	esté	estén	haya	hayan

ir		saber		ser	
vaya	vayamos	sepa	sepamos	sea	seamos
vayas	vayáis	sepas	sepáis	seas	seáis
vaya	vayan	sepa	sepan	sea	sean

C. Stem-changing verbs

1. The **-ar** and **-er** verbs that change **e** to **ie** or **o** to **ue** in the present indicative make the same stem changes in the present subjunctive. (Notice that again there are no stem changes in the first and second persons plural.)

entender		encontrar	
entienda	entendamos	encuentre	encontremos
entiendas	entendáis	encuentres	encontréis
entienda	entiendan	encuentre	encuentren

2. The **-ir** verbs that change **e** to **ie** or **o** to **ue** in the present indicative make the same stem changes in the present subjunctive; in addition, they change **e** to **i** or **o** to **u** in the first and second persons plural.

sentir		dormir	
sienta	sintamos	duerma	durmamos
sientas	sintáis	duermas	durmáis
sienta	sientan	duerma	duerman

3. The **-ir** verbs that change **e** to **i** in the present indicative make the same stem change in the present subjunctive; in addition they change **e** to **i** in the first and second persons plural.

servir		repetir	
sirva	sirvamos	repita	repitamos
sirvas	sirváis	repitas	repitáis
sirva	sirvan	repita	repitan

D. Spelling-change verbs

Verbs ending in **-car, -gar, -zar,** and **-guar** have spelling changes throughout the present subjunctive in order to preserve the pronunciation of the final consonant of the stem.

buscar: c to qu		llegar: g to gu	
busque	busquemos	llegue	lleguemos
busques	busquéis	llegues	lleguéis
busque	busquen	llegue	lleguen

abrazar: z to c		averiguar: gu to gü	
abrace	abracemos	averigüe	averigüemos
abraces	abracéis	averigües	averigüéis
abrace	abracen	averigüe	averigüen

Práctica

5-5 Formas del presente del subjuntivo. Exprese la primera persona singular y plural de estos verbos en el presente del subjuntivo.

1. comer
2. tener
3. conocer
4. hacer
5. traer
6. decir

5-6 Más práctica. Exprese la tercera persona singular y plural de estos verbos en el presente del subjuntivo.

1. ganar
2. ver
3. pagar
4. buscar
5. estar
6. irse

Ahora, exprese la primera persona singular y plural de estos verbos en el presente del subjuntivo.

1. servir
2. acostarse
3. volver
4. perder
5. jugar
6. empezar

5-7 ¡Qué memoria! Escoja algunos verbos y pídale a otro estudiante que los conjugue en el presente del subjuntivo. ¿Cómo es su memoria?

Some uses of the subjunctive

A. The subjunctive after *tal vez, acaso,* and *quizás*

1. The subjunctive is used after the expressions **tal vez, acaso,** and **quizás** (all meaning *perhaps, maybe*) when the idea expressed or described is indefinite or doubtful.

   Tal vez llegue a tiempo, pero lo dudo.
   Perhaps he will arrive on time, but I doubt it.

   Quizás Juan conozca a Gloria, pero no es probable.
   Perhaps Juan knows Gloria, but it's not likely.

   Acaso Manuel sepa la respuesta, pero no lo creo.
   Maybe Manuel knows the answer, but I don't think so.

2. However, when the idea expressed is definite or very probable, the indicative is used.

   Tal vez salen temprano hoy como siempre.
   Perhaps they're leaving early today as always.

   Teresa está en el banco. Acaso está cobrando un cheque.
   Teresa is in the bank. Maybe she's cashing a check.

   Quizás podemos hacerlo; parece fácil.
   Maybe we can do it; it looks easy.

B. The subjunctive after *ojalá (que)*

The subjunctive is always used after **ojalá** (derived from the Arabic *May Allah grant that*). The **que** is optional after **ojalá.**

Ojalá (que) se den prisa.
I hope (that) they hurry.

Ojalá (que) él no vaya con nosotros.
I hope (that) he doesn't go with us.

Ojalá (que) no lleguemos tarde.
I hope (that) we don't arrive late.

Práctica

Out-of-class assignments, 5-8, 5-9, & 5-10: Have the students complete these activities at home so that you can dedicate more time to the open-ended activity that follows. At the beginning of the next class, correct at least one to see if students understood these grammatical concepts. If there does not seem to be any problem, then proceed with the more communicative activities.

Answers 5-8: 1. Tal vez mi familia coma ahora. 2. Tal vez mis abuelos lleguen al teatro a tiempo. 3. Tal vez mi hermano busque trabajo. 4. Tal vez mi hermana esté en casa. 5. Tal vez mi primo aprenda a conducir. 6. Tal vez mi madre sirva la cena. 7. Tal vez mis amigos miren una telenovela. 8. Tal vez mis tíos compren las entradas. 9. Tal vez José se eche una siestecita. 10. Tal vez mi prima haga las tareas.

5-8 Pensamientos. Ud. está solo(a) en su cuarto pensando en sus amigos, en sus familiares y en lo que posiblemente ellos hagan. Exprese sus pensamientos. Siga el modelo.

> **Modelo** mi amigo / ir / al cine
> *Tal vez mi amigo vaya al cine.*

1. mi familia / comer / ahora
2. mis abuelos / llegar / al teatro / a tiempo
3. mi hermano / buscar / trabajo
4. mi hermana / estar / en casa
5. mi primo / aprender a / conducir
6. mi madre / servir / la cena
7. mis amigos / mirar / una telenovela
8. mis tíos / comprar / las entradas
9. José / echarse / una siestecita
10. mi prima / hacer / las tareas

Answers 5-9: 1. Quizás María se levante temprano. 2. Quizás ellos hablen alemán. 3. Quizás mi hermano se eche una siestecita. 4. Quizás su amante vaya con ellos al cine. 5. Quizás su madre vea una película fenomenal. 6. Quizás Enrique pague la cuenta. 7. Quizás José busque una butaca en esa fila. 8. Quizás los niños salgan. 9. Quizás ese idiota le dé todo su dinero. 10. Quizás aquellos jóvenes se sienten cerca de la pantalla.

5-9 Actividades personales. Las personas siguientes quieren hacer ciertas cosas. Indique lo que ellas quizás puedan hacer. Siga el modelo.

> **Modelo** Pablo quiere ganar el partido.
> *Quizás gane el partido.*

1. María quiere levantarse temprano.
2. Ellos desean hablar alemán.
3. Mi hermano desea echarse una siestecita.
4. Su amante quiere ir con ellos al cine.
5. Su madre quiere ver una película fenomenal.
6. Enrique quiere pagar la cuenta.
7. José desea buscar una butaca en esa fila.
8. Los niños quieren salir.
9. Ese idiota quiere darle todo su dinero.
10. Aquellos jóvenes desean sentarse cerca de la pantalla.

5-10 Una cita. Ud. tiene una cita esta noche, y espera que todo vaya bien. Exprese sus deseos, usando la expresión **ojalá.** Siga el modelo.

> **Modelo**   Vamos al cine esta noche.
> *Ojalá que vayamos al cine esta noche.*

1. Mi hermano nos compra entradas.
2. Yo llego temprano a la casa de mi novio(a).
3. Mi novio(a) está listo(a) para salir.
4. Mi coche funciona bien.
5. Él/Ella quiere comer en un buen restaurante antes de ver la película.
6. Podemos encontrar una mesa desocupada.
7. La comida es muy buena.
8. La comida no cuesta mucho.
9. Encontramos butacas cerca de la pantalla al entrar al cine.
10. Él/Ella se divierte bastante esta noche.

5-11 Un nuevo día. Ud. y un(a) amigo(a) están para salir de su apartamento para ir a la escuela. Están haciéndose preguntas acerca del día. Siga el modelo.

> **Modelo**   ¿Tenemos examen hoy?
> *¡Ojalá que no tengamos examen hoy!*

1. ¿Comemos en la cafetería después de la clase?
2. ¿Podemos estudiar en la biblioteca esta tarde?
3. ¿Vamos al cine después de cenar esta noche?
4. ¿Quién va a comprar las entradas?
5. ¿Volvemos temprano a casa?
6. ¿A qué hora nos acostamos?

5-12 En el cine. Miguel y María Luz están esperando a sus amigos enfrente del cine. Con un(a) compañero(a) de clase exprese la conversación de ellos en español.

MIGUEL   I hope Laura and Emilio find a seat near the screen.

MARÍA LUZ   Perhaps they can, but I doubt it. There are a lot of people here.

MIGUEL   There are two seats here. Maybe they'll sit next to us.

MARÍA LUZ   I hope they hurry or they'll lose these seats.

MIGUEL   Perhaps they'll have to leave if they can't find good seats.

Ahora, usando las expresiones **ojalá, tal vez** y **acaso,** crean Uds. una conversación sobre lo que quieren que pase durante este año escolar.

5-13 Tal vez. ¿Qué harán estas personas famosas hoy? Sea creativo(a) y al terminar compare sus oraciones con las de su compañero(a).

> **Modelo**   el príncipe de Mónaco
> *Tal vez el príncipe de Mónaco se case otra vez.*

1. el presidente de los Estados Unidos
2. la reina de Inglaterra
3. Ricky Martin
4. Rigoberta Menchú
5. Antonio Banderas
6. Salma Hayek
7. Isabel Allende
8. Jennifer López

Commands

There are several different command forms in Spanish:

the formal direct commands (**Ud.** and **Uds.**)
the familiar direct commands (**tú** and **vosotros**)
the *let's* command (**nosotros**)
the indirect commands

All of these commands use present subjunctive verb forms except for the affirmative **tú** and **vosotros** commands.

A. Formal commands

The **vosotros** commands are not generally used in Latin America. They have been replaced by the **Uds.** commands.

For the use of the infinitive to express commands, see **Unidad 11.**

Grammar considerations: Assign this section as homework so that you can dedicate more class time to the activities in the **Práctica** section. In class, quickly review the commands by asking students to pretend that they are the professor giving formal commands to the class and to certain students. You may write on the board the verbs to use.

1. The **Ud.** and **Uds.** commands, negative and affirmative, are the same as the third person forms of the present subjunctive.

| Mire (Ud.). | No mire (Ud.). | Salgan (Uds.). | No salgan (Uds.). |
| *Look.* | *Don't look.* | *Go out.* | *Don't go out.* |

Note that the word **Ud.** is sometimes included for courtesy, but it is generally omitted.

2. Object pronouns (reflexive, indirect, and direct) follow and are attached to affirmative direct commands, but they precede negative direct commands. Notice that the affirmative command adds an accent to maintain the original stressed syllable.

Váyase (Ud.).	No se vaya (Ud.).
Váyanse (Uds.).	No se vayan (Uds.).
Go away.	*Don't go away.*

B. Familiar commands—affirmative

1. The affirmative **tú** command for regular verbs is the same as the third person singular of the present indicative. The subject pronoun is generally not used. Note again that object pronouns are attached to affirmative commands.

Habla, por favor.	Sígueme.
Speak, please.	*Follow me.*
Vuelve a casa temprano.	Cállate.
Return home early.	*Be quiet.*

2. The following affirmative **tú** commands are irregular:

decir:	di	**poner:**	pon	**tener:**	ten
hacer:	haz	**salir:**	sal	**venir:**	ven
ir:	ve	**ser:**	sé		

3. The affirmative **vosotros** command is formed by dropping the **-r** from the infinitive and adding **-d.**

| **escuchar:** | Escuchad. | **decir:** | Decidnos. |
| | *Listen.* | | *Tell us.* |

4. For the **vosotros** command of reflexive verbs, the final **-d** is dropped before adding the pronoun **os.** One exception to this is **idos** (from **irse**). If the verb is an **-ir** verb, an accent is required on the final **i.**

| Levantaos. | Divertíos. |
| *Get up.* | *Have a good time.* |

C. Familiar commands—negative

The negative familiar commands for both **tú** and **vosotros** are the same as the second person forms of the present subjunctive. Object pronouns precede negative commands.

No llegues (tú) tarde.
Don't arrive late.

No lo esperéis.
Don't wait for him.

D. The "let's" command

1. The **nosotros** or *let's* command is the same as the first person plural of the present subjunctive. Note the position of the object pronouns in the second example below.

   Comamos.
   Let's eat.

   No comamos.
   Let's not eat.

   Cerrémosla.
   Let's close it.

   No la cerremos.
   Let's not close it.

2. When either the reflexive pronoun **nos** or the pronoun **se** is attached to an affirmative *let's* command, the final **-s** of the verb is dropped. A written accent is added to maintain the original stress of the verb.

   Sentémonos.
   Let's sit down.

   No nos sentemos.
   Let's not sit down.

   Pidámoselo.
   Let's ask him (her) for it.

   No se lo pidamos.
   Let's not ask him (her) for it.

3. The verb **ir (irse)** is irregular in the affirmative **nosotros** command.

   Vamos.   **BUT**   No vayamos.
   Let's go.   *Let's not go.*

   Vámonos.   **BUT**   No nos vayamos.
   Let's leave.   *Let's not leave.*

Both **vamos** and **vayamos** can be used for the affirmative command, but **vamos** is more common.

4. An alternate way of expressing the affirmative *let's* command is to use **ir a** plus the infinitive. This form is not used for negative commands.

   Vamos a hablar con ellos.   **BUT**   No hablemos con ellos.
   Let's talk with them.   *Let's not talk with them.*

5. Note that **a ver** (without **vamos**) is generally used to express *let's see.*

   A ver. Creo que todo está listo.
   Let's see. I think everything is ready.

E. Indirect commands

Indirect commands are the same as the third person (singular or plural) of the present subjunctive. They are always introduced by **que.**

Que le vaya bien.
May all go well with you.

Los niños quieren salir. Pues, que salgan ellos.
The children want to go out. Well, let them go out.

Note that object pronouns always precede both negative and affirmative indirect commands, and the subject, if expressed, generally follows the verb.

Práctica

Out-of-class assignments, 5-14, 5-15, &
5-16: Have the students complete these
activities at home so that you can dedicate
more time to the open-ended activities
that follow. At the beginning of the next
class, correct at least one to see if students
mastered the command forms. If there
does not seem to be any problem, then
proceed with the rest of the activities in the
Práctica section.

Answers 5-14: 1. Tío, espere un momento. 2. Señora, no hable tanto. 3. Jóvenes,
vayan al cine. 4. Señor, siéntese cerca de la
pantalla. 5. Señora, no coma mucho.

Answers 5-15: 1. Laura, ve conmigo a la
fiesta. 2. Roberto, no salgas temprano.
3. María, haz un pastel. 4. Felipe, no seas
tonto. 5. Elena, no entres a la sala.

Answers 5-16: 1. Prueben... 2. No
coman ni beban... 3. ...vuelvan...
4. Cómprenme... 5. ..., vayan...
6. Consigan... 7. Lleguen... 8. Regresen...
9. Acuéstense... 10. Diviértanse...

Answers 5-17: 1. No te vayas sin
hablar con ellos. 2. Empieza ahora a
estudiar. 3. Sirve vino con la comida. 4. No
seas ridículo. 5. No pagues demasiado por
las entradas. 6. Regresa antes de las cinco.
7. Llega al cine a tiempo. 8. No tomes
demasiada cerveza. 9. No te preocupes.
10. Pídeles a ellos más dinero.

5-14 Mandatos formales. Cambie estas oraciones a mandatos formales. Siga el modelo.

Modelo La señorita entra. *Señorita, entre, por favor.*
El señor no dice nada. *Señor, no diga nada, por favor.*

1. El tío espera un momento.
2. La señora no habla tanto.
3. Los jóvenes van al cine.
4. El señor se sienta cerca de la pantalla.
5. La señora no come mucho.

5-15 Mandatos familiares. Cambie estas oraciones a mandatos familiares. Siga el modelo.

Modelo Aurelio dice algo. *Aurelio, di algo.*
Mi amigo no le da dinero. *Amigo, no le des dinero.*

1. Laura va conmigo a la fiesta.
2. Roberto no sale temprano.
3. María hace un pastel.
4. Felipe no es tonto.
5. Elena no entra a la sala.

5-16 Una visita a Madrid. Los padres de Laura están visitando Madrid, y ella está diciéndoles lo que ellos deben hacer durante su estadía. Siga el modelo.

Modelo ir a un buen restaurante
Vayan a un buen restaurante.

1. probar algunos platos típicos españoles
2. no comer ni beber demasiado
3. después de comer, volver al hotel para echarse una siesta
4. comprarme unos libros de arte
5. después, ir al teatro
6. conseguir entradas para la función
7. llegar al teatro temprano
8. regresar al hotel en taxi
9. acostarse en seguida
10. divertirse durante el viaje

5-17 Una persona mandona (bossy). Con un(a) compañero(a) de clase, dígale a él (ella) lo que debe hacer. Su compañero(a) debe decir por qué él (ella) no puede hacerlo. Sigan el modelo.

Modelo devolver estos libros a la biblioteca
Ud.: *Devuelve estos libros a la biblioteca.*

no perder el tiempo
Su compañero(a) de clase: *No, porque no puedo perder el tiempo.*

1. no irse sin hablar con ellos
2. empezar ahora a estudiar
3. servir vino con la comida
4. no ser ridículo

5. no pagar demasiado por las entradas
6. regresar antes de las cinco
7. llegar al cine a tiempo
8. no tomar demasiada cerveza
9. no preocuparse
10. pedirles a ellos más dinero

Ahora, dele Ud. dos o tres mandatos más a su compañero(a) de clase.

5-18 Opiniones personales. Indique su opinión sobre las cosas que estas personas quieren hacer. Siga el modelo.

Modelo   Pablo quiere tomar el bus.
               ¡Que lo tome!

1. Susana quiere leer el artículo.
2. María desea comprar un libro.
3. Pedro quiere decirle el precio de las entradas.
4. Mis padres quieren conocer a mis amigos.
5. Mi tío desea hacer su trabajo.
6. Mis amigos desean traer refrescos.
7. Elena quiere bailar el tango.
8. Los jóvenes quieren ver esa película.
9. Eva quiere ir al concierto.
10. Ellos quieren quedarse en casa.

5-19 ¿De acuerdo o no? Con un(a) compañero(a) de clase, háganse estas preguntas para decidir lo que quieren hacer hoy. Sigan el modelo.

Modelo   ¿Vamos a sentarnos aquí?
               Sí, sentémonos aquí. (No, no nos sentemos aquí.)

1. ¿Vamos a salir esta noche?
2. ¿Vamos a levantarnos temprano?
3. ¿Vamos a empezar a estudiar ahora?
4. ¿Vamos a pedir una taza de café?
5. ¿Vamos a comprar entradas?
6. ¿Vamos a ver una telenovela?
7. ¿Vamos a salir de la casa temprano?
8. ¿Vamos a hacerlo en seguida?
9. ¿Vamos a divertirnos un rato?
10. ¿Vamos a preguntarles si quieren ir?

5-20 Mandatos. Dígale a su compañero(a) de clase cinco cosas que él/ella debe hacer. Su compañero(a) de clase va a indicar si él/ella quiere hacerlas o si hay otras cosas que él/ella prefiere hacer. Use la imaginación con cierta limitación, por supuesto.

Modelo   Ud.: *Come de estos gusanos.*
               Su compañero(a) de clase: *No quiero comerlos.*
               Prefiero comer una tortilla.

5-21 Consejos. Pregúntele a un(a) compañero(a) de clase si Ud. debe hacer las cosas siguientes. Su compañero(a) de clase le va a contestar con un mandato negativo o afirmativo. Cambie los objetos directos a pronombres. Siga el modelo.

> **Modelo**   *¿Hago el trabajo?*
> *Sí, hazlo. (No, no lo hagas.)*

1. ¿Pongo mis libros en tu mesa?
2. ¿Te digo la verdad?
3. ¿Traigo mi coche a la universidad mañana?
4. ¿Te explico la lección?
5. ¿Empiezo a cantar una canción?
6. ¿Te abrazo?

Relative pronouns

A. Uses of *que*

In English, an infinitive can directly follow and modify a noun or pronoun; in Spanish, this construction can be expressed by **que** + infinitive. **Hay mucho que leer.** *There is a lot to read.*

Grammar considerations: Assign this section as homework so that you can dedicate more class time to the activities in the **Práctica** section.

1. The most commonly used relative pronoun is **que** *(that, which, who)*. It can refer to persons, places, or things, and is never omitted in Spanish.

Manuel es el muchacho que trabaja en esa tienda.
Manuel is the boy who works in that store.

La película que vieron anoche es francesa.
The movie (that) they saw last night is French.

Cuernavaca es una ciudad que está cerca de la capital.
Cuernavaca is a city (that is) near the capital.

2. After most prepositions of one syllable such as **a, con, de,** and **en,** the relative pronoun **que** is only used to refer to things.

Las películas de que hablan son de España.
The movies they are talking about are from Spain.

El dinero con que compró el coche era de su madre.
The money he bought the car with was his mother's.

B. Uses of *quien(es)*

1. **Quien(es)** *(who, whom)* refers only to people. It is most commonly used after prepositions of one syllable **(a, con, de)** or to introduce a clause that is set off by commas.

La señora con quien están hablando es traductora.
The woman they are talking to is a translator.

Aquel hombre, quien vino a mi casa ayer, es el presidente.
That man, who came to my house yesterday, is the president.

2. **Quien(es)** is also used to mean *he who, those who, the ones who,* and so forth.

Quien estudia, aprende.
He who studies, learns.

Quienes comen mucho, engordan.
Those who eat a lot, get fat.

3. **Que** is preferred to **quien** as a direct object. It does not require the personal **a.**

El hombre que (a quien) vi es su tío.
The man (whom) I saw is his uncle.

C. Uses of *el cual* and *el que*

El que (la que, los que, las que) and **el cual (la cual, los cuales, las cuales)** are used instead of **que** or **quien** in the following situations:

1. For clarification and emphasis when there is more than one person or thing mentioned in the antecedent.

   La amiga de Carlos, la cual (la que) vive en Nueva York, va a México.
   Carlos's friend, who lives in New York, is going to Mexico.

   El tío de María, el cual (el que) es muy viejo, va al cine con ella.
   María's uncle, who is very old, is going to the movies with her.

2. After the prepositions **por** and **sin** and after prepositions of two or more syllables.

   Se me olvidó la llave, sin la cual (la que) no pude entrar.
   I forgot the key, without which I couldn't get in.

   Vieron a sus amigas, detrás de las cuales (las que) había dos butacas juntas.
   They saw their friends, behind whom there were two seats together.

3. In addition, **el que (la que, los que, las que)** is used to translate *the one who, he who, those who, the ones who.* (**El cual** is not used in this construction.)

   El que estudia, tiene éxito.
   He who studies will be successful.

   Esos actores y los que están en esta telenovela son muy populares.
   Those actors and the ones who are in this soap opera are very popular.

D. Uses of *lo cual* and *lo que*

1. **Lo cual** and **lo que** are neuter forms; both are used to express *which* when the antecedent referred to is not a specific noun but rather a statement, a situation, or an idea.

   Felipe dijo que no vendría, lo cual nos sorprendió.
   Felipe said he wouldn't come, which surprised us.

   Vi una sombra en la pared, lo que me asustó.
   I saw a shadow on the wall, which frightened me.

2. In addition, **lo que** (but not **lo cual***)* means *what* when the antecedent is not stated.

   Lo que dijo Juan no les parecía posible.
   What Juan said didn't seem possible to them.

   No sé lo que quieres.
   I don't know what you want.

E. Use of *cuyo(a, os, as)*

In a question, *whose* is expressed as **¿de quién(es)?**: **¿De quién es este boleto?**

Cuyo *(whose, of whom, of which)* is used before a noun and agrees with it in gender and number.

La chica cuya madre es profesora se llama Esmeralda.
The girl whose mother is a professor is named Esmeralda.

Ese árbol, cuyas hojas son pequeñas, es un roble.
That tree, the leaves of which are small, is an oak.

Práctica

Out-of-class assignments, 5-22 & 5-23:
Have students complete these activities at home so that you can dedicate more time to the rest of the activities in the **Práctica** section. At the beginning of the next class, correct at least one to see if the students have learned the use of the pronouns or have students compare and justify their answers. If there does not seem to be any problem, then proceed with the rest of the activities.

Answers 5-22: 1. de quien, de quienes, de quienes, de quienes; 2. cuyos nombres, cuyos nombres, cuyo nombre, cuyo nombre; 3. con quien, con quien, con quienes, con quienes

5-22 Los pronombres relativos. Haga los cambios necesarios en estas oraciones, según las palabras entre paréntesis.

1. Es la *esposa* de quien hablo. (tío / mujeres / esposos / profesores)
2. Esa es la *película* cuyo nombre no recuerdo. (actores / actrices / argumento [plot] / cine)
3. Esos *señores*, con quienes hablamos, son de la Argentina. (señorita / profesora / muchachas / hombres)

5-23 Observaciones generales. Complete estas oraciones con la forma correcta de un pronombre relativo.

1. La película _____que_____ dan en el Cine Colorado es muy buena.
2. ___Los que/Quienes___ hablan mucho, poco aprenden.
3. Allí está el restaurante detrás de ___lo cual___ vive Carmen.
4. La mujer con _____quien_____ hablan es abogada.
5. El cine al _____que_____ entran está muy oscuro.
6. Ese hombre, ___quien/que___ está hablando ahora con Paco, es el tío de Mirabel.
7. Jacinto siempre hace _____lo que_____ ella quiere.
8. El chico _____cuya_____ novia quiere ir al partido de jai alai se llama Francisco.
9. La telenovela _____que_____ a ella le gusta se llama «María Mercedes».
10. El hombre a _____quien_____ conocí anoche es el primo de Fernando.

5-24 Los pronombres relativos. Complete estas oraciones con **que, quien(es), el que, lo que** o **lo cual.** Luego, comparta sus respuestas con su compañero(a) de clase.

1. «María Mercedes» es la telenovela _____que_____ me gusta más.
2. El tío de Carlos, ___el que, quien___ vive en su casa, irá a México.
3. Ésas son las amigas de ___quienes___ te hablé.
4. Él estudió toda la noche, ___lo que___ me sorprendió.
5. Quiero que sepas ___lo que___ está ocurriendo.

Answers 5-25: *Answers will vary.*

5-25 Una entrevista. Hágale cinco preguntas a su compañero(a) de clase, usando un pronombre relativo en cada una de las preguntas de la lista siguiente.

cuyo(a)	**quien**	**que**
el (la) que	**lo que**	

✿ Repaso

www For more practice of vocabulary and structures, go to the book companion website at **www.thomsonedu.com/ spanish/intermediatespanish.**

Antes de empezar la última parte de esta **unidad,** es importante repasar el vocabulario nuevo y la estructura y hacer las actividades que siguen.

5-26 Su niñez. Viva otra vez su niñez haciendo el papel de un(a) niño(a) que les pide permiso a sus padres para hacer varias cosas. Su compañero(a) de clase va a hacer el papel de uno de los padres. Haga la pregunta, y su compañero(a) de clase le va a contestar con una respuesta negativa o afirmativa. La madre / el padre debe usar pronombres en las respuestas. Siga el modelo.

Review commands.

Answers 5-26: *Answers will vary.*

> **Modelo** —¿Puedo comprar este helado?
> —*No, no lo compres.*
> —*Sí, cómpralo.*

1. ¿Puedo mirar la televisión?
2. ¿Puedo leer un cuento *(story)* esta noche?
3. ¿Puedo salir con mis amigos?
4. ¿Puedo leer el periódico?
5. ¿Puedo probar los dulces?
6. ¿Puedo preparar la cena?
7. ¿Puedo hacer una fiesta?
8. ¿Puedo vender mis discos?
9. ¿Puedo invitar a mi amigo a jugar conmigo?
10. ¿Puedo llamar a los abuelos?

5-27 Consejos. Ud. está dándole consejos a un(a) amigo(a) sobre cómo él/ella debe comportarse en varias situaciones. Haga esto con mandatos familiares. Siga el modelo.

Review commands.

Answers 5-27: *Answers will vary.*

> **Modelo** Si quieres tener más dinero,…
> *Si quieres tener más dinero, busca un buen trabajo.*
> -o-
> *Si quieres tener más dinero, no gastes tanto.*

1. Si quieres conocer una persona rica, …
2. Si quieres sacar una buena nota en esta clase, …
3. Si quieres ver esa película, …
4. Si quieres hacer la tarea, …
5. Si quieres una buena comida mexicana, …
6. Si quieres comprar un coche nuevo, …

5-28 Mandatos del (de la) profesor(a). Haga una lista de cinco mandatos que su profesor(a) da en la clase casi todos los días. Léale su lista a la clase. Sus compañeros de clase van a compartir sus listas también. ¿Cuáles son los mandatos que el (la) profesor(a) suele dar con más frecuencia?

Review commands.

Answers 5-28: *Answers will vary.*

5-29 A escoger. Escoja el pronombre relativo correcto de las formas entre paréntesis.

1. Ellos salieron de casa temprano, (quien, lo cual) le molestó a la madre.
2. La señorita de (quien, que) hablan es su hermana.
3. (Lo que, El que) ellos hacen no me importa.
4. La telenovela, (quienes, cuyo) argumento es bastante sencillo, es su programa favorito.
5. Ella vive en aquella casa detrás de (que, la cual) hay un parque pequeño.
6. El padre de Victoria, (quien, el cual) vive en España, está aquí de visita.
7. Les gustó la película (que, la que) vieron anoche.
8. Estas chicas y (quienes, las que) están allí son sus compañeras de clase.
9. La casa en (la cual, que) vive ella es muy grande.

5-30 Omitiendo la repetición. En grupos de dos personas, junten las oraciones siguientes, omitiendo las repeticiones que no sean necesarias. Pongan una preposición delante del pronombre relativo cuando sea necesario. Sigan el modelo.

Modelo   Ése es el actor español. Ellos hablan mucho de él.
Ése es el actor español de quien ellos hablan mucho.

1. Ésta es mi amiga chilena. Escribí una carta a mi amiga chilena.
2. Vamos a la casa de mis primos. El Teatro Colorado está cerca de la casa de mis primos.
3. Vimos una película sobre unos amantes. La película nos gustó mucho.
4. Su tío empezó a gritar. Esto lo asustó mucho.
5. Concha tiene una chaqueta. La chaqueta está en la sala.

5-31 Formando oraciones. Haga una oración completa usando las palabras en el orden en que están escritas. Haga otros cambios o adiciones si son necesarios.

1. tal vez / ellos / venir / también / pero / yo / dudar
2. ojalá / él / salir / pronto
3. quizás / estudiante / poder / terminar / lección / ahora
4. venir / Ud. / pronto / por favor
5. acaso / ella / saber / respuesta / pero / no / ser / probable

5-32 Mandatos. Usando mandatos familiares, dígale a un(a) compañero(a) que haga las cosas siguientes. Su compañero(a) de clase no hará nada a menos que el mandato sea correcto.

1. open his or her book
2. take out a piece of paper
3. write a complete sentence with **tal vez**
4. read the sentence aloud
5. put the paper in the book
6. close the book

5-33 Este fin de semana. Relátele a su compañero(a) de clase cinco cosas que tal vez Ud. vaya a hacer este fin de semana. Luego, su compañero(a) de clase va a hacer lo mismo. Siga el modelo.

Modelo   Ud.: *Quizás mi amigo(a) y yo vayamos al cine.*
Su compañero(a) de clase: *Tal vez yo vaya a la biblioteca a estudiar.*

✿ A conversar

Once you have initiated a conversation it is essential that you learn some techniques that will enable you to keep the conversation going. As you participate in conversations, do not let concern for grammatical accuracy or correct pronunciation keep you from speaking. Say what you want to say the best way you know how.

Techniques for maintaining a conversation:

1. **Cognates:** Use as many cognates as you can to express yourself. [**Me gusta la** *clase* **de** *historia.* **Quiero ser** *profesor(a).*] Beware of false cognates, however, as they can cause misunderstanding and even embarrassment. For example, the Spanish word **éxito** may look like the English word *exit,* but it means *success.* Likewise, the Spanish word **colegio** resembles the English word *college,* but it means *high school.*

2. **Paraphrase:** If you do not know the exact word, express the idea in another way. For example, if you forget the word for *shoes* (**zapatos),** you can say, **las cosas que se llevan en los pies.**

3. **Synonyms:** If the listener has difficulty understanding what you are saying, clarify your meaning by using another word (synonym) that has the same or similar meaning to the first word that you used. If you want to buy a ballpoint pen (**bolígrafo),** but the person doesn't understand that word, then you could say, **Quiero comprar una pluma.**

4. **Repetition:** If you don't understand the person who is speaking, ask him/her to repeat what was said more slowly.

5. **Gestures:** When all else fails you may be able to express some of your ideas by using gestures. If you want to say **Ramón toca el violín,** but cannot remember the words for *play* and *violin,* then you can act out someone playing a violin.

☂ Descripción y expansión

Suggestion, Descripción y expansión: Have students work in groups of two or three. Before you begin the activity, give students 3–4 minutes to look it over.

Cuando se hace un viaje o se busca un lugar específico, es importante saber pedir y entender direcciones. Se presenta aquí una lista de expresiones útiles para pedir direcciones, y otra lista de expresiones para darlas. Estudie las dos listas antes de empezar las actividades.

Para pedir direcciones:

Buenos días, señor (señora, señorita)…
¿Hay un hospital (una universidad, un banco, etcétera) cerca de aquí?
¿Dónde está el ayuntamiento (la Estación del Norte, etcétera)?
¿Podría decirme, por favor, cómo llegar a…?
Busco el Almacén Torres…
¿Por dónde se va para llegar allí?
¿Cuál es la dirección de…?
¿Sabe Ud. dónde queda…?

Para dar direcciones:

Siga (por la calle…, adelante, derecho hasta llegar a…)
Camine (dos cuadras hasta llegar a…)
Doble (a la izquierda, a la derecha) en la calle (en la avenida)…
Cruce la calle y…

Suggestion: For further practice asking and giving directions, the following transparencies are recommended: **F-1 Los lugares públicos; F-2 Un pueblo; F-3 ¿Dónde está?; F-4 La ciudad; F-6 Mapas de Madrid, San Juan y México, D.F.**

En el mapa. Ahora Ud. está (en el centro, enfrente de la catedral, al lado de la plaza, etcétera).

1. Refiriéndose al mapa abajo, su profesor(a) les dará a Uds. unas direcciones. Trate de seguirlas.

2. Con otro(a) estudiante haga la siguiente actividad. Ud. acaba de llegar por tren a una ciudad hispana y quiere saber cómo llegar a los siguientes lugares. Pida instrucciones usando una expresión diferente cada vez. El (La) otro(a) estudiante hace el papel de residente de la ciudad y le da la información necesaria. Use el mapa. Ud. está en la Estación del Norte.

   a. la catedral   **f.** el hospital
   b. el banco   **g.** el Teatro Colón
   c. la universidad   **h.** el ayuntamiento
   d. la Plaza Mayor   **i.** una panadería
   e. la biblioteca

3. Después de recibir las instrucciones, explíquele al (a la) otro(a) estudiante la razón por la cual necesita encontrar ese lugar.

   Modelo   *Tengo que ir al banco para cobrar* (cash) *un cheque.*

Suggestion: The image of this map can be downloaded from the Heinle website at **www.thomsonedu.com/spanish/intermediatespanish** for use as an overhead transparency.

Text Audio CD, Track 15 🎧 **La joven profesional**

Escuche la siguiente situación y complete las actividades.

Maruca y su marido Ramiro hablan, en la sobremesa de un domingo, sobre su hija Gloria, la cual trabaja desde hace cuatro años con una firma especializada en las últimas tecnologías. La acaban de ascender a jefa de programadores.

Información. Según lo que ha escuchado ¿son **verdaderas** o **falsas** las siguientes oraciones?

1. La mamá espera que Gloria viaje a Tokio. [F]
2. Ramiro está muy orgulloso de su hija. [V]
3. La mamá es una mujer muy moderna. [F]
4. Según el papá, Gloria y el chico que estudia medicina quizás sean novios. [V]
5. Gloria trabaja en una agencia de viajes. [F]

 Conversación. A hacer teatro. Con dos compañeros, representen los papeles de una mamá liberada/conservadora, de un papá conservador/moderno y de una hija que no tiene prisa en casarse, y para quien lo importante, por ahora, es la carrera.

 Situaciones. Con un(a) compañero(a) de clase, preparen un diálogo que corresponda a una de las siguientes situaciones. Estén listos para presentar un diálogo enfrente de la clase.

Una cita para ir al cine. Dos novios hablan sobre la posibilidad de ir al cine. El novio quiere ver la película **Syriana** *con George Clooney (se puede usar el título de otra película si Uds. no conocen ésta), pero la novia no quiere verla. La novia tiene que explicar las razones por las cuales no quiere ver esa película.*

El movimiento feminista. Unos novios discuten los cambios provocados por el movimiento feminista. El novio menciona varios cambios que le parecen malos. La novia dice que él no tiene razón, y le presenta una lista de otros cambios que las mujeres quieren realizar para tener igualdad entre los sexos.

Text Audio CD, Track 16 🎧 **Ejercicio de comprensión.** Ud. va a escuchar un comentario breve sobre el hombre y la mujer en el mundo hispánico. Después del comentario, va a escuchar tres oraciones. Indique si la oración es **verdadera** (V) o **falsa** (F), trazando un círculo alrededor de la letra que corresponde a la respuesta correcta.

Suggestion: Have students first obtain a general idea of the audio's content by listening without looking at the activities. Next, have them read the activities that follow, and then listen to the audio for the second time. This time, ask them to take notes while listening to the dialogue.

1. Ⓥ F
2. V Ⓕ
3. Ⓥ F

Ahora, escriba un título para cada comentario que refleje su contenido. Compare sus títulos con los de la clase. Luego, escriba una cosa que Ud. aprendió de estos comentarios que no sabía antes. ¿Cuáles son los títulos mejores?

✿ Intercambios

Suggestion: Take a survey of the class to see what the responses were to the questions. What answers were used most and least? Have students explain why they chose these answers.

Discusión: los hombres y las mujeres. Hay tres pasos en esta actividad. **Primer paso:** Se divide la clase en varios grupos y cada grupo va a recibir una de las ocho preguntas. **Segundo paso:** Los miembros de su grupo tienen que indicar sus preferencias entre las posibilidades indicadas. **Tercer paso:** Después, cada grupo tiene que hacer una presentación sobre el tópico de su grupo. Luego, la clase va a tener la oportunidad de presentar sus propios opiniones en cuanto a los varios tópicos.

1. ¿Qué sería lo peor que su hijo(a) podría hacer?
   a. casarse con alguien de otra raza o religión
   b. casarse a los diecisiete años
   c. quedarse soltero(a)

2. Su esposa(o) tiene un(a) buen(a) amigo(a) a quien ha conocido desde la juventud. ¿Qué prefiere que haga él/ella?
   a. que nunca vea a esa persona
   b. que vea a esa persona sólo cuando Ud. esté presente
   c. que vea a esa persona cuando y donde quiera

3. ¿Qué clase de esposo(a) le gustaría?
   a. el (la) que siempre quiere mandar
   b. el (la) que se dedica totalmente a una cosa —o a la familia o al trabajo fuera de casa
   c. el (la) que se deja dominar

4. ¿Qué es lo que le importa a Ud. más en un hombre o en una mujer?
   a. su apariencia física
   b. su capacidad de llevarse bien con la gente
   c. su inteligencia

5. ¿Qué deben hacer los ancianos en nuestra sociedad?
   a. vivir con sus hijos hasta morirse
   b. vivir en pueblos construidos especialmente para ellos
   c. vivir solos en su propia casa e ir a un sanatorio para ancianos si se enferman

6. ¿Cuál es el mejor modo de asegurar los derechos de la mujer en nuestra sociedad?
   a. la ley
   b. la educación
   c. esperar a que se acepte a la mujer como igual al hombre

7. ¿Qué opina Ud. de la posición actual de la mujer en las profesiones?
   a. Todavía no es igual al hombre.
   b. Ya es esencialmente igual al hombre.
   c. Nunca ha habido y no hay grandes diferencias entre los hombres y las mujeres al nivel profesional.

8. ¿Cuál debe ser la actitud del gobierno hacia el uso de los medios artificiales para controlar la natalidad?
   a. Debe fomentar su uso por medio de la educación.
   b. No debe hacer nada.
   c. Debe requerir su uso.

A T A J O

Temas de conversación o de composición

Suggestion: To vary the approach to this activity, you could have the students choose one of the topics, write a one- to two-page composition, and then present the basic ideas orally to the class.

Suggestion: To help students write their composition, refer them to ATAJO 4.0 Writing Assistant for Spanish.

1. ¿Qué opina del movimiento feminista? ¿Cree que debe haber un movimiento de liberación para los hombres?
2. Si una mujer fuera candidata para la presidencia, ¿votaría por ella? Si tuviera que operarse, ¿le importaría que quien lo (la) operara *(would operate)* fuera mujer?
3. ¿Qué opina del matrimonio? ¿Qué importancia tiene en la sociedad actual? ¿Será importante en la sociedad futura?

El hombre y la mujer en la sociedad hispánica ■ **133**

La igualdad de sexos es un tópico de mucha importancia en todas las sociedades del mundo. Antes de explorar este tema en esta sección, busque información en la Web sobre la igualdad de los sexos no sólo en este país sino también en los países hispanohablantes.

Hay tres pasos en esta actividad. **Primer paso:** Lea la introducción y la lectura. **Segundo paso:** Conteste las preguntas en la actividad. **Tercer paso:** Participe en la encuesta y la discusión.

www.thomsonedu.com/spanish/
intermediatespanish

 Ud. puede hacer sus investigaciones en la biblioteca o en la computadora por medio del Internet. Hay muchas páginas en la Web que contienen información sobre la igualdad de los sexos o la discriminación.
Para empezar, vaya primero a **www.thomsonedu.com/spanish/ intermediatespanish.**

Lectura

El hombre y la mujer: ¿Hay igualdad de sexos en este país?

El movimiento feminista que empezó en este país hace varios años está dedicado al mejoramiento de la vida diaria de las mujeres. A pesar de eso, la perspectiva de otros países en cuanto a la revolución feminista aquí todavía sugiere que haya una falta de la igualdad de sexos en los Estados Unidos.

Por ejemplo, en el diario *El tiempo* de Bogotá, Colombia, hay un artículo titulado, «En el país de la libertad, las mujeres aún son discriminadas laboralmente: igualdad de sexos, mitos hasta en E.U.». En este artículo se usa el ejemplo de un hombre y una mujer que trabajan por la misma compañía y hacen el mismo trabajo pero la mujer gana 25% menos que el hombre principalmente porque es una mujer.

También, según el artículo, hay otra clase de discriminación que la mujer sufre que es el maltratamiento de las mujeres. Se dice que una mujer es golpeada físicamente o emocionalmente en este país cada 12 segundos.

Preguntas

Answers: *Answers will vary.*

Ahora, Uds. van a ser divididos en grupos de cuatro personas. Cada grupo debe consistir en dos mujeres y dos hombres. ¿Qué opinan Uds. en cuanto a la igualdad de los sexos? ¿Piensan que todavía existe una falta de igualdad de sexos en los Estados Unidos?

Answers: *Answers will vary.*

¿Hay igualdad? La lista siguiente contiene los nombres de varias profesiones y otros aspectos de la vida diaria. Uds. deben expresar su opinión sobre cada asunto indicando que desde su punto de vista hay o no hay igualdad de sexos. Hagan una lista de las actitudes y opiniones de cada miembro del grupo hacia cada tópico de la lista. Estén preparados para presentar y comparar sus ideas con las de los otros grupos de la clase.

La lista:

1. En la familia: ¿Quiénes tienen la responsabilidad de cuidar a los niños y hacer los quehaceres domésticos?

2. En la universidad: ¿Todos los estudiantes, hombres y mujeres, reciben el mismo tratamiento y respeto?

3. En el trabajo: ¿Los empleados, hombres y mujeres, reciben el mismo tratamiento y respeto? ¿Tienen las mismas oportunidades para avanzar? ¿Reciben los mismos sueldos por el mismo trabajo?

4. En la política: ¿Los hombres reciben más respeto que las mujeres? ¿Será posible que una mujer llegue a ser la presidenta del país?

5. En la religión: ¿Es posible que una mujer pueda hacer el papel del sacerdote o un pastor en la iglesia católica o en la protestante?

6. En las profesiones: ¿Es verdad que no hay tantas mujeres como hombres en las profesiones de la medicina y el derecho? ¿Por qué?

7. En el teatro, el cine y la televisión: ¿Quiénes ganan más, las mujeres o los hombres? ¿Hay discriminación entre los hombres y las mujeres en Hollywood? ¿Son los protagonistas principales de un drama o de una película generalmente hombres o mujeres?

8. En cuanto a la paz mundial: ¿Creen que habría menos guerras en el mundo si los jefes o líderes de cada país fuera una mujer? ¿Por qué?

Según los grupos, ¿hay igualdad de los sexos en este país? ¿Hay oportunidades iguales para que el hombre y la mujer puedan realizar sus metas de la vida? ¿Sí o no? Expliquen.

Expansión

This is a prime opportunity to expand to the website for additional activities, and it offers other resources if the companion books are not being used by students.

Por muchos años había solamente pocas mujeres que participaban en la política, la enseñanza, las artes, las humanidades y las investigaciones científicas del mundo hispánico. Principalmente se quedaban en casa cuidando a su familia o ellas entraban en un convento de la iglesia católica para ser monja. Durante el siglo XX, la mujer hispana llegó a tener más derechos, y ellas empezaron a hacer una gran variedad de cosas que enriquecieron la sociedad del Mundo Hispano. Lea la **Unidad 5** en el libro *Civilización y cultura,* que acompaña este libro. Si no tiene acceso a ese libro, Ud. puede encontrar información sobre la mujer hispana en el sitio web de Heinle: **www.thomsonedu.com/spanish/intermediatespanish.** Haga una lista de diez mujeres del mundo hispano y explique las contribuciones que hicieron a la cultura y sociedad hispana. Esté listo(a) para presentar su lista a la clase.

Costumbres y creencias

¿Qué revela este cementerio en Tepoztlán, México, sobre la actitud hispánica hacia la muerte? ¿Es similar a un cementerio de los Estados Unidos? Explique.

Mentor

Literatura y arte: **Unidad 6** of this text presents the well-known short story, **"El evangelio según Marcos,"** written by Jorge Luis Borges of Argentina. Several well-known pieces of art by the painter Francisco de Goya y Lucientes are also included.

Civilización y cultura: The text presents a series of perspectives and practices related to the topic of death in the Hispanic world. There are four sections devoted to this theme: **El horario y la vida social, Las actitudes hispánicas hacia la muerte, Las actitudes indígenas hacia la muerte,** and **Presencia de la muerte.**

× 30 NOV. DE 1888
✝ 16 JUN. DE 1959
SU ESPOSA, HIJOS
Y NIETOS DEDICAN
ESTE RECUERDO
RIP

En contexto

Momentos tristes

Estructura

- The imperfect subjunctive and the present perfect and past perfect subjunctive
- The subjunctive in noun clauses and sequence of tenses
- The subjunctive after impersonal expressions
- Affirmative and negative expressions

Repaso

www.thomsonedu.com/spanish/intermediatespanish

A conversar
Following a conversation

A escuchar
Costumbres

Intercambios

Investigación y presentación
Tu nombre es un número, y ese número, tu futuro: ¡Búscalo!

Expansión

www.thomsonedu.com/spanish/intermediatespanish

Momentos tristes

Suggestion: Assign **Vocabulario activo** as homework. During class time, and before having students listen to the dialogue, review quickly the **Para practicar** section.

Alma is feminine, but it takes the definite article **el** when used in the singular.

Vocabulario activo

Estudie estas palabras.

Verbos
agradecer *to be grateful*
ahorrar *to save (money)*
firmar *to sign*
velar *to hold a wake over*

Sustantivos
la aflicción *grief*
el alma *soul, spirit*
el (la) difunto(a) *deceased person*
las exequias *funeral rites*
el gasto *expense*
el rasgo *characteristic*
el refrán *saying, proverb*
la velación *vigil, watch, wake*
el velorio *wake*
el (la) viudo(a) *widower, widow*
la voluntad *will*

Adjetivos
sabrosísimo(a) *really delicious*
tacaño(a) *stingy*

Otras expresiones
a gusto *at ease*
cumplir con *to fulfill one's obligation to*
de verdad *true, real*
en mi vida *never in my life*
(que) en paz descanse *(may he or she) rest in peace*
esquela de difunto *obituary notice*
lo corto(a) *how short*
medio tacaño *somewhat stingy or miserly*
tomar una copa *to have a drink*

6-1 Para practicar. Complete el párrafo siguiente con palabras escogidas de la sección **Vocabulario activo.** No es necesario usar todas las palabras.

A mi amigo le gusta 1. __ahorrar__ todo el dinero que gana. 2. __En mi vida__ nunca he visto a un hombre tan 3. __tacaño__. Nunca va a un bar o a un café con nadie para 4. __tomar una copa__ porque es un 5. __gasto__ que él evita. Su esposa se murió hace dos semanas, y ahora él es 6. __viudo__. Él no puso una 7. __esquela de difunto__ en el periódico porque le costaría unos pocos pesos. Hubo un 8. __velorio__ en su casa, pero él no les sirvió nada a sus amigos porque no quería gastar dinero comprando refrescos. No les 9. __agradecía__ nada a ellos por 10. __cumplir con__ él. Me parece que él es un hombre sin 11. __alma__ con respecto a su pobrecita esposa, sólo se puede decir que 12. __en paz descanse__.

Momentos tristes. Antes de leer el diálogo, escúchelo con el libro cerrado. ¿Cuánto comprendió?

Suggestion: Have students first obtain a general idea of the audio's content by listening without looking at the activities. Next, have them read the activities that follow, and then listen to the audio for the second time. This time, ask them to take notes while listening to the dialogue.

CÉSAR   Señora, deseo que Ud. acepte la expresión de mi más profundo pésame[1]. Lamento sinceramente su pérdida.

ELENA   Muchas gracias, César; es un consuelo tremendo tener amigos como Ud. en estas horas de aflicción.

MANUEL   Señora, la acompaño en sus sentimientos. Don Mario fue un amigo de verdad. Lamento mucho que hayamos perdido un hombre tan ilustre. Pero ya sabe Ud.: «La muerte a nadie perdona».[1]

✝

El Lic. D. MARIO CABRERA MONTALVO[2]

Descansó en la Paz del Señor

Su esposa Elena Ramos de Cabrera, sus hijos Marta, Begoña, Sonia, Abel, Rosalinda, Blanca, Rodolfo, Cristina y Timoteo Cabrera Ramos agradecerán a sus amigos la asistencia a las exequias que se verificarán el día 6 de junio a las trece horas en la Iglesia de Nuestra Señora de Guadalupe.

Velación:[3] En casa de la viuda, Avenida Bolívar, 135.

ELENA   Muchas gracias, Manuel. El pobre Mario, que en paz descanse,[4] siempre lo consideró a Ud. como un joven muy prometedor[2].

CÉSAR   *(Alejándose de la señora viuda.)* Oye, Manuel, ¿quieres que tomemos una copa?

MANUEL   ¡Bien que la necesito![3] ¿Dónde está el pobre de don Mario?

CÉSAR   Creo que lo tienen en la sala. Será la primera vez que se siente a gusto en esa sala —doña Elena nunca lo dejaba entrar… ¡En mi vida he visto tanta comida! Sírvete de estos taquitos[4]— están sabrosísimos.

MANUEL   Don Mario siempre ofrecía buena comida. Pero se estaría quejando del gasto, como siempre. ¿Te lleno el vaso?

CÉSAR   Sí, gracias. Mario era medio tacaño, ¿verdad?

MANUEL   ¡Sí que lo era! Ahorraba los centavitos como si fueran de oro. Apenas el viernes pasado se resistía a prestarme diez pesos alegando[5] no tenerlos. ¡Y luego pidió que firmara un pagaré[6]!

CÉSAR   Viejo bribón[7]. Para lo que le ha valido[8]. Dejarlo todo para la viuda y para los hijos haraganes[9].

MANUEL   Ahí está Mario para decirte lo corta que es esta vida.

CÉSAR   De acuerdo. Oye, pasemos a ver al difunto.

MANUEL ¡Mira! ¿Es posible que Mario vista su traje nuevo? ¡Nunca lo usaba en vida!

CÉSAR Decía que esperaba una ocasión «trascendental». Bueno, ya hemos cumplido con la viuda. Vamos a despedirnos.

MANUEL *(A la señora.)* Le repito, señora, mis profundos sentimientos. Voy a rezar por el eterno descanso del alma de don Mario.

ELENA Muchas gracias, Manuel. Es Ud. un buen amigo.

MANUEL Será un consuelo, señora, saber que deja a tantos amigos. Me hubiera gustado despedirme de él en vida, pero el Señor no quiso permitirlo.

ELENA Se hizo la voluntad de Dios. Con saber eso me consuelo. Les agradezco mucho que Uds. hayan podido venir. Buenas noches.

Notas culturales

[1] *«La muerte a nadie perdona»: Es un refrán popular en español. Los refranes se usan más en la cultura hispánica que en la anglosajona, especialmente en las ocasiones solemnes.*

[2] *El Lic. D. Mario Cabrera Montalvo: Éste es un ejemplo de las «esquelas de difunto» que aparecen en los periódicos hispánicos. La familia las paga, y su tamaño refleja la posición económica del difunto. Lic. D. es la abreviatura de Licenciado don.*

[3] *Velación: La costumbre de velar al difunto es casi universal en la sociedad hispánica. En algunos países el velorio tiene sus rasgos de fiesta: se sirven comidas y bebidas y no se considera una falta de respeto divertirse.*

[4] *(que) en paz descanse: Es muy común incluir esta frase u otra semejante cuando uno menciona el nombre de un difunto.*

[1] profundo pésame *condolence* [2] prometedor *promising* [3] ¡Bien que la necesito! *I really need it!*
[4] taquitos *snacks* [5] alegando *claiming* [6] un pagaré *promissory note* [7] bribón *rascal* [8] Para lo que le ha valido. *A lot of good it did him.* [9] haraganes *lazy, good-for-nothing*

En las casas e iglesias se construyen altares dedicados a la memoria de la gente que ha muerto para celebrar el día de los difuntos. Describa en detalle el altar de esta foto. ¿Qué se puede identificar? ¿Qué le parece esta tradición?

6-2 Actividad cultural. Después de leer las ***Notas culturales,*** la clase será dividida en grupos. Cada grupo va a participar en una actividad para comparar las costumbres y tradiciones en cuanto a la muerte en los Estados Unidos y en el mundo hispano.

1. Compare los refranes populares en español que están mencionados en número uno de las ***Notas culturales*** con los que están en este país. ¿Cuántos existen en los EE.UU.? ¿Son semejantes or diferentes?
2. Busque una esquela de difunto en el diario de su ciudad y compárelas con la esquela en esta **unidad.** ¿Cuáles son las diferencias y semejanzas?
3. Se describe un velorio de la sociedad hispánica aquí. ¿Tenemos velorios en este país? ¿Ha asistido a un velorio alguna vez? Describa las diferencias y semejanzas. ¿Cree Ud. que un velorio debe ser solemne? Explique.
4. En el mundo hispano se menciona la frase, «que en paz descanse» cuando uno menciona el nombre de un difunto. ¿Tenemos una frase similar en este país? ¿Cuál es?

Suggestion, 6-3 & 6-4: Have students work in groups or do the following activities as a class. Before you begin the activities, give students 3–4 minutes to prepare them.

Possible answers 6-3: 1. Para dar su pésame. 2. *Answers will vary.* 3. Está en la sala. 4. Toman una copa. 5. Don Mario era medio tacaño. 6. Son haraganes. 7. Viste su traje nuevo. 8. Se despiden de la viuda y se van. 9. No, no eran buenos amigos. *Answers will vary.*

Answers 6-4: *Answers will vary.*

6-3 Comprensión. Conteste las preguntas siguientes.

1. ¿Por qué van Manuel y César a casa de doña Elena?
2. ¿Qué quiere decir «la muerte a nadie perdona»?
3. ¿Dónde está el cadáver de don Mario?
4. ¿Qué toman César y Manuel?
5. ¿Gastaba mucho dinero don Mario?
6. ¿Cómo son los hijos de don Mario?
7. ¿Qué viste el difunto? ¿Por qué se sorprende Manuel?
8. ¿Qué hacen César y Manuel después de ver al difunto?
9. ¿César y Manuel en realidad eran buenos amigos de Mario? ¿Por qué?

6-4 Opiniones. Conteste las preguntas siguientes.

1. ¿Cree que es una buena o mala costumbre tener al difunto en casa durante el velorio? ¿Por qué?
2. En su opinión, ¿debe asistir a las exequias solamente la familia del difunto? ¿Por qué?
3. ¿Piensa que la muerte es un aspecto de la vida mejor aceptado en el mundo hispánico? ¿Cómo es en los Estados Unidos?
4. ¿Cree que hay otra vida después de la muerte? Explique.
5. ¿Qué piensa de las exequias lujosas y costosas?
6. ¿Piensa que a veces las exequias en los Estados Unidos son más paganas que religiosas? ¿Por qué?

Heinle iRadio: To hear more about Subjunctive Mood, visit . . . **www.thomsonedu.com/ spanish.**

Grammar considerations: Assign this section as homework so that you can dedicate more class time to the activities in the **Práctica** section. In class, quickly review the subjunctive forms by asking students to provide examples for each tense. Then, write them on the board. As the use of the subjunctive is sometimes difficult for students to master initially, take more time than normal in class to work on this concept.

The imperfect subjunctive

1. The imperfect (past) subjunctive is formed by dropping the **-ron** of the third person plural preterite indicative and adding one of the following sets of endings: **-ra, -ras, -ra, -ramos, -rais, -ran** or **-se, -ses, -se, -semos, -seis, -sen.** The same endings are used for all three conjugations.

Preterite	Imperfect subjunctive	
hablaron	**hablara**	**—hablase**
comieron	**comiera**	**—comiese**
vivieron	**viviera**	**—viviese**

2. The two sets of endings are interchangeable in most cases; however, the **-ra** endings are more common in Latin America and will be used in this text.

hablar

hablara, hablase	habláramos, hablásemos
hablaras, hablases	hablarais, hablaseis
hablara, hablase	hablaran, hablasen

comer

comiera, comiese	comiéramos, comiésemos
comieras, comieses	comierais, comieseis
comiera, comiese	comieran, comiesen

vivir

viviera, viviese	viviéramos, viviésemos
vivieras, vivieses	vivierais, vivieseis
viviera, viviese	vivieran, viviesen

Note that all verbs—regular, irregular, stem-changing, and spelling-changing in the third persons of the predicate indicative—follow the same pattern of conjugation in the imperfect subjunctive.

Infinitive	Third person plural preterite	Imperfect subjunctive
construir	construyeron	construyera(se)
creer	creyeron	creyera(se)
decir	dijeron	dijera(se)
dormir	durmieron	durmiera(se)
haber	hubieron	hubiera(se)
hacer	hicieron	hiciera(se)
leer	leyeron	leyera(se)
pedir	pidieron	pidiera(se)
poner	pusieron	pusiera(se)
poder	pudieron	pudiera(se)
ser	fueron	fuera(se)

Heinle iRadio: To hear more about Subjunctive Mood, visit . . . **www.thomsonedu.com/spanish.**

The present perfect and past perfect subjunctive

A. The present perfect subjunctive

The present perfect subjunctive is formed with the present subjunctive of the auxiliary verb **haber** and a past participle.

haya
hayas   } hablado
haya
hayamos   } comido
hayáis
hayan   } vivido

B. The past perfect subjunctive

The past perfect subjunctive is formed with the imperfect subjunctive of **haber** and a past participle.

hubiera(se)
hubieras(ses)   } pagado
hubiera(se)
hubiéramos(semos)   } bebido
hubierais(seis)
hubieran(sen)   } salido

Note that **Ojalá que** + present or present perfect subjunctive = *I hope*.
And **Ojalá** + imperfect or past perfect subjunctive = *I wish*.

Práctica

Answers 6-5: 1. … María me ayudara… , …Uds. me ayudaran…, … tú me ayudaras… 2. … Pepe haya recibido… , … tú hayas recibido… , … Luisa y yo hayamos recibido… 3. … Juan y él pudieran… , … tú pudieras… , … nosotros pudiéramos… 4. … Julia hubiera planeado… , … mis parientes hubieran planeado…, … yo hubiera planeado… 5. … Carlos y Alicia hayan comprado… , … Ester haya comprado…, … tú hayas comprado…

6-5 Una fiesta. La familia Gómez está planeando una fiesta de nochevieja. La Sra. Gómez está exclamando nerviosamente que espera que todo salga bien *(turn out well)*. Después de leer sobre sus inquietudes, cuente la situación otra vez, usando los nombres entre paréntesis.

1. ¡Ojalá tu padre me ayudara con los planes! (María, Uds., tú)
2. ¡Ojalá todos hayan recibido las invitaciones! (Pepe, tú, Luisa y yo)
3. ¡Ojalá todos pudieran venir! (Juan y él, tú, nosotros)
4. ¡Ojalá hubiéramos planeado la fiesta más temprano! (Julia, mis parientes, yo)
5. ¡Ojalá Rosa haya comprado las uvas para la celebración de las doce uvas de la felicidad! (Carlos y Alicia, Ester, tú)

Answers 6-6: *Answers will vary.*

6-6 Su cumpleaños. Ud. va a celebrar su cumpleaños. Hable de algunas de las cosas que quiere hacer. Luego, compare lo que está pensando con lo que piensan algunos de sus compañeros de clase.

1. Tal vez mi familia _____.
2. ¡Ojalá que mis amigos _____!
3. Quizás mi madre _____.
4. ¡Ojalá que las invitaciones _____!
5. Quizás la fiesta _____.

6-7 Su futuro. Un(a) amigo(a) está diciéndole cosas que le pasarán a Ud. en el futuro. Ud. va a responder a cada idea, diciendo que no tiene tanta confianza como él/ella en lo que está oyendo. Use las expresiones **ojalá, tal vez** y **quizás.**

> **Modelo**   Estudiante 1: *Recibirás buenas notas en todas tus clases este semestre.*
> Ud.: *Tal vez yo reciba buenas notas en todas mis clases este semestre.*

1. Te graduarás con honores al fin del semestre.
2. Encontrarás un buen trabajo.
3. Te casarás con un(a) hombre/mujer rico(a) e inteligente.
4. Vivirás en una casa grande y moderna cerca de la playa.
5. Tendrás una familia grande de doce hijos.
6. Llegarás a ser una persona famosa y poderosa.

Ahora, dígale a su amigo(a) cuatro cosas que le pasarán a él (ella). Él (Ella) contesta de una manera que muestra su falta de confianza.

The subjunctive in noun clauses

A. Verbs requiring the subjunctive

1. The subjunctive is frequently used in dependent noun clauses in Spanish. A dependent noun clause is one that functions as the subject or object of a verb. Such clauses in Spanish are always introduced by **que,** but in English, *that* is often omitted or an infinitive is used in place of the noun clause.

   Es dudoso que él sea rico.
   It is doubtful that he is rich. (**"que él sea rico"** is a noun clause that functions as the subject of the verb **"es."**)

   Esperamos que ellos vengan.
   We hope (that) they will come. (**"que ellos vengan"** is a noun clause that functions as the object of the verb **"esperamos."**)

2. The subjunctive is generally used in a dependent noun clause when the verb in the main clause of the sentence expresses such things as advising, wishing, desiring, commanding, requesting, doubt, denial, disbelief, emotion, and the like, and when there is a change of subject in the dependent clause. If there is no change of subject, the infinitive follows these verbs.

   Su mamá quiere que él estudie más.
   His mother wants him to study more. (change of subject from "his mother" in the main clause to "he" in the dependent clause)

   Él quiere estudiar más.
   He wants to study more. (no change of subject)

3. Other examples of verbs requiring the subjunctive:

ADVICE:	Le aconsejo que asista al velorio.
	I advise him to attend the wake.
COMMAND:	Me mandó que viniera con él.
	He ordered me to come with him.
DESIRE:	Quieren que recemos por él.
	They want us to pray for him.
WISH:	Deseaba que Ud. aceptara la expresión de mi más profundo pésame.
	I wanted you to accept the expression of my deepest sympathy.

HOPE:	Esperaba que Ud. no vacilara en decírmelo.
	I hoped that you would not hesitate to tell me.
INSISTENCE:	Insisten en que tomemos una copa.
	They insist we have a drink.
EMOTION:	Lamento mucho que hayamos perdido un hombre tan ilustre.
	I very much regret that we have lost such an illustrious man.
	Me alegro de que Uds. hayan venido.
	I am glad that you have come.
PREFERENCE:	La familia prefiere que sus amigos vengan a las cuatro.
	The family prefers that their friends come at four.
REQUEST:	Ella le pidió que firmara el cheque.
	She asked him to sign the check.
DOUBT:	Dudo que Paco haya ahorrado su dinero.
	I doubt that Paco has saved his money.
DENIAL:	Manuel negó que don Mario fuera un hombre generoso.
	Manuel denied that Don Mario was a generous man.
DISBELIEF:	No creía que ella se hubiera atrevido a venir.
	I didn't believe that she would have dared to come.

4. Verbs of communication (**decir, escribir,** etc.) require the subjunctive when the communication takes the form of an indirect command. When the verb of communication merely gives information, the indicative is used.

Te digo que ganes más dinero.
I'm telling you to earn more money. (command)

Te digo que Juan gana más dinero.
I'm telling you that Juan earns more money. (information)

Nos escribe que vengamos al velorio de don Mario.
He writes us to come to Don Mario's wake. (command)

Nos escribe que fue al velorio de don Mario.
He writes us that he went to Don Mario's wake. (information)

B. Infinitive instead of dependent noun clause

1. After certain verbs of ordering, forcing, permitting, and preventing, the infinitive is more common than a dependent noun clause. In this construction, an indirect object pronoun is used. Verbs that can take an infinitive include **mandar, ordenar, obligar a, prohibir, impedir, permitir, hacer, dejar, aconsejar.** (The infinitive is especially frequent after **dejar, hacer, mandar,** and **permitir.**)

Note the following examples.

Le aconsejo asistir al velorio de don Mario.
I advise him to attend Don Mario's wake.

Me mandó a aprender los refranes.
He ordered me to learn the proverbs.

Nos permiten entrar a la casa.
They permit us to enter the house.

2. If the subject of the dependent verb is a noun, then the subjunctive is often used.

Ella no permite que don Mario entre en la sala.
She doesn't permit Don Mario to enter the living room.

C. Subjunctive or indicative with certain verbs

1. The verbs **creer** and **pensar** are normally followed by the indicative in affirmative sentences.

Creo que él vendrá.
I believe that he will come.

Él piensa que lo tienen en la biblioteca.
He thinks that they have it in the library.

2. When **creer** and **pensar** are used in interrogative or negative sentences expressing doubt, they require the subjunctive. If doubt is not implied, then the indicative may be used.

No creo que él le haya dejado nada.
I don't believe that he has left her anything.

¿Piensas que tu primo (tal vez) venga?
Do you think that your cousin may come?

Sequence of tenses

As you saw in the preceding examples, the use of either the present or the imperfect subjunctive in the dependent clause is usually determined by the tense of the verb in the main clause.

1. If the verb in the main clause is in the present, present perfect, or future tense, or is a command, the present or present perfect subjunctive is regularly used in the dependent clause.

Main clause—indicative	Dependent clause—subjunctive
present present progressive present perfect	present subjunctive
future future perfect command	present perfect subjunctive

2. If one of the past tenses or the conditional is used in the main clause, either the imperfect or the past perfect subjunctive regularly follows in the dependent clause.

Main clause—indicative	Dependent clause—subjunctive
imperfect preterite past progressive	imperfect subjunctive
pluperfect conditional conditional perfect	past perfect subjunctive

Práctica

Nota cultural, 6-8: La mayor parte de la gente del mundo hispánico es católica y sigue las costumbres y las creencias de su Iglesia. Cada día del calendario de la Iglesia católica lleva el nombre de un santo. En algunos países, los niños pueden recibir el nombre del santo que se celebra ese día. Por ejemplo, un chico que nace el día de San José se llama José, y una chica que nace el día de Santa Teresa se llama Teresa. Como consecuencia de esta costumbre, el chico puede celebrar su cumpleaños dos veces al año: una vez en la fecha de su nacimiento y otra vez en el día de su santo.

Out of class assignments, 6-8 & 6-9: Have students complete these activities at home so that you can dedicate more time to the open-ended activities that follow. At the beginning of the next class, correct at least one to see if students understood the grammatical concepts of this section. If there does not seem to be any problem, then proceed with the more open-ended activities.

Answers 6-8: 1. José quería que nosotros celebráramos… 2. Se alegraron de que su novia diera… 3. Querían que los invitados le trajeran… 4. Ella esperaba que yo asistiera… 5. Laura insistía en que tú fueras… 6. Ahora espero que mis amigos tengan… 7. No quiero que Ud. invite… 8. Prefiero que todos se queden…

6-8 El día del santo de José. Lea la **Nota cultural** sobre el día de San José. Luego, cuéntela otra vez siguiendo el modelo.

> **Modelo** Quiere tener una fiesta. (que ellos)
> *Quiere que ellos tengan una fiesta.*

1. José quería celebrar su día especial. (que nosotros)
2. Se alegraron de dar una fiesta. (que su novia)
3. Querían traerle muchos regalos. (que los invitados)
4. Ella esperaba asistir a la fiesta. (que yo)
5. Laura insistía en ir también. (que tú)
6. Ahora espero tener una fiesta para mi día del santo. (que mis amigos)
7. No quiero invitar a tanta gente a mi casa. (que Ud.)
8. Prefiero quedarme en casa. (que todos)

6-9 Un velorio. El licenciado D. Mario Cabrera murió. Hubo un velorio en su casa. Ud. asistió al velorio. Describa lo que tuvo lugar el día del velorio, y lo que pasa ahora.

El día del velorio

1. La viuda esperaba que la gente (llegar) __llegara__ a tiempo.
2. Sentían que don Mario no le (haber) __hubiera__ dejado mucho dinero a su esposa.
3. Al principio la gente temía que doña Elena no (querer) __quisiera__ velarlo.
4. Sus amigos negaban que él (ser) __fuera__ medio tacaño.
5. César insistió en que Manuel le (expresar) __expresara__ sus sentimientos de pésame a la viuda.
6. Alicia prefería que los niños no (mirar) __miraran__ el cuerpo del difunto que estaba en la sala, como era la costumbre.

El día después del velorio (hoy)

1. Todos creen que doña Elena (ser) __es__ una mujer muy valiente.
2. El cura insiste en que ella (ir) __vaya__ a vivir con su familia.
3. Su familia y yo dudamos que ella (tener) __tenga__ mucho dinero.
4. Manuel quiere (mandarle) __mandarle__ una copia de la esquela de difunto a su madre.
5. La viuda desea (hacer) __hacer__ un viaje a Segovia con su prima.
6. La gente no cree que doña Elena (poder) __pueda__ sobrevivir la pérdida de su esposo.

Answers 6-10: *Answers will vary.*

6-10 Consejos. La gente siempre está pidiéndole a Ud. consejos. Deles sus consejos a las personas siguientes. Sea original.

> **Modelo** Carlos quiere ver una película buena.
> *Le aconsejo a Carlos que vea una película española.*

1. Manuel quiere mandarle algo a la viuda.
2. Susana quiere probar la comida mexicana.
3. Roberto quiere mirar una buena telenovela.
4. Mis padres quieren visitar un país hispánico.
5. Uds. quieren leer una novela interesante.
6. Tú quieres hacer algo divertido esta noche.
7. Mis amigos quieren estudiar una lengua extranjera.
8. Rosario quiere salir temprano para llegar a las nueve.

Ahora, compare sus respuestas con las de un(a) compañero(a) de clase.

6-11 Los pensamientos de los padres. Sus padres tienen ciertas ideas y sentimientos acerca de su familia y de la vida en general. Exprese estas ideas según el modelo.

Modelo nos alegramos de / nuestros hijos viven aquí
Nos alegramos de que nuestros hijos vivan aquí.

A	**B**
nos alegramos de	no hay otra guerra mundial
esperamos	nuestros hijos asisten a una universidad
mandamos	no podemos ayudar más a nuestros hijos
queremos	nuestros hijos no se casan antes de graduarse
sentimos	nuestra hija es médica
preferimos	nuestros hijos no fuman
	nuestra familia está de buena salud

Ahora, con un(a) compañero(a) de clase indiquen si son verdaderas o no.

6-12 Los días festivos. Escogiendo de los verbos siguientes, indique lo que Ud. piensa que pasará en cada uno de los días festivos. Luego, compare sus respuestas con las de un(a) compañero(a) de clase.

Modelo esperar / el día de los Reyes Magos
Espero que los Reyes Magos me traigan un coche nuevo.

A	**B**
esperar	la Navidad
sentir	la nochebuena
creer	el Año Nuevo
temer	la Nochevieja
dudar	el día de San Valentín
preferir	el día de Independencia
querer	
insistir en	

The subjunctive after impersonal expressions

 Heinle iRadio: To hear more about the Subjunctive Mood, visit . . . **www.thomsonedu.com/ spanish.**

Grammar considerations: Assign this section as homework so that you can dedicate more class time to the activities in the **Práctica** section. In class, review quickly the subjunctive after impersonal expressions by providing students with some expressions and then asking them to give you an example of their use in a sentence.

Note that **Es fácil (difícil) que lo haga** means *It is likely (unlikely) that he will do it. It is easy (difficult) for him to do it* is usually translated **Le es fácil (difícil) hacerlo.**

1. The subjunctive is regularly used after the following impersonal expressions when the dependent verb has an expressed subject. When there is no expressed subject, the infinitive is used instead.

Es necesario que (ellos) estudien.   **BUT**   Es necesario estudiar.
It is necessary for them to study.   *It is necessary to study.*

es posible *it is possible*	es bueno *it is good*
es necesario *it is necessary*	es justo *it is just (right)*
es preciso *it is necessary*	es natural *it is natural*
es importante *it is important*	es triste *it is sad*
es fácil *it is likely*	conviene *it is advisable*
es difícil *it is unlikely*	importa *it matters, it is important*
es probable *it is probable*	es raro *it is odd*
es lamentable *it is lamentable*	es extraño *it is strange*
es imposible *it is impossible*	es dudoso *it is doubtful*
es (una) lástima *it is a pity*	es mejor *it is better*
más vale *it is better*	es de esperar *it is to be hoped, expected*
es preferible *it is preferable*	es ridículo *it is ridiculous*
es urgente *it is urgent*	es sorprendente *it is surprising*

2. The following impersonal expressions do not require the subjunctive unless they are used in a negative sentence.

es cierto *it is true*	es verdad *it is true*
es evidente *it is evident*	es seguro *it is certain*
es claro *it is clear*	

¿Es cierto que ellos son ricos?
Is it true that they are rich?

No es cierto que ellos sean ricos.
It is not true that they are rich.

Es evidente que él es muy fuerte.
It's evident that he is very strong.

Práctica

Out-of-class assignments, 6-13 & 6-14: Have students complete these activities at home so that you can dedicate more time to the open-ended activities that follow. At the beginning of the next class, correct at least one to see if students have mastered this grammatical concept. If there does not seem to be any problem, then proceed with the more open-ended activities.

Answers 6-13: 1. Es importante que nosotros asistamos a... 2. Es preciso que ellos recen por... 3. Es una lástima que su esposa tenga... 4. Es bueno que tú firmes... 5. Es difícil que yo le ayude...

6-13 La muerte. Algunos amigos de Mario Cabrera Montalvo están hablando de su muerte. Lea lo que cada una de las personas dice, y luego diga otra vez sus comentarios, siguiendo el modelo.

Modelo   Es necesario tener un velorio. (que la familia)
Es necesario que la familia tenga un velorio.

1. Es importante asistir a las exequias. (que nosotros)
2. Es preciso rezar por el alma del difunto. (que ellos)
3. Es una lástima tener tanta angustia. (que su esposa)
4. Es bueno firmar esta tarjeta de pésame. (que tú)
5. Es difícil ayudarle a la viuda. (que yo)

6-14 El amor. Una pareja joven de México está planeando casarse. Describa esta situación, completando las oraciones siguientes con la forma correcta del verbo entre paréntesis.

1. Es evidente que los jóvenes (estar) enamorados.
2. No es cierto que el novio (querer) casarse pronto.
3. Es importante que la novia (empezar) a hacer planes para la boda.
4. Es necesario que (haber) dos ceremonias, una civil y otra religiosa.
5. Es dudoso que los padres de la novia (pagar) todos los gastos de la boda.
6. Es urgente que el novio (encontrar) un buen trabajo pronto.
7. Es preciso que los novios (ahorrar) bastante dinero antes de casarse.
8. Es obvio que los novios (agradecer) mucho la ayuda de sus familias para arreglar la boda.

6-15 Opiniones. Pídale a un(a) compañero(a) de clase que exprese sus opiniones sobre varios tópicos, contestándole sus preguntas. Luego él/ella va a hacerle a Ud. las mismas preguntas.

> **Modelo** —¿Es importante que toda la gente ahorre dinero? ¿Por qué?
> —*Sí, es importante que ahorre dinero para una emergencia.*

1. ¿Era dudoso que Ud. pudiera asistir a la universidad? ¿Por qué?
2. ¿Es necesario que Ud. estudie todas las noches? ¿Por qué?
3. ¿Es cierto que Ud. va a tener mucho éxito en esta clase? ¿Por qué?
4. ¿Es probable que Ud. vaya a ser un médico después de graduarse? ¿Por qué?
5. ¿Es verdad que Ud. va a hacer muchos viajes a Europa en el futuro? ¿Por qué?
6. ¿Es importante que Ud. se case inmediatamente después de terminar sus estudios aquí en la universidad? ¿Por qué?

6-16 Planes para el futuro. Varias personas planean hacer las cosas siguientes. Para realizar sus planes indique si será necesario hacer o no las actividades entre paréntesis. Luego, compare sus respuestas con las de un(a) compañero(a) de clase.

> **Modelo** María quiere visitar Madrid. (ir a España)
> *Es necesario que María vaya a España.*

1. César quiere asistir a la velación de don Mario. (ir a la casa de doña Elena / darle su sentido pésame / probar la comida / ver al difunto)
2. Juan quiere trabajar para una compañía internacional. (aprender lenguas extranjeras / seguir un curso de negocios / viajar a muchos países / entender varias culturas)
3. Quiero hacer un viaje a la América del Sur. (ir a una agencia de viajes / conseguir un pasaporte / comprar cheques de viajero / hacer mis maletas / viajar por avión)

6-17 Hoy y ayer. Con un(a) compañero(a) de clase díganse cinco cosas que Uds. tenían que hacer ayer antes de venir a clase, y cinco cosas que es importante hacer hoy.

> **Modelo** *Ayer era necesario que yo estudiara la lección antes de venir a clase.*
> *Hoy es importante que yo compre unos libros para mis clases.*

Affirmative and negative expressions

A. Forms

Negative expressions		Affirmative counterparts	
nada	*nothing, not anything*	algo	*something, anything*
nadie	*no one, nobody, not anybody*	alguien	*someone, somebody, anyone, anybody*
ninguno	*no, no one, none, not any (anyone)*	alguno	*some(one), any, (pl.) some*
		siempre	*always*
nunca } jamás }	*never, not ever*	algún día	*someday*
		alguna vez	*sometime, ever*
tampoco	*neither, not either*	también	*also*
ni... ni	*neither . . . nor*	o... o	*either . . . or*

B. Uses

1. Simple negation is achieved in Spanish by placing the word **no** directly before the verb or verb phrase.

   No voy a la biblioteca esta tarde.
   Pedro **no** ha empezado la tarea.

2. If one of the negative words listed above follows a verb, then **no** (or another negative word) must precede the verb; the result in Spanish is a double negative. However, if the negative word precedes the verb, the **no** is omitted.

No tengo nada.	**BUT**	Nada tengo.
I have nothing.		*(I don't have anything.)*
No voy nunca a la iglesia.	**BUT**	Nunca voy a la iglesia.
I never go to church.		*(I don't ever go to church.)*
Nunca dice nada.		
He never says anything.		

3. The personal **a** is required with **alguien, nadie, alguno,** and **ninguno** when these forms are used as objects of a verb.

   ¿Conoces a alguien en Nueva York? No, no conozco a nadie.
   Do you know anyone in New York? No, I don't know anyone.

   ¿Viste a alguno de tus amigos? No, no vi a ninguno.
   Did you see any of your friends? No, I didn't see any(one).

4. **Ninguno** and **alguno** drop their final **-o** before masculine singular nouns to become **ningún** and **algún,** respectively.

   Algún día voy a comprar una casa de campo.
   Someday I am going to buy a country house.

5. **Alguno(a)** may be used in the singular or the plural, but **ninguno(a)** is almost always used in the singular.

   ¿Conoces a algunos de los músicos de la orquesta?
   Do you know some of the musicians in the orchestra?

   No hay ningún libro en esa mesa.
   There are no books on that table.

6. **Nunca** and **jamás** both mean *never*. In a question, however, **jamás** means *ever* and anticipates a negative answer. To express *ever* when either an affirmative or a negative answer is possible, **alguna vez** is used.

Jamás voy al cine.
I never go to the movies.

¿Has estado alguna vez en Europa?
Have you ever been in Europe?

¿Has oído jamás tal mentira?
Have you ever heard such a lie?

7. **Algo** and **nada** may also be used as adverbs.

Esta computadora de escribir fue algo cara.
This computer was somewhat expensive.

Este coche no es nada barato.
This car is not at all cheap.

Práctica

Out-of-class assignment, 6-18: Have students complete this activity at home so that you can dedicate more time to the open-ended activities that follow. At the beginning of the next class, correct it or have students compare their answers. If there does not seem to be any problem, then proceed with the more open-ended activities.

Answers 6-18: 1. No hay nadie aquí. 2. Ninguno de los invitados tomó una copa. 3. Nunca vamos al cine con nuestros padres. 4. Elena no va al velorio tampoco. 5. No vamos ni a la iglesia ni a su casa. 6. No van a comprarle nada a la viuda. 7. No hay ningún vecino en la sala. 8. ¿No conoces a nadie en esa clase? 9. Nunca aprenderé los verbos irregulares. 10. ¿No hicieron nada esos haraganes?

6-18 Las palabras negativas. Cambie las oraciones a la forma negativa. Siga el modelo.

Modelo   Tengo algo en el bolsillo.
No tengo nada en el bolsillo.

1. Hay alguien aquí.
2. Algunos de los invitados tomaron una copa.
3. Siempre vamos al cine con nuestros padres.
4. Elena va al velorio también.
5. Vamos a la iglesia o a su casa.
6. Van a comprarle algo a la viuda.
7. Hay algunos vecinos en la sala.
8. ¿Conoces a alguien en esa clase?
9. Algún día aprenderé los verbos irregulares.
10. ¿Hicieron algo esos haraganes?

6-19 Los días festivos. Ud. está hablando con un(a) amigo(a) de los días festivos. Completen las oraciones con expresiones afirmativas y negativas.

Modelo   —¿Piensas que *alguien* va a darte muchos regalos para tu cumpleaños?
—*No, no hay nadie que vaya a darme regalos.*

1. —¿Conoces bien __algunas__ de las costumbres religiosas del mundo hispano?
—No, no conozco __ninguna__ de esas costumbres.
2. —¿Conoce a __alguien__ que haya estado en México durante la Navidad?
—No, no conozco a __nadie__ que haya estado allí durante aquella temporada.
3. —¿ __Siempre__ mandas tarjetas de Navidad escritas en español?
—No, __nunca__ mando tales tarjetas.
4. —¿Haces __algo__ muy especial durante la Nochevieja?
—No, no hago __nada__ especial.

6-20 Vamos al centro. Su compañero(a) de clase piensa ir al centro. Pregúntele si él/ella planea hacer las cosas siguientes. Su compañero(a) de clase contesta todas sus preguntas de una manera negativa y le explica por qué. Siga el modelo.

Modelo   ir con alguien al cine
Ud.: *¿Vas con alguien al cine?*
Su compañero(a) de clase: *No, no voy con nadie porque prefiero ver la*
película solo(a).

1. siempre comer en el centro
2. ir al cine o a la librería
3. tomar una copa con alguien
4. buscar algunas revistas en la librería
5. comprar algo en el supermercado
6. pasar por la biblioteca también para estudiar

For more practice of vocabulary and structures, go to the book companion website at **www.thomsonedu.com/ spanish/intermediatespanish.**

Antes de empezar la última parte de esta **unidad,** es importante repasar el vocabulario nuevo y la estructura y hacer las actividades que siguen.

6-21 Transformación. Haga oraciones nuevas, usando las palabras entre paréntesis.

Review the subjunctive in noun clauses and sequence of tenses.

> **Modelo** Espero salir temprano. (que ellos)
> *Espero que ellos salgan temprano.*

1. Él insiste en ir a la iglesia. (que ellos)
2. Ella prefería hacer el viaje en avión. (que nosotros)
3. Queríamos ir a misa esta semana. (que tú)
4. Desean probar los taquitos. (que Tomás)
5. Esperamos llegar a una decisión pronto. (que el jefe)
6. Temo tener mala suerte. (que él)
7. Nos alegramos de poder asistir a la fiesta. (que tú)
8. Yo sentía mucho salir tan temprano. (que ellos)

6-22 Una conversación. Hágale las preguntas siguientes a un(a) compañero(a) de clase. Luego, él (ella) debe explicar su respuesta.

Review the subjunctive in noun clauses and sequence of tenses.

> **Modelo** Ud.: ¿Temes que el profesor nos dé un examen hoy?
> Su compañero(a): *Sí, temo que el profesor nos dé un examen hoy.*
> Ud.: *¿Por qué?*
> Su compañero(a): *Porque no he estudiado mucho.*

1. ¿Crees que el profesor (la profesora) sea muy exigente?
2. ¿Prefieres que vayamos a la cafetería después de la clase?
3. ¿Esperas que vayamos a un concierto esta noche?
4. ¿Quieres que yo compre los boletos?
5. ¿Deseas que nuestros compañeros vayan con nosotros?
6. ¿Dudas que yo pueda entender la música contemporánea?

6-23 Sus opiniones. Exprese sus opiniones sobre las ideas siguientes, poniendo una expresión impersonal delante de cada una de las oraciones. Use cuantas expresiones impersonales como sea posible.

Review the subjunctive after impersonal expressions.

> **Modelo** Nosotros somos muy inteligentes.
> *Es evidente que nosotros somos muy inteligentes.*

1. Hay un examen hoy.
2. El profesor de esta clase es muy simpático.
3. Todos nosotros somos ricos.
4. Las vacaciones no empiezan hoy.
5. Todos los estudiantes reciben buenas notas.
6. Voy a graduarme mañana.

6-24 Un conflicto de ideas. Con un(a) compañero(a) de clase hagan los papeles de un(a) joven y el de su madre. Ella/Él quiere ciertas cosas, pero la madre nunca está de acuerdo.

Modelo comprar mucha ropa nueva
Hijo/Hija: *Quiero comprar mucha ropa nueva.*
Madre: *No permito que compres mucha ropa nueva.*
-o-
No quiero que compres mucha ropa nueva.
-o-
Prohíbo que compres mucha ropa nueva.

1. trabajar en un bar
2. salir todas las noches
3. ser político(a)
4. tener su apartamento propio
5. comprar un coche nuevo
6. prestarles dinero a los amigos
7. viajar alrededor del mundo
8. mudarse a México

6-25 El futuro. Exprese sus deseos y preocupaciones en cuanto al futuro del mundo, completando las oraciones siguientes con sus propias ideas. ¡Sea original! Luego, compare sus ideas con las de un(a) compañero(a) de clase. ¿Están Uds. de acuerdo o hay grandes diferencias? ¿Cuáles son?

1. Espero que las potencias mundiales *(world powers)* _____.
2. Espero que los científicos _____.
3. Quiero que mi familia _____.
4. Deseo que mis amigos _____.
5. Es importante que las escuelas _____.
6. Dudo que el presidente _____.
7. Es probable que yo _____.
8. Es necesario que la gente _____.
9. Es evidente que una buena educación _____.
10. Es posible que los astronautas _____.

6-26 Una entrevista negativa. Hágale estas preguntas a un(a) compañero(a) de clase. Él/Ella tiene que contestar de una manera negativa.

1. ¿Tienes algo para mí?
2. ¿Hablas con alguien por teléfono todas las noches?
3. ¿Siempre te vistes con algún traje nuevo?
4. ¿Vas siempre a misa?
5. ¿Vas a ir algún día a Cuba?
6. ¿Quieres ir a la biblioteca o al velorio?
7. ¿Vas a las exequias de don Mario también?

To keep a conversation moving, it is necessary to react to what is being said. You may indicate that you are following the conversation by using exclamations, asking for clarification of certain points, agreeing or disagreeing with certain points, or by reacting with certain expressions that show that you are simply paying attention.

Following a conversation

Paying attention:

Ah, sí.	*Oh, yes.*
¿Ah?	*Ah?*
¿De veras?	*Really?*
Entiendo bien, pero…	*I understand well, but . . .*
No sabía eso.	*I didn't know that.*
Y luego, ¿qué pasó?	*And then what happened?*
Y, ¿qué más?	*And, what else?*
Tiene(s) razón, pero…	*You're right, but . . .*

Asking for clarification:

Repita(e), por favor.	*Repeat that, please.*
¿Quiere(s) decir que… ?	*Do you mean that . . . ?*
No sé si entiendo bien.	*I don't know if I understand well.*
¿Qué dijo Ud. (dijiste)?	*What did you say?*
¿Está(s) diciendo que… ?	*Are you saying that . . . ?*
¿Qué quiere(s) decir?	*What do you mean?*

Exclamations:

¡No me diga(s)!	*You don't say!*
¡Qué cosa!	*The idea!*
¡Qué interesante!	*How interesting!*
¡Qué ridículo!	*How ridiculous!*

Expressing agreement and disagreement:

Sí, tiene(s) razón.	*Yes, you're right.*
Estoy de acuerdo.	*I agree.*
Sí, es verdad.	*Yes, it's true.*
No, no tiene(s) razón.	*No, you're wrong.*
No estoy de acuerdo.	*I disagree.*
No, no es verdad.	*No, it's not true.*

Descripción y expansión

Suggestion: Have students work in groups of two or three. Before you begin the activities in this section, give students 3–4 minutes to look them over.

Suggestion: These images can be downloaded from the book companion website at **www.thomsonedu.com/ intermediatespanish** for use as an overhead transparency.

Hay algunas personas que tienen creencias y supersticiones que influyen en su manera de vivir. Con un(a) compañero(a) de clase, hagan las siguientes actividades que tratan sobre este tema. ¿Es Ud. una persona supersticiosa? Indique el número del dibujo que corresponde a cada una de las creencias siguientes.

4	romper un espejo
10	mirar la luna llena sobre el hombro izquierdo
3	un gato negro
8	derramar sal
6	una herradura *(horseshoe)*
1	una pata de conejo
2	caminar debajo de una escalera
9	el número trece
5	encontrar un trébol de cuatro hojas
7	el número siete
11	trece personas sentadas alrededor de una mesa

¿Qué cree Ud.? Conteste las preguntas siguientes.

a. ¿Cuáles de estas creencias traen mala suerte?

b. ¿Cuáles de estas creencias traen buena suerte?

c. ¿Cree en algunas de estas supersticiones? ¿Cuáles? ¿Por qué?

d. ¿Conoce algunas personas que crean en algunas de estas supersticiones? ¿Quiénes son? ¿En cuáles de estas supersticiones creen?

e. ¿Conoce otras supersticiones que no estén en la lista? Explique una.

En su opinión. Indiquen su actitud hacia cada una de las supersticiones indicadas por los dibujos, completando las frases siguientes.

Modelo   Es dudoso *que un gato negro traiga mala suerte.*

Es mejor…   Más vale una persona…   No quiero…

Es importante…   No creo…   Es probable…

 Opiniones. En grupos de dos o tres personas contesten las siguientes preguntas.

a. ¿Por qué creen las personas en supersticiones? ¿Cuál es el origen de muchas supersticiones?

b. ¿Hay mucha superstición en la religión? Expliquen.

 Encuesta. Ahora, su profesor(a) va a conducir una encuesta para saber cuáles de los estudiantes son supersticiosos. Luego va a escribir en la pizarra algunas de las supersticiones que los estudiantes tienen y cuáles son las más comunes.

Costumbres

Escuche la siguiente situación y complete la actividad.

Un grupo de estudiantes de las Canarias sale de clase después de volver de las vacaciones de carnaval, llamadas también vacaciones de primavera. Todos están agotados por haber pasado varias noches de fiestas, en las que se divirtieron muchísimo.

Información. Conteste las siguientes preguntas.

1. ¿Qué fiestas acaban de tener?
2. En cuaresma, ¿en qué días había que hacer ayuno y abstinencia?
3. ¿Por qué están agotados todos?
4. ¿Ayuna la familia de Paquita?
5. ¿Qué profesor les es antipático a los estudiantes?

Conversación. Con un grupo de compañeros de la clase, charlen sobre las fiestas y costumbres del estado de donde provienen. ¿Son fiestas ancestrales o relativamente modernas? ¿De origen histórico o religioso?

Situaciones. Con un(a) compañero(a) de clase, preparen un diálogo que corresponda a una de las siguientes situaciones. Estén listos para presentarlo enfrente de la clase.

El Día de los Difuntos (1). *Dos jóvenes van a una pastelería para comprar dulces y panes en forma de calaveras, y esqueletos para sus amigos. Deben decidir la cantidad que tienen que comprar. También necesitan saber los nombres de amigos que quieran que el pastelero (pastry chef) les escriba el nombre en cada calavera y esqueleto. El precio es importante también porque Uds. no tienen mucho dinero.*

El Día de los Reyes Magos (2). *Ud. está pasando el año escolar estudiando en Madrid. Vive con una familia madrileña. Es el 6 de enero; Ud. y los miembros de la familia van a asistir a una fiesta en la casa de unos tíos. Ud. no entiende la importancia de este día y le pide a la madre que le explique lo que significa el Día de los Reyes Magos.*

Las posadas (3). *Es la Navidad y su familia quiere que Ud. participe en las posadas. Ud. no quiere participar. Su padre trata de convencerlo(la) de que es importante que haga una parte de la procesión. Ud. trata de explicarle las razones por las cuales no quiere hacerlo.*

Ejercicio de comprensión. Ud. va a escuchar un comentario sobre el concepto de la muerte en el mundo hispánico. Después del comentario va a escuchar varias oraciones. Indique si la oración es **verdadera** (V) o **falsa** (F), trazando un círculo alrededor de la letra que corresponde a la respuesta correcta.

1. Ⓥ F   2. Ⓥ F
3. Ⓥ F   4. V Ⓕ

Ahora, escriba un título para este comentario que refleje el contenido. Luego, compare su título con los otros de la clase. ¿Cuál es el mejor? Indique lo que ha aprendido al escuchar el comentario que no sabía antes.

Nota cultural (1): En varios países del mundo hispánico se celebra el Día de los Reyes Magos o la Epifanía el 6 de enero. En esta fecha se conmemora el día en que los Reyes Magos llegaron a Belén llevando regalos para el niño Jesús. Hoy, muchas familias hispanas intercambian regalos con sus parientes y amigos en este día en vez de hacerlo durante la Navidad que es principalmente un día religioso. Por lo general, hay una fiesta en la casa de un pariente o amigo. Se sirve una torta y escondida en la torta hay una muñeca de porcelana. La persona que encuentra esta muñeca en el pedazo de torta que recibe, tiene que dar una fiesta para todos los que están presentes algunas semanas después.

Nota cultural (2): La celebración de «las posadas» empieza el 16 de diciembre y termina en la Nochebuena. Se llaman posadas porque conmemoran el viaje de María y José a Belén y su búsqueda de un sitio donde pasar la noche. Casi todas las personas de un barrio participan en esta celebración.

Nota cultural (3): Se celebra este día el 2 de noviembre en algunos países latinoamericanos. En México se llama el «Día de los Muertos». Durante ese día se recuerda a los muertos o la muerte como fenómeno. En algunos sitios, como en México, se hacen dulces y panes en forma de calaveras y esqueletos, y en los pequeños pueblos mexicanos la gente pasa el día en el cementerio, donde limpian alrededor de los sepulcros y ponen flores frescas en la tumba de los familiares.

Nota cultural (4): En la nochevieja en España se celebra el año nuevo comiendo las «doce uvas de la felicidad». Cuando el reloj empieza a dar las doce de la medianoche se come una uva hasta que se hayan comido todas las doce uvas. Los que pueden comer todas las uvas antes de que el reloj haya terminado de dar las doce, van a tener doce meses de buena suerte durante el nuevo año.

Hay tres pasos en esta actividad. **Primer paso:** Lea los ejemplos de algunos epitafios en la siguiente actividad. Luego, escriba su propio epitafio y contesta las dos preguntas que terminan esta actividad. **Segundo paso:** Escriba su propio obituario en español después de leer el ejemplo de un obituario abajo. **Tercer paso:** Comparta lo que ha escrito con la clase.

Discusión: La muerte

1. **El epitafio.** Aunque en nuestra cultura preferimos no pensar en la muerte, su contemplación puede darnos una nueva actitud hacia la vida. Nuestros antepasados lo entendieron así, e hicieron grabar en su lápida un epitafio que resumiera su vida. Lea aquí algunos ejemplos:

   Aquí yace Harry Miller entre sus esposas Elinore y Sarah.
   Pidió que lo inclinaran un poco hacia Sarah.

   Eric Langley: Él sí se lo llevó todo consigo.

   William Barnes: Padre generoso y leal.

   Nancy Smith: A veces amaba, a veces lloraba.

   a. ¿Qué quiere que le graben en su lápida?

   b. ¿Podría escribir un epitafio que resumiera toda su vida en pocas palabras?

2. **El obituario.** Los obituarios también pueden ayudarnos a ver más claramente nuestra vida. Completando las frases siguientes, escriba su obituario. Después, léaselo a la clase.

   Falleció ayer _____ a la edad de _____.
   La causa de su muerte fue _____.
   Le sobrevive(n) _____.
   Estudiaba para ser _____.
   Sus amigos se acordarán de él (ella) por _____.
   Su muerte inesperada no le permitió _____.
   Su familia indica que en vez de mandar flores se puede _____.

3. Ahora, léale su obituario a la clase. Los otros estudiantes van a compartir los suyos también.

A T A J O ◄

Temas de conversación o de composición

1. ¿Cuál es su actitud hacia la muerte? ¿Tiene miedo de morirse? ¿Le gusta asistir a los velorios? ¿Deben ser costosos los entierros?

2. En muchas culturas, inclusive la hispánica, la muerte es un hecho que se acepta de una manera bastante realista. En la nuestra tratamos de esconder o de no confrontar el hecho de la muerte. ¿Cómo evitamos la realidad de la muerte?

3. Los psicólogos dicen que el que sabe que va a morirse dentro de poco tiempo pasa por un proceso que empieza con la ira y la negación y termina con la aceptación de la muerte. ¿Cómo reaccionaría ante tal noticia? ¿Qué cosas quisiera hacer antes de morirse?

4. Actualmente es posible mantener viva a una persona mediante procedimientos artificiales, inclusive con el uso de máquinas. Si una persona ha sufrido un daño cerebral y queda reducida permanentemente a un nivel vegetativo, ¿se le debe mantener viva artificialmente? ¿Cuándo deja de vivir una persona?

Algunas personas creen que los números o los astros pueden decirnos algo sobre el futuro o sobre nuestra personalidad. Para algunas personas el estudio de los números y los astros puede ser un pasatiempo divertido; para otras, es una actividad seria. En este artículo de *Tú, internacional,* de España, Jean Simpson, numeróloga de los Estados Unidos, ha desarrollado un sistema para indicarle su verdadera personalidad. Lea la lectura. Luego su profesor(a) va a dividir la clase en seis grupos para hacer las actividades indicadas. Después de terminar con las actividades, cada grupo tiene que darle un resumen oral a la clase de lo que hizo su grupo.

www.thomsonedu.com/spanish/
intermediatespanish

Lectura

TU NOMBRE ES UN NÚMERO, Y ESE NÚMERO, TU FUTURO:
¡BÚSCALO!

Jean Simpson, una de las más famosas numerólogas de los Estados Unidos, ha desarrollado un sistema con el cual sólo tienes que saber sumar para averiguar cómo es tu verdadera personalidad y lo que debes hacer para tener éxito en la vida. Toma papel y lápiz y descúbrete ya.

Para simplificar el método usa esta tabla:

1	2	3	4	5	6	7	8	9
A	B	C	D	E	F	G	H	I
J	K	L	M	N	O	P	Q	R
S	T	LL	V	Ñ	W	X	Y	Z
U								

Para saber el número de tu nombre, toma un papel y un lápiz y escribe tu nombre completo como aparece en tu certificado de nacimiento. Si no tienes a mano este certificado, simplemente escribe tu nombre tal y como lo escribes cada vez que llenas un documento oficial. Pongamos un ejemplo: digamos que vamos a buscar el número de Ana María Pérez.
Paso No. 1:

A N A   M A R I A   P E R E Z
1 5 1   4 1 9 9 1   7 5 9 5 8

Paso No. 2:
Suma los números de los tres nombres:
1 + 5 + 1 + 4 + 1 + 9 + 9 + 1 + 7 + 5 + 9 + 5 + 8 = 65

Paso No. 3:
Reduce el número 65 a un solo dígito:
6 + 5 = 11

Paso No. 4:
Reduce el 11 a un solo dígito:
1 + 1 = 2
El número del nombre de Ana María Pérez (nuestro ejemplo) es el 2.

Tu nombre en números es capaz de revelar la historia de tu vida, según asegura Jean Simpson, una mujer que ha desarrollado una técnica a base de números que puede resultar infalible para que descubras mucho más acerca de tu personalidad. Tu nombre, tal como aparece en tu certificado de nacimiento, te dará ese número clave. ¿En qué consiste este sistema? ¡Muy fácil! Cada letra en el alfabeto tiene un número correspondiente, que aparece en una tabla que aquí te ofrecemos. Como puedes ver a la A le corresponde el 1, a la B el 2, a la C el 3, etc.

Pero, primero, debes saber el significado de cada número:

● 1. Es un líder con espíritu de pionero, mucha fuerza, independencia y determinación.
● 2. Corresponde a una persona diplomática, a la que le gusta la paz y es muy sensible a los sentimientos de los demás, así como a los suyos.
● 3. Es un maestro de la palabra, tiene una imagen juvenil y muchos proyectos siempre. Se va volviendo más seguro de sí mismo a medida que pasa el tiempo.
● 4. Un gran trabajador, práctico, paciente y muy de detalles.
● 5. Es un amante de la libertad, los viajes, que siempre quiere estar cambiando y que es capaz de hacer mil cosas a la vez.
● 6. Una persona con mucha armonía, que ama la estabilidad familiar. Admira las cosas bellas y toma responsabilidades serias.
● 7. Es sumamente analítico y muy inteligente. Se toma su tiempo para leer, escribir y para ver el lado bueno de todas las cosas, aunque éstas sean muy negativas.
● 8. La organización por excelencia. Toma control de su propio destino y siempre alcanza el éxito.
● 9. Es humanitario, amante del arte, la música y los viajes. Es muy generoso y necesita el cariño de las demás personas.

Preguntas

Haga las siguientes actividades.

1. Siga las instrucciones para encontrar el número de su nombre. Luego, lea la descripción de su personalidad que corresponde a su número. Según el artículo, ¿qué clase de persona es Ud.? ¿Está de acuerdo con esta interpretación? Explique. Ahora, comparta esta información con los otros estudiantes del grupo. ¿Cuántas personas están de acuerdo con la descripción de su personalidad y de lo que va a pasar en su vida?

2. Ahora, cada miembro del grupo debe escoger el nombre de una persona a quien conoce bien y buscar la descripción de su personalidad. La persona puede ser un(a) pariente(a) o un(a) buen(a) amigo(a). ¿Cuántas personas del grupo creen que el número de la persona escogida describe bien la personalidad de ella? ¿Por qué sí o por qué no?

3. Ahora, cada grupo va a escoger el nombre de un hombre y una mujer famosos y buscar la descripción de su personalidad, siguiendo esta fórmula de números. Luego, cada grupo va a hacerle una presentación oral a la clase, describiendo lo que los números dicen de esas personas famosas. ¿Cuántos estudiantes piensan que la descripción de la personalidad de estas personas es adecuada o no? ¿Opina Ud. que las descripciones correctas son el resultado de un sistema científico de números o son por casualidad? ¿Por qué?

Expansión

Para entender la actitud de los hispanos hacia la muerte, debe leer tres artículos en *Civilización y cultura*, **Unidad 6** sobre *Las actitudes hispánicas hacia la muerte*, *Las actitudes indígenas hacia la muerte* y *Presencia de la muerte*. Después de investigar este tópico de la muerte, será necesario escribir un resumen de la información Ud. encontró. ¿Cuáles son las diferencias y semejanzas entre las actitudes de los hispanos y los anglosajonas hacia «la muerte»?

Aspectos económicos de Hispanoamérica

Una mujer peruana hilando la lana de una alpaca en Cuzco, Perú. ¿Qué le parece esta mujer? En su opinión, ¿cómo es la vida que ella tiene, difícil o fácil? ¿Quiere Ud. vivir en el Perú? Explique.

ⓥMentor™

💡 *Literatura y arte:* **Unidad 7** of this text presents the well-known short story, **"Es que somos muy pobres,"** written by the Mexican author, Juan Rulfo. It reflects the economic plight of the poor **campesino** of Mexico. In the art section, selected murals of Diego Rivera have been included.

Civilización y cultura: Various perspectives of the economy of Latin America are presented: **Los antecedentes históricos, Soluciones modernas, La situación actual,** and **Algunos afectos de la pobreza.**

En contexto

A mudarnos a la capital

Estructura

- The subjunctive in adjective clauses
- Subjunctive versus indicative after indefinite expressions
- Prepositions
- Uses of **por** and **para**
- Prepositional pronouns

Repaso

(www) www.thomsonedu.com/spanish/intermediatespanish

A conversar
How to involve others in conversations

A escuchar
Economía global

Intercambios

Investigación y presentación
¿Es Ud. un consumista?
Expansión

(www) www.thomsonedu.com/spanish/intermediatespanish

A mudarnos a la capital

Vocabulario activo

Estudie estas palabras.

Verbos
calentar (ie) *to heat*
mudarse *to move (residence)*
soñar (ue) (con) *to dream (about)*

Sustantivos
el barrio *neighborhood, district*
el camión *bus (slang)*
el (la) campesino(a) *peasant*
la cantina *bar*
la choza *hut, shack*
el frijol *bean*
el taller *shop, workshop*
el techo *roof*
el televisor *television set*

la ventaja *advantage*
el vestido *dress*

Adjetivos
ajeno(a) *belonging to another*
embarazada *pregnant*
seco(a) *dry*

Otras expresiones
dondequiera *anywhere*
ganarse el pan *to earn a living*
haber de *to be supposed to*
que sueñes con los angelitos *sweet dreams*

7-1 Para practicar. Complete el párrafo siguiente con palabras escogidas de la sección **Vocabulario activo.** No es necesario usar todas las palabras.

Para la gente pobre es muy difícil 1. ___ganar el pan___. Yo soy pobre y a veces 2. ___sueño___ con ganarme la lotería. Si tuviera mucho dinero, 3. ___me mudaría___ de mi 4. ___choza___ a un 5. ___barrio___ más acaudalado *(affluent)*. En vez de tomar el 6. ___camión___ a mi trabajo, yo tendría mi propio coche lujoso. No trabajaría en un 7. ___taller___, sino que compraría una compañía donde se harían computadoras. Yo compraría un 8. ___televisor___ para cada cuarto de mi casa, y muchos 9. ___vestidos___ elegantes para mí. La 10. ___ventaja___ de tener mucho dinero es que se puede comprar casi todo. La desventaja es que se puede perder el alma.

A mudarnos a la capital. Antes de leer el diálogo, escúchelo con el libro cerrado. ¿Cuánto comprendió?

(Una choza campesina. Pedro llega cansado después de un día de trabajo en su parcela de tierra.)

PEDRO   Hola, Teresa, ¿qué hay de comer? Vengo muerto de hambre.

TERESA   ¡Ay! Has llegado temprano —déjame calentar los frijoles. Primero voy a acostar a Panchito. Duérmete, mi niño. Que sueñes con los angelitos. Así es.

PEDRO	Se me partió[1] el machete hoy. ¡Qué diablos! No hay un día que no traiga mala suerte. No sé cómo he de ganarme el pan trabajando en esta tierra seca.
TERESA	Pedro, tengo una noticia. Fui a ver a la mamá Teófila[1] y me dice que estoy embarazada.
PEDRO	¡Qué bueno! ¡Qué feliz me haces! Pero… otra boca, ¿qué hacemos?
TERESA	Dios dirá, Pedro. Quizás pueda coser ajeno[2]. La señora Cruz busca a alguien que le haga unos vestidos para el verano.
PEDRO	Te prohíbo que trabajes, mujer. Estaba pensando una cosa, ¿sabes? ¿Por qué no nos mudamos a la capital?[2] Allí puedo buscar un trabajo que pague bien.
TERESA	Pero, Pedro, ¿qué hacemos con la casa? ¿Y si no encuentras nada? Me siento más segura aquí; al menos tenemos techo —pobre tal vez, pero seguro.
PEDRO	¿No quieres que tus hijos tengan más oportunidades que nosotros? Aquí no hay nada que valga la pena… Y será mejor para ti también. No tendrás que depender más de la mamá Teófila. Debes tener un médico que sepa lo que hace, un hospital que tenga facilidades modernas. Además, podríamos divertirnos un poco. Dicen que hay cines en la ciudad en que puedes ver películas todas las noches en vez de una película por semana como en el cine de aquí.
TERESA	¿Y es cierto que hay lugares donde se puede bailar todas las noches? ¿Y que hay parques bellos y camiones que te llevan dondequiera?
PEDRO	Sí, Teresa, todo eso y mucho más. Podremos comprarnos un televisor. No tendremos que ir a verlo a la cantina como aquí.
TERESA	Pero, ¿dónde viviremos?
PEDRO	Hay un barrio llamado San Blas. Allí viven los Otero y los Palma que se fueron a la capital el año pasado. Hay escuelas buenas para Panchito y para el niño que esperamos. Quiero que asistan a buenas escuelas que les den mejores posibilidades.
TERESA	Yo también, yo también, Pedro. Y tú, ¿qué harás? No quiero que sufras por falta de trabajo.
PEDRO	Con todos los automóviles que hay en la ciudad, siempre habrá necesidad de alguien que sepa de mecánica. Habrá un taller que necesite otro trabajador.
TERESA	Pero, Pedro, ¿qué hacemos si…
PEDRO	No te preocupes, mi amor, todo saldrá bien. Quiero que mi familia tenga de todo, ¿entiendes? De todo lo bueno de la vida.

Notas culturales

[1] *la mamá Teófila: En las regiones rurales de Hispanoamérica, todavía es común utilizar los servicios de una partera* (midwife). *Esto se debe a la tradición y, por otra parte, al hecho de que no hay médicos en todos los pueblos.*

[2] *¿Por qué no nos mudamos a la capital?: Las ideas que expresa Pedro sobre las ventajas de la vida urbana son bastante generalizadas en las zonas rurales y han causado una migración constante hacia las grandes ciudades. Desgraciadamente, uno de los resultados más frecuentes ha sido la creación de barrios de miseria alrededor de las mismas ciudades. Otro es la desilusión y amargura* (bitterness) *de la gente en esta situación.*

[1] partió *broke, split* [2] pueda coser ajeno *to take in sewing*

7-2 Actividad cultural. En grupos de tres personas, hablen sobre la vida en la ciudad y en el campo. Escriba un síntesis de las preferencias de su grupo y compártelas con los otros grupos de la clase.

1. ¿Cuáles son las ventajas de vivir en la ciudad? ¿Las desventajas?
2. ¿Cuáles son las ventajas de vivir en el campo? ¿Las desventajas?
3. Dónde prefiere Ud. vivir, ¿en la ciudad o en el campo? ¿Por qué?

Possible answers 7-3: 1. Porque se le partió el machete. 2. Tienen frijoles. 3. Teresa está embarazada. 4. Piensa coser ajeno. 5. La idea de Pedro es mudarse a la capital. 6. Porque al menos tienen techo. 7. Según Pedro, hay cines en la ciudad y según Teresa, hay lugares donde se puede bailar y parques bellos y camiones que te llevan dondequiera. 8. Va a buscar trabajo en un taller. 9. Quiere que su familia tenga de todo lo bueno de la vida. 10. *Answers will vary.*

Suggestion, 7-3 & 7-4: Have students work in groups or do the following activities as a class. Before you begin the activities, give students 3–4 minutes to prepare them.

7-3 Comprensión. Conteste las preguntas siguientes.

1. ¿Por qué llega Pedro a casa temprano?
2. ¿Qué es lo que tienen para comer?
3. ¿Cuál es la noticia que Teresa le da a Pedro?
4. ¿Qué piensa hacer ella?
5. ¿Cuál es la idea de Pedro?
6. ¿Por qué se siente Teresa más segura en el campo?
7. Según Pedro, ¿qué diversiones hay en las ciudades? ¿y según Teresa?
8. ¿Qué trabajo va a buscar Pedro?
9. En cuanto a su familia, ¿qué quiere Pedro?
10. En las circunstancias de Pedro y Teresa, ¿se iría Ud. a la ciudad?

7-4 Opiniones. Conteste las preguntas siguientes.

1. En su opinión, ¿qué causa la pobreza en la sociedad?
2. ¿Piensa que es posible eliminar la pobreza? Explique.
3. ¿Cree que es la responsabilidad del gobierno ayudar a los pobres? ¿Por qué?
4. Según Ud., ¿es posible que un pobre sea feliz? Explique.
5. ¿Prefiere ser una persona pobre y feliz, o rica y descontenta? ¿Por qué?

Una mujer lavando la ropa en el río Amazona. ¿Dónde está la mujer? ¿Qué hace ella? Describe a la mujer y la región dónde vive. ¿Le parece que la vida de esta mujer es difícil o fácil? Explique. ¿Le gustaría vivir en esa región? Explique.

Heinle iRadio: To hear more about Subjunctive Mood, visit . . . **www.thomsonedu.com/spanish.**

Grammar considerations: Assign this section as homework so that you can dedicate more class time to the activities in the **Práctica** section. In class, quickly review the use of the subjunctive in adjective clauses by asking students to provide examples with indefinite, negative, and definite antecedents. Write the examples on the board and point out the use of subjunctive versus indicative.

The subjunctive in adjective clauses

1. An adjective clause modifies a noun or pronoun (referred to as the antecedent) in the main clause of the sentence. Adjective clauses are always introduced by **que.**

   Vive en una casa **grande.** (simple adjective modifying **casa**)

   Vive en una casa **de ladrillo.** (adjective phrase modifying **casa**)

   Quiere vivir en una casa **que tenga muchos cuartos.** (adjective clause modifying **casa**)

2. If the adjective clause modifies an indefinite or negative antecedent, the subjunctive is used in the adjective clause. If the antecedent being described is something or someone certain or definite, the indicative is used.

   Aquí no hay nada que valga la pena. (negative antecedent)
   There is nothing here that is worthwhile.

   Debes tener un médico que sepa lo que hace. (indefinite antecedent)
   You ought to have a doctor who knows what he is doing.

   Buscaba un hospital que tuviera instalaciones modernas. (indefinite antecedent)
   He was looking for a hospital that had modern facilities.

   Haré lo que diga el jefe. (indefinite antecedent)
   I'll do what(ever) the boss says.

   No hay nadie que sepa la respuesta. (negative antecedent)
   There is no one who knows the answer.
   BUT
   Aquí hay algo que vale la pena. (definite antecedent)
   There is something here that is worthwhile.

   Tiene un médico que sabe lo que hace. (definite antecedent)
   He has a doctor who knows what he is doing.

   Ha encontrado un trabajo que tiene muchas ventajas. (definite antecedent)
   He has found a job that has many advantages.

3. The personal **a** is not used when the object of the verb in the main clause does not refer to a specific person or persons; however, it is used before **nadie, alguien,** and forms of **ninguno** and **alguno** when they refer to a person who is the direct object of the verb.

   Busca un médico que sepa lo que hace.
   He is looking for a doctor who knows what he is doing.

   No he visto a nadie que pueda hacerlo.
   I have not seen anyone who can do it.

   ¿Conoce Ud. a algún hombre que quiera comprar la finca?
   Do you know a (any) man who wants to buy the farm?

Práctica

Out-of-class assignment, 7-5: Have students complete this activity at home so that you can dedicate more time to the open-ended activities that follow. At the beginning of the next class, correct the activity to see if students mastered this grammatical concept. If there does not seem to be any problem, then proceed with the rest of the activities in the **Práctica** section.

7-5 Observaciones generales. Complete estas oraciones usando el subjuntivo o el indicativo de los verbos entre paréntesis, según convenga *(as needed)*.

1. Busco un trabajo que me (gustar) ___guste___.
2. Necesita un hombre que (poder) ___pueda___ servir de guardia.
3. Su esposo quiere mudarse a una ciudad que él no (conocer) ___conozca___.
4. Tengo un puesto que (pagar) ___paga___ más que ése.
5. Han encontrado un artículo que les (dar) ___da___ más información.
6. No había ninguna persona que (creer) ___creyera___ eso.
7. Conoce a un mecánico que (arreglar) ___arregla___ bicicletas.
8. Necesitan un apartamento que no (costar) ___cueste___ mucho.
9. Siempre tienen ayudantes que (hablar) ___hablan___ inglés.
10. Preferían un abogado que (saber) ___supiera___ lo que hacía.
11. Aquí hay alguien que (poder) ___puede___ explicártelo.
12. ¿Conoces a alguien que (hacer) ___haga___ vestidos?

Answers 7-6: *Answers will vary.*

7-6 Se mudó a la ciudad. Ud. acaba de mudarse a una nueva ciudad, y busca una casa y una buena escuela para sus hijos. Describa la clase de casa y de escuela que busca, haciendo oraciones con las expresiones indicadas.

> **Modelo**   Busco una casa que: tener tres habitaciones.
> *Busco una casa que tenga tres habitaciones.*

1. Busco una casa que: estar cerca de un parque / ser bastante grande / tener tres dormitorios y cuatro baños / no costar más de cien mil pesos

   Ahora mencione otras características que Ud. busca.

2. Queremos mandar a nuestros hijos a una escuela que: ser pública / tener buenos maestros / ofrecer una variedad de cursos / preparar bien a sus graduados / estar cerca de nuestra casa

   Ahora, mencione dos o tres cosas más que Ud. espera que la escuela ofrezca.

Para terminar, compare con otro(a) estudiante la clase de casa y de escuela que busca. ¿Cuáles son las semejanzas y diferencias?

La Galaría Pacífica en la calle Florida de Buenos Aires, Argentina. ¿Qué le parece esta galaría? ¿Es muy semejante a las galarías que están en las ciudades de los Estados Unidos? Explique. ¿Le parece que está galaría está en un barrio pobre o en uno opulento de Buenos Aires? Explique.

7-7 Opiniones personales. Exprese sus opiniones personales completando estas oraciones con sus propias ideas.

1. Deseo conocer a gente que _____.
2. Sueño con casarme con una persona que _____.
3. Quiero seguir una carrera que _____.
4. Quiero encontrar un trabajo que _____.
5. Me gustaría mudarme a una ciudad que _____.
6. Prefiero vivir en una casa que _____.
7. Necesito comprar un coche que _____.
8. Quiero vivir en un país que _____.

Ahora, compare sus opiniones con las de otro(a) estudiante. ¿Cuáles de las opiniones se parecen a las de Ud.?

7-8 El anuncio. Ud. es dueño(a) de un taller, y necesita emplear a un mecánico. Con otro(a) estudiante completen este anuncio para el diario de su pueblo.

> **El Taller Martínez requiere un mecánico que:**
> —sepa de mecánica
> —conozca bien los coches japoneses
> —_____
> —_____

Heinle iRadio: To hear more about Subjunctive Mood, visit . . . **www.thomsonedu.com/ spanish.**

Grammar considerations: Assign this section as homework so that you can dedicate more class time to the activities in the **Práctica** section. In class, quickly review the use of the subjunctive versus indicative after indefinite expressions.

Subjunctive vs. indicative after indefinite expressions

A. The subjunctive after indefinite expressions

The subjunctive is used after the following expressions when they refer to an indefinite or uncertain time, condition, person, place, or thing.

1. Relative pronouns, adjectives, or adverbs attached to **-quiera:**

adondequiera	*(to) wherever*	quienquiera	*whoever*
dondequiera	*wherever*	cualquier(a)	*whatever, whichever*
cuandoquiera	*whenever*	comoquiera	*however*

Examples:

Adondequiera que tú vayas, encontrarás campesinos oprimidos.
Wherever you (may) go, you will find oppressed peasants.

Dondequiera que esté, lo encontraré.
Wherever it is, I'll find it.

Cuandoquiera que lleguen, comeremos.
We will eat whenever they arrive.

Quienquiera que encuentre la pintura, recibirá mucho dinero.
Whoever finds the painting will receive a lot of money.

A pesar de cualquier disculpa que ofrezca, tendrá que pagar la multa.
(In spite of) Whatever excuse he may offer, he will have to pay the fine.

Comoquiera que lo hagan, no podrán solucionar el problema.
However they may do it, they will not be able to solve the problem.

Cualquier cosa que diga, será la verdad.
Whatever he says will be the truth.

Note: **Quien** plus the subjunctive is more common in conversation: **Quien encuentre la pintura, recibirá mucho dinero.**

Note that the plurals of **quienquiera** and **cualquiera** are **quienesquiera** and **cualesquiera,** respectively. **Cualquiera** drops the final **a** before any singular noun.

2. Por + adjective or adverb + **que** *(however, no matter how):*

Por difícil que sea, lo haré.
No matter how difficult it may be, I will do it.

Por mucho que digas, no la convencerás.
No matter how much you say, you will not convince her.

B. The indicative after indefinite expressions

When the expressions presented in Section A refer to a definite time, place, condition, person, or thing, or to a present or past action that is considered to be habitual, then the indicative is used.

Adondequiera que fuimos, encontramos campesinos oprimidos.
Wherever we went, we found oppressed peasants.

Cuandoquiera que nos veían, nos saludaban.
Whenever they saw us, they would greet us.

Por más que juego al tenis, siempre pierdo.
No matter how much I play tennis, I always lose.

Práctica

Out-of-class assignment, 7-9: Have students complete this activity at home so that you can dedicate more time to the open-ended activities that follow. At the beginning of the next class, correct the activity to see if students mastered this grammatical concept. If there does not seem to be any problem, then proceed with the rest of the activities in the **Práctica** section.

7-9 Opiniones personales. Complete estas oraciones con el subjuntivo o el indicativo de los verbos entre paréntesis, según convenga.

1. Adondequiera que ellos (mudarse) __se muden__, no encontrarán empleo.
2. Dondequiera que él (estar) ____está____, siempre puede divertirse.
3. Cuandoquiera que nosotros lo (ver) ____veamos____, le daremos dinero.
4. Por pobres que (ser) ____sean____, ellos nunca se van a quejar de nada.
5. Quienquiera que (buscar) ____busque____ una vida mejor, tendrá que conseguir una buena educación.
6. Cualquier cosa que yo (decir) ____dije____, ellos no lo creían.

7-10 Situaciones indefinidas. Con otro(a) estudiante completen estas oraciones con una expresión indefinida.

adondequiera	dondequiera	cuandoquiera	quienquiera
cualquiera	comoquiera	por más que	

1. Empezaremos a estudiar __cuandoquiera__ que ellos salgan.
2. __Cuandoquiera__ que ella está cansada, ella siempre quiere mirar la televisión.
3. Lo encontraremos __dondequiera__ que esté.
4. __Cuandoquiera__ que ellos recibían una carta de sus amigos, me permitían leerla.
5. __Quienquiera__ que dijo eso no entendía la lección.
6. __Cualquier__ razón que tú des, la creeremos.
7. __Cualquier__ libro que escojas, lo encontraremos interesante.
8. Ellos dicen que irán __adondequiera__ que él vaya.

Answers 7-11: *Answers will vary.*

7-11 Su futuro. Escriba cuatro oraciones sobre su futuro, usando las expresiones indefinidas que siguen. Compare sus ideas con las de su compañero(a) de clase. ¿Son similares o diferentes? ¿Son sus ideas y las de su compañero(a) optimistas o pesimistas? ¿Por qué?

adondequiera	cuandoquiera	quienquiera	cualquiera

Prepositions

A. Simple prepositions

a *to, at*	excepto *except*
ante *in front of, before; with respect to*	hacia *toward*
bajo *under*	hasta *until, up to, as far as*
con *with*	mediante *by means of*
contra *against*	para *for; in order to*
de *of, from*	por *for; through; along; by*
desde *from, since*	según *according to*
durante *during*	sin *without*
en *in; on, upon*	sobre *on, over; about*
entre *between, among*	tras *after*

El testigo tenía que aparecer ante el juez.
The witness had to appear before the judge.

Escribió novelas bajo un seudónimo.
He wrote novels under an assumed name.

Miró hacia el río.
He looked toward the river.

Esperaremos hasta las nueve.
We will wait until nine.

Va a dar una conferencia sobre política latinoamericana.
He is going to give a lecture on (about) Latin American politics.

Día tras día él me decía la misma cosa.
Day after day he would tell me the same thing.

B. Uses of *a*

In addition to its use to express the English *to* or *at*, and its special use before direct object nouns referring to people (see **Unidad 1**), the preposition **a** is used:

1. to indicate the point (of time or place) toward which something is directed or at which it arrives.

   Volvieron a la choza.
   They returned to the hut.

   Fue de Nueva York a México.
   He went from New York to Mexico.

   Estará en casa a las siete.
   She will be at home at seven.

2. after verbs of motion (**ir, venir**) when they are followed by an infinitive or by a noun indicating destination.

   Voy a la playa.
   I'm going to the beach.

   Vino a verme.
   He came to see me.

3. after verbs of beginning, learning, and teaching, when these are followed by an infinitive.

Comenzó a trabajar.
She began to work.

Empecé a buscarlos.
I began to look for them.

Aprendieron a hablar francés.
They learned to speak French.

Me enseñó a conducir.
He taught me to drive.

4. after verbs of depriving or taking away.

Le robaron el dinero al banco.
They stole the money from the bank.

Les quité los dulces a los niños.
I took the sweets from the children.

Note: It is becoming more common not to use the **a** in speech.

5. after the verb **jugar** when the name of a game or sport is mentioned.

Juegan al tenis.
They play tennis.

Jugó a las damas chinas.
He played Chinese checkers.

6. in combination with the definite article **el (al)** before an infinitive to express the English *on* or *upon* + present participle.

Al salir del aula, empezaron a correr.
Upon leaving the classroom, they began to run.

7. in the construction **a** + definite article + period of time + **de** + infinitive, meaning *after*.

A las dos semanas de estudiarlos, sabían todos los usos del subjuntivo.
After two weeks of studying them, they knew all the uses of the subjunctive.

8. to indicate manner or means (how something is made or done).

Las hacen a mano.
They make them by hand.

Llegaron a pie.
They arrived on foot.

cocinar a fuego lento
to cook by a slow fire

9. to express price or rate.

¿A cuánto está la tela azul? A un dólar el metro.
How much is the blue material? A dollar a meter.

a todo vapor
at full steam

10. as an equivalent of English *on* or *in*.

a bordo del buque	a tiempo
on board the boat	*in (on) time*
a su llegada	a vista de tierra
on her arrival	*in sight of land*
al contario	llegar a México
on the contrary	*to arrive in Mexico*

11. to express *by* or *to* in certain fixed expressions.

poco a poco	dos a dos
little by little	*two to two*
mano a mano	cara a cara
hand to hand	*face to face*

C. Uses of *con*

1. **Con** is used before certain nouns to form adverbial expressions of manner.

Guía con cuidado.
He drives carefully.

Comíamos con frecuencia en ese café.
We ate at that café frequently.

2. **Con** expresses accompaniment.

Pedro quiere ir a la ciudad con Teresa.
Pedro wants to go to the city with Teresa.

3. It is also used to express *notwithstanding*.

Con todos sus defectos, es un tipo simpático.
Notwithstanding all his faults, he's a nice fellow.

D. Uses of *de*

De is usually translated as *of* or *from*. In addition it is used as follows:

1. to show possession (English *'s*).

La finca es de Aurelio.
The farm is Aurelio's.

2. to show the material from which something is made.

El traje es de casimir.
The suit is (made of) cashmere.

3. to express cause or reason (equivalent to English *of, with, on account of*).

Murió de cáncer.
He died of cancer.

Está loca de alegría.
She's wild with joy.

Estoy muriéndome de hambre.
I'm dying of hunger.

4. to express *in the morning*, etc., when a specific time is given.

Empezó a las seis de la mañana (de la noche).
He began at six in the morning (at night).

5. to indicate profession or occupation.

Trabajaba de obrero.
He was working as a laborer.

6. to express the function or use of an object.

Es una máquina de escribir (de coser).
It is a typewriter (sewing machine).

7. to specify condition or appearance before a noun (the English *with* or *in*).

Las montañas están cubiertas de nieve.   Estaba de luto.
The mountains are covered with snow.   *She was in mourning.*

8. to indicate a distinctive characteristic.

la chica de los ojos grandes   el hombre de la barba
the girl with the big eyes   *the man with the beard*

9. to translate *in* after a superlative.

Es el barrio más pintoresco de la ciudad.
It's the most picturesque neighborhood in the city.

E. Uses of *en*

1. **En** is used to indicate mode of transportation.

Fuimos en avión (tren).
We went by plane (train).

2. **En** is used to denote location (the equivalent of the English *at* or *in*).

Estoy en casa (en clase, en Madrid).
I am at home (in class, in Madrid).

Pasaron las vacaciones en la playa (en México).
They spent their vacation at the beach (in Mexico).

F. Compound prepositions

Some common compound prepositions are:

a causa de *because of*	dentro de *inside of*
a pesar de *in spite of*	después de *after (time, order)*
acerca de *about, concerning*	detrás de *behind, after (place)*
además de *besides, in addition to*	en frente de *in front of*
al lado de *beside, alongside of*	en vez de *instead of*
alrededor de *around*	encima de *on top of*
antes de *before (time, place)*	frente a *opposite, in front of*
cerca de *near*	fuera de *outside of, away from*
debajo de *under*	junto a *next to*
delante de *in front of, before*	lejos de *far from (place)*
respecto a *with respect to*	

Práctica

Out-of-class assignments, 7-12 & 7-13: Have students complete these activities at home so that you can dedicate more time to the open-ended activities that follow. At the beginning of the next class, correct at least one to see if students mastered the use of the prepositions. If there does not seem to be any problem, then proceed with the rest of the activities in the **Práctica** section.

7-12 Preposiciones sencillas. Complete estas oraciones con la preposición correcta.

1. Los hijos hablaron *(until)* ___hasta___ las once.
2. Los campesinos caminaban *(toward)* ___hacia___ la casa.
3. Hay muchas diferencias *(between)* ___entre___ tú y yo.
4. Los padres están *(in)* ___en___ la cocina.
5. *(During)* ___Durante___ la conversación, él me lo explicó.
6. Sus primos son *(from)* ___de___ San Antonio.
7. Quieren luchar *(against)* ___contra___ la pobreza.
8. Manuel va a venir *(with)* ___con___ los boletos.
9. El pueblo vivía *(under)* ___bajo___ una dictadura.
10. El jefe está *(before)* ___ante___ sus partidarios.
11. Tenemos que estar *(at)* ___en___ su casa *(at)* ___a___ las ocho.
12. *(According to)* ___Según___ el periódico, muchos campesinos se mudan a la ciudad.
13. No puedo vivir *(without)* ___sin___ mi mujer.
14. Había muchos papeles *(on)* ___en___ la mesa.
15. Tratamos de encontrarlo semana *(after)* ___tras___ semana.
16. Viven en este barrio *(since)* ___desde___ febrero.

7-13 Preposiciones compuestas. Complete estas oraciones con una preposición compuesta.

1. *(On top of)* ___Encima de___ la mesa había un televisor.
2. Los obreros se sentaron *(under)* ___debajo de___ un árbol.
3. *(Opposite)* ___Frente a___ la casa había una iglesia.
4. Hay muchos árboles *(around)* ___alrededor de___ mi casa.
5. *(Outside of)* ___Fuera de___ la ciudad viven los ricos.
6. *(Before)* ___Antes de___ salir, ellos querían escuchar los nuevos discos.
7. *(Near)* ___Cerca de___ la choza había un pozo seco.
8. Queríamos estar *(inside of)* ___dentro de___ la casa.
9. Tenía que quedarse *(behind)* ___detrás de___ la puerta.
10. Querrían una casa de campo *(next to)* ___junto a___ la playa o *(alongside of)* ___al lado de___ un río.
11. *(Because of)* ___A causa de___ su pobreza no pueden comprar un vestido nuevo.
12. *(In spite of)* ___A pesar de___ sus dificultades, tenían esperanza.

Answers 7-14: *Answers will vary.*

7-14 Opiniones personales. En grupos de tres personas, complete estas oraciones con sus propias ideas. Luego, compárelas con las de otro(a) compañero(a) de clase. ¿Tienen mucho en común?

1. Voy a divertirme en vez de _____.
2. Yo siempre _____ antes de comer.
3. Voy al cine después de _____.
4. Además de _____ quiero mirar la televisión.
5. Voy a hacer un viaje a España a pesar de _____.
6. Prefiero vivir fuera de _____.
7. Quiero comprar una casa que esté lejos de _____.
8. No voy de compras en este barrio rico a causa de _____.

7-15 Su cuarto. Describa su cuarto, dando la ubicación de las cosas de la lista. Después, su compañero(a) de clase va a describir el suyo. ¿Cuáles son las diferencias y semejanzas?

Modelo   cama
Mi cama está cerca de la ventana.

1. el televisor
2. la radio
3. la computadora
4. los libros
5. la mesa

6. la ropa
7. la silla
8. los retratos
9. la lámpara
10. la ventana

Heinle iRadio: To hear more about **Por** and **Para**, visit . . . **www.thomsonedu.com/spanish.**

Certain verbs such as **pedir, esperar,** and **buscar** include the meaning *for* in the verb itself and therefore never require **por** or **para.**

Grammar considerations: Assign this section as homework so that you can dedicate more class time to the activities in the **Práctica** section. In class, quickly review the use of **por** and **para** by asking students to "teach" the class. Divide class into two groups: group 1 will teach "the uses of **por**" and group 2 will teach "the uses of **para.**" In class give students 5 minutes to prepare their material before presenting. Encourage a presentation by more than two students per group.

Uses of *por* and *para*

A. Uses of *por*

1. To translate *through*, *by*, *along*, or *around* after verbs of motion.

Pedro entró por la puerta de su choza.
Pedro entered through the door of his hut.

Andaba por la senda junto al río.
He was walking along the path by the river.

Le gusta a ella pasearse por la ciudad.
She likes to walk around the city.

2. To express the motive or reason for a situation or an action (*because, for the sake of, on account of*).

No quiero que sufras por falta de trabajo.
I don't want you to suffer because of lack of work.

Lo hace por amor a sus hijos.
He does it because of (out of) love for his children.

3. To indicate lapse or duration of time (*for*).

Trabajó la tierra seca por tres años.
He worked the dry land for three years.

Irán a la ciudad por seis meses.
They will go to the city for six months.

4. To indicate *in exchange for.*

Compró el machete por 20 pesos.
He bought the machete for twenty pesos.

5. To mean *for* in the sense of *in search of* after **ir, venir, llamar, mandar,** etc.

Fue por la partera.
He went for the midwife.

Fueron a la librería por un libro.
They went to the bookstore for a book.

Vinieron por una vida mejor.
They came for (looking for) a better life.

6. To indicate *frequency, number, rate,* or *velocity.*

Va al pueblo tres veces por semana.
He goes to town three times a week.

¿Cuánto ganas por hora?
How much do you earn per hour?

El límite de velocidad es ochenta kilómetros por hora.
The speed limit is eighty kilometers an hour.

7. To express the manner or means by which something is done *(by).*

Lo mandaron por correo.
They sent it by mail.

8. To express *on behalf of, in favor of, in place of.*

Ayer trabajé por mi hermano.
Yesterday I worked for (in place of) my brother.

El abogado habló por su cliente.
The lawyer spoke for (on behalf of) his client.

Votará por el Sr. Sánchez.
He will vote for (in favor of) Mr. Sánchez.

9. In the passive voice construction to introduce the agent of the verb.

Los frijoles fueron calentados por el vendedor.
The beans were heated by the vendor.

10. To express the idea of something yet to be furnished or accomplished.

Me quedan tres páginas por leer.
I have three pages left to read.

La casa está por ser construida.
The house is yet to be built.

11. To translate the phrases *in the morning (in the afternoon,* etc.) when no specific time is given.

Siempre doy un paseo por la tarde.
I always take a walk in the afternoon.

12. In cases of mistaken identity.

Me tomó por su primo.
He mistook me for his cousin.

B. Uses of *para*

1. To indicate a purpose or goal *(in order to, to, to be).*

Es necesario estudiar para aprender.
It is necessary to study (in order) to learn.

Paco debe salir temprano para llegar a tiempo.
Paco should leave early in order to arrive on time.

Trabajará como mecánico para ganar más dinero.
He will work as a mechanic in order to earn more money.

María estudia para médica.
María is studying to be a doctor.

2. To express destination *(for).*

Salen mañana para la capital.
They leave tomorrow for the capital.

El regalo es para mi novia.
The gift is for my fiancée.

3. To denote what something is used for or intended for *(for).*

Compré una taza para café.
I bought a cup for coffee (coffee cup).

Es un estante para libros.
It's a bookcase.

Ha de haber escuelas buenas para Panchito.
There must be good schools for Panchito.

4. To express *by* or *for* a certain time.

Comprará unos vestidos para el verano.
She will buy some dresses for summer.

Esta lección es para mañana.
This lesson is for tomorrow.

Hará la tarea para el jueves.
She will do the homework by Thursday.

5. To indicate a comparison of inequality.

Para una chica de seis años, toca bien el piano.
For a girl of six, she plays the piano well.

6. With the verb **estar** to express something that is about to happen.

La clase está para empezar.
The class is about to begin.

Note: This usage is not universal. In a number of Spanish-speaking countries you would say **está *por* empezar.**

Práctica

Out-of-class assignment, 7-16: Have students complete this activity at home so that you can dedicate more time to the rest of the activities in the **Práctica** section. At the beginning of the next class, correct the activity or have students compare and justify their answers.

7-16 Observaciones generales. Complete estas oraciones con **por** o **para.**

1. Ana estudia __para__ ser maestra.
2. Hemos estado en este barrio __por__ dos días.
3. __Para__ llegar al taller es necesario pasar __por__ el parque.
4. La casa fue construida __por__ su abuelo.
5. Hay que terminar la tarea __para__ las nueve de la noche.
6. Ya es tarde y los obreros están __para__ salir de la fábrica.
7. Fueron a la cantina __para__ comer.
8. Tengo un cuaderno __para__ mis apuntes.
9. __Para__ un chico que habla tanto, no dice mucho de importancia.
10. Nuestros amigos quieren ir al teatro. Nosotros estamos __por__ ir también.
11. Estas uvas son __para__ ti.
12. Se cayeron __por__ no tener cuidado.
13. Debe dejar el coche en el garaje __por__ una semana.
14. Recibí las noticias __por__ telegrama.
15. No hay suficiente tiempo __para__ terminar el trabajo.
16. Lo hice __por__ el jefe porque él no podía venir.
17. La choza todavía está __por__ construir.
18. No puedo encontrar nada __por__ aquí.
18. Nos tomaron __por__ españoles, pero somos de Italia.
20. Salieron de casa __por__ la noche.

7-17 Un viaje a México. Complete la historia de Manuel, que está planeando mudarse a la Ciudad de México. Use **por** o **para** en las oraciones. Luego, compare sus respuestas con las de su compañero(a) de clase. Si no están de acuerdo tienen que justificar sus respuestas.

1. Manuel ha decidido salir __para__ la capital __para__ buscar empleo.
2. __Para__ una persona pobre sin trabajo, él todavía es optimista.
3. Él está __para__ salir porque tiene que estar allí __para__ el sábado.
4. Él va a viajar __por__ camión __por__ la costa y __por__ las montañas antes de llegar a la capital.
5. Ayer compró un billete del camión __por__ 20 pesos.
6. Su esposa fue al mercado __por__ comestibles __para__ prepararle una comida especial antes de su salida.
7. Se quedará en la capital __por__ dos meses.
8. Él está __por__ trabajar en una tienda o en una fábrica, si hay un puesto __para__ él.
9. Él cree que habrá más oportunidades __para__ su familia en la ciudad.
10. Las páginas finales de este cuento de Manuel están __por__ escribirse.

Answers 7-18: 1. ¿Por qué estás en esta universidad? 2. ¿Para qué estás estudiando? 3. ¿Por cuánto tiempo tienes que estudiar para terminar tus estudios? 4. ¿Tienes que trabajar para pagar tus cuentas? 5. ¿Trabajas por la tarde o por la noche?

7-18 Una entrevista. Hágale preguntas a su compañero(a) de clase para saber la información indicada a continuación.

1. why he/she is at the university
2. what he/she is studying to be
3. how long he/she will have to study to finish his/her courses
4. if she/he has to work in order to pay his/her bills
5. if he/she works in the afternoon or evening

¿Cómo contestó Ud.? ¿Se parecen mucho sus respuestas a las de su compañero(a)? Explique.

Prepositional pronouns

A. Nonreflexive prepositional pronouns

Grammar considerations: Assign this section as homework so that you can dedicate more class time to the activities in the **Práctica** section. In class, quickly review the use of the prepositional pronouns by asking students to provide examples and/or translate English sentences to Spanish that require the use of these pronouns.

1. The nonreflexive prepositional pronouns are used as objects of a preposition. They have the same forms as the subject pronouns with the exception of **mí, ti.**

mí	*me*	**nosotros(as)**	*us*
ti	*you*	**vosotros(as)**	*you*
Ud.	*you*	**Uds.**	*you*
él	*him, it*	**ellos**	*them*
ella	*her, it*	**ellas**	*them*

2. Some common prepositions followed by the prepositional pronouns:

a	*to*	**en**	*in, on*	**por**	*for, instead of*
ante	*in front of*	**hacia**	*toward*	**sin**	*without*
contra	*against*	**hasta**	*until*	**sobre**	*on, over*
de	*of, from*	**para**	*for*	**tras**	*behind, after*
desde	*since*				

A mí no me gusta mirar televisión.
I don't like to watch television.

Habrá diversiones para ti.
There will be entertainment for you.

No puede vivir sin ella.
He cannot live without her.

3. The third person singular and plural forms may refer to things as well as to people.

No puedo estudiar sin ellos. (libros)
I can't study without them.

4. When **mí** and **ti** follow the preposition **con,** they have the special forms **conmigo** and **contigo.**

¿Vas conmigo o con ellos?
Are you going with me or with them?

Quieren mudarse contigo a la ciudad.
They want to move with you to the city.

5. After the words **como, entre, excepto, incluso, menos, salvo,** and **según,** subject pronouns rather than prepositional pronouns are required in Spanish.

Hay mucho cariño entre tú y yo.
There is a great deal of affection between you and me.

Quiero hacerlo como tú.
I want to do it like you.

6. The neuter prepositional pronoun **ello** is used to refer to a previously mentioned idea or situation.

Estoy harto de ello.
I am fed up with it.

No veo nada malo en ello.
I don't see anything bad about it.

B. Reflexive prepositional pronouns

mí	(mismo[a])	nosotros(as)	(mismos[as])
ti	(mismo[a])	vosotros(as)	(mismos[as])
sí	(mismo[a])	sí	(mismos[as])

1. When the subject of the sentence and the prepositional pronoun refer to the same person, the reflexive forms are used. These forms are the same as the regular prepositional pronouns with the exception of **sí,** which is used for all third person forms (singular and plural). When used with **con** the reflexive prepositional pronoun **sí** becomes **consigo.**

El campesino nunca habló de ella.
The peasant never spoke of her.

El campesino nunca habló de sí (mismo).
The peasant never spoke of himself.

Ellas estaban contentas con él.
They were happy with him.

Ellas estaban contentas consigo (mismas).
They were happy with themselves.

2. The adjective **mismo** may be added after any of the reflexive prepositional pronouns in order to intensify a reflexive meaning. In these constructions **mismo** agrees in gender and number with the subject.

Ellas quieren hacerlo para sí mismas.
They want to do it for themselves.

Estamos descontentos con nosotros mismos.
We are unhappy with ourselves.

Práctica

Out-of-class assignments, 7-19 & 7-20: Have the students complete these activities at home so that you can dedicate more time to the open-ended activities that follow. At the beginning of the next class, correct at least one to see if students mastered the use of the prepositions. If there does not seem to be any problem, then proceed with the rest of the activities in the **Práctica** section.

Answers 7-19: 1. Los regalos son para mí, ti, él, ellos, nosotros, ella, Uds… 2. Han discutido el problema contigo, conmigo, con ella, con ellos, con Uds., con él. 3. Todos están contra ellos, ti, mí, Uds., él, nosotros, ella.

Answers 7-20: 1. No, compro un coche nuevo para mí mismo. 2. No, hace los ejercicios para sí misma. 3. No, mi amigo está descontento consigo mismo. 4. No, mi primo va a construir la casa para sí mismo.

Answer 7-21: *Answers will vary.*

7-19 Preguntas generales. Conteste estas preguntas, usando las formas no reflexivas de los pronombres preposicionales.

1. ¿Para quién(es) son los regalos? *(me / you [fam. sing.] / him / them / us / her / you [pl.])*
2. ¿Con quién(es) han discutido el problema? *(you [fam. sing.] / me / her / them / you [pl.] / him)*
3. ¿Contra quién(es) están todos? *(them / you [fam. sing.] / me / you [pl.] / him / us / her)*

 7-20 Más preguntas generales. Conteste estas preguntas usando las formas reflexivas de los pronombres preposicionales. Su compañero(a) de clase va a hacerle estas preguntas.

    Modelo   ¿Traen los refrescos para los invitados?
                  No, traemos los refrescos para nosotros mismos.

1. ¿Compras un coche nuevo para tu hermana?
2. ¿Hace tu amiga los ejercicios para el profesor?
3. ¿Está tu amigo descontento con su novia?
4. ¿Va tu primo a construir la casa para su familia?

7-21 Una entrevista. Hágale estas preguntas a su compañero(a) de clase.

1. ¿Quieres ir conmigo al cine esta noche?
2. ¿Quieres ir con nuestros amigos a un café después?
3. ¿Prefieres quedarte con nosotros esta noche en vez de volver a casa?
4. ¿Piensas que esas chicas quieren salir contigo y conmigo?

For more practice of vocabulary and structures, go to the book companion website at www.thomsonedu.com/ spanish/intermediatespanish.

Suggestion: Students should review: 1. subjunctive in adjective clauses and 2. subjunctive versus indicative after indefinite expressions.

Answers 7-22: *Answers will vary.*

Antes de empezar la última parte de esta **unidad,** es importante repasar el vocabulario nuevo y la estructura y hacer las actividades que siguen.

7-22 Su futuro. Con un(a) compañero(a) de clase, comparen varias cosas que Uds. querían hacer en el pasado y esperan hacer en el futuro. Contesten con ideas muy originales.

1. Cuando era pequeño(a) quería asistir a una universidad que _____.
2. En el futuro quiero encontrar un trabajo que _____.
3. Espero casarme con un hombre / una mujer que _____.

Ahora, continúen Uds. con cinco ideas personales.

Answers 7-23: *Answers will vary.*

7-23 Las preferencias personales. Con un(a) compañero(a) de clase, hablen de sus preferencias en la vida. Estén listos(as) para explicar por qué prefieren ciertas cosas. Sigan el modelo.

> **Modelo** comprar una casa (ser grande, ser pequeña, estar en la playa)
> —*Prefiero comprar una casa que sea grande. ¿Y tú?*
> —*Prefiero comprar una casa que esté en la playa.*

1. casarme con un hombre (una mujer) (ser inteligente / ganar mucho dinero / querer una familia grande / saber divertirse)
2. encontrar un trabajo (pagar bien / ser interesante / ofrecer la oportunidad de progresar / no ser difícil)
3. vivir en una ciudad (tener muchas diversiones / estar en un país extranjero / ofrecer muchas oportunidades)
4. comer en un restaurante (servir platos extranjeros / tener buenos vinos / costar poco)
5. conocer a una persona (saber bailar bien / a quien le gustar los deportes / querer asistir al teatro / ser divertida)

Si hay tiempo, su profesor(a) puede conducir una encuesta para saber cuáles de las respuestas son las más populares y cuáles son las menos populares.

Answers 7-24: *Answers will vary.*

7-24 Opiniones personales. Exprese sus opiniones sobre las situaciones siguientes completando cada una de las oraciones de una manera lógica. Después, compare sus respuestas con las de un(a) compañero(a) de clase. ¿Tienen mucho en común?

1. Voy a graduarme de esta escuela por _____.
2. Encontraré un trabajo adondequiera que yo _____.
3. Más tarde iré con mi familia a Europa cuandoquiera que ellos _____.
4. Compraré recuerdos *(souvenirs)* para mis amigos por _____.
5. Al volver a casa les mostraré todas mis fotos a quienesquiera que _____.
6. Después de tres años voy a casarme con cualquier persona que _____.
7. Durante mi vida no habrá nada que _____.
8. No habrá ninguna novela que _____ tan _____ como mi vida.

Review the uses of **por** and **para** before doing the following activity.

7-25 Los estudios en el extranjero. Ud. piensa pasar un año estudiando y viajando en España. Use **por** o **para** para completar la descripción de sus planes.

Ahora estoy listo(a) __para__ mudarme a España. Mañana __por__ la tarde salgo __para__ Madrid. Prefiero viajar __por__ barco, pero tengo que estar en la capital __para__ el jueves. __Por__ eso es necesario ir __por__ avión. Voy a España __para__ estudiar español y literatura española. Voy a quedarme allí __por__ un año. En la universidad voy a estudiar __para__ maestro(a) de español. __Para__ perfeccionar el español, pienso que es importante pasar tiempo en un país donde se habla este idioma.

Hay mucho que hacer antes de salir. Compré dos maletas __para__ la ropa, pero todavía están __para__ hacer. Mi madre me dijo que las haría __por__ mí, si yo no tuviera tiempo __para__ hacerlas.

__Para__ una persona que no ha viajado mucho, no tengo miedo. Espero que los españoles no me tomen __por__ turista. Quiero ser aceptado(a) __por__ la gente como estudiante, nada más.

Suggestion: Have students create a short conversation using the material presented in this section.

Learning to involve your partner in conversations is an important technique for keeping the conversation going. You can do this by utilizing expressions that ask for confirmation of preceding comments or that request an opinion or information.

How to involve others in conversations

Confirmation of preceding comments:

Viven en México, ¿no?	*They live in Mexico, right?*
No le (te) gusta bailar, ¿verdad?	*You don't like to dance, right?*

Requesting an opinion or information:

Y ¿qué le (te) parece esta idea?	*And how does this idea seem to you?*
Y ¿qué piensa Ud. (piensas)?	*And what do you think?*
¿Qué opina Ud. (opinas) de este problema?	*What is your opinion of this problem?*
¿Qué sabe Ud. (sabes) de eso?	*What do you know about that?*

👥 Descripción y expansión

Suggestion, Descripción y expansión: You may have the students work in groups of two or three. Before you begin the activity, you may want to give the students 3–4 minutes to look it over.

Suggestion: The following activities are centered around the drawings. The image can also be downloaded from the Heinle website at **www.thomsonedu.com/ spanish/intermediatespanish** for use as an overhead transparency.

Hay ventajas y desventajas de vivir en la ciudad, así como en el campo. Esto depende de la personalidad del individuo y la clase de vida que él (ella) quiera tener. Estudie con cuidado los dos dibujos de la página siguiente. ¿Dónde prefiere vivir? Haga las actividades a continuación.

Descripción. Describa con detalles la escena de la ciudad y la escena del campo.

Opiniones. Conteste las siguientes preguntas.

    a. ¿Le gustaría a vivir en la ciudad dibujada en la página 184? Explique.

    b. ¿Le gustaría a vivir en la parte del campo dibujada en esta página? ¿Por qué?

    c. ¿En qué ciudades o regiones rurales ha vivido? Cuéntele a la clase algo sobre uno de estos lugares. ¿Fue una experiencia buena o mala? ¿Por qué?

Ahora, su profesor(a) va a conducir una encuesta de la clase para saber cuántos estudiantes prefieren vivir en la ciudad y cuántos en el campo. Cada estudiante tiene que dar una razón para su preferencia. ¿Dónde prefiere vivir la mayoría de los estudiantes?

Suggestion: You may have the students first obtain a general idea of the audio's content by listening without looking at the activities. Next, have them read the activities that follow, and then listen to the audio for the second time. This time, ask them to take notes while listening to the dialogue.

Economía global

Escuche la situación y complete las actividades.

José, un estudiante que se especializa en español, entrevista a su profesor de economía, que es uruguayo, con el fin de completar el trabajo que está haciendo para la clase que este curso tiene sobre la civilización hispánica contemporánea.

Información. Complete las siguientes oraciones con una de las posibilidades que se ofrecen.

1. Un estudiante entrevista al profesor…
   a. acerca de la civilización hispánica.
   b. español.
   c. haciendo un trabajo.

2. España invierte…
   a. sólo en América Latina.
   b. en los Estados Unidos.
   c. en las Américas.

3. El profesor habla…
   a. en la lengua de Cervantes.
   b. en inglés.
   c. de la expansión económica.

4. La gente de Washington viajará…
   a. en compañías españolas.
   b. en trenes españoles.
   c. en los Estados Unidos.

5. El chico que entrevista es estudiante de…
   a. profesor.
   b. español.
   c. expansión económica.

 Conversación/Debate. Dos grupos de estudiantes debaten el pro y la contra de la inversión extranjera en la economía global. Uno defiende la posición de un país poco desarrollado, cuyos recursos naturales van desapareciendo y cuya industria no se desarrolla, aunque la población sigue aumentando. Otro representa un país del hemisferio norte, cuya expansión económica depende de los países subdesarrollados.

 Situaciones. Con un(a) compañero(a) de clase, prepare algunos diálogos que correspondan a las siguientes situaciones. Estén listos para presentarlos enfrente de la clase.

1. Buscando empleo. Ud. tiene una entrevista con el (la) director(a) de personal de una compañía. Ud. le dice a él (a ella) la clase de trabajo que Ud. quiere. El (La) director(a) le describe a Ud. los trabajos que están disponibles en la compañía. Luego le pide a Ud. que complete un formulario y que lo deje con el (la) secretario(a). Le informa que él (ella) lo (la) llamará a Ud. el viernes.

2. Unas elecciones políticas. *Un(a) candidato(a) conservador(a) y un(a) liberal debaten sobre lo que su partido político puede hacer para ayudar a los pobres.*

3. Buscando un apartamento nuevo. *Ud. acaba de mudarse a una ciudad cerca de las montañas y está buscando un apartamento. Ud. llama a un(a) corredor(a) de bienes raíces (realtor). El (La) corredor(a) de bienes raíces le hace una serie de preguntas para saber la clase de apartamento que le gustaría a Ud.*

Suggestion: Have students use transparencies while acting out the situations above. The following transparencies in the Heinle Spanish Transparency Bank are recommended: **C-2 En los cuartos** and **L-6 Buscando un apartamento.**

El (La) corredor(a) debe pedir información sobre las cosas siguientes:

1. número de cuartos que incluye: las habitaciones, baños, etc.
2. la ubicación del apartamento: ¿en qué parte de la ciudad? ¿en qué piso? etc.
3. la necesidad de tener un garaje
4. el dinero que Ud. quiere pagar para alquilar un apartamento
5. otras cosas de importancia

Text Audio CD, Track 22

Suggestion: Have students first obtain a general idea of the audio's content by listening without playing the five sentences. Then, play the audio for the second time and have them listen to the five sentences so they can perform the activities.

Ejercicio de comprensión. Ud. va a escuchar un comentario sobre la pobreza de los países hispanoamericanos. Después del comentario, va a escuchar varias oraciones. Indique si la oración es **verdadera** (V) o **falsa** (F), trazando un círculo alrededor de la letra que corresponde a la respuesta correcta.

1. V (F)
2. (V) F
3. (V) F
4. V (F)
5. (V) F

Además del tema general de este comentario que es «la pobreza», escriba dos o tres cosas más que ha aprendido al escucharlo.

Discusión: Los problemas contemporáneos. Hay tres pasos en esta actividad. **Primer paso:** En grupos de tres personas, contesten las siguientes preguntas y expliquen sus respuestas. **Segundo paso:** Los miembros de cada grupo tienen que preparar una explicación para sus respuestas. **Tercer paso:** Los grupos tienen que participar en una encuesta conducida por el (la) profesor(a).

1. ¿Cuál es el problema más grave con que nos enfrentamos en los Estados Unidos?
   a. el crimen
   b. la inflación
   c. el desempleo

2. ¿Cuál de los siguientes es el problema más grave con que vamos a enfrentarnos en el futuro?
   a. el exceso de población
   b. la contaminación del agua y del aire
   c. la pobreza

3. Si Ud. fuera presidente, ¿a cuál de los siguientes problemas le daría prioridad?
   a. a la defensa del país
   b. a los programas contra la pobreza
   c. a la ayuda económica para las ciudades

4. ¿En cuál de los siguientes programas debe gastar más dinero el gobierno?
   a. en la curación para el cáncer
   b. en la eliminación de los barrios pobres
   c. en empleos para los desocupados

5. ¿Quién es más responsable por el bienestar económico?
   a. el gobierno
   b. la industria
   c. el individuo

6. Si fuera necesario que el gobierno federal gastara menos, ¿qué gastos podría eliminar?
   a. el apoyo económico para los países extranjeros
   b. los fondos para la educación
   c. los gastos para la defensa nacional

7. ¿Cuál es la causa principal del crimen?
   a. la falta de oportunidades económicas
   b. la disolución de la familia
   c. los prejuicios raciales

Ahora, el (la) profesor(a) va a conducir una encuesta de los estudiantes para ver cuáles de las respuestas parecen indicar las opiniones más compartidas por la mayor parte de la clase.

ATAJO

Temas de conversación o de composición

Suggestion: To help students write their dialogues, refer them to ATAJO 4.0 Writing Assistant for Spanish.

Trabajando en grupos de cuatro personas de la clase, preparen un diálogo sobre el tema del crimen y de la violencia. Uno de Uds. es candidato(a) a la presidencia; los otros dos son periodistas que van a hacerle preguntas sobre los siguientes temas.

1. su actitud hacia los prejuicios raciales, religiosos y sexuales, y la posible relación entre tales actitudes y el crimen y la violencia.
2. el papel de la pobreza como causa del crimen y de la violencia
3. otros factores que pueden conducir al crimen y a la violencia
4. lo que puede hacer el gobierno para reducir el número de crímenes
5. lo que deben hacer la industria y el individuo para reducir el número de crímenes
Prepárense para hacer o presentar este diálogo enfrente de la clase.

✿ Investigación y presentación

El bienestar de la economía depende de varios factores, pero uno de los más importantes es cómo el público gasta el dinero. Hay algunas personas que son muy conservadoras y compran solamente lo que necesitan para sobrevivir. En cambio, hay otras que quieren comprar cualquier cosa que les guste. No tratan de ahorrar dinero.

Este tipo de persona se llama un derrochador. La revista *Cambio 16* de España publicó un artículo en su revista titulado «¿Es usted un consumista?». La persona que contesta una serie de preguntas que se encuentran en el artículo puede analizar su actitud hacia el dinero y los gastos. Aproveche este autoestudio para conocerse a sí mismo y su actitud hacia el gasto de dinero.

Lea la Lectura con mucho cuidado antes de contestar las Preguntas.

www.thomsonedu.com/spanish/
intermediatespanish

👥 Preguntas

¿Un derrochador, un moderado o un ahorrador? Repase con cuidado todas las preguntas que aparecen en la lectura, y cómo se cuentan las respuestas para conocerse a sí mismo y para saber si Ud. es consumista. Ahora, su profesor(a) va a dividir la clase en seis grupos. Cada miembro del grupo va a tomar el test. Luego cada persona va a compartir el resultado del test que indicará si la persona es derrochadora, moderada o ahorradora. (Hay una definición de estas tres palabras en la parte debajo del test. Una palabra importante es rebaja, que quiere decir *«sale».*)

Una encuesta. Después de terminar con esta actividad, el (la) profesor(a) va a conducir una encuesta de toda la clase para saber cuántos estudiantes son derrochadores, moderados o ahorradores. ¿Qué quiere hacer la mayor parte de los estudiantes? ¿gastar mucho dinero o ahorrarlo?

👥 Expansión

This is a prime opportunity to expand to the website for additional activities, and it offers other resources if the companion books are not being used by students.

Trabajando en grupos de tres personas, cada grupo tiene que hablar de *«la pobreza»* como problema económico internacional. Cada grupo tiene que hacer una lista de por lo menos diez cosas que los varios gobiernos mundiales pueden hacer para resolver este problema. Además de sus propias ideas, es posible encontrar otras ideas en el Internet (**www.thomsonedu.com/spanish/intermediatespanish**) o en *Civilización y cultura,* que acompaña este libro. Si se usa este libro en esta clase, lea la sección que se llama *«Soluciones modernas».* Este comentario presenta algunas ideas buenas que se pueden usar para confrontar este problema mundial. Al terminar con el intercambio de ideas en su grupo, estén listos para presentar sus ideas oralmente a la clase para comparar los remedios para resolver este problema. ¿Cuáles son algunas de las ideas que la mayor parte de los grupos mencionó y, por otra parte, las ideas que la menor parte de los grupos presentó?

¿Es usted un consumista?

Descubra, a través de este test, su actitud hacia el dinero y los gastos. Le llevará a comprender si compra por el placer de gastar y es un derrochador o si, por el contrario, su actitud es moderada y sólo gasta en aquello que necesita para cubrir sus necesidades o en algún capricho

VALORACIÓN
Cuente las respuestas del siguiente modo:

	A	B	C
1.	3	2	1
2.	3	1	2
3.	2	3	1
4.	1	2	3
5.	3	1	2
6.	1	2	3
7.	1	2	3

Puntuación alta: cuando la respuesta predominante es la nº 3, es usted un derrochador.
Puntuación media: cuando la respuesta predominante es la nº 2, usted ajusta los gastos a su presupuesto.
Puntuación baja: cuando la respuesta predominante es la nº 1, no hay duda, le gusta ahorrar.

Responda a cada una de las siguientes preguntas según las tres opciones que se le ofrecen:

1. ¿Sus amigos y conocidos suelen decirle que es un consumista?
a. La verdad es que disfruta comprando y gastando.
b. A veces gasta, pero no le parece que sea un derrochador.
c. No, no es un derrochador, aunque tampoco se puede decir que sea un «rata».

2. ¿Le atraen o utiliza objetos personales (bolsos, corbatas, paraguas, camisas, mecheros) «de marca»?
a. Sí. En general cree que el diseño y calidad son muy superiores, aunque el precio suba por la marca.
b. No. Si los usa es porque se los regalan.
c. De vez en cuando.

3. ¿Qué hace con la publicidad que llega a su casa con una amplia gama de precios y productos variados?
a. Se la lee bien y, en muchas ocasiones, la guarda por si acaso.
b. La guarda y, con frecuencia, hace uso de las ofertas.
c. La tira.

4. ¿Cada cierto tiempo se compra un coche nuevo o renueva su vestuario, aunque no sea estrictamente?
a. No. Compra o cambia este tipo de cosas sólo cuando las necesita.
b. Cada temporada suele comprarse algo nuevo, aunque sin llegar a renovar su vestuario. Coches ha tenido varios.
c. Sigue la moda siempre que puede. Renueva su vestuario en cuanto tiene posibilidad y cambia de coche cuando sus medios económicos se lo permiten.

5. ¿A veces compra cosas encantado pensando que le van a ser muy útiles y que las va a usar muchísimo y que después no las utiliza para nada?
a. Algunas veces actúa por impulso y se ha dejado llevar por un capricho momentáneo.
b. No se deja llevar por los impulsos. Antes de gastar el dinero lo medita mucho.
c. Algunas veces se ha dejado llevar por el impulso y ha comprado cosas que puede no haber usado, pero que las usará en el futuro.

6. ¿Qué elige a la hora de hacer regalos?
a. Elige regalos estándar.
b. Normalmente se decide a comprar esos objetos que están rabiosamente de moda.
c. Elige algo que la persona a quien se lo va a regalar sugirió que le gustaría tener, o que está segura de que le agradará.

7. ¿Compra en rebajas?
a. No le gusta comprar en rebajas.
b. Normalmente espera a las rebajas para comprar cosas que le interesan de verdad.
c. Disfruta mucho con las rebajas. Generalmente compra cosas que no le gustan sólo porque están de rebajas.

EL DERROCHADOR
Es un bolsillo roto. Todo lo que gana desaparece. En definitiva, vive por encima de sus posibilidades, no es nada previsor y esa costumbre suya puede llegar a darle más de un disgusto. Esta necesidad de tener, tener y tener le puede convertir, o puede que ya lo sea, en un insatisfecho crónico. Debería aprender a ajustarse más a sus posibilidades económicas reales.

EL AJUSTADO A SUS POSIBILIDADES
Sabe organizarse para llegar airosamente a final de mes. Aunque en algunas ocasiones comete algún desliz sin importancia, ya que vivimos en una sociedad consumista, sabe resarcirse, en la mayoría de las ocasiones, y quedarse un poco al margen.

EL AHORRADOR
Es como una hormiguita. Saca dinero de donde no lo hay. Y después lo guarda en un calcetín debajo de la cama como nuestros abuelos. De momento, no llega a ser preocupante. Pero, ¡cuidado!, puede caer en la tacañería.

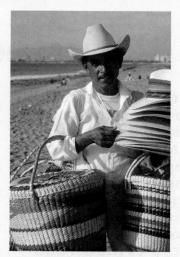
Un hombre vende cestas y sombreros de paja en México.

La Bolsa de la Ciudad de México que tiene un papel importante en la economía de México.

Un hombre vende mantas en un mercado en México.

Preguntas

1. ¿Qué representa la Bolsa? ¿Qué le parece la Bolsa?
2. Después de estudiar las fotos, ¿le parece que México es un país rico o pobre? Explique. Hay otras photos en la Unidad 7 que muestran escenas de otros países. ¿Estos países le parecen ricos o pobres? Explique.
3. ¿Quiere Ud. vivir en estos países? ¿sí o no? Si su respuesta es ´sí´, ¿cuál de estos países prefiere?

Los movimientos revolucionarios del siglo XX

Estas personas del Paraguay hacen una manifestación. ¿Contra qué protestan? ¿Quiénes participan? ¿padres? ¿estudiantes? ¿Hay manifestaciones como ésta en su ciudad? ¿Por qué?

Mentor

Literatura y arte: The theme of **Revolución** is presented in this text through the short story, **"Un día de éstos,"** written by Gabriel García Márquez of Colombia. The art section of this unit reflects the same theme through the works of two well-known Mexican muralists, José Clemente Orozco y David Alfaro Siqueiros.

Civilización y cultura: Unidad 8 of this text includes four sections that address the theme of **Revolución:** **1. Revolución y «golpe de estado», 2. La Revolución mexicana de 1910, 3. Bolivia en 1952, Cuba en 1959 y Nicaragua en 1979, 4. Los guerrilleros.** Newpaper articles dealing with the same theme are also included.

En contexto

En la mansión de los Hernández Arias

Estructura

- The subjunctive in adverbial clauses (1)
- Demonstrative adjectives and pronouns
- The reciprocal construction
- The reflexive for unplanned occurrences

Repaso

www.thomsonedu.com/spanish/intermediatespanish

A conversar
Interrupting a conversation

A escuchar
De vacaciones

Intercambios

Investigación y presentación
«Voy a arrasar; Guatemala está cansada de abusos»

Expansión

www.thomsonedu.com/spanish/intermediatespanish

En la mansión de los Hernández Arias

Suggestion: Assign the **Vocabulario activo** section as homework. During class time, and before students listen to the dialogue, you can quickly review the **Para practicar** section.

Vocbulario activo

Estudie estas palabras.

Verbos

exigir *to demand*
juntarse a *to join*
rodear *to surround*
secuestrar *to kidnap*
suprimir *to suppress*
vencer *to win*

Sustantivos

el alivio *relief*
el amanecer *dawn*
la amenaza *threat*
el apoyo *support*
el casimir *cashmere*
el colmo *limit*
la culpa *guilt, blame*
el (la) espía *spy*
la fábrica *factory*

el (la) guerrillero(a) *guerrilla fighter*
el (la) holgazán(ana) *loafer, idler*
la ola *wave*
la pesadilla *nightmare*
la primaria *elementary school*
el rescate *ransom*
el secuestro *kidnapping*
el sudor *sweat*

Adjetivos

avergonzado(a) *ashamed*
décimo(a) *tenth*
poderoso(a) *powerful*

Otras expresiones

en cuanto *as soon as*
hacer daño *to harm, to hurt*

8-1 Para practicar. Complete el párrafo siguiente con palabras escogidas de la sección **Vocabulario activo.** No es necesario usar todas las palabras.

Anoche tuve una **1.** __pesadilla__ en un sueño que un grupo de **2.** __guerrilleros__ me **3.** __secuestró__. Los guerrilleros **4.** __exigieron__ un **5.** __rescate__ de un millón de dólares. Ellos dijeron que si no recibían el dinero pronto ellos me **6.** __harían daño__. Al **7.** __amanecer__, me desperté cubierto de **8.** __sudor__. ¡Qué **9.** __alivio__! La **10.** __amenaza__ fue nada más que un sueño. Era tarde. **11.** __En cuanto__ desayuné, salí para la **12.** __fábrica__ dónde estaba trabajando. Todo el día traté de **13.** __suprimir__ la memoria de lo que pasó anoche.

Text Audio CD, Track 23

Suggestion: Assign the corresponding material in the Workbook/Lab Manual as you progress through the **unidad.** Since the activities in the Workbook/Lab Manual can be self-corrected easily, students will receive immediate feedback on how well they understand the concepts currently under study.

Suggestion: Have students first obtain a general idea of the audio's content by listening without looking at the activities. Next, have them read the activities that follow, and then listen to the audio for the second time. This time, ask them to take notes while listening to the dialogue.

En la mansion de los Hernández Arias. Antes de leer el diálogo, escúchelo con el libro cerrado. ¿Cuánto comprendió?

(Gonzalo, el padre, ve entrar a su hijo Emilio.)

GONZALO Hola, hijo. ¿Viste el periódico? Secuestraron al Sr. González[1] y exigen un rescate de dos millones de pesos por su vida.

EMILIO ¡Uy! ¿Quién pagaría eso? El viejo no vale ni la décima parte.

GONZALO ¡Emilio! No bromees[1] —esto de los secuestros es muy serio. Mañana voy a contratar[2] un pistolero[3] para que me proteja.

EMILIO ¿Y cómo vas a asegurarte[4] de que no sea espía? Mientras estén por todas partes esos guerrilleros…

GONZALO	¡Esto es el colmo![5] La policía tiene que hacer algo antes de que caiga el gobierno. Estas amenazas al orden legal[2] tienen que ser suprimidas. Mañana en cuanto llegue a la oficina hablaré con el presidente.
EMILIO	Cálmate, viejo, cálmate. No hay nada que puedas hacer. El orden legal sólo le sirve a los poderosos.
GONZALO	Pero… ¿y yo? Comencé así, sin nada. Lo que tengo lo gané por mi propio sudor.
EMILIO	Y el sudor de los obreros de tus fábricas. Además, tenías una ventaja grande: una falta de escrúpulos que te permitía sobrevivir.
GONZALO	No permito que me hables así. ¡Es una falta de respeto que no aguanto! Y tú, veo que no desprecias[6] los automóviles de último modelo, aquellas vacaciones en Europa el año pasado, los trajes de casimir. Cuando yo me muera, lo tendrás todo.
EMILIO	Sí, tienes razón, papá, pero todo aquello ya pasó. Así me enseñaste, no conocía otra vida. En cuanto me di cuenta, me sentí terriblemente avergonzado.
GONZALO	¡Pero qué ideas! ¡Yo no te enseñé a ser holgazán! Bueno, ya que te has arrepentido[7], debes aprender algo que te sirva en el futuro.
EMILIO	Ya lo he hecho, papá. Voy a buscar una vida que me dé alguna esperanza. En cuanto me despida de ti me voy a juntar a las fuerzas de liberación[3] en las montañas.
GONZALO	¿Cómo? Pero, ¿es posible? ¿Dejas todo esto para vivir con ese grupo de bandidos? ¿Estás loco? ¿Quieres matar a tu mamá?
EMILIO	Bandidos, no, papá! ¡La ola del futuro! Estamos en el amanecer de un nuevo orden. Después que venzamos, habrá justicia, igualdad, solidaridad humana. No habrá resistencia que valga para impedir este movimiento. ¡Venceremos!
GONZALO	Pero, hijo. ¿Cómo te atreves? ¡Es una locura! Te arrepentirás.
EMILIO	Me voy, papá, me están esperando con el viejo González. Adiós.
GONZALO	¿González? ¡Por Dios! ¡No puede ser! Espera, Emilio. No te vayas. ¡Emilio! ¡No le hagan daño a González! ¡Emilio!
CRIADO	Señor, ¡despiértese, despiértese! Habrá sido una pesadilla. ¿Qué pasó? Llamaba a Emilio. Él no ha llegado todavía de la primaria —el chófer fue a recogerlo.
GONZALO	¡Puf! ¡Qué alivio! Soñaba que habían secuestrado al Sr. González.
CRIADO	Pero, señor, aquello pasó anoche. Hoy lo encontraron muerto, el pobre.
EMILIO	¡Hola, papá! ¿Oíste lo del Sr. González?

Notas culturales

[1] *Secuestraron al Sr. González: El secuestro político es uno de los métodos que usan los guerrilleros hoy día. Por lo general la víctima es alguien de suficiente importancia para que el secuestro cause gran escándalo. El rescate muchas veces consiste en dinero, comida o facilidades médicas para los pobres. Así los guerrilleros ganan cierto apoyo popular. Debido a esta amenaza, muchas personas importantes emplean guardias personales.*

[2] *Estas amenazas al orden legal: Muchas veces la falta de orden civil causada por los guerrilleros provoca la caída de los gobiernos débiles o inestables.*

[3] *me voy a juntar a las fuerzas de liberación: A veces los hijos de las familias más ricas son los más rebeldes. Es posible que resulte de un sentimiento de enajenación (alienation) producido por su vida, o de un sentimiento de culpa por lo que tienen, frente a la gran pobreza que los rodea.*

[1] No bromees *don't joke* [2] a contratar *to hire* [3] un pistolero *gunman* [4] asegurarte *to assure yourself* [5] ¡Esto es el colmo! *This is the limit!* [6] que no desprecias *you do not scorn* [7] ya que te has arrepentido *you have repented*

8-2 Actividad cultural. Hoy día parece que haya guerras y revoluciones en varias partes del mundo. Conteste estas preguntas.

1. ¿Cuáles son las diferencias y semejanzas entre los guerrilleros, los terroristas y los insurgentes?
2. ¿Es difícil o fácil luchar contra esos tres grupos de rebeldes?
3. ¿Cuáles son algunos de las cosas horribles que esos grupos hacen para atraer la atención de la gente y los políticos?
4. ¿Tienen mucho o poco éxito usando estas estrategias?
5. ¿Cómo se puede combatir a las actividades de esos tres grupos?

8-3 Comprensión. Conteste las siguientes preguntas.

Possible answers 8-3: 1. Secuestraron al Sr. González. 2. Exigen un rescate de dos millones de pesos. 3. Para que le proteja. 4. Hablará con el presidente. 5. El orden legal sólo le sirve a los poderosos. 6. Es jefe o gerente en una fábrica. 7. Una vida bien cómoda, con automóviles de último modelo, vacaciones en Europa, etc. 8. Porque su papá tenía razón. 9. Va a juntarse a las fuerzas de liberación. 10. Un criado lo despertó. 11. Sí, era cierto lo que había soñado. 12. Es joven. 13. Lo mataron al Sr. González.

Suggestion, 8-3 & 8-4: Have students work in groups or you may do the following activities as a class. Before you begin the activities, give students 3–4 minutes to prepare them.

1. ¿Qué le ha pasado al Sr. González?
2. ¿Qué rescate exigen?
3. ¿Para qué quiere un pistolero el Sr. Hernández?
4. ¿Con quién va a hablar mañana?
5. Según Emilio, ¿a quién le sirve el orden legal?
6. ¿Cómo consiguió el Sr. Hernández su dinero?
7. ¿Qué tipo de vida ha llevado Emilio?
8. ¿Por qué se siente avergonzado Emilio?
9. ¿Qué va a hacer ahora?
10. ¿Quién despierta al Sr. Hernández?
11. ¿Era cierto lo que había soñado él?
12. ¿Es Emilio joven o viejo?
13. ¿Cuál fue el resultado verdadero del secuestro?

8-4 Opiniones. Conteste las siguientes preguntas.

1. ¿Cree que los secuestros ayudan o hacen daño a la causa de los rebeldes? Explique.
2. En su opinión, ¿cuáles son las injusticias sociales que existen y que provocan revoluciones?
3. ¿Cree que es posible resolver los problemas políticos y sociales sin revoluciones violentas? Explique.
4. Según Ud., ¿cómo se pueden resolver los problemas mundiales?
5. ¿Tiene una actitud optimista o pesimista en cuanto al futuro del mundo? ¿Por qué?

Aquí vemos a un grupo de madres de Buenos Aires. ¿Qué hacen ellas? ¿Cómo se llama este grupo? Hace varios años, muchos de los hijos de las familias en la Argentina, desaparecieron misteriosamente. Después de varios meses, las familias supieron que el gobierno había encarcelado a sus niños y había matado a otros. Hoy las madres protestan lo que pasó y quieren saber si algunos de estos hijos todavía están vivos y encarcelados.

🎧 Heinle iRadio: To hear more about the Subjunctive mood, visit . . . **www.thomsonedu.com/ spanish.**

Grammar considerations: Assign this section as homework so that you can dedicate more class time to the activities in the **Práctica** section. In class, quickly review the subjunctive in adverbial clauses by asking students questions that elicit temporal arrangements.

The subjunctive in adverbial clauses (1)

A. Adverbial clauses

An adverbial clause is a dependent clause that modifies the verb of the main clause, and, as an adverb, expresses time, manner, place, purpose, or concession. An adverbial clause is introduced by an adverb, a preposition, or a conjunction.

Adverbial clause denoting time:

El padre hablará con su hijo tan pronto como llegue de la primaria.
The father will speak with his son as soon as he arrives from school.

Adverbial clause denoting manner:

Salió sin que nosotros lo viéramos.
He left without our seeing him.

Adverbial clause denoting place:

Nos encontraremos donde quieras.
We will meet wherever you wish.

Adverbial clause denoting purpose:

Fueron a la oficina para que ella pudiera hablar con el jefe.
They went to the office so that she could speak with the boss.

Adverbial clause denoting concession:

Debes ir a la clínica aunque no quieras.
You should go to the clinic even though you don't want to.

In this unit, only adverbial clauses introduced by adverbs of time will be discussed.

B. Subjunctive and indicative in adverbial time clauses

1. The subjunctive is used in adverbial time clauses when the time referred to in the main clause is future or when there is uncertainty or doubt. The following adverbs usually introduce such adverbial clauses:

Antes (de) que is always followed by the subjunctive because its meaning *(before)* assures that the action in the adverbial clause is in the future.

antes (de) que *before*	hasta que *until*
cuando *when*	mientras (que) *while*
después (de) que *after*	para cuando *by the time*
en cuanto *as soon as*	tan pronto como *as soon as*

Examples:

Van a discutirlo antes de que él salga.
They are going to discuss it before he leaves.

Cuando me muera, lo tendrás todo.
When I die you will have everything.

Después que venzamos, habrá justicia.
After we win there will be justice.

Lo haremos en cuanto llegue ella.
We'll do it as soon as she arrives.

Los secuestros van a continuar hasta que la policía haga algo.
The kidnappings are going to continue until the police do something.

Hablaré con los periodistas mientras estén en la oficina.
I will speak with the journalists while they are in the office.

Ya habrá regresado para cuando su hija se despierte.
He will have already returned by the time his daughter wakes up.

Dijo que me llamaría cuando él llegara.
He said he would call me when he arrived.

Me avisó que lo haría en cuanto pudiera.
He advised me that he'd do it as soon as he could.

2. If the adverbial time clause refers to a fact, a definite event, or to something that has already occurred, is presently occurring, or usually occurs, then the indicative is used. The present indicative or one of the past indicative tenses usually appears in the main clause.

Llegaron después que la policía rodeó la casa.
They arrived after the police surrounded the house.

Lee una revista mientras se desayuna.
He is reading a magazine while he eats breakfast.

Siempre compraba un periódico cuando pasaba por el quiosco.
He always used to buy a newspaper when he passed by the newsstand.

Práctica

 8-5 Un repaso del diálogo. Repase varias partes del diálogo de esta unidad, y complete estas oraciones con la forma correcta de las palabras entre paréntesis. Luego, compare sus respuestas con las de un(a) compañero(a) de clase.

1. Emilio ya estará en casa cuando su papá (despertarse) __se despierte__ .
2. Emilio ya estaba en casa cuando su papá (despertarse) __se despertó__ .
3. Van a leer el artículo después (de) que (comprar) __compren__ el periódico.
4. Leyeron el artículo después (de) que (comprar) __compraron__ el periódico.
5. Él mencionará el secuestro mientras (hablar) __hable__ con su tío.
6. Él mencionó el secuestro mientras (hablar) __hablaba__ con su tío.
7. Su papá dormirá hasta que el criado (entrar) __entre__ a la sala.
8. Su papá durmió hasta que el criado (entrar) __entró__ a la sala.
9. Ellos hablarán con el jefe tan pronto como él (llegar) __llegue__ a la oficina.
10. Ellos hablaron con el jefe tan pronto como él (llegar) __llegó__ a la oficina.
11. Los obreros van a formar un comité en cuanto ellos (encontrar) __encuentren__ un líder.
12. Los obreros formaron un comité en cuanto ellos (encontrar) __encontraron__ un líder.

Answers 8-6: 1. dirá, entre; 2. hable escuchará; 3. se quedará, se duerma; 4. hablarán, entre; 5. trabajará, estén; 6. iba a buscar, encontrara; 7. llegue, discutirán; 8. habrá salido, lleguemos

8-6 Cierto o incierto. Cambie las palabras escritas en letra cursiva por las palabras entre paréntesis. Luego, escriba las oraciones otra vez, haciendo los cambios necesarios. Después compárelas con las de un(a) compañero(a) de clase y justifique los cambios.

1. Emilio no *dice* nada cuando su padre entra. (dirá)
2. En cuanto habla su padre, él no *escucha* más. (escuchará)
3. El criado *se queda* en el cuarto hasta que él se duerme. (se quedará)
4. Ellos *hablan* con su profesor después de que entra a la clase. (hablarán)
5. Ella *trabaja* en la fábrica mientras sus hijos están en la escuela. (trabajará)

6. El periodista *buscó* a los guerrilleros hasta que los encontró. (iba a buscar)
7. Tan pronto como llegó su hijo, *discutieron* los secuestros. (discutirán)
8. Ella *había salido* cuando nosotras llegamos. (habrá salido)

Possible translation 8-7:
Querida Rosa,
Nos quedaremos en la Ciudad de México hasta que la revolución haya terminado en Chiapas. Te contaré sobre las amenazas que recibimos antes de salir de Oaxaca. Ramón piensa escribir un artículo sobre nuestras experiencias tan pronto como haya tiempo. Te mandaremos una copia después de que lo haya publicarla.

Ayer los representantes del gobierno dijeron que iban a discutir el problema tan pronto como llegáramos a la embajada. No sé por qué, pero siempre se enojan cuando discutimos sobre política con ellos. Creemos que ellos quieren suprimir la información sobre las condiciones de América Latina antes de que un diario (periódico) pueda publicarla.

Te llamaré en cuanto hayamos hablado con los funcionarios de la embajada.
Con un abrazo,
Carmen

8-7 Una carta de México. Carmen y Ramón acaban de llegar de Oaxaca a la Ciudad de México. Escriba en español esta carta escrita por Carmen a su amiga Rosa. Luego, compare su carta con la de un(a) compañero(a) de clase. ¿Están de acuerdo?

Dear Rosa,

We will stay in Mexico City until the revolution has ended in Chiapas. I will tell you about the threats we received before we left Oaxaca. Ramón plans to write an article about our experiences as soon as there is time. We will send you a copy after he has written it.

Yesterday the government representatives said that they were going to discuss the problem as soon as we arrived at the embassy (embajada). I don't know why, but they always become angry when we discuss politics with them. We believe that they want to suppress the information about the political conditions in Latin America before a newspaper can publish it.

I will call you as soon as we have talked with the embassy officials.

With a hug,

Carmen

Answers 8-8: *Answers will vary.*

8-8 Opiniones personales. Con un(a) compañero(a) de clase, expresen sus opiniones acerca de los temas siguientes. Luego, compare sus opiniones con las de un(a) compañero(a) de clase para ver las semejanzas y diferencias entre sus opiniones.

1. No voy a unirme *(join)* a un partido político hasta que _____.
2. Votaré por el presidente cuando _____.
3. Tendremos paz en el mundo tan pronto como _____.
4. Nuestro gobierno apoyará los movimientos revolucionarios cuando _____.
5. La democracia sobrevivirá después de que _____.
6. Habrá pobreza en el mundo hasta que _____.
7. Habrá menos revoluciones cuando _____.
8. Los cambios políticos continuarán hasta que _____.

Answers 8-9: *Answers will vary.*

8-9 Las elecciones nacionales. Es la temporada de las elecciones nacionales. Exprese sus opiniones sobre estas elecciones, usando las expresiones siguientes. ¿Quiénes van a ganar, los republicanos o los demócratas? Su compañero(a) de clase puede hacer el papel de representante de un partido político y Ud. puede hacer el papel de representante del otro.

> **Modelo** hasta que
> *Los republicanos no van a ganar las elecciones hasta que ellos bajen los impuestos.*

cuando
después de que
antes de que
tan pronto como

Ahora, compartan sus ideas con la clase.

Demonstrative adjectives and pronouns

A. Demonstrative adjectives

1. The demonstrative adjectives in Spanish are **este** *(this),* **ese** *(that),* and **aquel** *(that).* **Este** refers to something near the speaker; **ese** refers to something near the person being addressed; and **aquel** refers to something that is distant or remote from both the speaker and the person addressed.

   Voy a comprar este traje de casimir.
   I am going to buy this cashmere suit.

   Tomemos ese taxi.
   Let's take that taxi.

   Prefiero aquel hotel.
   I prefer that hotel over there.

2. Demonstrative adjectives agree in gender and number with the nouns they modify. These are the forms:

este	esta	*this*	estos	estas	*these*
ese	esa	*that (nearby)*	esos	esas	*those (nearby)*
aquel	aquella	*that (over there)*	aquellos	aquellas	*those (over there)*

3. Although demonstrative adjectives usually precede the noun, they may also follow, in which case a definite article precedes the noun.

   El chico este es muy travieso.
   This boy is very mischievous.

B. Demonstrative pronouns

1. The demonstrative pronouns are identical in form to the demonstrative adjectives, except that the pronouns have a written accent: **éste (-a, -os, -as); ése (-a, -os, -as); aquél (-lla, -llos, -llas).** They agree in gender and number with the noun they replace.

   Este periódico es mejor que ése.
   This newspaper is better than that one (near you).

   Estos hombres son más simpáticos que aquéllos.
   These men are nicer than those (over there).

   Note that demonstrative adjectives and pronouns are frequently used in the same sentence, and that the singular forms of the pronouns usually mean *this one* or *that one.*

2. The **éste** and **aquél** forms are also used to express *the latter* (**éste**) and *the former* (**aquél**).

   Raúl y Tomás son ciudadanos de México; éste es de Guadalajara y aquél es de Puebla.
   Raúl and Tomás are citizens of Mexico; the latter is from Guadalajara and the former is from Puebla.

   Miguel y Carmen son mis mejores amigos; ésta es de Buenos Aires y aquél es de La Paz.
   Miguel and Carmen are my best friends; the latter is from Buenos Aires and the former is from La Paz.

C. Neuter demonstratives

The neuter demonstrative pronouns **esto, eso,** and **aquello** are used to refer to abstract ideas, situations, or unidentified objects. These forms have no accents.

No creo eso.
I don't believe that (what you just said).

¿Oíste aquello? ¿Qué será?
Did you hear that? I wonder what it is.

¿Qué es esto?
What is this?

Práctica

8-10 Observaciones. Complete esta serie de observaciones con un pronombre o adjetivo demostrativo. Luego, compare sus observaciones con las de un(a) compañero(a) de clase para ver las semejanzas y/o diferencias.

1. *(These)* __Estas__ amenazas tienen que ser suprimidas.
2. *(This)* __Este__ hombre es más holgazán que *(that one)* __ése__.
3. *(These)* __Estas__ fábricas son más grandes que *(those over there)* __aquéllas__.
4. En *(those)* __esos__ tiempos los obreros no vivían de *(this)* __esta__ manera.
5. No queremos ver *(this)* __esta__ película, sino *(that one)* __ésa__.
6. Me gusta *(this)* __esta__ vida más que la vida de la ciudad.
7. A mí no me gustan *(these)* __estos__ vestidos; prefiero *(those over there)* __aquéllos__.
8. ¿Qué es *(that)* __eso__ que tienes en la mano?

Possible answer 8-11: VICENTE: Ellos secuestraron a don Gonzalo cerca de esa fábrica anoche. TOMÁS: Ésta es una foto de los guerrilleros que piden un rescate. VICENTE: Estos dos hombres, Roberto y Juan García, son hermanos; éste es abogado, aquél es maestro. TOMÁS: Ese hombre cerca del coche es el hijo de don Gonzalo. RAMÓN: ¿Cuál hombre, éste o aquél al otro lado del coche? VICENTE: Aquél. ¿Puedes creer esto? RAMÓN: Esto es ridículo. Aquel hombre no puede ser su hijo. Emilio no está viviendo en esta ciudad ahora. TOMÁS: Tienes razón. Espero qué esta pesadilla termine pronto.

8-11 El secuestro. Con un(a) compañero(a) de clase, escriban este diálogo en español. Después, preséntenlo enfrente de la clase.

VICENTE They kidnapped don Gonzalo near that factory last night.

TOMÁS This is a photo of the guerrilla fighters that are asking for a ransom.

VICENTE These two men, Roberto and Juan García, are brothers; the latter is a lawyer, the former is a teacher.

TOMÁS That man next to the car is don Gonzalo's son.

RAMÓN Which man, this one or the one (over there) on the other side of the car?

VICENTE That one. Can you believe this?

RAMÓN This is ridiculous. That man can't be his son. Emilio doesn't live in this city now.

TOMÁS You're right. I hope this nightmare ends soon.

Answers 8-12: *Answers will vary.*

8-12 En la librería. Ud. y un(a) amigo(a) están en una librería buscando libros para un amigo que va a tener su cumpleaños el domingo. Uds. están indicando los libros que en su opinión son sus predilectos. Escojan por lo menos seis clases de libros.

Modelo Ud.: *Yo creo que a él le gustaría ese libro de cuentos cortos.*
Su amigo: *No, yo creo que él preferiría este libro escrito por Hemingway, o aquél escrito por Faulkner.*

Grammar considerations: Assign this section as homework so that you can dedicate more class time to the activities in the **Práctica** section.

The reciprocal construction

1. The reflexive pronouns **nos** and **se** are used to express a reciprocal or mutual action. When used in this manner, they convey the meaning of *each other* or *one another*.

   Nos escribimos todos los días.
   We write one another every day.

   No se entienden.
   They do not understand each other.

Note: The use of the definite article is optional with these clarifying phrases: **Ellas se escriben una a otra** or **Ellas se escriben la una a la otra.** Note that the masculine forms of these clarifying phrases are always used unless both subjects are feminine.

2. Occasionally it is necessary to clarify that this construction has a reciprocal rather than a reflexive meaning. This is done by using an appropriate form of **uno... otro** (**uno a otro, la una a la otra, los unos a los otros,** etc.).

   Nosotros nos engañamos.
   We deceived ourselves.

   Nosotros nos engañamos el uno al otro.
   We deceived each other.

   Ellos se mataron.
   They killed themselves.

   Ellos se mataron los unos a los otros.
   They killed one another.

3. When *each other* (or *one another*) is the object of a preposition, the reflexive pronoun is not used unless the verb is reflexive to begin with. Instead, the **uno... otro** formula is used with the appropriate preposition.

   Suelen hablar bien el uno del otro.
   They generally speak well of each other.

   Los vi pelear los unos contra los otros.
   I saw them fighting (against) each other.

   BUT

   Se quejaron los unos de los otros.
   They complained about each other.

Práctica

Answers 8-13: 1. Nos vemos después de clase todos los días. 2. Nos encontramos todas las tardes en la cafetería para tomar refrescos. 3. Nos prestamos dinero. 4. Nos escribimos durante el verano. 5. Nos hablamos por teléfono con frecuencia. 6. Nos damos regalos.

8-13 Buenos amigos. Ud. tiene unos amigos muy buenos. Describa su relación, siguiendo el modelo.

   Modelo   ayudar / con nuestros estudios
                 Nos ayudamos con nuestros estudios.

   1. ver / después de clase todos los días
   2. encontrar / todas las tardes en la cafetería para tomar refrescos
   3. prestar / dinero
   4. escribir / durante el verano
   5. hablar por teléfono / con frecuencia
   6. dar / regalos

Possible answers 8-14: 1. Sí, se
ayudan. 2. Sí, nos conocimos hace diez
años. 3. No, no nos escribimos con
frecuencia. 4. Sí, nos encontraremos en el
café esta tarde. 5. Cómo no, nos vemos el
sábado en el centro.

8-14 Pidiendo información. Hágale estas preguntas a un(a) compañero(a) de clase. Él (Ella) va a contestar con una oración completa.

1. ¿Se ayudan siempre sus amigos?
2. ¿Se conocieron Uds. hace mucho tiempo?
3. ¿Se escriben Uds. con frecuencia?
4. ¿Nos encontraremos en el café esta tarde?
5. ¿Nos vemos el sábado en el centro?

Answers 8-15: *Answers will vary.*

8-15 Una reunión política. Ud. ha asistido a una reunión política en el Zócalo en la Ciudad de México con un amigo(a) mexicano(a), quien es político(a). Ud. está explicándole lo que pasó durante la reunión a otro(a) amigo(a) que no pudo asistir. Su amigo(a) de México no está de acuerdo con su narración de lo que pasó. Actúe *(Act out)* esta situación con un(a) compañero(a) de clase que va a hacer el papel de su amigo(a) mexicano(a). Use las palabras de la lista en su conversación.

Modelo gritar
Ud.: *Tom, los políticos se gritaron todo el tiempo.*
Su amigo(a) mexicano(a): *¡Mentira! Nosotros no nos gritamos.*

mirar con desdén	insultar
tirar piedras	pegar
pelear	

Answers 8-16: *Answers will vary.*

8-16 Relaciones personales. Usando pronombres recíprocos describa su relación con las personas indicadas. Su compañero(a) de clase va a hacer la misma cosa.

Modelo las primas de mi familia
Las primas de mi familia se admiran.

sus padres	su novio o novia y tú
sus amigos	otros parientes
sus hermanos o hermanas	

Grammar considerations: Assign this section as homework so that you can dedicate more class time to the activities in the **Práctica** section. In class, review quickly the reflexive for unplanned occurrences by telling students a story about a really "bad" day you had where everything went wrong.

The reflexive for unplanned occurrences

An additional use of the pronoun **se** is to relate an accidental or unplanned occurrence. In these reflexive constructions an indirect object pronoun is added to refer to the person involved in the occurrence, and the verb agrees in number with the noun that follows it. This construction also removes the element of blame from the person performing the action. Verbs that are frequently used in this construction are **perder, romper, olvidar, acabar, quedar, caer, ocurrir.**

Se me olvidó el dinero.
I forgot the money. (The money got forgotten by me.)

Se nos perdieron los periódicos.
We lost the newspapers. (The newspapers got lost on us.)

A Pedro se le rompió el machete.
Pedro broke the machete. (The machete got broken on Pedro.)

Al chofer se le perdieron las llaves.
The driver lost the keys. (The keys got lost on the driver.)

Práctica

Answers 8-17: 1. A los chicos se les rompieron los platos. 2. A nosotros se nos perdió el dinero. 3. A ti se te olvidó el periódico. 4. Se me ocurrió una idea. 5. Al chico se le rompió el disco. 6. A nosotros se nos olvidaron los boletos.

8-17 Ellos no tienen la culpa. Cambie las oraciones para indicar sucesos no planeados. Siga el modelo.

> **Modelo**   Alicia olvidó los libros.
>   *A Alicia se le olvidaron los libros.*

1. Los chicos rompieron los platos.
2. Perdimos el dinero.
3. Olvidaste el periódico.
4. Tengo una idea. *(Use **ocurrir** in the answer.)*
5. El chico rompió el disco.
6. Olvidamos los boletos.

Answers 8-18: *Answers will vary.*

 8-18 Sucesos inesperados. Relátele a un(a) compañero(a) de clase algunas de las cosas inesperadas que les han pasado a Ud. y a los miembros de su familia. Su compañero(a) de clase va a hacer la misma cosa.

> **Modelo**   yo / perder
>   *A mí se me perdió el dinero.*

1. mi padre / olvidar
2. yo / quebrar
3. mi hermanita / perder
4. mi hermano / caer
5. mi madre / romper
6. mi abuelo / ocurrir

Ahora, relate algunas cosas inesperadas que le pasaron, o invente cosas que no le pasaron a Ud. hoy.

Suggestion, 8-19: Have students tell each other the things that happened to them during one "bad" day. Encourage creativity!

Answers 8-19: The answers to the questions will vary only by changing **te** to **me** in the response and answering the question with **sí** or **no.** EXAMPLE: **1. Sí, se me paró el coche antes de llegar a la universidad.** or **No, no se me paró el coche antes de llegar a la universidad.**

8-19 Para pedir información. Con un(a) compañero(a) de clase, háganse estas preguntas.

> **Modelo**   ¿Se te perdió la tarea antes de llegar a clase hoy?
>   *Sí, se me perdió la tarea en el autobús.*

1. ¿Se te paró el coche antes de llegar a la universidad?
2. ¿Se te olvidaron los libros hoy?
3. ¿Se te perdió la tarea para hoy?
4. ¿Se te olvidó el mapa para tu presentación?
5. ¿Se te olvidaron los apuntes que te presté?
6. ¿Se te olvidaron nuestras composiciones?

✤ Repaso

**For more practice of vocab-
ulary and structures, go to
the book companion website
at www.thomsonedu.com/
spanish/intermediatespanish.**

Antes de empezar la última parte de esta **unidad,** es importante repasar el vocabulario nuevo y la estructura y hacer las actividades que siguen.

8-20 Ayer, hoy y mañana. Comparta información aquí con un(a) compañero(a) de clase. Su compañero(a) va a compartir la información con Ud. también.

Review the subjunctive in
adverbial clauses (1).

Answers 8-20: *Answers will vary.*

> **Modelo**   Tell one thing you were doing yesterday when your roommate arrived home.
> *Yo salía cuando mi compañero llegó a casa ayer.*

1. **a.** Relate one thing that you were doing yesterday when the professor entered the class.
   b. Relate one thing that you do every day when class begins.
   c. Relate one thing that you will do tomorrow when your friends see you.
2. **a.** Relate one thing that you did last night after your friends left your apartment.
   b. Relate one thing that you always do after you and your friends have eaten.
   c. Relate one thing that you will do tomorrow after your classes have ended.

Review the subjunctive in
adverbial clauses (1).

Answers 8-21: *Answers will vary.*

8-21 Para pedir información. Con un(a) compañero(a) de clase hagan y contesten estas preguntas.

1. ¿Me comprarás una taza de café cuando tengas tiempo?
2. ¿Me ayudarás hasta que yo comprenda la lección?
3. ¿Me darás todo tu dinero tan pronto como llegues a clase mañana?
4. ¿Me llevarás al baile después de que comamos en un buen restaurante esta noche?
5. ¿Contestarás todas las preguntas antes de que salgas hoy?
6. ¿Te callarás en cuanto yo te dé las respuestas?
7. ¿Me escribirás una carta cuando estés de vacaciones?
8. ¿Siempre me hablarás en español dondequiera que tú me veas?

Ahora, hágale a su compañero(a) de clase dos de sus propias preguntas.

Review the demonstrative
adjectives and pronouns.

8-22 ¿Cuál de estas cosas le gusta más? Complete las oraciones con pronombres o adjetivos demostrativos. Luego, compare sus respuestas con las de un compañero(a) de clase. ¿Están de acuerdo?

1. *(This)* __Esta__ clase es más interesante que *(that one)* __ésa__ .
2. *(These)* __Estos__ estudiantes estudian más que *(those)* __ésos__ .
3. Quiero comprar unos libros. Me gustan *(this one)* __éste__ y *(that one)* __ése__ .
4. No puede creer *(that)* __eso__ .
5. ¿Qué es *(this)* __esto__ ?
6. *(These)* __Estas__ ruinas son magníficas. *(Those)* __Ésas__ son menos impresionantes.
7. *(That)* __Ese__ profesor siempre hace *(these)* __estas__ mismas preguntas.
8. Emilio vive en *(that)* __esa__ mansión. Yo vivo en *(this one)* __ésta__ .

8-23 ¿Cuándo tiene que hacer estas cosas? Diga cuándo es necesario hacerlas. Su compañero(a) va a compartir sus ideas con respecto a estas cosas también.

Modelo   estudiar
Será necesario estudiar cuando haya un examen.

1. buscar empleo
2. votar
3. hablar con mis padres
4. comprar un regalo para mi novio(a)
5. escribir los ejercicios
6. comer
7. acostarme
8. levantarme al amanecer

Diga dos cosas más que tendrá que hacer.

✿ A conversar

Suggestion: Have students work in groups of two or three. Before you begin the activities in this section, give students 3–4 minutes to look them over.

At times it may be necessary to interrupt a conversation if the other person refuses to stop talking. Expressions that can be used to interrupt a conversation are listed here.

Interrupting a conversation

Bueno, pero opino que…	*OK, but it's my opinion that . . .*
Sí, pero creo que…	*Yes, but I believe that . . .*
Sí, pero un momento…	*Yes, but just one moment . . .*
¿Me permite(s) decir algo?	*May I say something?*
Pero, déjeme (déjame) decir…	*But, allow me to say . . .*
Mire(a), yo digo que…	*Look, I say that . . .*
Quisiera decir algo ahora.	*I would like to say something now.*

🧍 Descripción y expansión

Suggestion: This image can be downloaded from the book companion website at **www.thomsonedu.com/spanish/intermediatespanish.**

Este dibujo representa un barrio pobre que se puede encontrar en varias partes de Hispanoamérica. Mírelo con cuidado y después haga las actividades que siguen.

¿Qué hay en la escena? Cada estudiante tiene que describir un detalle de lo que se ve en la escena.

¿Qué condiciones causan revoluciones? Cada estudiante va a indicar una condición que ve en el dibujo que puede causar revoluciones.

Comparaciones. Comparen las condiciones de esta escena con las condiciones que existen en su ciudad.

🧍 **Opiniones.** Con un(a) compañero(a) de clase haga las siguientes actividades.

a. En su opinión, ¿qué deben o pueden hacer los Estados Unidos para eliminar la pobreza y la injusticia social en el mundo?

b. ¿Cree que las revoluciones que han ocurrido en varios países hispanoamericanos realmente hayan mejorado la situación del pueblo? ¿Por qué sí o por qué no?

c. ¿Puede salir un país del subdesarrollo *(underdevelopment)*? Explique.

d. Muchos hispanoamericanos consideran que los Estados Unidos son al menos en parte responsable de los problemas de sus países. Comente.

Después de hablar sobre estos asuntos, cada grupo o pareja tiene que presentarle oralmente sus ideas u opiniones a la clase. ¿Cuántas ideas son iguales? ¿diferentes? ¿Cuáles son?

✿ A escuchar

Text Audio CD, Track 24 🎧 **De vacaciones**

Suggestion: Have students first obtain a general idea of the audio's content by listening without looking at the activities. Next, have them read the activity that follows, and then listen to the audio for the second time. This time, ask them to take notes while listening to the dialogue.

Escuche la siguiente situación y complete las actividades.

Pepe y su hermano Pablo, cubanos exiliados en Miami, y un matrimonio chileno, María y Fernando, se conocen mientras están de viaje en el Perú. De vuelta a Cuzco, después de haber visitado Machu Picchu, toman un café juntos.

Información. Complete las siguientes oraciones basándose en el diálogo que acaba de escuchar.

1. María y Fernando son…
   a. nuevos amigos.
   b. un matrimonio chileno.
   c. de Cuzco.
2. Pablo y Pepe son cubanos de…
   a. Miami.
   b. Nueva York.
   c. Chile.
3. Los amigos han visitado…
   a. Machu Picchu.
   b. a Fidel.
   c. a Pinochet.

Conversación: A entrevistar. Un(a) estudiante entrevista a otro(a) sobre lo que sabe de la Cuba de Fidel Castro. Luego, le da a la clase la información que ha recibido. Otro tema posible de la entrevista podría ser unas vacaciones en un lugar de interés. También debe darle a la clase la información recibida.

Situaciones. Con un(a) compañero(a) de clase, preparen algunos diálogos que correspondan a las siguientes situaciones. Estén listos para presentarlos enfrente de la clase.

*1. **Un secuestro.** Ud. ha leído un artículo en un diario de México sobre el secuestro de un hombre de negocios de los Estados Unidos. Los terroristas piden un rescate de tres millones de dólares. Con un(a) amigo(a) discuten si los secuestros y otros actos de terrorismo pueden resolver los problemas políticos y sociales del mundo, o si hacen que la situación llegue a ser peor.*

*2. **Un congreso** (convention) **internacional.** Uds. participan en un congreso internacional de estudiantes universitarios. Ud. es pesimista en cuanto a la posibilidad de tener paz mundial, y explica por qué. Su compañero(a), que es optimista, dice que el mundo va a vivir en paz, y ofrece sus razones para creer eso.*

Text Audio CD, Track 25 🎧 **Ejercicio de comprensión.** Ud. va a escuchar un comentario sobre la política de Hispanoamérica en el siglo XX. Después del comentario, va a escuchar varias oraciones. Indique si la oración es **verdadera** (V) o **falsa** (F), trazando un círculo alrededor de la letra que corresponde a la respuesta correcta.

Suggestion: Have students first obtain a general idea of the audio's content by listening without playing the sentences. Then, play the audio for the second time and have them listen to the sentences so they can perform the activity.

1. Ⓥ F   3. V Ⓕ
2. Ⓥ F   4. V Ⓕ

Ahora, escriba dos cosas que aprendió al escuchar este comentario. Comparte sus ideas con las de la clase. ¿Cuáles son las ideas predominantes?

Hay tres pasos en esta actividad.

Primer paso: Lea el comentario que sigue y el ejemplo. Al comentar un problema, cedemos a veces a la tentación de expresarnos en términos absolutos (blanco y negro) en vez de reconocer todas las posiciones posibles frente al problema. Sin embargo, sabemos que es posible tomar una posición conservadora, moderada, liberal, radical o revolucionaria ante muchos problemas. Veamos un ejemplo:

Problema: el control de la natalidad *(birth control)*

Posición conservadora: El gobierno no debe hacer nada para controlar el número de nacimientos; es una cuestión individual.

Posición moderada: El gobierno puede educar a los ciudadanos, pero no debe tratar de establecer leyes para controlar la natalidad.

Posición liberal: El gobierno debe promulgar ciertas leyes que fomenten el uso de los métodos artificiales para controlar la natalidad.

Posición radical: El gobierno tiene el derecho de esterilizar a toda pareja que tenga más de dos hijos.

Posición revolucionaria: Primero es necesario cambiar completamente el sistema de gobierno; después los nuevos gobernantes podrán establecer leyes sobre el asunto como mejor les parezca.

Segundo paso: En grupos de cinco, identifiquen la posición conservadora, moderada, liberal, radical o revolucionaria ante los siguientes problemas:

1. la distribución de la riqueza en los Estados Unidos
2. el uso de las drogas ilegales
3. el control de las grandes industrias multinacionales
4. la libertad de prensa

Tercer paso: Después, presenten oralmente o en forma escrita las posiciones. Comparen sus opiniones con las de los otros grupos.

 A T A J O ◄——

Temas de conversacion o de composicion

1. Identifique su posición personal en cuanto a la posición conservadora, moderada, liberal, radical o revolucionaria. ¿Con cuál de estas posiciones políticas se identifica más? explique.
2. En su opinión, ¿cree que es posible resolver los problemas sociales y políticos del mundo sin conflictos? Explique.

Suggestion: Refer students to ATAJO 4.0 Writing Assistant for Spanish.

Lea con cuidado el párrafo introductorio que sigue y la lectura. Conteste las preguntas y haga las actividades que siguen.

Los movimientos revolucionarios del siglo XX. Hubo y todavía hay movimientos revolucionarios en varias partes del mundo durante el siglo XX. Algunos de estos movimientos tuvieron lugar en México, Nicaragua, El Salvador y Guatemala. Lea parte de un artículo que salió en el diario *Excélsior* de México, que muestra el deseo de parte de las masas de tener cambios políticos en su país. Luego, conteste las preguntas.

www.thomsonedu.com/spanish/
intermediatespanish

Lectura

«Voy a arrasar; Guatemala está cansada de abusos»

- ■ Ya no aguantamos al Partido Oficial: Alfonso Portillo
- ■ Es «Socialdemócrata, Fiel a la Izquierda Democrática»
- ■ Define su Proyecto Político «Como de Centro-Derecha»

Haroldo Shetemul, *corresponsal*
GUATEMALA, 6 de noviembre.

«Voy a arrasar[1] en las elecciones del domingo porque el pueblo guatemalteco está cansado de los abusos y la prepotencia del partido oficial, el partido de los ricos», afirmó eufórico Alfonso Portillo un día antes de los comicios[2] en los cuales es el favorito, según la mayoría de las encuestas de opinión[3].

Ex catedrático[4] de marxismo en la Universidad Autónoma de Guerrero (UAG), México, Portillo es ahora el candidato del partido conservador, el Frente Republicano Guatemalteco (FRG) y compite por segunda vez en un proceso electoral, pues en enero de 1996 fue derrotado por Alvaro Arzú Irigoyen por la mínima diferencia de 30 mil votos, un escaso 1 por ciento del total de votos emitidos en esa oportunidad.

Portillo, de cuarenta y ocho años, recién casado con Evelyn Morataya y oriundo del departamento de Zacapa —a 160 kilómetros al oriente de la capital—, es conocido por su buen humor y su facilidad para contar chistes, además por su amor a la música rock de los setenta, el cine y la literatura.

Él mismo hace bromas sobre su apodo, «Pollo ronco», debido a su peculiar forma de hablar. Y a pesar de estar vinculado con el partido del general Efraín Ríos Montt, acusado de lanzar una ofensiva contra la guerrilla izquierdista en los años ochenta, que provocó centenares de masacres de indígenas y el éxodo de más de 100 mil de éstos a México, Portillo aún se define como izquierdista: «soy un hombre fiel a la izquierda democrática, pero me considero más socialdemócrata por mi carácter humanista».

Define su proyecto político dentro del FRG como de centro-derecha.

En la década de los ochenta, mientras Ríos Montt impulsaba la política de tierra arrasada, Portillo no soñaba con llegar a la Presidencia. En aquella época era un ardoroso colaborador del Ejército Guerrillero de los Pobres (EGP) que lo había reclutado para hacer que un grupo de profesionales guatemaltecos en México consiguieran fondos para hacer la revolución marxista en su país.

---

[1] arrasar *to destroy, erase* [2] comicios *polls* [3] encuestas de opinión *opinion surveys* [4] catedrático *university professor*

Suggestion: Have students work in groups of two or three. Before you begin the activity, give the students time to prepare it.

 Preguntas. Conteste las siguientes preguntas.

1. ¿De qué está cansada Guatemala?
2. Según lo que dice Portillo, ¿es bueno o malo el partido oficial de Guatemala?
3. ¿Qué clase de político es Alfonso Portillo?
4. ¿De quiénes es el partido oficial de Guatemala?
5. ¿Es popular Alfonso Portillo entre los pobres del país? ¿Cómo se sabe esto?
6. Describa al Sr. Portillo. ¿Cuántos años tiene? ¿Dónde trabaja? ¿Está casado? ¿Con quién? ¿Cómo es conocido? ¿Por qué tiene el apodo «Pollo ronco» *(hoarse)*?
7. ¿Qué cosa horrible tuvo lugar durante el gobierno del general Efraín Ríos Montt en los ochenta?
8. ¿Qué hizo Portillo en los ochenta para apoyar la revolución marxista en Guatemala?

Expansión

This is a prime opportunity to expand to the website for additional activities, and it offers other resources if the companion books are not being used by students.

Ahora, su profesor(a) va a dividir la clase en grupos. Cada grupo va a recibir el nombre de un país del mundo hispánico y tiene que investigar la clase de política que existe en este país. (Uds. pueden usar artículos de revistas y diarios, el Internet o **Unidad 8** del libro, *Civilización y cultura,* que acompaña este libro.) Se incluyen en su reportaje las fechas y razones para las revoluciones políticas que tuvieron lugar en los países hispano-americanos que siguen:

México	Cuba	la Argentina	Paraguay
Bolivia	Chile	el Perú	

Students are to bring this information to class. Each group has to write a report on the politics of one of the countries listed above. After finishing the report, a member of the group has to make an oral presentation to the class. The reports should not be longer than one page written in Spanish.

Una ceremonia militar en la Plaza del Zócalo, la Ciudad de México.

El Palacio del Presidente en la Plaza Mayor, la Ciudad de México.

La revolución mexicana de 1910

El gobierno del dictador Porfirio Díaz duró por casi treinta años en México. No hizo mucho para proporcionar las necesidades a la clase pobre del país. Por eso había mucho sufrimiento por parte de los pobres.

El dictador prometió tener elecciones libres en el año 1909, pero cuando esta fecha llegó no las permitió. A causa de eso, había una larga lucha entre los jefes del movimiento: Victoriano Huerta, «Pancho» Villa, Emiliano Zapata, Alvaro Obregón y Venustiano Carranza. Por diferencias en cuanto a la política, la lucha duró hasta 1920, cuando el nuevo gobierno tuvo éxito en establecer estabilidad.

Durante aquellas luchas, escribieron una nueva constitución en 1917. Contenía reformas significantes: declara de propiedad exclusiva del país de las minas y yacimientos y petróleo, derechos del trabajador, el derecho de huelga, los obreros pueden participar en las ganancias de las empresas, etcétera. Es decir que México iba a tener un gobierno democrático.

Hoy en día, México sigue con una clase de gobierno democrático con un parlamento y un presidente. El ejército funciona a los deseos del gobierno.

Divide the class into groups of three students. Have them read the brief introduction given here. Then have them answer the questions.

Preguntas

1. ¿Qué clase de gobierno tuvo lugar en México durante la última parte del siglo XIX y la primera parte del siglo XX?
2. ¿Cómo se llama el jefe del gobierno en aquellos años? ¿Fue un jefe bueno o malo? Explique.
3. ¿Había elecciones libres durante aquellos años? ¿Qué resulto tenía la falta de elecciones?
4. Durante las luchas que tuvieron lugar entre 1909 y 1920, ¿qué promulgó en 1917? En su opinión, ¿cuáles son las reformas más importantes?
5. ¿Hay más o menos pobreza hoy en México que antes? Explique.

La educación en el mundo hispánico

¿Cuántos estudiantes hay? ¿Cuántos muchachos y cuántas muchachas están a la mesa? ¿Qué le parecen estos estudiantes? ¿Dónde están los estudiantes, en la biblioteca o en un parque?

Mentor

Literatura y arte: The theme of *education* is reflected in this text through the work *La noche de Tlateloco,* written by Elena Poniatowska and Rosario Castellanos of Mexico. The section on art includes pictures of some of the murals found on several of the buildings located on the campus of the University of Mexico.

Civilización y cultura: The theme of *education* is presented in this text through five different sections: **1. Historia de la enseñanza hispánica, 2. Educación y enseñanza, 3. La organización de la enseñanza hispánica, 4. Las universidades en el mundo hispánico,** and **5. La vida estudiantil.** Recent newspaper and magazine articles from the Hispanic world that treat this theme are also included.

En contexto

Esperando al profesor de historia

Estructura

- The subjunctive in adverbial clauses (2)
- Adverbs
- Comparison of adjectives and adverbs
- Irregular comparatives and superlatives
- The absolute superlative
- Exclamations

Repaso

www.thomsonedu.com/spanish/intermediatespanish

A conversar
Keeping control of a conversation

A escuchar
Carreras

Intercambios

Investigación y presentación
La CYA contra el suspenso: Atención, Concentración y Acción

Expansión

www.thomsonedu.com/spanish/intermediatespanish

Esperando al profesor de historia

Vocabulario activo

Estudie estas palabras.

Verbos
aprobar (ue) *to pass (exams)*
graduarse *to graduate*

Sustantivos
el bachillerato *course of study leading to a secondary school degree*
el colegio *secondary school*
el comercio *business*
el esquema *outline*
la facultad *college, school of a university*
la materia *academic subject*
el navío *ship*

el nivel *level*
el número *issue, copy, number*
el portero *doorman*
la prisa *haste, hurry*
el resumen *summary*
la tormenta *storm, upheaval*

Otras expresiones
a menos que *unless*
con tal que *provided that*
morirse por *to be dying to*
Primera Guerra Mundial *World War I*
¿Vale? *O.K.?*

9-1 Para practicar. Complete el párrafo siguiente con palabras escogidas de la sección **Vocabulario activo.** No es necesario usar todas las palabras.

Voy a **1.** _graduarme_ en la primavera **2.** _con tal que_ yo **3.** _apruebe_ todos los exámenes. Quiero terminar el **4.** _bachillerato_ en el **5.** _colegio_ lo más pronto posible porque quiero entrar en la **6.** _facultad_ de negocios en el otoño para estudiar **7.** _comercio_. Se dice que las **8.** _materias_ son muy difíciles, pero no me importa porque yo **9.** _me muero_ por ser un hombre de negocios con mi propia compañía.

Esperando al profesor de historia. Antes de leer el diálogo, escúchelo con el libro cerrado. ¿Cuánto comprendió?

(Los alumnos del Colegio San Martín[1] esperan la llegada del profesor de historia.)

PACO Oye, Beto, ¿has preparado la lección para hoy?

BETO Muy poco. Iba a estudiar, pero llegaron unos amigos, y nos fuimos para «La Gitana» para hojear[1] el nuevo número de «Superhombre».

PACO ¿Y tú, Manolo?

MANOLO Sí, leí el capítulo dos veces e hice un esquema de las fechas.

PACO Pues, mi padre me mandó a la tienda por tabaco, y me quedé ahí a charlar con Tonia para ver si quería ir al cine el domingo. Al volver no tuve tiempo de estudiar. ¿Me puedes hacer un resumen del capítulo para poder responder si el maestro me hace una pregunta?

MANOLO	Cuando te haga una pregunta, te paso la respuesta. ¿Vale?
PACO	Ah, este Manolo, siempre lo sabe todo. ¿Por qué estudias tanto?
MANOLO	Lo hago para poder entrar en la Facultad de Medicina.[2] Papá se muere por verme médico. Si no salgo bien en los exámenes este año, temo que me eche de casa. ¿No piensas entrar a una universidad?
PACO	Sí, pero en Comercio, para poder trabajar con el viejo en su fábrica. Pero, ¿para qué tanta prisa? Si no apruebas este año,[3] aprobarás el otro. Aquí uno se divierte más —allá en la «uni» la cosa se pone seria.
BETO	Es lo que digo yo. Ya llevo siete años aquí. Hasta el portero sabe mi nombre.
PROFESOR	*(Entrando)* Buenos días, jóvenes. El tema de esta semana es la Primera Guerra Mundial.
PACO	Pssst, Manolo, ¿ganamos esa guerra?
MANOLO	Cállate, idiota, fue una guerra europea.
PROFESOR	Primero vamos a hablar de las causas inmediatas de aquella gran tormenta que sacudió[2] el mundo.
PACO	Beto, mira a Nacho —ya se durmió.
PROFESOR	En 1914 la guerra fue declarada por Alemania…
PACO	¿Para qué quiero yo saber estas cosas? Superhombre es más interesante.
MANOLO	No seas bruto[3]. No te gradúas sin que lo sepas, a menos que te hagan preguntas sobre Superhombre en los exámenes.
PROFESOR	Cuando en 1915 fue atacado el navío Lusitania…
PACO	Oye, Beto, ¿quieres ver este número? Superhombre se encuentra en una batalla en Verdún. No sé dónde queda eso pero…
PROFESOR	Si no dejas de cuchichear[4], Paco, te van a expulsar[5] de la clase. ¿Entiendes?
PACO	Ah, sí, perdone, Beto y yo estábamos comentando un libro que leí recientemente sobre ese mismo asunto de la guerra. Se lo recomendaba a Beto.
PROFESOR	Bueno, después de que terminemos aquí, te quiero ver en mi oficina. Con tal que me des un informe completo sobre ese libro, te perdono.
PACO	Pero Profesor, tengo sólo unos quince minutos antes de la próxima clase. Manolo, ¿qué hago ahora? ¡Sí que estoy perdido!

Notas culturales

[1] *Colegio San Martín: El colegio más o menos equivale a la escuela secundaria en los Estados Unidos. El alumno termina el «bachillerato» cuando tiene unos dieciséis o diecisiete años. En algunos países, es necesario seguir un curso preparatorio antes de entrar a la universidad.*

[2] *Facultad de Medicina: En el sistema hispánico, que tiene por modelo el europeo, uno entra directamente a la escuela profesional (por ejemplo, a la de Medicina), donde se recibe toda la instrucción a nivel universitario. La Facultad de Filosofía y Letras, que equivale más o menos a* Liberal Arts, *se dedica a las humanidades y a preparar maestros. «Facultad» significa lo mismo que* college *o* school *en las universidades norteamericanas.*

[3] *Si no apruebas este año: El sistema hispánico requiere que el alumno apruebe varias materias (requisitos) por medio de los exámenes finales —por lo general, exámenes orales y escritos. El alumno repite las materias hasta aprobarlas.*

[1] para hojear *to leaf through (book)* [2] sacudió *shook* [3] bruto *idiot* [4] cuchichear *to whisper*
[5] te van a expulsar *you will be expelled*

Suggestion, 9-3 & 9-4: Have students work in groups or do these activities as a class. Before you explore the activities, give students 3–4 minutes to prepare.

9-2 Actividad cultural. Según las notas culturales, hay unas diferencias y semejanzas entre las escuelas y universidades del mundo hispánico. En grupos de tres personas, haga una lista de estas diferencias y semejanzas entre los colegios y las escuelas secundarias; por ejemplo: Una escuela secundaria en España se llama «colegio».

1. ¿Qué tienen que terminar los estudiantes antes de graduarse del colegio? Por lo general, ¿cuántos años tiene un estudiante en el mundo hispánico cuando se gradúa del colegio?
2. ¿Los estudiantes pueden entrar en la universidad al graduarse? ¿Qué tiene que hacer a veces?
3. ¿Una facultad en una universidad de España equivale más o menos a cuáles divisiones en las universidades de los Estados Unidos?
4. Otra tradición es que los estudiantes tienen que aprobar varias materias. Si el estudiante no puede aprobarlas, ¿qué le pasa?
5. ¿Cuáles de las diferencias en las escuelas del mundo hispánico le gustan, o no le gustan? ¿Por qué?

Possible answers 9-3: 1. Porque llegaron unos amigos y se fueron para «La Gitana» para hojear el nuevo número de «Superhombre». 2. Manolo. 3. Para poder responder si el maestro le hace una pregunta. 4. Para poder entrar en la Facultad de Medicina. 5. En Comercio. 6. Lleva siete años. 7. Porque Paco está cuchicheando. 8. Paco dijo al profesor que él y Beto estaban comentando un libro que leyó recientemente sobre la Guerra. 9. Para darle al profesor un informe completo sobre el libro que leyó. 10. Le dice que sólo le quedan unos quince minutos antes de la próxima clase.

9-3 Comprensión. Conteste las siguientes preguntas.

1. ¿Por qué no ha estudiado Beto la lección?
2. ¿Quién ha estudiado más?
3. ¿Para qué quiere Paco un resumen del capítulo?
4. ¿Por qué estudia tanto Manolo?
5. ¿A qué facultad va a entrar Paco?
6. ¿Cuánto tiempo lleva Beto en el colegio?
7. ¿Por qué se enoja el profesor?
8. ¿Sobre qué hablaban Paco y Beto?
9. ¿Para qué tiene Paco que ir a la oficina del profesor?
10. ¿Qué le dice Paco al profesor para no tener que ir a su oficina?

Answers 9-4: *Answers will vary.*

9-4 Opiniones. Conteste las siguientes preguntas.

1. ¿A Ud. le gusta estudiar historia europea? ¿Por qué?
2. ¿Para qué estudia?
3. ¿Cuál es su materia favorita?
4. ¿Piensa que las escuelas secundarias preparan bien a los jóvenes para sus estudios en la universidad? Explique.
5. ¿Qué clases de la universidad requieren que apruebe muchos exámenes?
6. ¿En qué facultad de la universidad está Ud.?
7. ¿Cuándo va a graduarse?
8. ¿Qué va a hacer después de graduarse?

Estos estudiantes están hablando con el maestro en un pasillo de un colegio. Describa a cada uno de los estudiantes. ¿Qué pasa en esta escena? ¿Le parece una conversación seria? Explique.

🎧 Heinle iRadio: To hear more about the Subjunctive mood, visit . . . **www.thomsonedu.com/ spanish.**

Grammar considerations: Assign this section as homework so that you can dedicate more class time to the activities in the **Práctica** section. In class, quickly review the subjunctive in adverbial clauses by asking students to provide examples for each adverb. Encourage creativity!

The subjunctive in adverbial clauses (2)

A. The subjunctive after certain adverbial phrases

The subjunctive is always used in adverbial clauses introduced by the following phrases denoting purpose, proviso, supposition, exception, or negative result.

a fin (de) que	*so that, in order that*	en caso (de) que	*in case*
a menos que	*unless*	para que	*so that, in order that*
a no ser que	*unless*	siempre que	*provided that*
con tal (de) que	*provided that*	sin que	*without*

Examples:

Te perdono con tal de que me des un informe sobre ese libro. ¿Vale?
I'll excuse you provided you give me a report on that book. O.K.?

En caso de que el maestro te haga una pregunta, te paso la respuesta.
In case the teacher asks you a question, I'll pass you the answer.

Paco no puede salir bien en el examen a menos que sus amigos lo ayuden.
Paco cannot do well on the exam unless his friends help him.

Entramos sin que ellos nos vieran.
We entered without their seeing us.

Lo hago para que él pueda entrar a la universidad.
I'm doing it so that he can enter the university.

B. Subjunctive versus indicative

1. The phrases **de manera que** and **de modo que** *(so that, in order that)* may express either result or purpose. When they introduce a clause expressing purpose, the subjunctive follows. When they introduce a clause expressing result, the indicative follows.

   Lo pongo aquí de modo que nadie lo encuentre.
   I'm putting it here so that no one will find it. (purpose)

   Escribe de manera que nadie lo pueda leer.
   He writes so that no one can read it. (purpose)
   BUT
   Escribió con cuidado de manera que todos lo podían leer.
   He wrote carefully so that everybody was able to read it. (result)

2. The subjunctive is used in an adverbial clause introduced by **aunque** *(although, even though, even if)* if the clause refers to an indefinite action or to uncertain information. If the clause reports a definite action or an established fact, then the indicative is used.

   No lo terminaré hoy aunque trabaje toda la noche.
   I won't finish it today even if I work all night.

   Lo compraremos aunque él no quiera pagarlo.
   We will buy it even though he may not want to pay for it.
   BUT
   No lo terminé, aunque trabajé toda la noche.
   I didn't finish it even though I worked all night.

   Lo compramos aunque él no quería pagarlo.
   We bought it even though he didn't want to pay for it.

Práctica

9-5 Observaciones variadas. Complete estas oraciones con la forma apropiada del verbo entre paréntesis.

1. Quiere comprarlo con tal de que no (costar) ____cueste____ mucho.
2. No podremos invitarlos a menos que tú (traer) ____traigas____ bastante comida para todos.
3. Ellas no pueden salir sin que nosotros las (ver) ____veamos____.
4. No puedo contestar a menos que ellos me (ayudar) ____ayuden____ con esta lección.
5. En caso de que a él no le (gustar) ____guste____, tendremos que devolverlo.
6. Ellos no iban a menos que nosotros los (acompañar) ____acompañáramos____.
7. Los chicos se hablaban sin que él lo (saber) ____supiera____.
8. Yo traje el dinero en caso de que Uds. lo (necesitar) ____necesitaran____.
9. Querían acompañarnos con tal que nosotros (volver) ____volviéramos____ temprano.
10. Él no quiere ir a menos que la tienda (estar) ____esté____ cerca.
11. Ella habló despacio para que ellos la (entender) ____entendieran____.
12. Les preguntaremos a ellos a fin de que nosotros (saber) ____sepamos____ las respuestas.
13. Vamos a salir esta noche aunque (llover) ____llueva____.
14. Aunque él no (haber) ____haya____ estudiado, va a asistir a la clase.
15. Salí rápidamente, de modo que se me (olvidar) ____olvidó____ el libro.
16. Hablaré despacio de manera que todos me (entender) ____entiendan____.

9-6 Las vacaciones. Ud. y unas personas a quienes conoce piensan hacer ciertas cosas durante las vacaciones, a menos que algo las interrumpa. Diga lo que cada una de estas personas va a hacer. Siga el modelo.

Modelo   mis padres irán a la Argentina / recibir el pasaporte
Mis padres irán a la Argentina a menos que no reciban el pasaporte.

1. yo iré a México / tener dinero
2. los estudiantes irán a la playa / hacer buen tiempo
3. Gloria irá al teatro / poder comprar las entradas
4. tú irás de compras / estar en el centro
5. nosotros iremos al estadio / haber un partido de fútbol

9-7 Planes para el futuro. Describa algunas de las cosas que Ud. y sus amigos piensan hacer, con tal que existan ciertas condiciones.

Modelo   yo estudiaré mucho / la biblioteca estar abierta
Yo estudiaré mucho con tal que la biblioteca esté abierta.

1. tú aprenderás mucho / el profesor enseñar bien
2. Teresa hablará español / alguien poder entenderla
3. Ramón y yo bailaremos / la orquesta tocar un tango
4. mis amigos estudiarán en España / la universidad les dar crédito
5. yo no asistiré a esta universidad / ofrecerme una beca

Answers 9-8: *Answers will vary.*

9-8 Conclusiones lógicas. Trabajando en parejas, escriban conclusiones lógicas para estas oraciones. Al terminar, comparen sus ideas con las de los otros estudiantes.

1. El profesor lo repite a fin de que nosotros _____.
2. Él les hace un esquema del capítulo para que los estudiantes _____.
3. No puedo prestar atención en clase a menos que _____.
4. Los estudiantes se hablan en clase sin que _____.
5. Quiero estudiar en España con tal que _____.
6. Voy a graduarme siempre que _____.
7. Mis padres siempre me prestan dinero a menos que _____.
8. Tengo que encontrar un buen trabajo a fin de que _____.

Answers 9-9: *Answers will vary.*

9-9 Planes personales. Trabajando en parejas, hagan una lista de cuatro cosas que quieren hacer con tal que ciertas condiciones existan. Al terminar, comparen su lista con las de sus compañeros de clase.

Adverbs

A. Formation

Grammar considerations: Assign this section as homework so that you can dedicate more class time to the activities in the **Práctica** section. In class, quickly review the formation of adverbs by asking students to provide adverbs from adjectives that you give them. Once they have the correct adverbial form, they can provide you with the adverb in a sentence. Encourage creativity!

1. Most adverbs of manner in Spanish are formed by adding **-mente** to the feminine singular form of an adjective. If an adjective has no feminine form, **-mente** is added to the common form.

rápido(a)	rápidamente	elegante	elegantemente
cariñoso(a)	cariñosamente	feliz	felizmente
perfecto(a)	perfectamente	fácil	fácilmente

Note that if the adjective contains a written accent, the adverb retains it.

2. In spoken language, adjectives are frequently used as adverbs.

   a. If the only function of such an adjective is to modify the verb in the sentence, the masculine singular form of the adjective is used.

   Ellos hablaron rápido.
   They spoke rapidly.

   No saben jugar limpio.
   They don't know how to play fair(ly).

   b. Sometimes, however, such an adjective modifies both the verb and the subject of a sentence to some extent. In this case the adjective agrees in gender and number with the subject.

   Los jóvenes vivían felices.
   The young people lived happily.

   Ellas se acercan contentas.
   They are approaching contentedly.

   c. Adverbs are also formed by using **con** plus a noun.

claramente	con claridad
fácilmente	con facilidad
rápidamente	con rapidez

B. Usage

1. When an adverb modifies a verb, it usually follows it or is placed as close as possible to it.

   Paco estudió rápidamente la lección.
   Paco studied the lesson rapidly.

2. When an adverb modifies an adjective, it usually precedes it.

   Esta lección es perfectamente clara.
   This lesson is perfectly clear.

3. When two or more adverbs modifying the same word occur in a series, only the last adverb has the **-mente** ending.

   Habló clara, rápida y enfáticamente.
   He spoke clearly, rapidly, and emphatically.

4. When more than one word in a sentence is modified by an adverb, the last adverb may be replaced by **con** plus a noun for variety.

   Estudia francés diligentemente y lo habla con claridad.
   She studies French diligently and speaks it clearly.

Práctica

Out-of-class assignment, 9-10: Have the students complete this activity at home so that you can dedicate more time to the open-ended activities that follow.

9-10 Distintas personalidades. Describa las cosas que estas personas hacen a causa de ciertas características de su personalidad.

   Modelo   Elena es seria.   *Estudia seriamente.*

1. Carlos es inteligente. Habla __inteligentemente__.
2. Iturbide es profesional. Toca el piano __profesionalmente__.
3. Alfonso y Carlos son diligentes. Trabajan __diligentemente__.
4. Tú eres lógico(a). Contestas mis preguntas __lógicamente__.
5. Nosotros somos tranquilos. Comemos __tranquilamente__.

Possible answers 9-11: 1. Sí, escribo las composiciones claramente. 2. Sí, mi familia me llama frecuentemente. 3. Sí, mi cantante favorito canta tristemente. 4. No, no leo el periódico rápidamente todos los días. 5. No, no hago la tarea fácilmente.

9-11 Para pedir información. Trabajando en parejas, hágale a su compañero(a) de clase las preguntas siguientes. Él (Ella) tiene que contestar, usando un adverbio en su respuesta.

   Modelo   ¿Comes con rapidez?   *No, no como rápidamente.*

1. ¿Escribes las composiciones con claridad?
2. ¿Tu familia te llama con frecuencia?
3. ¿Tu cantante *(singer)* favorito canta con tristeza?
4. ¿Lees el periódico con rapidez todos los días?
5. ¿Haces la tarea con facilidad?

Possible answers 9-12: 1. claramente; 2. constantemente; 3. frecuentemente; 4. seriamente; 5. cariñosamente

9-12 El (La) profesor(a) de esta clase. Trabajando en parejas, hagan una descripción del (de la) profesor(a) de esta clase.

   Modelo   El (La) profesor(a) entra <u>lentamente</u> a clase todos los días.

1. El (La) profesor(a) habla _____.
2. Él (Ella) ayuda a los estudiantes _____.
3. Él (Ella) escribe _____ en la pizarra.
4. Los estudiantes participan _____ en su clase.
5. Él (Ella) mira _____ a sus estudiantes.

Ahora, comparen sus descripciones con las de los otros estudiantes.

9-13 Las acciones de otras personas. Trabajando en parejas, describan cómo las personas siguientes hacen varias cosas. Incluyan un adverbio en su descripción.

> **Modelo**   mi padre
> *Mi padre habla suavemente.*

1. mi madre
2. mi hermano
3. mi hermana
4. mi novio(a)
5. el (la) pianista
6. el (la) trabajador(a)
7. el (la) estudiante
8. el (la) presidente(a)
9. el (la) chófer

Comparison of adjectives and adverbs

A. Comparisons of equality

The following forms are used in comparisons of equality:

tan + adjective or adverb + **como**   *as . . . as*
tanto(a, os, as) + noun + **como**   *as much (many) . . . as*
tanto como   *as much as*

Examples:

1. with adjectives and adverbs

   Paco es tan divertido como Beto.
   Paco is as funny as Beto.

   El chico corre tan rápidamente como su hermano.
   The boy runs as rapidly as his brother.

2. with nouns

   Hay tantas preguntas en este examen como en el anterior.
   There are as many questions on this exam as on the one before.

   María tiene tanto dinero como su hermano.
   María has as much money as her brother.

3. with verbs

   Estudió tanto como de costumbre.
   He studied as much as usual.

   Las niñas comen tanto como nosotros.
   The girls eat as much as we do.

B. Comparisons of inequality

The following forms are used in comparisons of inequality:

> **más** + adjective, noun, or adverb + **que** *more . . . than,* suffix *-er*
> **menos** + adjective, noun, or adverb + **que** *less . . . than,* suffix *-er*
> **más que** *more than*
> **menos que** *less than*

Examples:

1. with adjectives

   Esta tormenta fue más fuerte que la anterior.
   This storm was stronger than the last one.

   Este capítulo es menos largo que ése.
   This chapter is shorter (less long) than that one.

2. with nouns

   Él tiene más inteligencia que yo.
   He has more intelligence than I.

   Ellos tienen menos tiempo que sus amigos.
   They have less time than their friends.

3. with adverbs

   Ellos cuchichean más rápidamente que nosotros.
   They whisper more rapidly than we do.

   Él lo hacía menos frecuentemente que su hermano.
   He used to do it less frequently than his brother.

4. with verbs

   Él lee más que Carlos.
   He reads more than Carlos.

   Viajo menos que mis tíos.
   I travel less than my aunt and uncle.

   Before a number, **de** is used instead of **que.**

   Tengo menos de cinco pesos.
   I have less than five pesos.

Note: However, in negative sentences **que** may be used before numerals with the meaning of *only:* **No necesito más que cuatro dólares.** *(I need only four dollars.)*

C. The superlative

1. Spanish forms the superlative of adjectives (*most, least,* suffix *-est*) with the definite article plus **más** or **menos. De** is used after a superlative as the equivalent of the English *in* or *of.* Occasionally a possessive adjective replaces the definite article.

   Ése es el hombre más rico del país.
   That is the richest man in the country.

   Esta novela es la menos interesante de todas.
   This novel is the least interesting (one) of all.

   Es mi vestido más elegante.
   It's my most elegant dress.

2. The definite article is not used with the superlative of adverbs.

Ese chico escribe más claramente cuando no está nervioso.
That boy writes most clearly when he isn't nervous.

Ése era el libro que ella menos esperaba encontrar.
That was the book she least expected to find.

3. To express the superlative of adverbs more emphatically, the following construction may be used.

$$lo + \left\{ \begin{array}{l} \textbf{más} \\ \textbf{menos} \end{array} \right\} + adverb + \left\{ \begin{array}{l} \textbf{que + poder} \\ \textbf{posible} \end{array} \right.$$

Volví lo más pronto posible.
I returned as soon as possible.

Lo puse lo más alto que pudo.
He put it as high as he could.

Práctica

Answers 9-14: *Answers will vary.*

9-14 Dos clases. Con un(a) compañero(a) de clase, usando **tan... como** o **tanto... como** comparen esta clase con otra clase que Uds. tienen.

Modelo *Esta clase es tan interesante como mi clase de historia.*
Esta clase tiene tantos estudiantes como mi clase de inglés.

Answers 9-15: *Answers will vary.*

9-15 Su familia y Ud. Con un(a) compañero(a) de clase, usando **más... que** y **menos... que** compárense con otros miembros de su familia.

Modelo *Yo soy más inteligente que mi hermana.*
Yo soy menos listo que mi hermano.

Possible answers 9-16: 1. George Clooney es el actor más guapo de Hollywood. 2. Julia Roberts es la actriz más popular del mundo. 3. El presidente es el político más importante de los Estados Unidos. 4. Roberto es mi amigo más rico de todos. 5. San Francisco es la ciudad más bonita del país. 6. Brasil es el país más grande de Sudamérica.

9-16 Lo mejor de todo. Con un(a) compañero(a) de clase, usando la forma superlativa describan las cosas siguientes.

Modelo *La película* Syriana *es la película más interesante del año.*
Esta novela mexicana es la más larga de todas.

un actor	un político	una ciudad
una actriz	un(a) amigo(a)	un país

Possible answers 9-17: 1. Los profesores son menos inteligentes que mis padres. 2. Nuestra casa es menos grande que la Casa Blanca. 3. Nuestra universidad es más famosa que Harvard. 4. Una película surrealista es más interesante que una película realista.

9-17 Opiniones personales. Expresen sus opiniones sobre las cosas siguientes, usando una forma comparativa.

Modelo una novela / una telenovela (interesante)
Una novela es más interesante que una telenovela.
-o-
Una novela es menos interesante que una telenovela.

1. los profesores / mis padres (inteligentes)
2. nuestra casa / la Casa Blanca (grande)
3. nuestra universidad / Harvard (famoso)
4. una película surrealista / una película realista (interesante)

9-18 La sociedad. ¿Ha mejorado la sociedad durante los últimos años? Expresen sus opiniones sobre los tópicos siguientes.

> **Modelo** los profesores / ¿inteligentes?
> *Los profesores son más inteligentes que antes.*
> -o-
> *Los profesores son menos inteligentes que antes.*

1. los crímenes / ¿violentos?
2. las mujeres / ¿femeninas?
3. los estudiantes / ¿diligentes?
4. los políticos / ¿honrados?
5. los viejos / ¿felices?
6. las ciudades / ¿atractivas?
7. la vida / ¿agradable?
8. la economía / ¿estable?

9-19 Un sondeo. En su opinión, ¿cuál de las siguientes cosas es más popular en este país hoy en día? Comparen sus ideas con las de los otros miembros de la clase, escribiendo sus respuestas en la pizarra debajo de las varias categorías indicadas.

> **Modelo** la revista
> *La revista más popular actualmente es* Time (People, Newsweek).

1. la película
2. el programa de televisión
3. la novela
4. el actor
5. el político
6. el disco
7. el conjunto musical
8. el coche

Irregular comparatives and superlatives

1. The following adjectives have irregular comparatives and superlatives:

bueno	*good*	(el) **mejor**	*better, (the) best*
malo	*bad*	(el) **peor**	*worse, (the) worst*
grande	*large, great*	(el) **mayor**	*older, (the) oldest; (larger, largest; great, greatest)*
pequeño	*small*	(el) **menor**	*younger, (the) youngest; (smaller, smallest)*

The plural is formed by adding **-es.**

Tu hijo es buen alumno, pero el mío es mejor.
Your son is a good student, but mine is better.

Son los mejores alumnos de la clase.
They are the best students in the class.

2. **Grande** and **pequeño** also have regular comparatives (**más grande** and **más pequeño**). These are the preferred forms when referring to physical size.

Alicia es la más pequeña de la familia.
Alicia is the smallest in the family.
BUT
Alicia es menor que su hermana.
Alicia is younger than her sister.

3. The following adverbs have irregular comparatives and superlatives:

bien	*well*	**mejor**	*better, best*
mal	*badly*	**peor**	*worse, worst*
mucho	*much*	**más**	*more, most*
poco	*little*	**menos**	*less, least*

Tú tocas bien el piano, pero yo lo toco mejor.
You play the piano well, but I play better.

Felipe baila mal el tango, pero Pedro lo baila peor.
Felipe dances the tango badly, but Pedro dances it worse.

Práctica

Possible answers 9-20: 1. Sí canto bien, pero mi hermana canta mejor. 2. No, no hablo poco, pero mi amigo habla más. 3. Sí, soy pequeña, pero mi prima es más pequeña. 4. Sí, como mucho, pero mi hermano come más. 5. Sí, soy malo, pero mi tío es peor. 6. Sí, soy grande, pero mi padre es más grande. 7. Sí, soy bueno, pero mi padre es mejor. 8. Sí, juego mal al tenis, pero ella juega peor.

 9-20 Haciendo comparaciones. Hágale estas preguntas a un(a) compañero(a) de clase. Él (Ella) debe usar una forma comparativa del adjetivo o del adverbio en las respuestas.

Modelo   ¿Trabajas mucho?
Sí, trabajo mucho, pero mi amigo(a) trabaja más.

1. ¿Cantas bien?
2. ¿Hablas poco?
3. ¿Eres pequeño(a)?
4. ¿Comes mucho?
5. ¿Eres malo(a)?
6. ¿Eres grande?
7. ¿Eres bueno(a)?
8. ¿Juegas mal (al tenis)?

Answers 9-21: *Answers will vary.*

9-21 A comparar. Usando formas comparativas y superlativas, compare a las personas y las cosas siguientes. Hay varias posibilidades. Compare sus comparaciones con las de otro(a) estudiante de la clase.

Modelo   Mi novia… *Mi novia es menor que yo.*
Mi novia es más inteligente que Ud.
Mi novia es la menos gorda de todos.

1. Mi familia…
2. Esta universidad…
3. Mi clase de español…
4. Mis profesores…
5. Mis notas…
6. Mis planes para el futuro…

The absolute superlative

1. The absolute superlative expresses a high degree of an adjective or adverb by simply using **muy** with the adjective or adverb.

   Aquel navío es muy grande.
   That ship is very large.

   Ella canta muy bien.
   She sings very well.

2. To express an even higher or more emphatic degree of an adjective or adverb, the absolute superlative is formed by dropping the final vowel of an adjective or adverb and adding the suffix **-ísimo(a, os, as).**

   Ana es hermosísima.   Me gustó muchísimo.
   Ana is extremely beautiful.   *I liked it very much.*

   Esos chicos son rarísimos.   El ejercicio es dificilísimo.
   Those boys are really strange.   *The exercise is terribly difficult.*

3. Words ending in **-co** or **-go** drop the **o** and change **c** to **qu** or **g** to **gu** before **-ísimo.**

   rico → riquísimo   largo → larguísimo

4. Words ending in **z** change **z** to **c** before **-ísimo.**

   feliz → felicísimo

5. The same effect may be achieved by using adverbs and adverbial phrases such as **sumamente** *(extremely)*, **terriblemente** *(terribly)*, **notablemente** *(remarkably)*, **en extremo** *(in the extreme)*, and **en alto grado** *(to a high degree).*

   Están sumamente preocupados.   Es notablemente fácil.
   They are extremely worried.   *It's remarkably easy.*

Práctica

9-22 La universidad. Describa esta universidad, cambiando estas oraciones a la forma **-ísimo(a, os, as).**

Modelo   La universidad es muy buena.
             La universidad es buenísima.

1. El nivel de las clases era muy bajo.
2. Aquellas muchachas son muy inteligentes.
3. El viaje al colegio me parecía muy largo.
4. Los libros son muy baratos.
5. Los maestros son muy astutos.
6. Su esquema era muy malo.
7. La comida en la cafetería estuvo sumamente sabrosa.
8. Estas lecciones son muy fáciles.
9. La facultad es extraordinariamente pequeña.
10. Los estudiantes son muy ricos.

9-23 Para pedir información. Trabajando en parejas, hágale estas preguntas a un(a) compañero(a) de clase. Él (Ella) debe contestar cada una de las preguntas usando una forma superlativa absoluta en sus respuestas.

> **Modelo** ¿Es el bachillerato sumamente fácil?
> *Sí, es facilísimo.*

1. ¿Es la materia muy interesante?
2. ¿Son los profesores extremadamente inteligentes?
3. ¿Son los libros terriblemente caros?
4. ¿Es el resumen del cuento muy largo?
5. ¿Son las clases muy difíciles?

9-24 Las cosas buenísimas. Trabajando en parejas, hagan una lista de sus cosas favoritas. Luego, compare su lista con la de su compañero(a) de clase. Incluya cinco cosas en su lista.

Exclamations

1. In Spanish, exclamations are most frequently formed with **¡qué!. ¡Qué!** is the equivalent to *What a . . . !* or *What . . . !* before nouns and to *How . . . !* before adjectives and adverbs.

   ¡Qué lástima!   ¡Qué bien habla!
   What a pity!   *How well he speaks!*

   ¡Qué prisa tienen!   ¡Qué guapa es!
   What a hurry they're in!   *How attractive she is!*

2. If the noun in the exclamation is followed by an adjective, **tan** or **más** precedes the adjective. (This tends to make the exclamation more emphatic.) **Tan** or **más** is omitted when an adjective precedes the noun.

   ¡Qué hombre tan (más) fuerte!
   What a strong man!

   ¡Qué bebida tan (más) sabrosa!
   What a delicious drink!
   BUT
   ¡Qué buena persona!
   What a good person!

3. **¡Cuánto!** *(how, how much, how many)* is also commonly used in exclamations.

   ¡Cuánto dinero tiene!   ¡Cuántos admiradores tienes!
   How much money he has!   *How many admirers you have!*

   ¡Cuánto quería viajar con ellos!
   How I wanted to travel with them!

4. Other interrogative words may also be used in exclamations.

   ¡Quién haría tal cosa!
   Who would do such a thing!

5. When a noun clause follows an exclamation, its verb may be in either the indicative or the subjunctive.

   ¡Qué lástima que no (ganó) ganara!
   What a pity he didn't win!

Práctica

Possible answers 9-25: 1. ¡Cuánto dinero tienes! 2. ¡Qué lejos vive! 3. ¡Cuánto sabe él! 4. ¡Cuántos estudiantes hay! 5. ¡Qué libro tan interesante! 6. ¡Qué profesor tan excelente! 7. ¡Qué universidad tan grande! 8. ¡Qué Facultad tan buena!

9-25 Momentos emocionantes. Trabajando en parejas, usen exclamaciones como una reacción a las situaciones siguientes.

Modelo Ud.: *Es un día bonito.*
Su compañero(a) de clase: *¡Qué día tan bonito!*

1. Tú tienes mucho dinero.
2. Ella vive muy lejos.
3. Mi amigo lo sabe todo.
4. Hay más de mil estudiantes aquí.
5. Este libro es muy interesante.
6. El profesor es excelente.
7. Esta universidad es grande.
8. La Facultad de Medicina es buena.

Possible answers 9-26: 1. ¡Qué rica está! *or* ¡Qué sopa tan rica! 2. ¡Qué rico es! *or* ¡Qué hombre tan rico! 3. ¡Qué horrible el accidente! *or* ¡Qué accidente tan horrible! 4. ¡Qué bien habla! 5. ¡Qué hermoso es! *or* ¡Qué palacio tan hermoso! 6. ¡Qué sabroso está! *or* ¡Qué vino tan sabroso! 7. ¡Qué grande es! *or* ¡Qué ciudad tan grande! 8. ¡Qué difícil es! *or* ¡Qué examen tan difícil!

9-26 Exclamaciones. Trabajando en parejas, den una exclamación apropiada para cada una de las situaciones siguientes.

Modelo al ver a una mujer muy guapa
¡Qué guapa es! ¡Qué mujer tan guapa!

1. al probar una sopa
2. al ver a un hombre que acaba de ganarse un millón de dólares
3. al ver un accidente
4. al conocer a una persona que habla español bien
5. al entrar a un palacio
6. al tomar una copa de vino
7. al visitar Nueva York
8. al aprobar un examen

Answers 9-27: *Answers will vary.*

9-27 Reacciones personales. Trabajando en pares, explique algo emocionante que le pasó. Su compañero(a) de clase debe reaccionar con una exclamación apropiada.

Modelo Ud.: *Recibí una A en la última prueba.*
Su compañero(a) de clase: *¡Qué inteligente eres!*
-o-
¡Qué bueno!

www For more practice of vocabulary and structures, go to the book companion website at **www.thomsonedu.com/spanish/intermediatespanish.**

Antes de empezar la última parte de esta **unidad,** es importante repasar el vocabulario nuevo y la estructura y hacer las actividades que siguen.

Review the subjunctive in adverbial clauses (2).

Answers 9-28: l. Manuel saldrá bien en el examen con tal que haya estudiado la lección. 2. El profesor no hablará a menos que los estudiantes se callen. 3. Sus amigos le dieron la respuesta sin que el profesor lo viera. 4. Fueron a la biblioteca para que Beto pudiera estudiar. 5. Asistiré a la conferencia en caso de que el maestro me haga preguntas después.

9-28 Observaciones. Junte las oraciones siguientes con la expresión entre paréntesis. Haga los cambios necesarios.

1. Manuel saldrá bien en el examen / ha estudiado la lección (con tal que)
2. El profesor no hablará / los estudiantes se callan (a menos que)
3. Sus amigos le dieron la respuesta / el profesor lo vio (sin que)
4. Fueron a la biblioteca / Beto podía estudiar (para que)
5. Asistiré a la conferencia / el maestro me hace preguntas después (en caso de que)

Review the subjunctive in adverbial clauses (2).

Possible answers 9-29: 1. tú me prestes dinero; 2. haya suficiente tiempo; 3. nadie lo supiera; 4. tú y yo entendamos bien la lección para mañana

9-29 Para pedir información. Hágale estas preguntas a un(a) compañero(a) de clase. Su compañero(a) de clase tiene que contestar las preguntas de una manera lógica.

1. ¿Vas conmigo a la librería?
   No, no voy a menos que _____.
2. ¿Tomaremos algo en la cafetería después?
   Sí, tomaremos algo con tal que _____.
3. ¿Saliste rápido de tu última clase hoy?
   Sí, salí sin que _____.
4. ¿Vas a estudiar conmigo en la biblioteca esta noche?
   Sí, voy a estudiar contigo para que _____.

Review the subjunctive in adverbial clauses (2).

Answers 9-30: *Answers will vary.*

9-30 Opiniones personales. Trabajando en parejas, completen estas oraciones de una manera lógica. Comparen sus ideas con las de otros estudiantes de la clase.

1. Mañana estudiaré en la biblioteca con tal que _____.
2. No volveré a hablarle a mi novio(a) a menos que _____.
3. Yo salí de la clase sin que _____.
4. Iré al cine con mis amigos para que _____.
5. Me quedaré en casa mañana en caso de que _____.
6. Traje mis libros a clase a fin de que _____.
7. Venderé mi coche en caso de que _____.
8. Estudiaré español e historia europea para que _____.
9. Le escribí una carta a mi familia de modo que _____.
10. Haré un viaje a Chile aunque _____.

Review the adverbs.

Answers 9-31: 1. Sí, escribo claramente. 2. Sí, trabajo diligentemente. 3. Sí, hablo seriamente. 4. Sí, voy a clase regularmente. 5. Sí, leo frecuentemente. 6. Sí, estudio rápidamente.

9-31 Para pedir información. Trabajando en parejas, hágale estas preguntas a un(a) compañero(a) de clase. Él (Ella) debe contestarle usando una forma adverbial que termine con **-mente.**

Modelo   ¿Contestas las preguntas de una manera lógica?
           Sí, las contesto lógicamente.
           -o-
           No, no las contesto lógicamente.

1. ¿Escribes de manera clara?
2. ¿Trabajas de manera diligente?
3. ¿Hablas de manera seria?
4. ¿Vas a clase con regularidad?
5. ¿Lees con frecuencia?
6. ¿Estudias con rapidez?

9-32 Comparaciones. Trabajando en parejas, describan las cosas en la siguiente lista, usando una forma comparativa o superlativa.

1. mi profesor(a) de español / los maestros de la escuela secundaria
2. mi hermano(a) / yo
3. el cine / la televisión
4. esta universidad / las otras universidades del estado
5. los Estados Unidos / los países hispánicos

Un profesor conduciendo una clase de arte en un parque en Madrid. Describa lo que Ud. ve en la foto. ¿Qué le parece la idea de tener una clase al aire libre en un parque? Explique. ¿Cuántos estudiantes están en la clase? Describa el profesor.

Once you have started to express your ideas, you will want to keep control of the conversation until you have completed your thoughts. Some expressions that can be used to prevent your partner from interrupting and to buy time while you are thinking of what you want to say next are given here.

Keeping control of a conversation

Hesitation fillers:

A ver.	*Let's see.*
Y, bien…	*And, well, . . .*
Un momento…	*One moment . . .*
Espere (Espera)…	*Wait . . .*
Déjeme (Déjame) pensar…	*Let me think . . .*
Es decir…	*That is to say . . .*

Expansion and clarification of a point:

Y también…	*And also . . .*
Y además…	*And besides . . .*
Debo añadir que…	*I should add that . . .*
Lo que quiero decir es que…	*What I mean to say is that . . .*

Suggestion, Descripción y expansión: Have students work in groups of two or three. Before you explore the activities in this section, give students 3–4 minutes to look them over.

Descripción y expansión

En las escuelas y universidades hay centros estudiantiles donde los estudiantes pueden reunirse para divertirse. Mire con cuidado el dibujo de la página 232 y después haga las actividades correspondientes con los otros estudiantes de la clase.

 Describa detalladamente lo que se ve en la escena de una fiesta estudiantil en la proxima página.

a. ¿Qué clase de refrescos se venden? ¿Qué bebida cuesta menos? De las tres bebidas que se venden, ¿cuál es la más costosa?

b. ¿Cuántas personas hay en la banda? ¿Hay más de diez hombres? ¿Es el hombre que toca la trompeta más alto que el que toca el violón *(bass viola)*? ¿Es el guitarrista menos o más gordo que el hombre que toca los tambores *(drums)*? ¿Cuál es el instrumento más grande de la banda? ¿Quién toca el instrumento más pequeño?

c. ¿Cuál de las dos mesas tiene más estudiantes, la de la izquierda o la de la derecha? La mesa a la izquierda, ¿tiene más de 15 estudiantes? ¿En qué mesa se han consumido más bebidas? (Cuente las botellas.)

 Fiestas. Haga una comparación entre esta fiesta y una fiesta típica de su universidad. Comparta esta comparación con la clase.

In the illustration: a sign reads:

```
Coca-Cola   50.
CAFÉ        25.
CERVEZA     50.
```

Suggestion: If you wish to expand on the topic of education, you could select transparency **L-1 La rutina estudiantil,** from the Spanish Transparency Bank. Transparencies **M-1** and **M-2** also deal with **La rutina diaria.**

Opiniones. Con un(a) compañero(a) de clase, conteste estas preguntas.

a. ¿Son importantes las fiestas? ¿Por qué?

b. ¿Qué clase de fiestas le gusta más? Explique.

Ahora, compartan sus opiniones con la clase. ¿Cuántas personas piensan que las fiestas son importantes? ¿Cuántas personas no están de acuerdo? ¿Cuál es la fiesta que a los otros estudiantes les gusta más? ¿Por qué?

✿ A escuchar

Text Audio CD, Track 27 🎧 **Carreras**

Suggestion: Have the students first obtain a general idea of the audio's content by listening without looking at the activities. Next, have them read the activities that follow, and then listen to the audio for the second time. This time, ask them to make notes while listening to the dialogue.

Escuche la siguiente situación y complete las actividades.

Conversación entre Javier, pintor de gran éxito, amigo de la familia, y Marina, estudiante, unos días antes del examen de selectividad que da ingreso a la universidad en España. Los dos, que están esperando la llegada de los padres de Marina, se han encontrado en la cafetería del Museo Reina Sofía, donde ha tenido lugar la inauguración de una muestra de la pintura de Javier.

Answers, Información: 1. Javier y Marina; 2. Hablan de la carrera que Marina va a estudiar el año que viene. 3. Javier es un pintor de gran éxito. 4. el examen de selectividad que da ingreso a la universidad en España; 5. derecho o en combinar empresariales con derecho

Información. Conteste las siguientes preguntas.

1. ¿Quiénes mantienen la conversación?
2. ¿De qué tema charlan en el diálogo?
3. ¿Qué profesión tiene Javier?
4. ¿Qué examen va a tener Marina?
5. ¿Con qué carreras cree Marina que va a ganar mucho dinero?

Conversación. Con un(a) compañero(a) entablen un diálogo sobre sus estudios y sus esperanzas para el futuro.

Situaciones. Con un(a) compañero(a) de clase, preparen algunos diálogos que correspondan a las siguientes situaciones.

> *1. **Una charla entre dos estudiantes de español.** Dos estudiantes están en la cafetería discutiendo las ventajas y desventajas de estudiar en el extranjero.*

> *2. **Una carrera de medicina.** Sus padres quieren que Ud. sea médico(a). Ud. no quiere estudiar medicina. Ellos le explican por qué creen que es una buena profesión para Ud., y Ud. les da las razones por las que prefiere estudiar para maestro(a).*

Text Audio CD, Track 28 🎧 **Ejercicio de comprensión.** Ud. va a escuchar un comentario sobre la educación en el mundo hispánico. Después del comentario, va a escuchar tres oraciones. Indique si la oración es **verdadera** (V) o **falsa** (F) trazando un círculo alrededor de la letra que corresponde a la respuesta correcta.

Suggestion: Have students first obtain a general idea of the audio's content by listening without playing the sentences. Then, play the audio for the second time and have them listen to the sentences so they can perform the activity.

1. V (F)
2. (V) F
3. (V) F

Ahora, escriba dos cosas que haya aprendido al escuchar este comentario. Comparta lo que ha aprendido con la clase.

Intercambios

 Discusión: Un manifiesto. Los estudiantes de la Universidad de Córdoba, Argentina, empezaron la Reforma Universitaria al publicar en 1918 su «Manifiesto de la juventud argentina de Córdoba a los hombres libres de Sudamérica». El manifiesto insistía en la participación de los estudiantes en el gobierno de la universidad, defendía la libertad de enseñanza y asistencia y mantenía que la instrucción debería ser gratuita. Con unos compañeros de clase, preparen un manifiesto, en el que indique cómo debería ser la universidad ideal. Ahora, comparen su manifiesto con los de los otros grupos. ¿Cuáles son las características semejantes y las diferentes para tener una universidad ideal, según la opinión de su grupo y la de los otros?

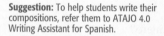
ATAJO

Temas de conversación o de composición

Suggestion: To help students write their compositions, refer them to ATAJO 4.0 Writing Assistant for Spanish.

En grupos de tres personas hablen de sus experiencias en su escuela y la universidad. Cada grupo tiene que contestar y hablar de una de las preguntas abajo. Ningún grupo debe hablar sobre el mismo tópico. Todos pasamos muchos años en la escuela, y muchos también continúan su educación en la universidad. Ya que Ud. está participando en este proceso, tendrá algunas ideas sobre la educación que ha recibido y las instituciones de enseñanza a las que ha asistido. Indique sus ideas, contestando las siguientes preguntas oralmente o en forma escrita. Comparta sus opiniones con la clase.

1. ¿Le parece que la escuela secundaria lo/la ha preparado a Ud. de un modo adecuado para la universidad?
2. ¿Cree que la educación debe tener un fin práctico? ¿Debe limitarse a la preparación del alumno para un oficio?
3. ¿Quiénes deben establecer el plan de estudios de la universidad? ¿los profesores? ¿los estudiantes? ¿el rector y los decanos?
4. ¿Debe haber materias obligatorias (requisitos) en la universidad?
5. ¿Le parece que el sistema actual de evaluación del estudiante es un poco anticuado? ¿Hay otro sistema mejor?
6. ¿Deben participar los estudiantes en la administración de la universidad? ¿en la selección de los profesores?
7. ¿Debe ser gratuita la instrucción en las universidades públicas?
8. ¿Cuáles son los problemas principales con que se enfrenta la universidad hoy día?

Para aprender bien es necesario que el estudiante enfoque su atención y concentración en la lección que está estudiando. A veces es difícil hacer esto a causa de las varias distracciones que no lo dejan concentrarse. En la revista *Entre Estudiantes* de España se publica un artículo sobre este tema. En el artículo se incluye una lista de las distracciones más comunes y lo que el estudiante puede hacer para evitarlas. Lea el artículo y conteste las preguntas.

www.thomsonedu.com/spanish/
intermediatespanish

Lectura

La CYA contra el suspenso

Atención, Concentración y Acción

Fijar continuamente los ojos en cualquier objeto de la mesa de estudio que no sea el libro o los apuntes, tener la irresistible necesidad de salir del cuarto con cualquier pequeña excusa, decirse a sí mismo que tiene derecho a ver un programa de televisión de sólo media hora y encontrarse todavía frente a la pequeña pantalla tres horas después sin saber si quiera que programas ha visto... estos y algunos más son los típicos problemas con los que se encuentra un estudiante que no sabe enfocar adecuadamente su atención. Si quieres filmar un final de curso *glorioso* fija el objetivo de tu CYA (atención y concentración) en estas páginas.

La distracción: causas

La distracción es la continua y más peligrosa enemiga de la atención. Para vencerla lo primero que has de hacer es averiguar sus causas. Estas pueden ser diversas y muy variadas. Tu misión será descubrir cual de ellas te desvían del objetivo y actuar contra ellas.

*Una de las principales y más corrientes causas de la distracción es la no determinación de unos fines y objetivos concretos. Te sientas a estudiar sin saber porqué ni para qué, no sabes a dónde vas, cuál es tu rumbo, no sabes lo que buscas, no te has planteado unas preguntas a las que intentar contestar mediante el estudio. En estas circunstancias cualquier estímulo te alejará de los libros.

*Hay veces en que te encuentras estudiando una asignatura para la cual no estás preparado, no tienes los conocimientos previos para afrontar su estudio, no entiendes nada, todo te suena a chino y cualquier cosa te sirve para rescatarte de ese mar de confusión. Además de perder la atención, disminuirá tu motivación y frecuentemente te sentirás frustrado, pide ayuda para llenar esas lagunas de tu conocimiento. Cuando, por el contrario, el nivel de la asignatura o del curso sea inferior a tu preparación sentirás que estás perdiendo el tiempo e intentarás aprovecharlo en el cine o dando una vuelta con tus amigos.

*La monotonía es la más fiel aliada de la distracción y por tanto un mortal enemigo de la atención. Si llevas estudiando cuatro horas la misma asignatura estarás mortalmente aburrido y todo te distraerá. Procura alternar en un día de estudio varias asignaturas. Cuando estés estudiando una materia, el cambio con el comienzo de la siguiente será un *novedoso* acicate para tu atención.

*La falta de descanso, la fatiga disminuyen progresivamente la atención hasta hacerla imposible si no pones el remedio con un descanso reponedor.

*Mala o inexistente planificación del tiempo de estudio. Las asignaturas más difíciles o *pesadas* estúdialas por la mañana o a media tarde cuando estás descansado y animoso. La lectura de libros de apoyo, tareas mecánicas y las asignaturas más asequibles déjalas para las últimas horas de la tarde cuando el cerebro un poco cansado no admite muchos esfuerzos. Y, por supuesto, (y esto ya te lo tienes que saber muy bien) no estudies nunca inmediatamente después de las comidas.

*Sólo un aventajado fakir estudiaría cómodo y concentrado en una cama de pinchos. El lugar de estudio influye considerablemente en el nivel de la atención: un mobiliario cómodo, una iluminación adecuada, una temperatura media mejorarán tu predisposición para concentrarte. Y lo más obvio, antes de sentarte asegúrate que tienes todo lo necesario encima de la mesa: bolígrafo, lapicero, goma, etcétera, etcétera y retira de la vista la fotografía de tu amado/a, ese muñeco tan gracioso, cualquier cosa que pueda distraerte. Si quieres dejar algo encima de la mesa deja un reloj que cada vez que mires por la ventana o juegues distraído con el lápiz te mire acusador indicándote el tiempo que has perdido.

*Deficiencias alimenticias que pueden provocar la carencia de alguna vitamina o mineral esenciales para mantener la mente en forma.

*Los problemas familiares, sociales, académicos que constantemente acuden a la mente imposibilitan la atención y la concentración.

Si ahora conoces las causas de tus continuas distracciones, duro con ellos, ataca directo al centro del problema.

Preguntas

Conteste las siguientes preguntas.

1. ¿Qué significan las letras CYA?
2. ¿Cuáles son unos de los síntomas de una persona que no sabe enfocar la atención?
3. ¿Cuál es una de las causas de la distracción, y qué se puede hacer para evitarla?
4. ¿Qué papel hace la alimentación con respecto a la habilidad de concentrarse?
5. ¿Qué cosa le distrae más cuándo está tratando de estudiar? ¿Qué hace para remediar el problema?

Ahora compare sus respuestas con las de su grupo. ¿Hay muchas diferencias? ¿Cuáles son?

Distracciones. Ahora, su profesor(a) va a dividir la clase en cinco grupos. Cada grupo debe hablar acerca de lo que se presenta en el artículo, «La distracción: causas». Después de hablar de cada distracción y los remedios para evitarla, cada grupo debe colocarlos en orden de importancia. Si según el grupo, en la lista falta una distracción que Uds. han experimentado, se puede incluir esta distracción también. Después de terminar, su profesor(a) va a escribir en la pizarra una lista de las distracciones empezando con la más dominante y terminando con la menos común, según lo que hayan decidido los grupos.

¿Qué les parecen a los miembros de su grupo las sugerencias para evitar las distracciones? ¿Hay algunos miembros de su grupo que hayan tratado de seguirlas? ¿Han tenido éxito o no? Ellos deben explicar por qué sí o por qué no.

Cada miembro del grupo debe escribir en una hoja de papel la sugerencia que le parezca más práctica y por qué le parece así. Compartan Uds. las ideas del grupo con las de los estudiantes de los otros grupos con un resumen oral que cada uno de los grupos tiene que presentarle oralmente a la clase.

Expansión

Si quiere saber más acerca del tema de la educación y su importancia en la sociedad de los países hispanos, lea **Unidad 9** de *Civilización y cultura.* Escribe un ensayo breve que incluye información sobre estos temas: 1. Historia de la enseñanza hispánica, 2. Educación y enseñanza, 3. La organización de la enseñanza hispánica, 4. Las universidades en el mundo hispánico, 5. La vida estudiantil.

La ciudad en el mundo hispánico

Se encuentra el monumento dedicado a la independencia de México de España en el Paseo de la Reforma en la Ciudad de México. Compare la Ciudad de México con una ciudad grande de los Estados Unidos. ¿Cuáles son las semejanzas y cuáles son las diferencias?

♀Mentor

Literatura y arte: **Unidad 10** of this text presents the theme of **ciudad** through the short story, **"Una señora,"** written by José Donoso of Chile. The art section includes the modern art of Torres García, Sebastián, Matta Echauren, and Obregón, which reflect the same theme.

Civilización y cultura: **Unidad 10** of this text divides the presentation of the theme of **ciudad** into four parts: **1. Las ciudades del mundo hispánico, 2. El aspecto físico de la ciudad hispánica, 3. La vida urbana, 4. El significado de la ciudad en el mundo hispánico.** Several newspaper articles related to the theme are also included.

❁ En contexto

En el Café Alfredo

❁ Estructura

- *If* clauses
- Verbs followed by a preposition
- Diminutives and augmentatives

Repaso

(www) www.thomsonedu.com/spanish/intermediatespanish

❁

A conversar
Expressions that ensure continuous interaction

A escuchar
¿Al rancho?

Intercambios

Investigación y presentación
La capital de la alegría y del contento
Expansión

(www) www.thomsonedu.com/spanish/intermediatespanish

237

✿ En contexto

En el Café Alfredo

Suggestion: Assign the **Vocabulario activo** section as homework. During class time, and before students listen to the dialogue, you can quickly review the **Para practicar** section.

Vocabulario activo

Estudie estas palabras.

Verbos
averiguar *to find out*
enamorarse (de) *to fall in love (with)*
merecer *to deserve*
prestar *to lend*
reunirse *to meet, gather*

Sustantivos
el bocadito *snack*
el bolsillo *pocket*
el caballero *gentleman*
el conjunto *musical group*
los entremeses *hors d'oeuvres*
el letrero *sign*
el metro *subway*
la morenita *pretty brunette*
el (la) novio(a) *boyfriend, girlfriend, fiancé, fiancée*

el (la) pelirrojo(a) *redhead*
el tipo *guy*

Adjetivos
formidable *great, wonderful*
grandote(ta) *very large*
guapetón(ona) *really cute*
guapito(a) *very cute*
poquito(a) *a little bit*
resuelto(a) *resolved*
subterráneo(a) *underground*

Otras expresiones
al aire libre *in the open air, outside*
café al aire libre *sidewalk café*
¿de acuerdo? *agreed? all right?*

The following images are recommended from the Heinle Spanish Transparency Bank: **N-1 Menu, Restaurante La Barraca; N-2 Los cubiertos; N-3 En un restaurante;** and **G-4 El metro de Madrid.**

Suggestion: Assign the corresponding material in the Workbook/Lab Manual as you progress through the **unidad.** Since the activities in the Workbook/Lab Manual can be self-corrected easily, students will receive immediate feedback on how well they understand the concepts currently under study.

10-1 Para practicar. Complete el párrafo siguiente con palabras escogidas de la sección **Vocabulario activo.** No es necesario usar todas las palabras.

Anoche fui a ver a mi **1.** ____novia____ Alicia. Ella vive en un barrio que está lejos de mi casa. Por eso tomé el **2.** ____metro____ a su casa. Alicia es alta, delgada y **3.** ____guapita____ con cabello oscuro y bellísimo. Opino que ella es la **4.** ____morenita____ más bonita del mundo. Yo me **5.** ____enamoré____ de ella la primera vez que la vi. Nosotros nos **6.** ____reunimos____ todas las noches para hablar o para asistir a un concierto o ir al cine. Anoche había un **7.** ____conjunto____ que daba un concierto en el teatro Colón. Mi hermano me **8.** ____prestó____ dinero para comprar las entradas. Era un concierto **9.** ____formidable____. Después decidimos comer un **10.** ____bocadito____ en un **11.** _café al aire libre_ que estaba cerca del teatro.

Text Audio CD, Track 29

Suggestion: Have students first obtain a general idea of the audio's content by listening without looking at the activities. Next, have them read the activities that follow, and then listen to the audio for the second time. This time, ask them to take notes while listening to the dialogue.

En el Café Alfredo. Antes de leer el diálogo escúchelo con el libro cerrado ¿Cuánto comprendió?

(En la Ciudad de México, Tomás y Carlos se reúnen casi todos los días en el Café Alfredo, un restaurante al aire libre.[1])

TOMÁS   Hola, Carlos. ¿No vino Dieguito?
CARLOS   No. Tuvo que visitar a un amigo que está en el hospital.
TOMÁS   ¡Hombre! Mira a esas dos muchachas. Qué guapitas las dos ¿eh?

CARLOS   Guapetonas. A la morenita la vi pasar antes sola. Oye, ¿qué vamos a hacer esta noche?

TOMÁS   No sé. ¿Qué quieres hacer tú? Con tal que no cueste nada, porque mis bolsillos están que chillan del hambrote que traen[1].

CARLOS   A ver si Isabel y Sonia quieren salir a pasear. Te puedo prestar un poquito para que vayamos al cine. O podríamos ir al museo —no cuesta nada.

TOMÁS   ¡Uf! Pero es media hora en camión.[2] Luego tendríamos que esperar hasta que se vistieran y luego otra media hora de vuelta. Ni que fueran[2] Julia Roberts y Keira Knightley.

CARLOS   En el metro llegaríamos en quince minutos.

TOMÁS   Si tuviéramos un coche sólo nos tomaría diez minutos. Voy a buscarme una novia que viva en el centro. ¡Mira! Esas dos acaban de sentarse allí. Si esa pelirroja fuera mi novia, iría al fin del mundo en camión.

CARLOS   Tal vez esté resuelta la cuestión del programa para esta noche. Ve a hablarles. Ya me enamoré.

TOMÁS   Bueno, pero ¿qué les digo?

CARLOS   Invítalas a ir a bailar con nosotros.

TOMÁS   Pero, si aceptan… a menos que traigas dinero para los dos…

CARLOS   Sí, sí, yo te presto. Vamos al «Jacaranda». Tienen un conjunto formidable. Pero date prisa, antes de que se nos vayan.

TOMÁS   Bueno, bueno, ya voy. *(Se acerca a la mesa de Tere y Lola.)* Perdonen, señoritas, ¿saben Uds. dónde queda «El Jacaranda»?

TERE   Sí, allí en la esquina. ¿No ve el letrero ahí —el de las letras grandotas?

TOMÁS   Ah, ¿cómo no lo había notado? ¿Sabe si es un buen lugar para bailar?

TERE   Pues, así dicen. Yo nunca estuve adentro.

TOMÁS   Entonces, permítanme invitarlas. Si nos acompañaran a mi amigo y a mí, podríamos averiguar si merece la fama que tiene. ¿De acuerdo?

LOLA   Sólo si les pide permiso a nuestros novios, que se acercan ahí detrás de Ud.

TOMÁS   ¿Cómo? ¿Novios? Ah… este… Gracias por la información. Buenas noches, caballeros. Pedía un poquitín[3] de información. Si hubiera sabido, no habría molestado. Bueno, con su permiso… *(Vuelve a su mesa.)* Oye, Carlos, viéndolas de cerca no son tan bonitas.

CARLOS   Sí, veo que las acompañan unos tipos. Bueno, ¿qué quieres hacer esta noche?

TOMÁS   Pues, vamos en el metro a casa de Isabel y Sonia, ¿quieres? Pensándolo bien, no está tan lejos.

CARLOS   Bueno, vámonos.

Notas culturales

[1] **un restaurante al aire libre:** *La vida social en muchas ciudades hispánicas se concentra en los cafés —frecuentemente al aire libre— donde se reúne la gente por la tarde, después del trabajo, para conversar, beber y comer entremeses u otros bocaditos. Es una costumbre indispensable para mucha gente.*

[2] **media hora en camión:** *Se usa mucho el transporte público en las ciudades hispánicas. El medio más popular es el camión (la palabra para* bus *en México; en otros países, «el camión» quiere decir* truck*). Los taxis abundan* (abound) *también. En las capitales hay trenes subterráneos (llamados «metros») que suelen ser* (are usually, generally) *más rápidos y, a veces, más cómodos que los «camiones».*

[1] que chillan del hambrote que traen *are growling with hunger (very empty)*   [2] Ni que fueran *Not even if they were*   [3] un poquitín *a tiny bit*

10-2 Actividad cultural. En grupos de tres personas, hablen de estos temas.

1. ¿Qué papel hacen los cafés en España? ¿Qué cosas se sirven en los cafés de Madrid? ¿Son populares los cafés del aire libre en España? ¿en los Estados Unidos? ¿Prefiere Ud. comer y beber en un café o en un restaurante? Explique por qué.

2. ¿Cuáles son los medios de transporte que son más populares en las grandes ciudades del mundo Hispánico? ¿Qué medio de transporte le gusta más a Ud.? ¿Por qué?

10-3 Comprensión. Conteste las siguientes preguntas.

Possible answers 10-3: 1. Es un restaurante al aire libre. 2. Porque tuvo que visitar a un amigo que está en el hospital. 3. Piensa que son guapitas. 4. Sugiere que salgan a pasear e ir al cine con Isabel y Sonia. 5. Pueden ir en camión o en metro. 6. Les pregunta si saben dónde queda «El Jacaranda». 7. Quiere invitarlas a salir con él (y su amigo) para bailar. 8. Porque ya tienen novio. 9. Deciden ir en el metro a casa de Isabel y Sonia.

Suggestion, 10-3 & 10-4: Have students work in groups or do the following activities as a class. Before you begin the activities, give the students 3–4 minutes to prepare them.

1. ¿Qué tipo de restaurante es el Café Alfredo?
2. ¿Por qué no vino Dieguito?
3. ¿Qué piensa Tomás de las muchachas?
4. ¿Qué es lo que sugiere Carlos?
5. ¿Cómo pueden llegar a casa de Isabel y Sonia?
6. ¿Qué les pregunta Tomás a las dos muchachas?
7. ¿Qué quiere hacer en realidad?
8. ¿Por qué no se interesan las muchachas?
9. ¿Qué deciden hacer Tomás y Carlos?

10-4 Opiniones. Conteste las siguientes preguntas.

1. ¿En qué ciudad grande de los Estados Unidos o de México ha estado Ud.?
2. ¿Le gustan las ciudades grandes? ¿Por qué?
3. ¿Le gustan los restaurantes al aire libre? ¿Por qué?
4. ¿Dónde y cuándo ha estado Ud. en un restaurante al aire libre?
5. ¿Por qué no hay muchos restaurantes al aire libre en los Estados Unidos?
6. ¿Prefiere ir a un museo o al cine? ¿Por qué?
7. ¿Cómo se llama su conjunto musical favorito?

En esta foto vemos una escena de una ciudad del mundo hispánico. ¿Cómo es la ciudad? ¿Se parece mucho a una ciudad en los Estados Unidos? Describa el edificio. ¿Se parece a alguno de los edificios en la ciudad dónde vive? Explique. El edificio en la foto es el Centro de Comercio Mundial que está en Barcelona, España.

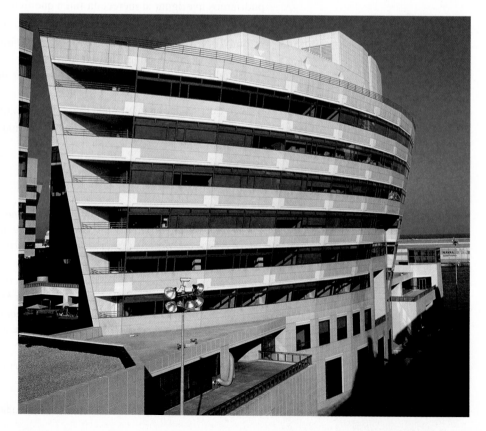

🎧 Heinle iRadio: To hear more about the Subjunctive Mood, visit . . . **www.thomsonedu.com/ spanish.**

Grammar considerations: Assign this section as homework so you can dedicate more class time to the activities in the **Práctica** section.

If clauses

A. Subjunctive and indicative in *if* clauses

In Spanish as in English, **si** or *if* clauses may express conditions that are factual or conditions that are contrary to fact. The verb tense used in a Spanish **si** clause depends on the factual or nonfactual nature of the condition.

1. When a **si** clause expresses a simple condition or a situation that implies the truth or an assumption, the indicative mood is used in both the **si** clause and the result clause of the sentence.

   Si tengo bastante dinero, iré contigo. ¿De acuerdo?
   If I have enough money, I will go with you. Agreed?

   Si continúas hablando, vas a perder el avión.
   If you continue talking, you are going to miss the plane.

   Si ellos tenían tiempo, hacían la tarea.
   If they had time, they did the assignment.

2. When a **si** clause states a hypothetical situation or something that is contrary to fact (not true now nor in the past) or unlikely to happen, the imperfect or past perfect subjunctive is used. The result clause is usually in the conditional or the conditional perfect.

   Si pudiera, iría en metro.
   If I could, I would go by subway.

   Si hubiera sabido, no las habría molestado.
   If I had known, I would not have bothered them.

   Si él fuera a México, vería las ruinas aztecas.
   If he should (were to) go to Mexico, he would see the Aztec ruins.

   ¿Qué harías si tuvieras un millón de dólares?
   What would you do if you had a million dollars?

   Si él lo pusiera en el bolsillo, no lo perdería.
   If he put it in his pocket, he would not lose it.

The **-ra** form of the imperfect or pluperfect subjunctive may also be used in the result clause of conditional sentences. **Si pudiéramos conseguir entradas, quisiera ir.** *If we could get tickets, I'd like to go.*

3. When **si** means *if* in the sense of *whether*, it is always followed by the indicative.

   No sé si lo haré o no.
   I don't know if (whether) I'll do it or not.

B. Clauses with *como si*

Como si *(as if)* implies an untrue or hypothetical situation. It always requires the imperfect or the past perfect subjunctive.

Pinta como si fuera Picasso.
He paints as if he were Picasso.

Hablaban como si no hubieran oído las noticias.
They were talking as if they hadn't heard the news.

¡Como si nosotros tuviéramos la culpa!
As if we were to blame!

Práctica

Out-of-class assignment, 10-5: Have students complete this activity at home so that you can dedicate more time to the open-ended activities that follow.

10-5 Varios pensamientos. Complete estos pensamientos de un(a) estudiante con la forma correcta de los verbos entre paréntesis.

1. Si yo (tener) ___tuviera___ más tiempo, estudiaría con ellos.
2. Se él (haber) ___hubiera___ estudiado sus apuntes, habría salido bien en el examen.
3. Si ellos (ganar) ___ganan___ bastante dinero, comprarán los libros.
4. La profesora me habló como si (ser) ___fuera___ mi madre.
5. Si nosotros (tomar) ___tomáramos___ el metro, llegaríamos a la universidad en diez minutos.
6. Si el profesor (hablar) ___hablara___ más despacio, los alumnos lo entenderían mejor.
7. Si los estudiantes (haber) ___hubieran___ comido un bocadito antes de salir, no habrían tenido hambre durante el examen.
8. Si yo (poder) ___puedo___ encontrar una pluma, escribiré los apuntes en mi cuaderno.
9. Él estudió como si le (gustar) ___gustara___ el curso.
10. Si ellos (viajar) ___viajaran___ por metro, gastarían menos.

Answers 10-6: 1. compraría; 2. viajaría; 3. ayudaría; 4. comería; 5. viviría

10-6 Un(a) millonario(a). Trabajando en parejas, hablen de las cosas que harían si fueran millonarios. Incluyan las ideas de la lista y otras originales.

Si yo fuera millonario(a)…

1. comprar una casa grande
2. viajar a todas partes del mundo
3. ayudar a los pobres
4. comer en los restaurantes más elegantes del mundo
5. vivir en un lugar exótico
6. ¿…?
7. ¿…?
8. ¿…?

Answers 10-7: *Answers will vary.*

10-7 ¿Qué pueden hacer esta noche? Trabajando en parejas, hablen de las cosas que harían esta noche si tuvieran la oportunidad. Siguiendo el modelo, hagan una lista de estas actividades. Compare su lista con la de su compañero(a) de clase.

> **Modelo**   *Yo iría al centro si tuviera dinero.*

Answers 10-8: *Answers will vary.*

10-8 Reacciones. Reaccione a las situaciones siguientes completando cada una de las oraciones de una manera lógica. Luego compare sus reacciones con las de otro(a) compañero(a) de clase. ¿Tienen muchas reacciones en común?

> **Modelo**   *Si no tengo dinero, buscaré trabajo.*

1. Si yo no estudio, _____.
2. Si yo fumara, _____.
3. Si yo ganara mucho dinero, _____.
4. Si yo recibo un cheque de mil dólares, _____.
5. Si yo voy a México, _____.

10-9 Impresiones. Complete estas oraciones de una manera lógica y original. Luego compare sus impresiones con las de otro(a) compañero(a) de clase. ¿Tienen muchas impresiones en común?

1. Mi profesor habla como si _____.
2. El hombre anda como si _____.
3. Mi madre escribe como si _____.
4. Los estudiantes estudian como si _____.
5. Mi novio(a) gasta dinero como si _____.

10-10 Una visita a Madrid. Trabajando en grupos, hablen de lo que harían si fueran a Madrid, la capital de España. Luego, compartan su lista con las de los otros groupos. ¿Cuáles son las diferencias y las semejanzas?

Grammar considerations: Assign this section as homework so that you can dedicate more class time to the activities in the **Práctica** section.

Verbs followed by a preposition

Certain verbs require a preposition when followed by an infinitive or an object noun or pronoun. In the lists below, note the following:

A few verbs are regularly used with either of two prepositions.

entrar **en**	*or* entrar **a** *to enter (into)*
preocuparse **con**	*or* preocuparse **de** *to be concerned with, to worry about*

Many verbs may take more than one preposition, their meaning varying according to which preposition is used.

acabar **con** *to put an end to*
acabar **de** *to have just*

dar **a** *to face*
dar **con** *to come upon, meet*

pensar **de** *to think of (have an opinion of)*
pensar **en** *to think of (have on one's mind)*

Pensar may also be followed directly by an infinitive, in which case it means *to intend to.*

A. Verbs that take the preposition *a*

1. Verbs taking **a** before an infinitive

acostumbrarse a *to get used to*	invitar a *to invite to*
aprender a *to learn to*	ir a *to be going to*
ayudar a *to help to*	negarse a *to refuse to*
comenzar a *to begin to*	ponerse a *to begin to*
empezar a *to begin to*	prepararse a *to prepare to*
enseñar a *to teach to*	volver a *to . . . again*

2. Verbs taking **a** before an object

acercarse a *to approach*	ir a *to go to*
asistir a *to attend*	llegar a *to arrive at (in)*
dar a *to face*	oler a *to smell of*
dirigirse a *to go toward; to address oneself to*	responder a *to answer*
entrar a *to enter*	saber a *to taste of*

B. Verbs that take the preposition *con*

1. Verbs taking **con** before an infinitive

contar con *to count on*
preocuparse con *to be concerned with*
soñar con *to dream of*

2. Verbs taking **con** before an object

casarse con *to marry*
contar con *to count on*
cumplir con *to fulfill one's obligation toward; to keep*
dar con *to meet, to come upon*

encontrarse con *to meet*
quedarse con *to keep*
soñar con *to dream of*
tropezar con *to run across, to come upon*

C. Verbs that take the preposition *de*

1. Verbs taking **de** before an infinitive

acabar de *to have just*
acordarse de *to remember to*
alegrarse de *to be happy to*
dejar de *to stop*
encargarse de *to take charge of*
haber de *to have to*

olvidarse de *to forget to*
preocuparse de *to be concerned about*
quejarse de *to complain of*
terminar de *to finish*
tratar de *to try to*

2. Verbs taking **de** before an object

acordarse de *to remember*
aprovecharse de *to take advantage of*
burlarse de *to make fun of*
depender de *to depend on*
despedirse de *to say good-bye to*
disculparse de *to apologize for*
disfrutar de *to enjoy*
dudar de *to doubt*

enamorarse de *to fall in love with*
gozar de *to enjoy*
mudar(se) de *to move*
olvidarse de *to forget*
pensar de *to think of, to have an opinion about*
reírse de *to laugh at*
servir de *to serve as*

D. Verbs that take the preposition *en*

1. Verbs taking **en** before an infinitive

confiar en *to trust to*
consentir en *to consent to*
consistir en *to consist of*

insistir en *to insist on*
pensar en *to think of about*
tardar en *to delay in, to take long to*

2. Verbs taking **en** before an object

confiar en *to trust*
convertirse en *to turn into*
entrar en *to enter (into)*

fijarse en *to notice*
pensar en *to think of, to have in mind*

Práctica

Out-of-class assignment, 10-11: Have students complete this activity at home so that you can dedicate more time to the open-ended activities that follow.

10-11 Preposiciones. Complete estas oraciones con una preposición si es necesario.

1. Las mujeres se acercaron __a__ la puerta sin leer el letrero.
2. La lección consiste __en__ leer el cuento.
3. Nosotros queremos __–__ ir al partido de fútbol.
4. Mi primo se enamoró __de__ una pelirroja.
5. Se alegran __de__ recibir una carta de su abuela.
6. La doctora espera __–__ llegar temprano a la universidad.
7. Los estudiantes se ponen __a__ estudiar a las diez.
8. El abogado siempre ha cumplido __con__ su palabra.
9. Al entrar __a__ su casa me olvidé __de__ todo.
10. Es necesario acordarse __de__ esta fecha.
11. Mis compañeros siempre insisten __en__ beber vino.
12. Mis padres compraron una casa que da __a__ la plaza.
13. No podemos __–__ salir sin ellos.
14. Rumbo a la estación, Juan tropezó __con__ su novia.
15. Me olvidé __de__ ponerlo en mi cuarto antes de salir.

Answers 10-12: *Answers will vary.*

10-12 Imagínese. Complete estas oraciones de una manera lógica. Luego compare sus respuestas con las de otro(a) compañero(a) de clase. ¿Tienen algo en común?

1. En esta clase nosotros (aprender a) _____.
2. Todas las semanas yo (asistir a) _____.
3. Después de graduarme, quiero (casarse con) _____.
4. Este verano mi familia y yo (disfrutar de) _____.
5. Antes de dormirme, yo (pensar en) _____.

Answers 10-13: *Answers will vary.*

10-13 Información personal. Escriba cinco oraciones que describan cosas que Ud. hace. Luego, escriba cinco preguntas y hágaselas a un(a) compañero(a) de clase. Use palabras de la lista para hacer sus oraciones y sus preguntas.

Modelo *Me encuentro con mis amigos después de la clase.*
¿Con quién te encuentras tú?

1. acostumbrarse
2. dirigirse a
3. contar con
4. casarse con
5. quejarse de
6. burlarse de
7. despedirse de
8. consistir en
9. insistir en
10. fijarse en

Diminutives and augmentatives

Spanish has a number of diminutive and augmentative suffixes that are added to nouns, adjectives, and adverbs in order to indicate a degree of size or age. These suffixes may also express affection or contempt. Often these endings eliminate the need for adjectives.

A. Formation

1. Augmentative and diminutive endings are added to the full form of words ending in a consonant or stressed vowel.

mamá	mamacita	*(mama, mommy)*
animal	animalucho	*(ugly animal)*

2. Words ending in the final unstressed vowels **o** or **a** drop the vowel before the ending is added.

libro	librito	*(little book)*
casa	casucha	*(shack, shanty)*

3. When suffixes beginning in **e** or **i** are attached to a word-stem ending in **c, g,** or **z,** these change to **qu, gu,** and **c,** *respectively,* in order to preserve the sound of the consonant.

chico	chiquito	*(little boy)*
amigo	amiguito	*(pal, buddy)*
pedazo	pedacito	*(small piece, bit)*

4. Diminutive and augmentative endings vary in gender and number.

pobres	pobrecillos	*(poor little things)*
abuela	abuelita	*(grandma)*

B. Diminutive endings

The most common diminutive endings are **-ito, -illo, -cito, -cillo, -ecito,** and **-ecillo.** In addition to small size, diminutive endings frequently express affection, humor, pity, irony, and the like.

1. The endings **-ecito(a)** and **-ecillo(a)** are added to words of one syllable ending in a consonant and words of more than one syllable ending in **e** (without dropping the **e**).

flor	florecita	*(little flower, posy)*
pan	panecillo	*(roll)*
pobre	pobrecillo	*(poor thing)*
madre	madrecita	*(mommy)*

2. The endings **-cito(a)** and **-cillo(a)** are added to most words of more than one syllable ending in **n** or **r.**

joven	jovencita	*(young lady)*
autor	autorcillo	*(would-be author)*

3. The endings **-ito(a)** and **-illo(a)** are added to most other words.

ahora	ahorita	*(right now)*
casa	casita	*(little house)*
Pepe	Pepito	*(Joey)*
Juana	Juanita	*(Jeanie)*
campana	campanilla	*(hand bell)*

C. Augmentative endings

The most common augmentative endings are **-ón(-ona), -azo, -ote(-ota), -acho(a),** and **-ucho(a).** Augmentative endings express large sizes and also contempt, disdain, grotesqueness, and so on.

hombre	hombrón	*(big, husky man)*
éxito	exitazo	*(huge success)*
libro	librote	*(large, heavy book)*
rico	ricacho	*(very rich)*

Práctica

Answers 10-14: (A = aumentativo, D = diminutivo) 1. large chair – A – silla; 2. little horse – D – caballo; 3. big dog – A – perro; 4. a little bit – D – poco; 5. big woman – A – mujer; 6. small young man – D – joven; 7. good-looking girl – A – guapa; 8. little plate, saucer – D – plato; 9. roll, small loaf of bread – D – pan; 10. little mouse – D – ratón; 11. little chicken – D – pollo; 12. little brother –D – hermano; 13. little man – D- hombre; 14. large spoon – A – cuchara; 15. small shoes – D – zapatos; 16. small coffee – D – café; 17. huge, very large – A – grande; 18. little brunette – D – morena; 19. large book – A – libro; 20. little mouth – D – boca

10-14 Derivaciones. Traduzca cada una de las palabras de la siguiente lista. Diga si la palabra es diminutiva o aumentativa. Luego, dé la palabra original de cada palabra de la lista.

1. sillón
2. caballito
3. perrazo
4. poquito
5. mujerona
6. jovencito
7. guapetona
8. platillo
9. panecillo
10. ratoncito
11. pollito
12. hermanito
13. hombrecito
14. cucharón
15. zapatillos
16. cafecito
17. grandote
18. morenita
19. librote
20. boquita

Ahora, escriba un párrafo para describir una persona, una cosa o un animal, usando algunas de las palabras de la lista anterior. Prepárese para compartir su descripción con la clase.

10-15 Una plaza del pueblo. Imagínese que está mirando una foto de una plaza de un pueblo de México. Describa lo que ve, usando formas diminutivas o aumentativas en vez de las frases subrayadas. Luego compare su descripción con la de otro(a) compañero(a) de clase. ¿Están de acuerdo?

Hay una mujer grande ___mujerona___ que está hablando con una chica pequeña ___chiquita___ . Un hombre pequeño ___hombrecito___ está caminando con su perro grande ___perrazo___ . Un chico pequeño ___chiquito___ está sentado en un banco pequeño ___banquito___ . Hay pájaros pequeños ___pajaritos___ encima de una estatua grande ___estatuaza___ . Otro hombre grande ___hombrón___ está leyendo un libro pequeño ___librito___ . A mi hijo pequeño ___hijito___ le gustaría jugar en esta plaza pequeña ___placita___ .

Antes de empezar la última parte de esta **unidad,** es importante repasar el vocabulario nuevo y la estructura y hacer las actividades que siguen.

10-16 Observaciones. Complete estas oraciones con la forma correcta de los verbos entre paréntesis.

Review *if* clauses.

1. Irían a la playa si (tener) __tuvieran__ tiempo.
2. Si yo (saber) __supiera__ la verdad, se la diría.
3. Si José (estudiar) __estudia__, aprenderá mucho.
4. Si ellos me (haber) __hubieran__ prestado el dinero, habría ido.
5. Si (haber) __hay__ bastante tiempo, vamos a ver las ruinas indígenas.
6. Ese hombre habla como si (ser) __fuera__ muy inteligente.
7. Su novio baila como si (estar) __estuviera__ borracho.
8. Mi abuelo escribe como si no (poder) __pudiera__ ver bien.
9. Ella gasta dinero como si (tener) __tuviera__ mucho.
10. Me mudaría a la ciudad si (poder) __pudiera__ encontrar un trabajo.
11. Habrían visitado la aldea si (haber) __hubieran__ tenido más tiempo.
12. Si nosotros (salir) __salimos__ a las seis, llegaremos a las diez.

Review *if* clauses.

Answers 10-17: *Answers will vary.*

10-17 Ideas originales. Trabajando en parejas, completen estas oraciones con ideas originales.

1. Si yo tuviera un millón de euros, _____.
2. Si hubiera un restaurante al aire libre aquí, _____.
3. Si yo pudiera ir a Sudamérica, _____.
4. Si yo viviera en una ciudad grande, _____.
5. Si yo estudiara mucho, _____.
6. Yo comería ahora si _____.
7. Yo estudiaría la lección si _____.
8. Yo te daría todo mi dinero si _____.
9. Iría contigo al cine si _____.
10. Yo te compraría una taza de café si _____.

Review diminutives and augmentatives.

10-18 Descripciones. Complete estas oraciones de una manera lógica, usando formas diminutivas o aumentativas. Luego compare sus descripciones con las de otro(a) compañero(a) de clase. ¿Están de acuerdo?

1. Un animal que no es bonito es un __animalucho__.
2. Una casa que es muy pequeña y humilde es una __casucha__.
3. Lo opuesto de un librote es un __librito__.
4. Una flor que es muy pequeña es una __florecita__.
5. Tomás es más que un amigo, es mi *(pal)* __amiguito__.
6. Hay una campana en la torre, pero la que ella tiene en la mano es una __campanilla__.
7. El profesor no quiere que lo hagamos más tarde, él quiere que lo hagamos *(right now)* __ahorita__.
8. El drama es más que un éxito, es un __exitazo__.

Expressions that ensure continuous interaction

To keep a conversation moving and to ensure continued interaction with your partner, you may ask for help if you forget a word or the details of a situation. Some useful expressions are the following:

¿Cómo se dice…?	*How do you say . . .?*
¿Cómo se llama la persona que nos trae cartas?	*What do you call the person who brings us letters?*
Se me olvidó. ¿Recuerda Ud. (Recuerdas) lo que pasó?	*I forgot. Do you remember what happened?*
Ayúdeme (Ayúdame) a explicarlo.	*Help me explain it.*

👥 Descripción y expansión

La ciudad ofrece muchas ventajas, pero a la vez tiene varias desventajas. Mire con cuidado el dibujo de esta ciudad hispánica, y después haga las siguientes actividades.

1. Describa detalladamente la escena.
2. Diga lo que hace cada persona en la escena. Use la imaginación.
   a. ¿Qué hacen los niños enfrente del cine?
   b. ¿Qué hace el hombre que está sentado en la parada del autobús?
   c. ¿Qué hacen las dos parejas *(couples)*?
   d. ¿Cómo se llama el almacén? ¿Qué se puede comprar en esa tienda?
   e. ¿Cómo se llama la pastelería? ¿Qué se vende en esa tienda?
   f. ¿Cómo se llama la película que dan en el cine? ¿Es una película extranjera para los mexicanos? ¿De qué país es?

👥 Opiniones y observaciones. Conteste las siguientes preguntas.

1. ¿Cuáles son algunas de las semejanzas entre esta ciudad, la ciudad de Nueva York y la suya? ¿Algunas de las diferencias?
2. ¿Dónde preferiría vivir, en esta ciudad o en la suya? ¿Por qué?
3. ¿Le parece a Ud. que la vida diaria de esta ciudad es más tranquila que la de su ciudad? Explique. Comparta sus ideas con las de los otros estudiantes.

Text Audio CD, Track 30 🔘

¿Al rancho?

Suggestion: Have students first obtain a general idea of the audio's content by listening without looking at the activities. Then, have them read the activities that follow, and have them listen to the audio for the second time. This time, ask them to take notes while listening to the dialogue.

Escuche la situación siguiente y complete las actividades.

María Luisa, ecuatoriana del primer curso de universidad, charla por teléfono con su novio Darío sobre la amiga que tiene en Texas. María Luisa y Amy se escriben desde que estaban en el segundo curso de secundaria, y se visitaron en una ocasión durante el verano.

Información. Decida si son **verdaderas** o **falsas** las siguientes oraciones.

1. Darío tiene una amiga en Texas.	V	Ⓕ
2. Amy quiere estudiar periodismo.	V	Ⓕ
3. El rancho está muy lejos de las ciudades.	Ⓥ	F
4. Amy cuenta en la carta lo que es una hermandad.	V	Ⓕ
5. A la estudiante ecuatoriana le gusta vivir en el campo.	V	Ⓕ

Conversación. Pregúntele a un(a) compañero(a) de clase lo que haría si tuviera en su casa un amigo de otro país durante las vacaciones. Cuando termine cuéntele a él/ella lo que Ud. haría de modo diferente.

Situaciones. Con un(a) compañero(a) de clase, prepare algunos diálogos que correspondan a las siguientes situaciones. Estén listos para presentarlos enfrente de la clase.

*1. **Una nueva casa.** Los Rodríguez acaban de mudarse a otra ciudad y buscan una casa. Hablan con un(a) agente de bienes raíces (realtor) y le describen detalladamente la clase de casa que ellos quieren comprar.*

*2. **Las elecciones municipales.** Un(a) candidato(a) para alcalde camina por la ciudad visitando las casas de los votantes. Un hombre le pregunta lo que va a hacer para mejorar la ciudad. El (La) candidato(a) le explica lo que quiere hacer.*

Text Audio, CD, Track 31 🔘

Ejercicio de comprensión. Ud. va a escuchar un comentario sobre la importancia de la ciudad en el mundo hispánico. Después del comentario, va a escuchar varias oraciones. Indique si la oración es **verdadera** (V) o **falsa** (F), trazando un círculo alrededor de la letra que corresponde a la respuesta correcta.

Suggestion: Have students first obtain a general idea of the audio's content by listening without playing the sentences. Then, play the audio for the second time and have them listen to the sentences so they can perform the activity.

1. Ⓥ F
2. V Ⓕ
3. V Ⓕ
4. Ⓥ F

Ahora, escriba dos cosas que ha aprendido al escuchar este comentario. Comparta sus ideas con la clase.

Hay tres pasos en la actividad que sigue. **Primer paso:** Se divide la clase en grupos de tres personas. Lean la introducción a la discusión. **Segundo paso:** Cada miembro del grupo tiene que tomar un papel para representar la escena. **Tercer paso:** Después actúen la situación frente a la clase entera.

Answers: *Answers will vary.*

Discusión: La vida urbana y la vida rural. Todos tenemos alguna idea de cómo preferiríamos vivir si pudiéramos escoger libremente. A algunas personas les gusta más la vida urbana; otras prefieren vivir en el campo. Con un(a) compañero(a) de clase, indiquen Uds. sus preferencias, contestando las siguientes preguntas. Escriba sus respuestas.

1. ¿Dónde se siente más cómodo(a), en la metrópoli o en el campo? ¿Por qué?
2. ¿Cuáles son algunas de las ventajas de la vida rural?
3. ¿Qué nos ofrece la metrópoli?
4. ¿Qué cualidades asocia con las personas que viven en las grandes ciudades? ¿Y con las que viven en el campo?
5. ¿Prefiere caminar por el campo o por las calles de una ciudad? Explique.
6. ¿Qué preparación necesita uno para ganarse la vida en la ciudad? ¿En el campo?
7. ¿Dónde hay mejores diversiones, en la ciudad o en el campo? Descríbalas.
8. ¿Dónde es mejor la calidad de la vida? ¿Por qué?

Ahora, comparen Uds. sus respuestas con las de los otros estudiantes de clase. ¿Cuáles son las diferencias? ¿las semejanzas? ¿Cuántos estudiantes prefieren vivir en la ciudad? ¿en el campo?

ATAJO
Temas de conversación o de composición

Suggestion: To help students write their **resumen,** refer them to ATAJO 4.0 Writing Assistant for Spanish.

En grupos de tres personas, hablan de los temas siguientes. Después, todas las personas tienen que escribir un resumen de lo que contesta cada miembro de su grupo. Para terminar, Uds. tienen que dar sus opiniones con respecto al papel del gobierno en la resolución de estos problemas. Si Ud. dice que el gobierno debe ayudar a las ciudades y a los agricultores o no debe ayudarlos, esté preparado(a) para explicar por qué.

1. ¿Cuáles son los problemas más graves con los que se enfrentan los habitantes de las grandes ciudades?
2. ¿Cuáles son los problemas de las personas que viven en el campo?
3. ¿Cree Ud. que el gobierno nacional debe ayudar a las ciudades que tienen problemas económicos? ¿Debe ayudar a los agricultores con sus problemas?

En esta unidad, Uds. han visitado la Ciudad de México que es la capital de México. Ahora Uds. van a leer acerca de otra ciudad hispánica que está situada en el centro de la Península Ibérica. La ciudad es Madrid, la capital de España. Esta ciudad, fundada por los moros hace muchos años, hoy sirve como centro cultural del país. Lea las descripciones de la ciudad, y después conteste las preguntas.

www.thomsonedu.com/spanish/
intermediatespanish

Lectura

La capital de la alegría y del contento

Madrid es una ciudad abierta, formada por quienes han llegado a ella de acá o allá, sin importar de dónde, porque en Madrid nadie se siente extraño. Madrid es una ciudad múltiple, con muchas facetas, por eso los castizos hablan de los «Madriles»: el Madrid de los Austrias y el de los Borbones; el goyesco, el romántico y el pintoresco; el popular y el sofisticado; el tradicional y el moderno. Pero, sobre todo, es una ciudad amable y divertida; «la llaman la capital de la alegría y del contento», y la ONU la nominó como Ciudad Mensajera de la Paz. Y alguien tuvo que inventarse una palabra nueva: «la movida», porque es único el bullicio nocturno de Madrid y nadie había acertado a expresarlo. Porque Madrid es mucho Madrid.

Vocabulario útil: Madriles *many Madrids;* ONU *Organización de Naciones Unidas*

VIDA CULTURAL

El panorama cultural madrileño se
caracteriza por el gran número de
instituciones culturales, públicas
y privadas, bancos y cajas de
ahorro, universidades y colegios
mayores que rivalizan por hacer
del movimiento cultural de Madrid
una realidad tan densa como
dispar. Exposiciones, conciertos y
recitales, representaciones teatrales,
proyecciones cinematográficas y
ciclos de conferencias sobre los
temas más diversos se dan cita en
la capital. El Ministerio de Cultura
y otros en temas específicos
(MOPU), la Comunidad de Madrid,
el Ayuntamiento, las Universidades
Complutense, Autónoma y
Politécnica son las entidades
públicas. El Centro Cultural de la
Villa y el Centro del Conde Duque
aportan la participación municipal
en la vida cultural.

Museo del Prado

Su núcleo inicial es un edificio
neoclásico del XVIII proyectado
por Villanueva, que se abrió como
Museo Real en 1819 para albergar
la colección de pinturas de los
Austrias y los Borbones españoles,
reunidas durante los siglos XV, XVI
y XVII; en 1872 se amplió con los
fondos del Museo de la Trinidad, al
tiempo que se han ido haciendo
nuevas adquisiciones; es el más
completo del mundo en pintura
española de los siglos XII a XVIII: El
Greco, Velázquez, Ribera, Murillo y
Goya, y famoso por la excepcional
riqueza de otras escuelas: italiana
(Fra Angélico, Rafael, Tiziano,
Tintoretto y Veronés), flamenca (El
Bosco, Van der Weyden, Memling,
Rubens), holandesa (Rembrandt),
francesa, alemana e inglesa.
También guarda el Tesoro del Delfín
y escultura clásica, numismática,
esmaltes y orfebrería.

PARQUES Y JARDINES DE MADRID

El Parque del Buen Retiro

La capital de España posee admirables parques, y por su historia —se inicia en 1625—, su belleza y su extensión, el Parque del Buen Retiro es el más importante de Madrid. El parterre, con trazado de estilo francés, contrasta con los jardines de estilo inglés; tiene grandes avenidas rodeadas de árboles y espeso boscaje de arbustos. La utilización del parque como recinto de exposiciones le añade dos notables edificios: el Palacio de Velázquez, en el que destaca la fábrica de ladrillos con azulejo de Daniel Zuloaga, y el Palacio de Cristal, una verdadera joya de la arquitectura española del hierro y el cristal; el monumento a Alfonso XII reúne los trabajos de 32 escultores de primer orden, dentro del marco modernista de la obra, frente a la que se encuentra el estanque. El único monumento, quizá del mundo, dedicado al Ángel Caído, y otras muchas estatuas distribuidas en rincones y paseos, los Jardines de Cecilio Rodríguez y La Rosaleda definen la personalidad de este parque, que se puede recorrer en «simón» o coche de caballos.

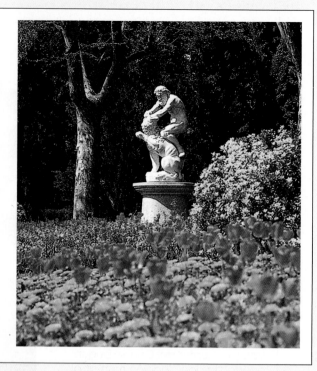

Preguntas

Conteste las siguientes preguntas.

1. Después de leer las descripciones, ¿cree que existen prejuicios raciales en Madrid? ¿Por qué?
2. ¿De qué hablan los castizos (personas muy tradicionales de la capital)?
3. ¿Cuáles son algunas de las palabras que se usan para describir Madrid?
4. ¿Cuál es el nombre que la ONU dio a Madrid? ¿Por qué?
5. Siendo que Madrid es el centro cultural del país, ¿qué se puede encontrar en la ciudad?
6. ¿Cómo se llama el museo famoso de Madrid?
7. ¿Cuándo se abrió este museo?
8. ¿En qué siglo se abrió el Prado?
9. ¿Cuáles son algunas de las colecciones de pinturas más famosas del museo?
10. ¿Cuál es el parque más importante de Madrid? Descríbalo.
11. ¿Cómo se caracteriza la vida cultural de Madrid?
12. ¿Qué quiere decir la frase "una realidad tan densa como dispar" cuando se refiere al movimiento cultural de Madrid?

Para terminar, escriba un ensayo breve sobre las cosas que eran más impresionantes en cuanto a la capital de España y las que eran menos impresionantes.

Expansión

Ahora en grupos de cinco personas, comparen Uds. la capital de España con la de los Estados Unidos. Luego comparen Madrid con la capital del estado donde cada uno de Uds. vive. ¿Cuáles son las semejanzas y cuáles son las diferencias? ¿Dónde prefiere vivir y por qué?

Los Estados Unidos y lo hispánico

Ésta es una escena de una calle de Nueva York que muestra la influencia hispánica en los Estados Unidos. Fíjese en los letreros de cada tienda. ¿Cuál es la especialidad de cada tienda?

Mentor

Literatura y arte: **Unidad 11** of this text presents the theme of **Los Estados Unidos y lo hispánico** through the work of Cuban Nicolás Guillén and a short story by Puerto Rican writer Ana Lydia Vega. The art section follows the same theme through the modern art of the Cuban artists Peláez, Lam, and Carreño.

Civilización y cultura: In this text the theme of **Los Estados Unidos y lo hispánico** is presented in four separate sections: **1. Los Estados Unidos, España y la independencia americana, 2. Los Estados Unidos y las nuevas naciones americanas, 3. El panamericanismo y «El coloso del norte»,** and **4. Las relaciones en la época de la posguerra.** Recent newspaper articles reflecting this theme are also included.

En contexto

Después de los exámenes finales

Estructura

- The passive voice
- Substitutes for the passive
- Uses of the infinitive
- Nominalization
- The conjunctions **pero, sino,** and **sino que**
- The alternative conjunctions **e** and **u**

Repaso

www.thomsonedu.com/spanish/intermediatespanish

A conversar
Idioms

A escuchar
Política

Intercambios

Investigación y presentación
Reglas de oro para comer sanamente
Expansión

www.thomsonedu.com/spanish/intermediatespanish

Después de los exámenes finales

Suggestion: You may assign the **Vocabulario activo** section as homework. During class time, and before students listen to the dialogue, you can quickly review the **Para practicar** section.

Suggestion: It is recommended that the corresponding material in the Workbook/Lab Manual be assigned as you progress through the **unidad.** Since the activities in the Workbook/Lab Manual can be self-corrected easily, students will receive immediate feedback on how well they understand the concepts currently under study.

Vocabulario activo

Estudie estas palabras.

Verbos
charlar *to chat, converse*
señalar *to point out, indicate*

Sustantivos
el lío *problem, hassle*
el profe *professor (slang)*
la raíz *root, origin*

Adjetivos
desagradable *unpleasant*

Otras expresiones
a propósito *by the way*
puesto que *since, inasmuch as*

11-1 Para practicar. Complete el párrafo siguiente con palabras escogidas de la sección **Vocabulario activo.** No es necesario usar todas las palabras.

Tengo un **1.** ____lío____ muy **2.** __desagradable__ con mi compañero de cuarto en la residencia estudiantil. No sé exactamente la **3.** ____raíz____ del problema. **4.** __Puesto que__ el **5.** ____profe____ de mi clase de español conoce a mi compañero también, decidí **6.** ____charlar____ con él para ver si él podría **7.** ____señalar____ un remedio para resolver este problema. **8.** __A propósito__ mi compañero es mi hermano.

Text Audio CD, Track 32 🔊

Después de los exámenes finales. Antes de leer el diálogo, escúchelo con el libro cerrado. ¿Cuánto comprendió?

In some areas of the United States, **mexicoamericano** is now the preferred term.

Suggestion: Have students first obtain a general idea of the audio's content by listening without looking at the activities. Next, have them read the activities that follow, and then listen to the audio for the second time. This time, ask them to take notes while listening to the dialogue.

(Carlos, un estudiante mexicano, se reúne con Bob y Rudi, dos estudiantes chicanos, en la cafetería. Charlan de un viaje que Rudi y Bob piensan hacer a México después de los exámenes finales.)

BOB   ¿Cómo estuvo el examen?

CARLOS   ¡Uf! Difícil, amigo. Sólo con suerte me aprobaron.

RUDI   Pero tú siempre sales bien en química. ¿Qué pasó?

CARLOS   Pues, el profe nos hizo una mala jugada[1]. Preguntó mucho sobre las primeras lecciones. Se me había olvidado todo eso. Pero, no hablemos de cosas desagradables. Vamos a hablar del viaje. Van primero a la capital, ¿verdad?

BOB   Sí. Pensamos pasar unas dos semanas en la capital y luego ir en autobús hasta Yucatán. Terminamos en Cancún para descansar en la playa.

CARLOS   Buen programa. ¿Dónde van a alojarse[2] en México? ¿Han escogido un hotel?

RUDI	Todavía no. ¿Nos puedes recomendar uno que no sea muy caro, eh? No estamos en plan de[3] turistas ricos. Queremos viajar mucho con poco dinero.
CARLOS	Claro. Después les doy una lista. Hay varios hoteles cómodos de precios muy moderados. ¿Quieren estar en el centro?
BOB	Creo que sí. A propósito, ¿es difícil andar por la ciudad? No tendremos coche.
CARLOS	Al contrario. Hay toda clase de transporte público. Tener coche es un lío en la ciudad. Puesto que Uds. hablan español, pueden pedir información en cualquier parte.
RUDI	¿Y qué ciudades del interior nos recomiendas?
CARLOS	Pues, hay varias interesantes entre la capital y Yucatán. Oaxaca, por ejemplo, es muy bella y las ruinas de Monte Albán están muy cerca.
RUDI	Benito Juárez nació en Oaxaca, ¿verdad?
CARLOS	Sí. Y si quieres ver otras ruinas, puedes ir a Palenque. Y luego a Villahermosa y Mérida, Uxmal y Chichén Itzá.
BOB	Pero, hombre, espérate. ¿Cómo vamos a recordar todo eso?
CARLOS	Miren, les voy a traer un libro de guía. Señalaré las ciudades más importantes e interesantes. ¿Por qué no van a Guatemala[1] y a los otros países centroamericanos?
BOB	No hay suficiente tiempo. Pensamos ir a Centroamérica el verano que viene. Queremos ver todos los países de habla española.
RUDI	También queremos ir al Brasil, donde hablan portugués, y a Haití, donde hablan francés. Además, hay islas como Trinidad y Tobago, donde el idioma oficial es el inglés.
BOB	Antes yo no sabía que había tanta variedad lingüística en Latinoamérica.
CARLOS	Existe mucha variedad cultural también, aun entre los países de habla española. Hay que darse cuenta de la diferencia entre un país como Guatemala y otro como la Argentina.
BOB	Pero todos los países hispanos tienen las mismas raíces culturales. Hablan la misma lengua, tienen la misma religión…
CARLOS	Pero han tenido una historia diferente[2] y probablemente tendrán un destino propio. Verán —¡incluso hay diferencias dentro de México, entre la capital y Yucatán!

Notas culturales

[1] *¿Por qué no van a Guatemala?: Desde la frontera de México hasta Panamá hay unas 1.200 millas que abarcan (include) siete países distintos: Guatemala, Honduras, El Salvador, Nicaragua, Costa Rica, Belice y Panamá. El más pequeño, El Salvador, tiene la misma área que el estado de New Hampshire; el más grande, Guatemala, es del tamaño de Pennsylvania.*

[2] *Pero han tenido una historia diferente: Uno de los errores más comunes de los norteamericanos es el olvidarse de las grandes diferencias que existen entre una y otra nación en la región llamada «Latinoamérica».*

[1] jugada *trick*   [2] alojarse *to lodge, stay*   [3] en plan de *in the situation of*

The following transparencies are recommended from the Heinle Transparency Bank to provide information on Central America: **A-15 Country profiles: Costa Rica, Panamá; A-16 Country profiles: Guatamala, El Salvador; A-17 Country profiles: Honduras, Nicaragua;** and **A-2 México y la América Central.**

 11-2 Actividad cultural. En grupos de tres personas, mire los mapas de los países que forman la América Central. Luego, conteste estas preguntas.

1. ¿Cuál es el país más grande de la América Central?
2. ¿Cuál es el país más pequeño?
3. ¿Cuáles países tienen costa en el mar Caribe? ¿en el océano Pacífico?
4. ¿Qué le parecen estos países?
5. ¿Hay más semejanzas entre estos países que diferencias o hay más diferencias que semejanzas?
6. ¿Quiere vivir en esa parte de este hemisférico? Explique.

Suggestion 11-3 & 11-4: Have students work in groups or do the following activities as a class. Before you begin the activities, give students 3–4 minutes to prepare them.

Possible answers 11-3: 1. Se reúnen en la cafetería. 2. Salió mal. 3. Porque el profe preguntó mucho sobre las primeras lecciones y al Carlos se le había olvidado todo eso. 4. Quieren pasar unas dos semanas en la capital. 5. En autobús. 6. No, no tendrán coche. Van a caminar. 7. Está muy cerca de Oaxaca. 8. Porque no hay suficiente tiempo. 9. En el Brasil hablan portugués y en Haití hablan francés. 10. En Trinidad y Tobago el idioma oficial es el inglés.

Answers 11-4: *Answers will vary.*

11-3 Comprensión. Conteste las siguientes preguntas.

1. ¿Dónde se reúnen los tres estudiantes?
2. ¿Cómo salió Carlos en el examen de química?
3. ¿Por qué fue tan difícil el examen?
4. ¿Adónde quieren ir primero Bob y Rudi?
5. ¿Cómo van a viajar a Yucatán?
6. ¿Van a andar por la capital en coche? Explique.
7. ¿Dónde está Monte Albán?
8. ¿Por qué no van a visitar Centroamérica?
9. ¿Qué idiomas hablan en el Brasil y en Haití?
10. ¿Dónde hablan inglés?

11-4 Opiniones. Conteste las siguientes preguntas.

1. ¿Ha viajado por Hispanoamérica? ¿Por dónde?
2. ¿Qué país de Hispanoamérica le gustaría visitar? ¿Por qué?
3. ¿Cómo preferiría viajar por Hispanoamérica? ¿en coche? ¿en tren? ¿en autobús? ¿en avión? ¿Por qué?
4. ¿Qué querría ver en cada país?
5. ¿Querría estudiar en un país hispanoamericano? Explique.
6. ¿Preferiría vivir con una familia hispanoamericana o en un hotel? ¿Por qué?
7. ¿Cree que es necesario saber hablar idiomas extranjeros si uno quiere viajar por el mundo? Explique.
8. En su opinión, ¿por qué es importante que una persona viaje a varios lugares del mundo?

The passive voice

Both English and Spanish have an active and a passive voice. In the active voice, the subject performs the action of the verb; in the passive voice, the subject receives the action. Compare the following examples.

Active voice:

Los mayas construyeron las pirámides de Uxmal y Chichén Itzá.
The Mayans constructed the pyramids of Uxmal and Chichén Itzá.

Passive voice:

Las pirámides de Uxmal y Chichén Itzá fueron construidas por los mayas.
The pyramids of Uxmal and Chichén Itzá were constructed by the Mayans.

A. Formation of the passive voice

The passive voice is formed with the verb **ser** plus a *past participle*. **Ser** may be conjugated in any tense and the past participle must agree in gender and number with the subject. The agent (doer) of the action is usually introduced by **por.**

Ese pueblo fue fundado por los españoles.
That town was founded by the Spaniards.

Los tíos de Rudi van a ser ayudados por Bob y Carlos.
Rudi's aunt and uncle will be helped by Bob and Carlos.

B. Use of the passive voice

1. The passive voice with **ser** is used when the agent carrying out the action of the verb is expressed or implied.

   Los apuntes fueron repasados por Carlos.
   The notes were reviewed by Carlos.

   El boleto fue comprado por Rudi.
   The ticket was bought by Rudi.

   La casa fue destruida por el viento.
   The house was destroyed by the wind.

2. If the action of the sentence is mental or emotional, **de** is used instead of **por** with the agent.

   El profesor es respetado (admirado, etc.) de todos.
   The professor is respected (admired, etc.) by everyone.

Práctica

11-5 ¿Quién hizo eso? Cambie los verbos a la voz pasiva, usando el pretérito de **ser.**

1. Las bebidas (servir) _____ por la criada.
2. El libro de historia (leer) _____ por Juan.
3. Los manuscritos (escribir) _____ por un monje.
4. La información (mandar) _____ por mi amigo.
5. Los indígenas (respetar) _____ por los turistas.

11-6 Un viaje a México. Bob y Rudi van a México. Relate sus planes, cambiando las oraciones de la voz activa a la voz pasiva.

1. Los alumnos estudiaron la historia de Hispanoamérica.
2. Carlos describe la influencia española en México.
3. Bob y Rudi explorarán las ruinas indígenas.
4. Van a visitar las misiones que estableció la Iglesia católica.
5. Carlos señaló otros lugares en la guía que los chicos deben ver.
6. Carlos compró los boletos para el viaje.
7. Bob escribirá el itinerario.
8. Ellos explorarán todas las regiones de México.

11-7 Listo para viajar. Ud. está listo(a) para hacer un viaje a México. Describa lo que cada una de las personas siguientes hizo para ayudar con las preparaciones, usando el pretérito de la voz pasiva con **ser.**

Modelo   reservas / arreglar / el agente de viajes
Las reservas fueron arregladas por el agente de viajes.

1. mi cámara nueva / comprar / mi tío
2. las maletas / hacer / esa compañía
3. el boleto de ida y vuelta / conseguir / mi padre
4. mi pasaporte / expedir *(to issue)* / el gobierno
5. mis dólares / convertir a pesos / el banco

11-8 Personas, lugares y sucesos. Usando la voz pasiva, dé información sobre las personas, los lugares y los sucesos siguientes. Luego compare sus oraciones con las de un(a) compañero(a) de clase. ¿Están de acuerdo?

Modelo   México / conquistar
México fue conquistado por los españoles.

1. la Declaración de Independencia de los Estados Unidos / escribir
2. América / descubrir
3. el teléfono / inventar
4. el presidente / elegir
5. la Primera Guerra mundial / ganar

Substitutes for the passive

A. The passive *se*

When the speaker wishes to focus on the recipient or subject of the action and the agent of the action is not directly expressed, the passive **se** construction is used. The passive **se** construction always has these three parts:

se + third person verb + recipient or subject of the action

Note that if the recipient or subject of the action is an object rather than a person, the verb in the passive **se** construction agrees with it.

En aquella librería se venden libros de historia.
History books are sold in that bookstore.

Muchas páginas se han escrito sobre la conquista.
Many pages have been written about the conquest.

Allí se encuentra la población de origen colonial.
The population of colonial origin is found there.

B. Impersonal *"they"*

The third person plural may also be used as a substitute for the passive when the agent is not expressed.

Dicen que es muy inteligente.
They say (It is said) that she is very intelligent.

Hablan español en la Argentina.
They speak Spanish (Spanish is spoken) in Argentina.

Práctica

Out-of-class assignments, 11-9 & 11-10: Have students complete these activities at home so that you can dedicate more time to the interactive activities that follow. At the beginning of the next class, correct at least one of the activities or have students compare their answers. If there does not seem to be any problem, then proceed with the more interactive activities.

Answers 11-9: 1. Se encuentra una misión colonial allí. 2. Se ve la pirámide al norte de la capital. 3. Se abría la puerta del Museo de Antropología a las diez. 4. Se vende la guía turística en cualquier tienda. 5. Se cerraba tarde la tienda en la Zona Rosa.

Answers 11-10: 1. Hablan náhuatl...; 2. Venden flores...; 3. Dicen que...; 4. Comen tacos...; 5. Bailan el jarabe...

11-9 Información sobre México. Carlos está diciéndole a Rudi algunas de las cosas que ellos deben saber sobre México. Cambie estas oraciones a la forma singular.

> **Modelo**　　Se oyen lenguas indígenas allá.
> 　　　　　　　*Se oye una lengua indígena allá.*

1. Se encuentran misiones coloniales allí.
2. Se ven las pirámides al norte de la capital.
3. Se abrían las puertas del Museo de Antropología a las diez.
4. Se venden las guías turísticas en cualquier tienda.
5. Se cerraban tarde las tiendas en la Zona Rosa.

11-10 Más información. Carlos sigue dándole información a Rudi. Cambie las oraciones a la forma impersonal con el sentido de *they.*

> **Modelo**　　Se hacen joyas de plata en Taxco.
> 　　　　　　　*Hacen joyas de plata en Taxco.*

1. Se habla náhuatl en algunas aldeas de México.
2. Se venden flores de papel en los mercados.
3. Se dice que México es una tierra de contrastes.
4. Se comen tacos en México.
5. Se baila el jarabe tapatío en México.

Answers 11-11: 1. Se preparan...; 2. Se venden...; 3. Se arreglan...; 4. Se verá...; 5. Se toca...

11-11 La llegada. Bob y Rudi han llegado a México. Con un(a) compañero(a) relaten lo que dice su guía, cambiando sus comentarios de la voz activa a la voz pasiva con **se**.

> **Modelo**　　Cambian dinero en el banco.
> 　　　　　　　*Se cambia dinero en el banco.*

1. Preparan platos típicos en los restaurantes cerca del Zócalo.
2. Venden libros antiguos en varias tiendas en la Zona Rosa.
3. Arreglan los planes del viaje en esa agencia.
4. Verán la catedral durante una visita a la plaza.
5. Tocan música folklórica en aquella cantina.

11-12 Al hotel. Con un(a) compañero(a) de clase digan lo que hicieron estas personas cuando Rudi y Bob llegaron al hotel.

> **Modelo**   abrir la puerta / el botones
> *La puerta fue abierta por el botones.*

1. traer las maletas al cuarto / Roberto
2. deshacer las maletas / los muchachos
3. arreglar un viaje a las pirámides / el agente de viajes
4. limpiar el cuarto / la criada
5. escribir unas tarjetas / Rudi

11-13 Un viaje personal. Usando la voz pasiva, relátele a su compañero(a) brevemente algunas experiencias que ha tenido viajando.

Uses of the infinitive

1. As an object of a preposition (where English uses the *-ing* form).

   Después de repasar sus apuntes, él fue a clase.
   After reviewing his notes, he went to class.

   Antes de hablar, es bueno pensar.
   Before speaking, it is good to think.

2. As a noun functioning as the subject or object of a verb. It may be used with or without the definite article **el.**

   (El) Ver esa región es indispensable.
   Seeing that region is indispensable.

   ¿Qué prefieres, nadar o esquiar?
   What do you prefer, swimming or skiing?

3. As a verb complement, in place of a noun clause when there is no change of subject.

   Quiero salir mañana.
   I want to leave tomorrow.

   Esperan llegar el martes.
   They hope to arrive on Tuesday.

4. In place of a noun clause after certain impersonal expressions (used with an indirect object pronoun).

   Le es necesario comprarlo.
   It is necessary for him to buy it.

   Nos es imposible viajar en tren.
   It is impossible for us to travel by train.

5. After verbs of perception such as **oír, escuchar, ver, mirar,** and **sentir.** (Note the position of the noun object in the last example.)

   Los oí llorar.
   I heard them crying.

   Vieron escapar al ladrón.
   They saw the thief escape.

6. Instead of a noun clause after verbs of preventing, ordering, or permitting (**prohibir, mandar, hacer, dejar,** and **permitir**). An object pronoun is usually a part of this construction.

Me prohibió salir.
He prohibited me from leaving.

Nos impidieron entrar.
They stopped us from entering.

No lo dejaron hablar.
They didn't allow him to speak.

Le hizo escribirla.
He made him write it.

7. In certain impersonal commands (usually on signs).

No fumar.
No smoking.

No escupir en la calle.
No spitting in the street.

No pisar el césped.
Don't step on the grass.

Práctica

11-14 Las experiencias de Rudi y Bob en México. Exprese algunas de las cosas que Rudi y Bob hicieron durante su primer día en México, traduciendo las palabras entre paréntesis. Luego compare sus oraciones con las de un(a) compañero(a) de clase. ¿Están de acuerdo?

1. *(After arriving)* _____ a México, fuimos al museo.
2. Rudi compró unos recuerdos *(in spite of having)* _____ poco dinero.
3. *(After eating)* _____, nos pusimos a charlar con unos mexicanos.
4. *(Instead of going to bed)* _____, miramos la televisión.
5. Siempre nos divertimos *(upon visiting)* _____ un país nuevo.

11-15 Una carta a un(a) amigo(a). Ud. está escribiéndole a un(a) amigo(a) después de llegar a la ciudad de México. Cuéntele unas de sus experiencias personales. Luego lea su carta a un(a) compañero(a) de clase. ¿Han tenido experiencias similares?

Nominalization

A word or phrase that modifies a noun (a simple adjective, a **de** phrase, or an adjective clause) may function as a noun when used with the definite article. The process of omitting the noun and using the article + modifier is called *nominalization*.

Noun(s) stated:

Hay dos chicas allí. La chica morena es mi prima y la chica rubia es mi hermana.
There are two girls over there. The brunette girl is my cousin and the blonde girl is my sister.

Noun(s) omitted:

Hay dos chicas allí. La morena es mi prima y la rubia es mi hermana.
There are two girls over there. The brunette is my cousin and the blonde is my sister.

More examples:

La raqueta de Paco es roja. La de Roberto es azul.
Paco's racket is red. Roberto's is blue.

El chico que habla es Carlos. El que escribe es Juan.
The boy who is talking is Carlos. The one who is writing is Juan.

The contractions **al** and **del** often occur in nominalized sentences.

Quiero conocer al hombre rico.
Quiero conocer al rico.

Práctica

Out-of-class assignment, 11-16: Have students complete this activity at home so that you can dedicate more time to the open-ended activities that follow.

Answers 11-16: 1. Éstas son las de Trinidad y aquéllas son las de Tobago. 2. La que está cerca de la ventana es más bonita que la que está sentada. 3. Te prestaré el amarillo, si me prestas el rojo. 4. Puedo leer las que están en este letrero, pero no puedo leer las que están en aquel letrero. 5. A propósito, la pelirroja quiere salir con Carlos, la morena no quiere. 6. Los de aquí no saben bailar, los de allá sí saben. 7. El que está en esa esquina está cerrado, el que está en el centro está abierto. 8. Las que tomé costaron poco; las que tomaste costaron mucho. 9. La de Isabel queda lejos de aquí; la de Sonía queda cerca. 10. Se acerca a la de Tere; se aleja de la de Lola.

Answers 11-17: *Answers will vary.*

11-16 Opiniones personales. Cambie estas oraciones según el modelo.

> **Modelo**   Pienso que los exámenes orales son más difíciles que los exámenes escritos.
> *Pienso que los orales son más difíciles que los escritos.*

1. Éstas son las fotos de Trinidad y aquéllas son las fotos de Tobago.
2. La chica que está cerca de la ventana es más bonita que la chica que está sentada.
3. Te prestaré el vestido amarillo, si me prestas el vestido rojo.
4. Puedo leer las palabras que están en este letrero, pero no puedo leer las palabras que están en aquel letrero.
5. A propósito, la chica pelirroja quiere salir con Carlos, la chica morena no quiere.
6. Los chicos de aquí no saben bailar, los chicos de allá sí saben.
7. El restaurante que está en esa esquina está cerrado, el restaurante que está en el centro está abierto.
8. Las bebidas que tomé costaron poco; las bebidas que tomaste costaron mucho.
9. La casa de Isabel queda lejos de aquí; la casa de Sonia queda cerca.
10. Se acerca a la mesa de Tere; se aleja de la mesa de Lola.

11-17 Sus preferencias. Trabajando en parejas, expresen sus preferencias en cuanto a las cosas siguientes.

> **Modelo**   ¿Un vuelo? Nos gusta *el que sale a las ocho.*

1. ¿Un restaurante? Me gusta _____.
2. ¿Novelas? Nos gustan _____.
3. ¿Un disco? Quiero escuchar _____.
4. ¿Bailes? Nos gustan _____.
5. ¿Películas? Prefiero _____.

Grammar considerations: Assign this section as homework so that you can dedicate more class time to the activities in the **Práctica** section.

11-18 Su viaje a México. Trabajando en parejas, háganse estas preguntas para saber lo que prefieren ver.

> **Modelo**   ¿Qué prefieres ver, el museo de antropología o el museo de arte moderno?
> *Prefiero ver el de antropología.*

¿Qué prefieres ver, …

1. la catedral de Guadalajara o la catedral de México?
2. la costa del Pacífico o la costa del Atlántico?
3. los barrios pobres o los barrios ricos?
4. los mercados indígenas o los mercados modernos?
5. los edificios de arquitectura colonial o los edificios de arquitectura moderna?

Ahora, siguiendo el modelo anterior hagan Uds. dos o tres preguntas originales.

The conjunctions *pero, sino,* and *sino que*

Grammar considerations: Assign this section as homework so that you can dedicate more class time to the activities in the **Práctica** section.

Pero, sino, and **sino que** all mean *but*. They all join two elements of a sentence, but each has specific guidelines governing its usage.

1. **Pero** joins two elements when the preceding clause is affirmative. It introduces information that expands a previously mentioned idea.

   Quiero ir, pero no iré.
   I want to go, but I won't.

   Prefiero mirar la televisión, pero tengo que estudiar.
   I prefer to watch television, but I have to study.

   Pero may be used after a negative element. In this case, *but* is equivalent to *nevertheless* or *however*.

   Raúl no es muy alto, pero juega bien al tenis.
   Raúl isn't very tall, but he plays tennis well.

   No me gusta hablar de cosas desagradables, pero a veces hay que hacerlo.
   I don't like to talk of unpleasant things, but sometimes it must be done.

2. **Sino** is only used after a negative element in order to express a contrast or contradiction to the first element. (**Sino** connects only a word or phrase to a sentence, but never a clause.)

   No es fácil sino difícil.
   It isn't easy, but difficult.

   No quiere beber sino comer.
   He doesn't want to drink, but rather to eat.

   Ellos no son peruanos sino chilenos.
   They are not Peruvians, but Chileans.

3. **Sino que** is only used after a negative element to connect a clause to the sentence. Like **sino,** it introduces information that contrasts or contradicts the concept expressed in a preceding negative element.

   No es necesario que lo estudie sino que lo lea.
   It isn't necessary that he study it, but that he read it.

   No dijo que vendría sino que se quedaría en casa.
   He didn't say that he would come, but that he would stay at home.

Práctica

11-19 A aclarar. Para aclarar las situaciones siguientes, complete cada oración con **pero, sino** o **sino que**.

1. Rudi no va con Carlos ___sino___ con Bob.
2. Quiere ser ingeniero ___pero___ no es fácil.
3. No iré al concierto ___sino que___ lo escucharé por radio.
4. No es azul ___sino___ verde.
5. No quiero hablar ___sino___ callarme.
6. No quiere que hablemos ___sino que___ nos callemos.
7. No dijeron que lo comprarían ___sino que___ lo venderían.
8. No van a tomar al autobús ___sino___ el metro.
9. No va al cine ___sino que___ se queda en casa.
10. Mi amigo no es español ___sino___ mexicano.
11. Él va a estudiar, ___pero___ ellos prefieren ir al cine.
12. No piensan ir a Bolivia ___sino___ a Guatemala.
13. No hay desierto ___sino___ montañas.
14. No queremos quedarnos aquí ___pero___ nos quedaremos.
15. Me gustaría charlar más, ___pero___ tengo que terminar la tarea.

Suggestion, 11-20: Give students 2–3 minutes to complete the activity and then ask them to correct each other's activity and justify the changes they suggest. Encourage students to provide additional examples with their justifications.

Answers 11-20: *Answers will vary.*

11-20 A escoger. Complete cada oración con sus propias ideas. Luego compare sus respuestas con las de un(a) compañero(a) de clase. ¿Tienen mucho en común?

Modelo   *No quiero visitar la misión sino la catedral. No quiero visitar la misión sino que me la describan.*

1. No quiero hacer un viaje a Tucson, pero _____.
   No quiero hacer un viaje a Tucson sino (que) _____.
2. Guadalajara no está cerca, pero_____.
   Guadalajara no está cerca sino (que) _____.
3. Mi amigo cree que yo sé mucho de México, pero _____.
   Mi profesor no cree que yo sepa mucho de México sino (que) _____.
4. En México un pasaporte es importante, pero _____.
   En España un pasaporte no sólo es importante sino (que) _____.

Grammar considerations: Assign this section as homework so that you can dedicate more class time to the activities in the **Práctica** section.

The alternative conjunctions *e* and *u*

1. The conjunction **y** changes to **e** before words beginning with **i** or **hi.**

   Queremos ver lugares pintorescos e interesantes.
   We want to see picturesque and interesting places.

   Se necesitan tela e hilo para hacer un vestido.
   Fabric and thread are needed to make a dress.

   However, **y** does not change before nouns beginning with **hie** or with **y.**

   petróleo y hierro   él y yo
   oil and iron   *he and I*

2. The conjunction **o** changes to **u** before words beginning with **o** or **ho.**

   Tomás u Olivia pueden hacerlo.
   Tomás or Olivia can do it.

   No sé si es mujer u hombre.
   I don't know if it's a woman or a man.

Práctica

Suggestion, 11-21 & 11-22: Give students 2–3 minutes to complete these activities and then ask them to correct each other's activities and justify the changes they suggest.

11-21 De vuelta a casa. Bob y Rudi han vuelto de México y están compartiendo la información que ellos han obtenido. Relate lo que ellos dijeron, completando estas oraciones con **y** o **e.**

1. En México comimos naranjas __e__ higos.
2. Se sirve gaseosa con limón __y__ hielo en casi todos los cafés.
3. Rudi hablaba español __e__ inglés todo el tiempo porque muchos de los mexicanos son bilingües.
4. Las personas a quienes conocimos nos contaron muchos cuentos divertidos __e__ increíbles.

11-22 La conversación con Rudi y Bob continúa. Complete estas oraciones con **o** o **u.**

1. No sabíamos si necesitábamos más dinero __u__ otra cosa para comprar joyas de plata.
2. Traté de visitar el Castillo de Chapultepec siete __u__ ocho veces sin tener éxito.
3. Prefiero leer novelas __o__ cuentos escritos por mexicanos para entender mejor su historia.
4. No sabíamos si las entradas costaron setenta __u__ ochenta pesos para entrar en el Palacio de Bellas Artes.

For more practice of vocabulary and structures, go to the book companion website at **www.thomsonedu.com/spanish/intermediatespanish.**

Antes de empezar la última parte de esta **unidad,** es importante repasar el vocabulario nuevo y la estructura y hacer las actividades que siguen.

11-23 Para pedir información. Trabajando en parejas, hagan y contesten estas preguntas.

Review the passive voice.

Answers 11-23: *Answers will vary.*

> **Modelo** ¿Los apuntes están escritos?
> *Sí, fueron escritos por el estudiante.*

1. ¿Las lecciones están terminadas?
2. ¿La composición está corregida?
3. ¿Los viajes están arreglados?
4. ¿La puerta está cerrada?
5. ¿El resumen está preparado?

Review the passive voice.

Answers 11-24: *Answers will vary.*

11-24 ¿Quién hace estas cosas en su familia? Trabajando en parejas, háganse y contesten estas preguntas, usando la forma de la voz pasiva con **ser.**

> **Modelo** preparar / comida
> *¿Quién prepara la comida?*
> *La comida es preparada por mi padre.*

1. pagar / cuentas
2. escribir / cartas
3. leer / libros
4. cantar / canciones
5. limpiar / casa
6. manejar / coche

Ahora, pregúntele a un(a) compañero(a) de clase si hay otras cosas que otros miembros de su familia hacen en casa.

Review substitutes for the passive.

Answers 11-25: 1. Se arreglan viajes a Puebla aquí. 2. Se sirve comida francesa aquí. 3. Se habla inglés aquí. 4. Se venden novelas mexicanas aquí. 5. Se alquilan coches aquí.

11-25 Para hacer anuncios. Se usa con frecuencia el **se** impersonal en los anuncios. Con un(a) compañero(a) escriban unos anuncios, usando las siguientes palabras.

> **Modelo** casas / vender
> *Se venden casas aquí.*

1. viajes a Puebla / arreglar
2. comida francesa / servir
3. inglés / hablar
4. novelas mexicanas / vender
5. coches / alquilar

11-26 Evitando la repetición. Cambie estas oraciones según el modelo.

> **Modelo** El boleto de Rudi y el boleto de Bob están en la maleta.
> *El boleto de Rudi y el de Bob están en la maleta.*

1. La casa de Juan y la casa de Pablo están muy lejos de aquí.
2. El libro que está en la mesa y el libro que está en la silla son de Elena.
3. Los mapas de México y los mapas de Costa Rica están en mi cuarto.
4. El coche azul y el coche rojo son nuevos.
5. Los muchachos españoles y los muchachos argentinos están aquí de visita.

11-27 Para planear un viaje a Latinoamérica. Ud. y un(a) amigo(a) están planeando un viaje a Latinoamérica. Trabajando en pares, hagan un itinerario para su viaje, incluyendo los lugares que quieren visitar y una lista de cosas que piensan que son necesarias tener en el viaje. Hay solamente una restricción. Ud. puede llevar solamente cinco cosas con Ud. incluyendo su maleta. Estén preparados para compartir su itinerario y su lista con los estudiantes de la clase. Ellos van a decirles si ellos piensan que Uds. han incluido todas las cosas esenciales para el viaje.

El Restaurante Botín

SOPAS

Sopa al cuarto de hora de pescados	€10.60
SOPA DE AJO CON HUEVO	3.86
Caldo de ave	3.20
Gazpacho	5.33

HUEVOS

Revuelto de la casa (morcilla y patatas)	5.53
Huevos revueltos con espárragos trigueros	6.63
Huevos revueltos con salmón ahumado	7.00
Tortilla de gambas	7.00

VERDURAS

Espárragos con mahonesa	8.90
Menestra de verduras salteadas con jamón ibérico	7.80
Alcachofas salteadas con jamón ibérico	5.90
Judías verdes con jamón ibérico	5.90
Setas a la segoviana	6.43
Patatas fritas	2.46
Patatas asadas	2.46

PESCADOS

ALMEJAS BOTÍN	15.70
Langostinos con mahonesa	24.86
Gambas al ajillo	17.96
Gambas a la plancha	17.96
Cazuela de pescados	18.83
Rape en salsa	17.40
Merluza al horno o frita	20.56
Lenguado frito, al horno o a la plancha (pieza)	16.63
Calamares fritos	10.43

❋ A conversar

Idioms

Learning idioms and useful expressions will help you understand a native speaker more easily. Knowing idioms and expressions will also enable you to develop a more sophisticated level of speaking. An idiom is a word or expression that cannot be analyzed word for word nor does it have a direct English equivalent. Some of the more frequently used idioms you have studied are the following:

claro	*of course*	valer la pena	*to be worthwhile*
con permiso	*excuse me (when leaving the table or a room)*	tomar una copa	*to have a drink*
		hacer daño	*to harm, hurt*
de todos modos	*anyway*	darse cuenta de	*to realize*

👥 Descripción y expansión

En el mundo hispánico se puede encontrar una gran variedad de restaurantes y cafés; unos son muy elegantes, algunos están al aire libre, algunos son cafeterías más o menos informales. Mire con cuidado la foto de un restaurante, y haga las actividades que siguen.

¿Cómo es el restaurante? ¿grande? ¿pequeño? ¿elegante? ¿regular?

Describa la clase de restaurante que prefiere. ¿Por qué prefiere ese tipo?

👥 **Opiniones.** Conteste las siguientes preguntas.

a. ¿Qué opina de la comida extranjera? Explique.
b. ¿Qué comida extranjera es su favorita? ¿Por qué?
c. ¿Cuál prefiere, la comida americana o la comida mexicana? ¿Por qué? Ahora, comparta sus ideas con la clase.

Suggestion, Descripción y expansión: Have students work in groups of two or three. Before you explore the activities in this section, give students 3–4 minutes to look them over.

▌**Suggestion:** To have more work with restaurants, use some of the transparencies from the Heinle Spanish Transparency Bank. The following transparencies are recommended: **N-1 Menú: La Barraca, E-2 Los cubiertos,** and **N-3 En el restaurante.**

El Restaurante Sanborne en la capital de México.

Text Audio CD, Track 33

🎧 Política

Escuche la situación siguiente y complete las actividades.

Suggestion: Have students first obtain a general idea of the audio's content by listening without looking at the activities. Then, have them read the activities that follow, and have them listen to the audio for the second time. This time, ask them to take notes while listening to the dialogue.

Dos empresarios del sector de la industria turística de Veracruz, México, durante su estancia en Houston, se encuentran viendo un partido de baloncesto. En el descanso charlan de diversos temas, entre ellos de política y de las próximas elecciones en los Estados Unidos.

Answers, Información: 1. …un partido de baloncesto. 2. …nada de México. 3. …empresarios. 4. …un gran orgullo. 5. …en contra del Tratado de Libre Comercio.

Información. Complete las siguientes oraciones, basándose en el diálogo que acaba de escuchar.

1. Manolo y Pancho están viendo…
2. La sección de deportes no contaba…
3. Los dos señores mexicanos son…
4. Para los estados del sur el ser conservador es…
5. Un segmento de la opinión pública está…

Text Audio CD, Track 34

🎧 **Ejercicio de comprensión.** Ud. va a escuchar un comentario sobre las relaciones entre los Estados Unidos e Hispanoamérica durante el siglo XX. Después del comentario, va a escuchar varias oraciones. Indique si la oración es **verdadera** (V) o **falsa** (F), trazando un círculo alrededor de la letra que corresponde a la respuesta correcta.

1. V (F)
2. (V) F
3. V (F)
4. (V) F
5. (V) F
6. V (F)

Ahora, escriba dos cosas que ha aprendido al escuchar este comentario. Comparta esta información con la clase. ¿Cuántos estudiantes escribieron las mismas cosas?

Intercambios

Hay tres pasos en la actividad que sigue. **Primer paso:** Se divide la clase en grupos de tres personas. Lean la introducción a cada situación. **Segundo paso:** Cada grupo tiene que escoger una situación. **Tercer paso:** Después actúen la situación frente a la clase entera.

1. **Para tomar un taxi:** Ud. ha llegado a una ciudad hispánica y tiene que tomar un taxi al centro. Pregúntele al chófer si conoce un hotel no muy caro y una agencia donde pueda alquilar un coche.

   autopista *highway;* calle *(f) street;* cobrar por *to charge for;* coche de alquiler *rental car;* precio fijo (por persona) *fixed price (per person);* recomendar *to recommend;* ruta *route;* taxímetro *taxi meter*

2. **Hay que ir al correo y al banco:** Después de escribir unas cartas y unas tarjetas postales, Ud. tiene que ir al correo. Pregúntele al conserje dónde está. Después, Ud. pasa por el banco para cobrar unos cheques de viajero. Tiene que identificarse y averiguar la tarifa *(rate)* de cambio.

   correo aéreo (ordinario) *air (regular) mail;* dirección *address;* estampilla (sello, timbre) *stamp;* franqueo *postage;* remitente *(m or f) sender, return address;* cajero *cashier;* cheque de caja *(m) cashier's check;* cheque de viajero *traveler's check;* cobrar un cheque *to cash a check;* cuenta *account;* firmar (o endosar) *to sign, to endorse;* tasa (o tarifa) de cambio *exchange rate;* ventanilla *(cashier's) window*

3. **Una enfermedad:** Un día Ud. se siente mal. Llame a la recepción y pida que le llamen a un médico. Después, llame al médico y explique lo que le pasa.

   alergia *allergy;* antiácido *antacid;* aspirina *aspirin;* cápsula *capsule;* clínica *clinic, hospital;* consultorio *doctor's office;* dolor de estómago (cabeza) *stomach (head) ache;* enfermedad *illness;* estar resfriado(a) *to have a cold;* farmacéutico(a) *pharmacist;* indigestión *indigestion;* inyección *injection, shot;* pastilla *tablet;* píldora *pill;* receta *prescription*

 A T A J O

Temas de conversación o de composición

Suggestion: Refer students to ATAJO 4.0 Writing Assistant for Spanish.

1. Escriba una composición o hable de un viaje que ha hecho. Describa los lugares que visitó y la gente a quien conoció.
2. Escriba una composición o hable de un viaje que querría hacer por el mundo hispánico.

Ahora, cada estudiante tiene que compartir esta información, presentándosela oralmente a la clase.

Se puede ver una fuerte influencia de los Estados Unidos, con sus cadenas de comida rápida, en muchos países del mundo hispánico. Los restaurantes de *fast-food* se encuentran en casi todas las ciudades grandes de España. Para una dieta equilibrada y sana, lea el pasaje a continuación con cuidado y conteste las preguntas que siguen.

www.thomsonedu.com/spanish/
intermediatespanish

Lectura

Lo que debemos comer para tener buena salud

Hay muchos comentarios sobre lo que debemos comer. Te dicen, por ejemplo: Eso sí…, eso no…, ahora sí… o ahora no… Evidentemente, parte de estos comentarios puede ser correcta, ya que hay unas «reglas de oro» que debes tener siempre en cuenta si deseas estar bien alimentado y en forma.

Una alimentación variada

Estarás más sano si tu alimentación es variada, tanto en lo que comes diariamente, como en lo que comes en una dieta a largo plazo. Ésta es la primera regla de oro. Todos los expertos en nutrición coinciden en que es imposible afirmar que una comida aislada sea mejor que otra. Al final, lo que cuenta es el total de lo que tú comes, ya que son varias comidas lo que compone la dieta.

En las cadenas de fast-food, tienes además de las hamburguesas y las patatas fritas, una gran variedad de productos que puedes probar cada vez que vas a uno de estos restaurantes, tales como pepitas de pollo, ensaladas, un sándwich de pescado, etc. Obviamente, dependiendo de lo que tú escojas, la comida de la mayor parte de las cadenas de comida rápida te proporcionará diferentes valores nutritivos.

Un consejo: La mejor forma de comprobar que tu dieta es equilibrada, es seleccionar productos de este cuadro básico de comidas:
CEREALES (pan, arroz, pasta, cereales de desayuno, etc.)
CARNE, PESCADO Y HUEVOS
LÁCTEOS (yogur, queso, leche entera o descremada)
VEGETALES Y FRUTAS
ACEITES Y GRASAS, en cantidades adecuadas
AZÚCAR (dulces y chocolates) Y REFRESCOS

Comer con moderación

La segunda regla de oro es no comer mucho de una sola cosa. Además los expertos en nutrición aconsejan poner especial cuidado en la cantidad de azúcar y de sal que tomas. Un exceso de peso casi siempre es debido a que se come demasiado, y se hace menos ejercicio del aconsejado.

¿Qué papel juega la comida rápida en tu vida?

Las hamburguesas son ricas en proteínas, aportan hierro y fósforo y cantidades importantes de vitaminas del complejo B.

Las ensaladas están preparadas con vegetales frescos: tomate, lechuga, zanahoria, cebolla, etc. que aportan diferentes vitaminas.

Y los helados son una excelente fuente de calcio, tan esencial para mantener sanos los dientes y los huesos.

Por fin, un menú completo de comida rápida satisface muchas de las necesidades vitales del cuerpo, tales como el aporte de proteínas, carbohidratos, vitaminas, etc.

Naturalmente, para conseguir una dieta equilibrada deberías comer además cereales, verduras frescas y frutas.

Por eso, tu menú diario debe contener ingredientes de todos estos grupos.

Recuérdalo, las cosas que te gustan, si sigues los consejos de los médicos, te harán sentir mejor.

Preguntas

Conteste las siguientes preguntas.

1. ¿Cuáles son las reglas de oro que Ud. debe tener siempre en cuenta si desea estar bien alimentado y en forma?
2. ¿Es más sano o menos sano tener alimentación variada? ¿Por qué?
3. ¿Ofrecen las cadenas de comida rápida un menú variado? Explique.
4. ¿Cuáles son las dos cosas con que se debe tener especial cuidado?
5. ¿En qué consiste el cuadro básico de comidas? ¿Come algo de cada categoría todos los días? ¿Por qué sí o por qué no? ¿Tienen las cadneas de comida rápida comida que contenga ingredientes de todos estos grupos? Identifique estos ingredientes.

 Una encuesta. En grupos de cinco personas, hablen acerca de una dieta equilibrada y de su importancia. ¿Cuántos miembros del grupo siguen una dieta buena que consista en ingredientes del cuadro básico de comidas? Cada miembro del grupo debe describir su dieta diaria. ¿A cuántos de los estudiantes les gusta comer en restaurantes de comida rápida? ¿Por qué sí o por qué no?

Después de hacer esto, su profesor(a) va a llevar a cabo una encuesta para saber cuántos de los estudiantes comen sanamente. Uds. van a ver cuáles de los estudiantes comen algo todos los días del cuadro básico de comida: cereales; carne, pescado y huevos; productos lácteos; vegetales y fruta; aceites y grasas; y azúcar y refrescos. ¿Cuántos estudiantes comen sanamente?

Si hay suficiente tiempo, estudien los menús de restaurantes donde se sirven comida rápida. Después, cada grupo.debe decidir cuáles son los restaurantes de comida rápida que se venden la comida más sana y cuáles son los restaurantes que se venden la comida menos sana?

Expansión

Si Ud. quiere saber más acerca de la vida diaria de la familia hispana y su importancia en la sociedad de los países hispanos, lea **Unidad 11** de *Civilización y cultura.* Escribe un ensayo breve que incluye información sobre estos temas: 1. Los Estados Unidos, España y la independencia americana, 2. Los Estados Unidos y las nuevas naciones americanas, 3. El panamericanismo y «El coloso del norte», y 4. Las relaciones en la época de la posguerra.

La presencia hispánica en los Estados Unidos

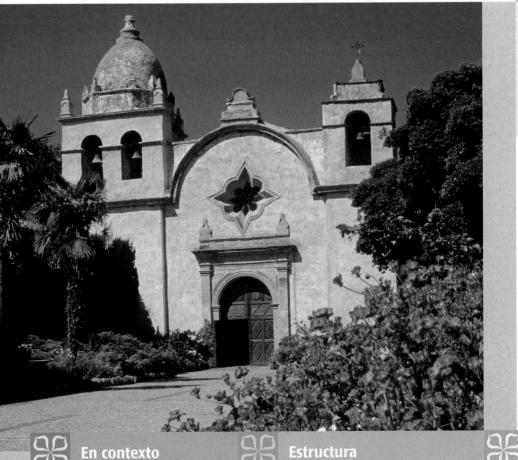

El Centro Misional Español en Carmel, California. Escriba un descripción de esta misión. ¿Qué le indica acerca de la influencia hispánica en este país?

Mentor

Literatura y arte: In **Unidad 12,** the theme of **Los Latinos en los Estados Unidos** is reflected in the short story, **"Mi caballo mago,"** written by Sabine Ulibarrí. The art section of the unit contains images of **santos** and **santeros** of **Nuevo México.**

Civilización y cultura: Unidad 12 of this text contains material related to the theme of **Los Latinos en los Estados Unidos,** which is divided into four sections; **1. Orígenes de «La Raza», 2. Presencia de la cultura hispánica en el suroeste, 3. Avances del siglo pasado,** and **4. La variedad de la minoría hispánica.** Current newspaper articles related to the theme are also included.

En contexto

Los viajes de verano

Estructura

- Review of uses of the definite article
- Review of uses of the indefinite article
- Expressions with **tener, haber,** and **deber**
- Miscellaneous verbs

Repaso

www.thomsonedu.com/spanish/intermediatespanish

A conversar
Sayings and proverbs

A escuchar
Lo colonial

Intercambios

Investigación y presentación
Exhíbe tu orgullo hispano
Expansión

www.thomsonedu.com/spanish/intermediatespanish

Los viajes de verano

Suggestion: Assign the **Vocabulario activo** section as homework. During class time, and before students listen to the dialogue, you can quickly review the **Para practicar** section.

Vocabulario activo

Estudie estas palabras.

Verbos
guiar *to guide*
repasar *to review*

Sustantivos
el antepasado *ancestor*
la charla *chat*
el consejo *advice*
la escala *stopover*
la gira *tour*
el pasaje *passage, ticket*
la patria *country*
la procedencia *origin*
el rasgo *trace*
el suroeste *southwest*

Adjetivos
aislado(a) *isolated*
marcado(a) *clear, marked*
pintoresco(a) *picturesque*

Otras expresiones
de ida *one-way (ticket)*
de ida y vuelta *round-trip (ticket)*
en cuanto a *regarding, as far as . . . is concerned*
pasado mañana *the day after tomorrow*
por lo menos *at least*

Suggestion: It is recommended that the corresponding material in the Workbook/Lab Manual be assigned as you progress through the **unidad.** Since the activities in the Workbook/Lab Manual can be self-corrected easily, students will receive immediate feedback on how well they understand the concepts currently under study.

12-1 Para practicar. Complete el párrafo siguiente con palabras escogidas de la sección **Vocabulario activo.** No es necesario usar todas las palabras.

1. __Pasado mañana__ vamos a salir para 2. __el suroeste__. Compré dos 3. __pasajes__ de 4. __ida y vuelta__. Queremos visitar la tierra de nuestros 5. __antepasados__. Antes de salir, 6. __repasamos__ la historia de aquella región. Supimos que ellos vivieron en una aldea 7. __aislada__ en las montañas 8. __pintorescas__ al norte de Santa Fe. Al llegar a Taos, conocimos a un hombre que era nativo de la región. Durante nuestra 9. __charla__ con él, nos dijo que a él le gusta 10. __guiar__ a los forasteros *(strangers)* a varios lugares de interés cerca de Chimayo. Fuimos con él. Fue una 11. __gira__ muy interesante.

Text Audio CD, Track 35

Los viajes de verano. Antes de leer el diálogo, escúchelo con el libro cerrado. ¿Cuánto comprendió?

Suggestion: Have students first obtain a general idea of the audio's content by listening without looking at the activities. Next, have them read the activities that follow, and then listen to the audio for the second time. This time, ask them to take notes while listening to the dialogue.

(Carlos, Bob y Rudi vuelven a encontrarse en la cafetería de la universidad para seguir su charla sobre los viajes de verano. Esta vez hablan del viaje que Carlos piensa hacer al suroeste de los Estados Unidos.)

CARLOS Bueno, esta tarde tengo el último examen y mañana voy a hacer turismo. ¿Y Uds.? ¿Cuándo salen?

BOB No salimos hasta el lunes. ¿Adónde vas primero?

CARLOS Esperaba que Uds. me aconsejaran. Quiero ver lugares que demuestren la influencia mexicana.[1] ¿Sería mejor ir a Phoenix, Tucson u otra ciudad?

RUDI	Pues, en cuanto a la influencia mexicana, hay relativamente poca en Phoenix, pero mucha en Tucson. Aquélla fue establecida mucho más tarde. La misión de San Xavier del Bac,[2] cerca de Tucson, fue construida en 1700.
BOB	En realidad, casi toda la influencia hispánica en Arizona es reciente, pero en el norte de Nuevo México y en el sur de Colorado[3] hay pueblos que se fundaron en los tiempos coloniales. Ver esa región es indispensable.
RUDI	Si tienes mucho tiempo, te puedo recomendar algunos sitios magníficos en las montañas de Nuevo México. Pero por lo menos te daré la dirección de mis tíos en Santa Fe —ellos te pueden guiar por la ciudad.
CARLOS	Y la gente de Texas, ¿no es de procedencia mexicana también?
BOB	Bueno, Texas es más semejante a California —una mezcla de gente mexicana cuyos antepasados, o llegaron en el siglo XVIII, o inmigraron recientemente. El aspecto colonial se limita a varias misiones aisladas.
CARLOS	¿No son los estados de más concentración hispánica?
RUDI	Sí, es cierto, pero en Texas y en California ha habido más contacto con la cultura anglosajona que en otras partes, como en Nuevo México. ¿Cómo viajas? ¿En avión?
CARLOS	Sí, porque en autobús llevaría demasiado tiempo, ya que la distancia es enorme. Si pudiera, iría en tren, pero es difícil.
BOB	No sólo difícil, sino imposible.
CARLOS	Tengo pasaje de Los Ángeles a San Antonio, y puedo hacer escala en cualquier ciudad de en medio[1]. Pensaba que podía tomar el autobús para visitar los pueblos pequeños.
RUDI	¿Compraste boleto de ida y vuelta?
CARLOS	No. Es un boleto de ida porque voy a viajar de San Antonio a México para pasar unos días con mis padres antes de volver a la universidad.
BOB	Hablando de México, ¿cuándo vas a orientarnos un poco más? Partimos el lunes para la capital.
CARLOS	Lo haré con mucho gusto. Si fuera posible, los acompañaría en una gira por mi patria. Pero creo que les puedo dar algunos consejos sobre los lugares más pintorescos e interesantes.
BOB	¿Por ejemplo?
CARLOS	Miren, tengo otro examen en diez minutos. Quisiera repasar mis apuntes una vez más antes de entrar. ¿Qué tal si nos reunimos aquí a las seis?
RUDI	Perfecto. Que salgas bien en el examen.
BOB	Sí, buena suerte.
CARLOS	Gracias. La voy a necesitar. Hasta luego. Nos vemos a las seis.

Notas culturales

[1] *lugares que demuestren la influencia mexicana:* *La cultura hispánica en el suroeste de los Estados Unidos tiene varios antecedentes históricos. Algunos pueblos fueron fundados durante la época colonial (1521–1824) y tienen un marcado ambiente español. Otros pueblos muestran rasgos de la cultura mexicana del siglo XIX y aun otros la influencia de los inmigrantes mexicanos recientes. Este hecho explica en parte la gran variedad cultural y lingüística de la cultura chicana o mexicoamericana.*

[2] *La misión de San Xavier del Bac:* *Los primeros centros españoles en los Estados Unidos fueron las misiones católicas establecidas por los misioneros.*

[3] *el norte de Nuevo México y el sur de Colorado:* *Esta región es de origen colonial y está relativamente aislada del resto de la cultura chicana o mexicoamericana y también de la cultura anglosajona.*

[1] en medio *in between*

12-2 Actividad cultural. En grupos de tres personas, hablen de estos temas.

1. En varios lugares de los EE.UU. se demuestren las influencias hispánicas. Al principio, ¿la presencia hispánica apareció en cuál región de los EE.UU.?
2. ¿Esta influencia hispánica era evidente en un serie de pueblos construidos por cuáles dos grupos y en qué época histórica?
3. ¿Dónde está la misión de San Xavier del Bac? ¿Quiénes construyeron esta misión?
4. ¿El norte de Nuevo México y el sur de Colorado está relativamente aislada de cuál cultura?
5. ¿Has visitado una de estas regiones? ¿Qué le parecían?

12-3 Comprensión. Conteste las siguientes preguntas.

1. ¿Dónde se reúnen Carlos, Bob y Rudi para seguir su charla?
2. ¿Qué país van a visitar Bob y Rudi?
3. ¿Cuándo van a salir?
4. ¿Qué lugares quiere ver Carlos?
5. ¿Qué estados muestran rasgos de la cultura española colonial?
6. ¿Cómo pueden ayudarle los tíos de Rudi a Carlos?
7. ¿De qué elementos se compone la cultura hispánica de Texas?
8. ¿Dónde se encuentra la mayor concentración hispánica del suroeste?
9. ¿Cómo va a viajar Carlos?
10. ¿Por qué llevaría demasiado tiempo en autobús?
11. ¿Compró Carlos boleto de ida y vuelta? ¿Por qué no?
12. ¿De qué van a hablar cuando se reúnan a las seis?

12-4 Opiniones. Conteste las siguientes preguntas.

1. ¿Ha visitado el suroeste de los Estados Unidos? ¿Qué partes?
2. Si tuviera la oportunidad de visitar unos estados del suroeste para observar la influencia hispánica, ¿qué estados preferiría visitar? ¿Por qué?
3. Antes de estudiar español, ¿sabía que había mucha influencia hispánica en el suroeste de los Estados Unidos? Explique.
4. ¿Sabe que hay otros lugares de los Estados Unidos que también tienen influencia hispánica? ¿Cuáles son? ¿Cuál es el origen de la influencia hispánica en esos lugares?

La misión de San Xavier del Bac. ¿Dónde está situada? Describa la misión en detalle. ¿Qué le parece?

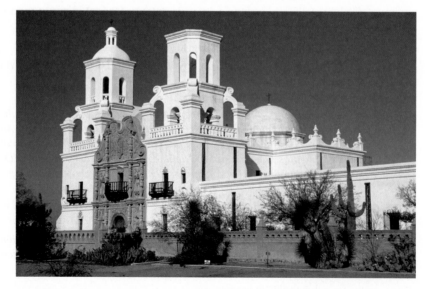

Review of uses of the definite article

Some special uses of the definite article in Spanish are as follows:

1. With nouns in a series, it is generally repeated before each noun.

El abrigo, el sombrero y las corbatas son de Alfredo.
The overcoat, hat, and ties belong to Alfredo.

2. With all titles except **don (doña)** and **San, Santo (Santa)** when talking about a person.

La Sra. García está en Texas.
Mrs. García is in Texas.

Don José le reza a Santo Tomás.
Don José prays to St. Thomas.

Note that the article is omitted when speaking directly to a person.

Sr. García, ¿dónde está el comedor?
Mr. García, where is the dining room?

3. With nouns used in a general or abstract sense.

Las flores son bonitas.
Flowers are pretty.

La paciencia es más importante que la sabiduría.
Patience is more important than wisdom.

4. With infinitives used as nouns.

El charlar constantemente es molesto.
Talking constantly is annoying.

El leer es más agradable que el mirar la televisión.
Reading is more pleasant than watching television.

5. With days of the week, seasons of the year, the time of day, and dates.

Voy a misa los domingos.
I go to mass on Sundays.

La primavera es la estación más bonita del año.
Spring is the prettiest season of the year.

Son las siete.
It's seven o'clock.

Pasado mañana es el seis de enero.
The day after tomorrow is January 6.

However, the article is omitted with days of the week in expressions such as **Hoy es...**, **Ayer fue...**, etc.; it is also omitted after **ser** with seasons. After the preposition **en** the use of the article with seasons is optional.

Hoy es martes.
Today is Tuesday.

Es invierno en la Argentina.
It's winter in Argentina.

En (el) otoño las hojas se caen de los árboles.
In autumn the leaves fall from the trees.

Grammar considerations: Assign this section as homework so that you can dedicate more class time to the activities in the **Práctica** section. In class, quickly review the uses of the definite article by asking students to name the environments in which the definite article appears, accompanied by an example. Record students' answers on the board.

Note that the definite article is used to express *on* with days of the week. **Voy a clase el lunes.** *I go to class on Monday.* Also the article is omitted with days of the week and with seasons after the verb **ser.**

Note that after some other verbs (aprender, comprender, escribir, estudiar, leer, saber), use of the article may be optional.

6. With names of languages, except after the preposition **en** or when the language immediately follows the verb **hablar.**

Hablan muy bien el francés.
They speak French very well.

El español es muy fácil.
Spanish is very easy.

BUT

En español hay muchas palabras de origen árabe.
In Spanish there are many words of Arabic origin.

Hablan francés.
They speak French.

After the preposition **de,** the article is often omitted with languages; this is always the case with a **de** phrase that modifies a noun.

Es profesora de alemán.
She's a German teacher (a teacher of German).

7. With parts of the body, articles of clothing, and personal effects, in place of the possessive adjective (see **Unidad 4**).

Me lavo las manos.
I wash my hands.

Marta se pone los guantes.
Marta puts on her gloves.

8. With the names of certain countries, cities, and states.

la Argentina	la Gran Bretaña
el Brasil	la Florida
el Canadá	el Japón
el Ecuador	el Perú
los Estados Unidos	el Uruguay
El Salvador	

Nowadays, the article is often omitted with these countries in newspapers, radio broadcasts, and colloquial speech. But it is always retained with **El Salvador, La Habana,** and **El Cairo.**

9. With names of all countries when modified by an adjective or phrase.

el México azteca
Aztec Mexico

la Inglaterra de nuestros antepasados
the England of our ancestors

la España del Cid
the Spain of the Cid

10. With the names of games and sports.

Paco juega muy bien a las damas.
Paco plays checkers very well.

Me gusta mucho el tenis.
I like tennis a lot.

11. With the names of meals.

> Los niños se acuestan después de la cena.
> *The children go to bed after supper.*

12. With the nouns **escuela, iglesia, ciudad,** and **cárcel** when they are preceded by a preposition.

> Para algunos chicos asistir a la escuela es como estar en la cárcel.
> *For some children going to school is like being in jail.*

Note that feminine nouns beginning with stressed **a** or **ha** use **el** instead of **la** in the singular.

> El agua está fría.
> *The water is cold.*

> El hambre es un problema mundial.
> *Hunger is a world problem.*

But when these nouns are in the plural, they use the feminine article **las.**

> Las aguas de esos ríos están muy sucias.
> *The waters of those rivers are very dirty.*

Práctica

Out-of-class assignment, 12-5: Have students complete this activity at home so that you can dedicate more time to the interactive activities that follow. At the beginning of the next class, quickly correct the activity or have students compare their answers. If there does not seem to be any problem, then proceed with the activities in the rest of the **Práctica** section.

12-5 Una serie de ideas. Complete estas oraciones con la forma apropiada del artículo definido o con una contracción cuando sea necesario.

1. ____La____ libertad es importante.
2. ¿Cómo está Ud., ____–____ Sra. García?
3. Mis amigos hablan ____–____ italiano.
4. ____Los____ hombres son así.
5. Se preocupa de ____la____ vida y de ____la____ muerte.
6. Vamos a misa ____el____ domingo.
7. Nunca voy ____al____ cine.
8. ____El____ agua está helada.
9. ____El____ otoño es bonito en las montañas.
10. Son ____las____ cuatro.

12-6 Carlos hace un viaje a Nuevo México. Carlos va a hacer un viaje a Nuevo México. Para describir su viaje, complete esta narrativa breve con la forma correcta del artículo definido o con una contracción cuando sea necesario. Luego compare su descripción con la de un(a) compañero(a) de clase. ¿Están de acuerdo en cuanto al uso del artículo definido?

Carlos se pone ____la____ ropa y hace ____las____ maletas. Está listo para salir para ____–____ Nuevo México. Él ha estudiado mucho sobre ____la____ América colonial. Quiere visitar ____–____ Santa Fe primero, porque es ____la____ ciudad más hispánica ____del____ suroeste. En Santa Fe va a llamar ____al____ Sr. García que es ____el____ primo de su madre. Él es profesor de ____–____ inglés en ____la____ Universidad de Nuevo México. Él no va a ____la____ oficina ____los____ martes. Por eso Carlos puede visitarlo en ____la____ casa. A Carlos le gustan mucho ____el____ tenis y ____la____ natación. Espera participar en estos deportes durante ____las____ vacaciones. Hoy es ____el____ diez de abril y Carlos quiere estar en Santa Fe para ____el____ quince de abril.

12-7 Los valores especiales. Algunas personas les ponen valores especiales a ciertas cosas. Con un(a) compañero(a) de clase indiquen Uds. lo que piensan que serían los valores más importantes de cada uno de los individuos siguientes.

Modelo un cantante
En mi opinión lo más importante para un cantante es la música.

1. un estudiante
2. una mujer
3. un hombre
4. un turista
5. un novio

6. una anciana
7. un atleta
8. una chica
9. un político
10. una pianista

Review of uses of the indefinite article

A. Omission of the article

The indefinite article is generally used in Spanish as it is in English. However, in Spanish the indefinite article is omitted in the following instances:

1. Before unmodified predicate nouns indicating profession, nationality, religion, political affiliation, and the like.

Grammar considerations: Assign this section as homework so that you can dedicate more class time to the activities in the **Práctica** section. In class, quickly review the uses of the indefinite article by asking students to develop a short quiz for a classmate. Then, have students take the quiz and correct each other. Make sure to approach the groups to answer potential questions.

Soy cocinero.
I am a cook.

Felipe es chicano (mexicanoamericano).
Felipe is a Mexican-American.

Alicia es abogada.
Alicia is a lawyer.

¿Eres republicano?
Are you a Republican?

However, the article is used when the noun is emphatic (stresses something important about the person) or when it is modified.

¿Quién es ella? Es una maestra.
Who is she? She's a teacher.

Es un dentista excelente.
He's an excellent dentist.

Note that the indefinite article is omitted when the noun and the modifier form a single, commonplace phrase and the modifier precedes the noun: **Es buena persona (gente).**

2. In negative sentences, after certain verbs such as **tener** and **buscar,** and with personal effects, when the numerical concept of **un(o), una** is not important.

¿Tienes coche?
Do you have a car?

Busco solución a mi problema.
I'm looking for a solution to my problem.

Siempre lleva sombrero.
He always wears a hat.
BUT
No tiene ni un pariente que le ayude.
He doesn't have one (a single) relative to help him.

3. After **sin** and **con.**

Nunca sale sin sombrero.
He never goes out without a hat.

Quiero un pasaje con escala en Tucson.
I want a ticket with a stopover in Tucson.

4. With **otro, cierto, mil, cien(to),** and **tal** *(such a)*.

¿Tienes otro?
Do you have another?

Cierto hombre me lo dijo.
A certain man told it to me.

Lo hemos repasado mil veces.
We have reviewed it a thousand times.

Nunca he visto tal cosa.
I've never seen such a thing.

But note that the indefinite article is used with **millón.**

un millón de habitantes
a million inhabitants

5. Before nouns in many adverbial phrases.

Luchó como león.
He fought like a lion.

María escribe con pluma.
María is writing with a pen.

6. With nouns in apposition when the category rather than the identity of the person is stressed.

José Feliciano, célebre cantante puertorriqueño, cantó el himno nacional.
José Feliciano, a famous Puerto Rican singer, sang the national anthem.

B. Other notes on usage

1. The indefinite article is generally repeated before each noun in a series.

Voy a comprar un abrigo y un sombrero.
I'm going to buy a coat and hat.

2. Feminine nouns beginning with stressed **a** or **ha** take **un** in the singular instead of **una** when the article immediately precedes.

un hacha   un aula
an axe   *a classroom*

Note that **algunos** *must* be used instead of **unos** before **de** phrases: **Algunos de mis amigos vinieron a la fiesta.**

3. The plural indefinite articles **unos** and **unas** translate as *some, a few,* and *about*. **Unos** is less specific than **algunos.**

Vimos unos partidos muy buenos.
We saw some very good games.

Tiene unos veinte años.
He is about twenty years old.

Práctica

12-8 Una variedad de ideas. Complete estas oraciones con un artículo indefinido cuando sea necesario. Luego compare sus respuestas con las de un(a) compañero(a) de clase. ¿Están de acuerdo en cuanto al uso del artículo indefinido?

1. Siempre escribe con ____–____ lápiz.
2. Es ____un____ arquitecto muy célebre.
3. No quiere ____una____ casa sin agua caliente.
4. Busco ____–____ médico en esta ciudad.
5. De vez en cuando vendo ____un____ libro.
6. Elena está más bonita sin ____–____ anteojos.
7. Es ____un____ estudiante mexicano.
8. Mi padre es ____un____ buen abogado.
9. Gana ____–____ mil pesos mensuales.
10. Se portó como ____–____ hombre.

12-9 Vamos a California. Ud. y un(a) amigo(a) quieren hacer un viaje a California. Relaten sus planes, completando esta narrativa breve con la forma correcta del artículo indefinido cuando sea necesario.

Queremos hacer ____un____ viaje a California. No podemos comprar ____un____ coche nuevo para el viaje, y por eso vamos a tomar el tren. Vamos a comprar ____un____ pasaje con ____–____ escala en Tucson. Vamos a visitar a nuestra tía. Ella es ____una____ maestra y enseña en ____una____ aula de ____una____ escuela primaria. Hay ____–____ otro chico que quiere acompañarnos. Voy a comprar ____unos____ zapatos, ____una____ chaqueta y ____un____ sombrero para el viaje. No puedo viajar sin ____–____ sombrero. Hemos hecho este viaje ____–____ mil veces, pero cada vez visitamos ____–____ lugares nuevos.

Expressions with *tener, haber,* and *deber*

A. Idiomatic expressions with *tener*

1. Many idiomatic expressions are formed with the verb **tener.** Common ones include the following:

tener hambre *to be hungry*	tener fiebre *to have a fever*
tener sed *to be thirsty*	tener miedo *to be afraid*
tener sueño *to be sleepy*	tener cuidado *to be careful*
tener frío *to be cold*	tener ganas de *to feel like*
tener calor *to be hot*	tener prisa *to be in a hurry*
tener razón *to be right*	tener... años *to be . . . years old*
tener suerte *to be lucky*	tener dolor de cabeza *to have a headache*
tener vergüenza *to be ashamed*	tener dolor de estómago *to have a stomachache*

Examples:

Tengo ganas de ir a cine.
I feel like going to the movies.

Siempre tienen mucha sed.
They are always very thirsty.

Since **hambre, sueño, sed,** etc., are nouns, they must be modified by the adjective **mucho (-a, -os, -as)** rather than by **muy.**

2. **Tener que** plus an infinitive *(to have to)* expresses an obligation that one *must* carry out.

Tuve que llevar el coche al taller.
I had to take my car to the repair shop.

Tiene que llenar una solicitud.
He has to (must) fill out an application.

3. **Tener** plus a variable past participle stresses a present state that is the result of a past action.

Ella tiene preparada la comida.
She has the meal prepared.

B. Uses of *haber*

1. **Hay que** plus an infinitive means *one has to, one must,* or *it is necessary.*

Hay que estudiar para aprender.
It is necessary to study in order to learn.

Hay que conservar energía.
One must (one has to) conserve energy.

2. **Haber de** plus an infinitive is used to express futurity with a slight degree of obligation. Less emphatic than **tener que,** it is translated *to be to* or *to be supposed to.*

Han de estudiar ahora.
They are to study now.

He de corregir los exámenes.
I'm supposed to correct the exams.

C. Uses of *deber*

1. The verb **deber** plus an infinitive translates as *ought to, should,* or *must.* It expresses moral obligation rather than compulsion or need.

Debemos escuchar sus consejos.
We ought to listen to his advice.

Él debe comprar los boletos.
He should buy the tickets.

Debo ir a clase ahora.
I must go to class now.

2. To soften the expression of obligation or to express advice about present or future conduct, the conditional or the imperfect subjunctive of **deber** is used.

Deberíamos escuchar sus consejos.
We (really) ought to listen to his advice.

Ud. debiera comprar los boletos.
You (really) should buy the tickets.

3. The imperfect of **deber** + **haber** + a past participle translates as *should have* + past participle.

Por lo menos, debías haberle escrito.
At least you should have written to him.

4. Either **deber** or **deber de** may also express probability or likelihood.

Deben (de) estar en la biblioteca.
They are probably in the library.

Debían (de) haber salido.
They must have left.

Práctica

12-10 ¿Cómo reacciona en estas situaciones? Complete estas oraciones, usando una expresión con **tener**. Luego compare sus reacciones con las de un(a) compañero(a) de clase. ¿Tienen mucho en común?

1. Cuando no como, _____ tengo hambre _____.
2. Cuando leo demasiado, tengo sueño, tengo dolor en los ojos
3. Cuando hace mucho calor, yo _____ tengo calor _____.
4. Cuando no duermo, _____ tengo sueño _____.
5. En el invierno yo _____ tengo frío _____.
6. En el verano yo _____ tengo calor _____.
7. Cuando me gano la lotería es porque _____ tengo mucha suerte _____.
8. Cuando estoy solo(a) en una calle oscura, _____ tengo miedo _____.
9. Cuando hago algo malo, _____ tengo vergüenza _____.
10. Cuando estoy en lugares peligrosos, _____ tengo cuidado _____.

Answers 12-11: *Answers will vary.*

12-11 ¿Qué debe o tiene que hacer? Trabajando en pares, hagan una lista de cinco cosas que deben hacer y cinco cosas que tienen que hacer todos los días. Comparen su lista para ver las semejanzas y las diferencias.

Modelo   *Debo acostarme más temprano todas las noches.*
Tengo que estudiar para esta clase todos los días.

Ahora, hagan una lista de cinco cosas que son necesarias que todo el mundo haga, usando la expresión **hay que.**

Modelo   *Hay que trabajar para ganar dinero.*
Hay que practicar para ser buen pianista.

Heinle iRadio: To hear more about **Saber** and **Conocer,** visit . . . **www.thomsonedu.com/ spanish.**

Grammar considerations: Assign this section as homework so that you can dedicate more class time to the activities in the **Práctica** section. In class, quickly review the use of these verbs by asking students to provide examples.

Miscellaneous verbs

A. *Saber* and *conocer*

1. The verb **saber** means *to know (a fact),* to have information or knowledge about something or someone. When followed by an infinitive it means *to know how* to do something.

Yo sé la lección.
I know the lesson.

Sabe tocar la trompeta.
He knows how to play the trumpet.

Sabemos que él es de origen mexicano.
We know that he is of Mexican origin.

In the preterite, **saber** means *to find out* or *to learn.*

Supimos que ya habían regresado a su patria.
We found out (learned) that they had already returned to their country.

2. The verb **conocer** means *to know a person, place, or thing* in the sense of "to be acquainted with," or "to be familiar with."

Conocen varios sitios pintorescos.
They know (are familiar with) several picturesque places.

Conozco a su prima.
I know (I am acquainted with) his cousin.

In the preterite, **conocer** means *to meet, to be introduced to.*

Los conocimos anoche.
We met them last night.

B. *Preguntar* and *pedir*

1. The verb **preguntar** means *to ask (to question).*

Le preguntó a Rudi dónde estaba Tucson.
She asked Rudi where Tucson was.

Siempre me preguntaba la misma cosa en cuanto a mis clases.
He always used to ask me the same thing regarding my classes.

Le voy a preguntar cuánto cuestan los mapas.
I'm going to ask him how much the maps cost.

2. The verb **pedir** means *to ask for, to ask (a favor), to request.*

Carlos le pidió permiso a su padre para usar el coche.
Carlos asked his father for permission to use the car.

Me pidieron un lápiz.
They asked me for a pencil.

Nos piden que vayamos a verlos.
They are asking us to go to see them.

C. *Tomar* and *llevar*

1. **Tomar** means *to take (in one's hand), to take (transportation),* or *to eat* or *to drink.*

Paco tomó los libros y salió para la escuela.
Paco took his books and left for school.

Tomaron el tren para la capital.
They took the train to the capital.

Siempre tomo café por la mañana.
I always drink coffee in the morning.

2. **Llevar** means *to take along* or *to carry (to some place).*

Llevó a su hermana a la fiesta.
He took his sister to the party.

Hay que llevar pasaporte para entrar a un país extranjero.
One must carry a passport in order to enter a foreign country.

D. *Quitar* and *quitarse*

1. **Quitar** means *to remove from, to take away (off)*.

   La criada quitó los platos de la mesa.
   The maid took (removed) the plates from the table.

   Quitaron las maletas del autobús.
   They took the suitcases off the bus.

2. **Quitarse** means *to take off (oneself)*.

   Se quitó el sombrero antes de entrar a la sala.
   He took off his hat before entering the living room.

Práctica

Out-of-class assignments, 12-12 & 12-13:
Have students complete these activities at home so that you can dedicate more time to the open-ended activities that follow. At the beginning of the next class, quickly correct at least one of the activities or have students compare their answers. If there does not seem to be any problem, then proceed with the rest of the activities in the **Práctica** section.

Suggestion 12-12: Ask students to construct five sentences with the verb **saber** and five with the verb **conocer**. Then, have them share their sentences with the class and keep a record of them on the board. Which sentences are the most popular/common among students in your class?

12-12 Sentidos semejantes –usos diferentes. Complete estas oraciones con la forma correcta de **saber** o **conocer**.

1. ¿___Sabe___ Ud. cómo salió en el examen?
2. Tomás y yo ___sabemos___ que ellos viven en este barrio.
3. Yo ___conozco___ bien este lugar.
4. Raúl ___conoce___ todas las obras de Cervantes.
5. Marta ___sabe___ escribir a máquina.

12-13 ¿Cuál de las palabras es correcta? Complete estas oraciones con una forma correcta de **preguntar** o **pedir**.

1. Carlos le ___pide___ información sobre el viaje de Bob.
2. Ellos nos ___preguntan___ si queríamos salir temprano.
3. Sus amigos me ___preguntan___ la fecha.
4. Yo ___pido___ una taza de café.
5. Rudi le ___preguntó___ cómo se llamaba el hombre de la barba.

12-14 Buscando un buen restaurante. Trabajando en parejas, hagan el papel de Tomás y de Raúl, para buscar un buen restaurante. Completen el diálogo con las formas correctas de **saber, conocer, pedir, preguntar, llevar, tomar, quitar** o **quitarse,** según el sentido de la conversación.

TOMÁS	Hola, Raúl, ¿ ___sabes___ el nombre de un buen restaurante de este barrio?
RAÚL	Lo siento, pero no ___conozco___ bien este barrio. Debemos ___preguntar___ le a ese hombre si él ___sabe___ dónde hay un restaurante típico español.
TOMÁS	Yo siempre ___llevo___ mi guía turística conmigo, pero no dice nada sobre esta parte de la ciudad.
RAÚL	Mira, allí hay una señora. Debemos ___pedir___ le la dirección de un buen lugar para comer.
TOMÁS	Perdón, señora, ¿ ___conoce___ un buen restaurante por acá?
LA SEÑORA	Sí, señor, pero será necesario ___tomar___ un taxi porque está muy lejos.
RAÚL	Gracias, señora. Raúl, si no te importa prefiero ___tomar___ un autobús porque cuesta menos.
RAÚL	Pues vamos. Tengo tanta hambre que cuando lleguemos voy a ___quitarme___ el sombrero y la chaqueta, ___pedir___ varios platos típicos y comer como un loco.

12-15 La rutina diaria. Trabajando en parejas, hágale estas preguntas a su compañero(a) de clase. Él (Ella) tiene que contestar sus preguntas.

Pregúntele a su compañero(a)...

1. What do you eat for breakfast before leaving for class?
2. What do you normally wear to class?
3. How do you get to class? Do you take a bus?
4. Do you know the names of all your classmates?
5. Are you well acquainted with your professors?
6. Do you have to ask the professor for more explanations before you can understand the material?
7. Do you ask your classmates a lot of questions about the lessons?
8. If you wear a hat to class, do you take it off when you enter the classroom?

For more practice of vocabulary and structures, go to the book companion website at **www.thomsonedu.com/ spanish/intermediatespanish.**

Antes de empezar la última parte de esta **unidad,** es importante repasar el vocabulario nuevo y la estructura y hacer las actividades que siguen.

12-16 Arreglando un viaje. Complete el párrafo siguiente con un artículo definido o indefinido cuando sea necesario.

Review the uses of the definite and the indefinite articles.

Hoy es ___–___ martes. Tengo que ir a ___la___ oficina de turismo para hablar con ___el___ Sr. Gómez. Es agente de viajes pero no les ayuda mucho a ___los___ clientes. Por ejemplo, yo quiero hacer ___un___ viaje a ___la___ América Latina en ___el___ otoño, pero él cree que yo debo ir en ___la___ primavera. Prefiero ir a ___la___ Argentina, pero él cree que debo ir a ___–___ Chile. Para ahorrar ___el___ dinero, es mejor salir ___el___ martes y volver ___el___ lunes. Pero él quiere que yo salga ___el___ domingo y vuelva ___el___ sábado. ___Al___ Sr. Gómez le importa más ___el___ dinero que ___el___ bienestar de ___los___ clientes. Para mí, ___el___ viajar es mi pasatiempo favorito, pero tengo que encontrar otra persona que sea ___un___ buen agente de viajes, si quiero tener ___un___ itinerario bien arreglado.

12-17 ¿Tener, haber o deber? Complete cada oración con la forma correcta de las palabras entre paréntesis.

Review expressions with **tener, haber,** and **deber.**

Answers 12-17: 1. tenemos que salir; 2. debemos llegar; 3. Hay que; 4. tuvo que quedarse; 5. tenemos que ir; 6. deben estar; 7. tengo que llamar; 8. debemos acostarnos; 9. Hay que; 10 tienen que trabajar

1. Mi amigo y yo *(have to leave)* _____ para España mañana.
2. Nosotros *(ought to arrive)* _____ a Madrid a las nueve de la mañana.
3. *(It is necessary)* _____ leer el itinerario con mucho cuidado.
4. Mi familia *(had to stay)* _____ en casa porque mi madre estaba enferma.
5. Cuando lleguemos a Madrid *(we have to go)* _____ directamente al hotel.
6. Nuestros amigos *(ought to be)* _____ allí para saludarnos.
7. Yo *(have to call)* _____ a mis padres para decirles que todo está bien.
8. Nosotros *(ought to go to bed)* _____ temprano, porque hay mucho que hacer el lunes.
9. *(It is necessary)* _____ descansar antes de salir para el museo del Prado.
10. Es lástima, pero nuestros amigos *(have to work)* _____ mañana y por eso no pueden pasar el día con nosotros.

12-18 ¿Le gusta viajar a su compañero(a) de clase? Hágale estas preguntas a un(a) compañero(a) de clase.

Review all grammar points addressed in the **Estructura** section.

Suggestion 12-18: Since this activity is very open-ended, encourage creativity and lengthy explanations. You may also use this activity to promote discussion in groups.

1. ¿Te gusta viajar?
2. ¿Te gusta viajar solo(a) o con alguien? ¿Por qué?
3. ¿Prefieres viajar por los Estados Unidos o por un país extranjero? ¿Por qué?
4. ¿Prefieres viajar con un grupo de turistas o solo(a)? ¿Por qué?
5. Si tuvieras la oportunidad, ¿preferirías visitar España o Latinoamérica? ¿Por qué?

In order for your speech to sound more authentic you should learn several appropriate sayings (**dichos**) and/or proverbs (**refranes**). They are commonly used by native speakers to express a certain attitude or opinion about an everyday happening. Here are some examples:

Sayings and proverbs

En boca cerrada no entran moscas.	*Be quiet.*
Es mejor ser cabeza de ratón que cola de león.	*It's better to be a leader than a follower.*
	It's better to have a little power than none at all.
Quien no se aventura nunca alcanza la mar.	*Nothing ventured, nothing gained.*

👥 Descripción y expansión

Suggestion: Have students work in groups of two or three. Before you begin the activities in this section, give students 3–4 minutes to look them over.

La influencia hispánica es muy evidente en el suroeste de los Estados Unidos, principalmente por razones históricas. Estudie el mapa con mucho ciudado, y después haga las actividades que siguen.

1. Busque los nombres españoles en el mapa y tradúzcalos al inglés.
2. Describa un viaje que Ud. quiera hacer por el suroeste, explicando por qué quiere visitar esta región del país.
3. ¿Conoce alguna ciudad o región de los Estados Unidos que tenga una fuerte influencia hispánica? Cuéntele a la clase cómo es.

Opiniones y observaciones. ¿Qué opina de las regiones de los Estados Unidos que tienen una fuerte influencia hispánica? ¿Son interesantes? ¿Le añaden algo importante a la cultura de los Estados Unidos? Explique. Ahora, compartan sus opiniones con la clase.

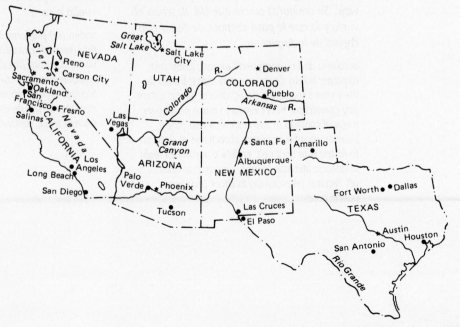

Text Audio CD, Track 36

 Lo colonial

Suggestion: Have the students first obtain a general idea of the audio's content by listening without looking at the activities. Next, have them read the activities that follow, and then listen to the audio for the second time. This time, ask them to take notes while listening to the dialogue.

Escuche la situación siguiente y complete las actividades.

Un grupo de estudiantes hispánicos graduados tiene una tertulia, reunidos en el apartamento de dos de ellos. Intercambian impresiones sobre las recientes vacaciones de primavera de las que acaban de volver. Unos se fueron de viaje y otros se quedaron a estudiar.

Answers: 1. Se torció un tobillo. 2. Le recuerda las (plazas) coloniales de las ciudades suyas. 3. No fueron a ninguna parte. Se quedaron en casa a estudiar. 4. La ciudad de San Antonio fue fundada por colonizadores canarios. 5. Es del Uruguay.

Información. Conteste las siguientes preguntas, basándose en el diálogo que acaba de escuchar.

1. ¿Qué le pasó a Jaime cuando esquiaba?
2. ¿Qué le recuerda a Isabel la plaza central de Santa Fe?
3. ¿Adónde fueron Álvaro y Pilar?
4. ¿Por quién fue fundada la ciudad de San Antonio?
5. ¿Puedes deducir de dónde es Élida?

Conversación. Mantenga una conversación con otro(a) estudiante, suponiendo que Ud. es de un país tropical, nunca ha visto la nieve y ha venido recientemente a los Estados Unidos. ¿Querría ir a esquiar? ¿Qué ciudades y paisajes desearía ver?

Situaciones. Con un(a) compañero(a) de clase, prepare algunos diálogos que correspondan a las siguientes situaciones. Estén listos para presentárselos a la clase.

1. Un viaje en avión: *Ud. está hablándole a un(a) amigo(a) sobre un viaje que Ud. hizo en avión a Buenos Aires. Describa lo que Ud. hizo en la agencia de viajes para planear el viaje. Su amigo(a) quiere que Ud. describa el vuelo y lo que le pasó después de llegar a la capital de la Argentina.*

aerolínea *airline;* aeropuerto *airport;* avión *(m) airplane;* boleto de ida *one-way ticket;* boleto de ida y vuelta *round-trip ticket;* directo *direct;* enlace *(m) connection;* hacer escala *to make a stopover;* pagar al contado *to pay cash;* visa *visa (entry permit);* abordar *to board;* abrocharse el cinturón *to fasten your seat belt;* azafata o aeromoza *flight attendant;* aterrizar *to land;* despegar *to take off;* facturar (el equipaje) *to check (baggage);* puerta *gate*

2. Un viaje en tren: *Ud. acaba de volver de un viaje en tren a varias partes de Europa. Descríbale su viaje a un(a) amigo(a) desde el momento cuando Ud. llegó a la estación de ferrocarril hasta su vuelta a casa.*

andén *(m) platform;* boleto de primera (segunda) clase *first (second) class ticket;* coche cama *(m) sleeping car;* coche comedor *(m) dining car;* contraseña (o el talón) de equipaje *baggage check (ticket);* despacho de equipajes *luggage office;* minutos de retraso *minutes late;* quiosco *newsstand;* sala de espera *waiting room;* tren expreso *express train;* ventanilla *(train) window*

Ejercicio de comprensión. Ud. va a escuchar un comentario sobre la influencia hispánica en los Estados Unidos. Después del comentario, va a escuchar varias oraciones. Indique si la oración es **verdadera** (V) o **falsa** (F), trazando un círculo alrededor de la letra que corresponde a la respuesta correcta.

1. V (F)
2. (V) F
3. V (F)
4. (V) F
5. V (F)

Escriba dos cosas que ha aprendido al escuchar este comentario. Comparta sus ideas con la clase. ¿Cuántos estudiantes escribieron la misma cosa?

Hay tres pasos en esta actividad: **Primer paso:** Se divide la clase en grupos de tres personas. Lean con cuidado para ver las diferencias entre nuestra cultura y la de Sudamérica. **Segundo paso:** Cada miembro del grupo tiene que tomar un papel para representar la escena. **Tercer paso:** Después actúen la situación frente a la clase entera.

 Discusión: Las situaciones inesperadas. Con frecuencia el (la) viajero(a) se enfrenta con situaciones inesperadas, o con costumbres que varían de las de su propio país. Supongamos que un estudiante sudamericano lo (la) está visitando a Ud. Es la primera vez que él ha viajado a los Estados Unidos. Durante una charla le menciona las diferencias culturales que ha notado. ¿Tienen los otros estudiantes las mismas opiniones?

1. —En mi país es costumbre echarle un piropo a una chica atractiva al encontrarla en la calle. Con esto, uno atrae su atención. Normalmente, la chica no le hace caso a uno y finge no haberlo escuchado.
2. —Cuando salgo con mi novia, siempre nos acompaña un miembro de su familia.
3. —Con frecuencia las chicas viven en casa de sus padres hasta casarse; pocas abandonan el hogar para buscarse apartamento.
4. —Al viajar dentro de mi país, es necesario llevar la tarjeta de identidad para conseguir alojamiento en un hotel. Cada ciudadano tiene su «cédula de ciudadanía», la cual es indispensable para ciertos negocios.
5. —La mayoría de la gente viaja dentro del país en tren o en autobús.
6. —De noche, mucha gente sale a pasear por las calles principales de la ciudad. A algunas personas les gusta mirar las vitrinas; otras se divierten mirando a la gente.

A T A J O ◀

Temas de conversación o de composición

Dé su opinión sobre los siguientes temas:

1. Escriba una composición o hable de la influencia hispánica en los Estados Unidos.
2. Escriba una composición o hable de la importancia del estudio del español en los Estados Unidos.

El gobierno de los Estados
Unidos ha declarado que el mes
de octubre será el mes oficial del
orgullo hispano anualmente.

www.thomsonedu.com/spanish/
intermediatespanish

Hay muchos hispánicos que viven en los Estados Unidos, no solamente en el suroeste sino también en lugares como Miami, Nueva York y Chicago. La población hispánica crece rápidamente cada año, y su importancia cultural crece también tanto al nivel político como al nivel económico. Las compañías grandes reconocen la importancia de esta comunidad, y en los años recientes han empezado a atraer la atención de este grupo hacia sus productos. También han empezado a ofrecerles empleo a la gente hispánica publicando anuncios escritos en español. Antes de explorar el tema en esta sección, busque información en la Web sobre la importancia de la comunidad hispana en la vida política y económica de este país.

Ahora lea el anuncio de General Motors que apareció en octubre en la revista *Selecciones de Reader´s Digest* en la pagina 296 y conteste las preguntas.

Preguntas. Conteste las siguientes preguntas.

1. ¿Qué hizo General Motors? ¿Por qué lo hizo?
2. ¿Cómo se llama la pintura?
3. ¿Quién la pintó?
4. ¿Qué clase de celebración se debe tener para exhibir el orgullo de ser hispano?
5. ¿Cuál es el mes oficial del orgullo hispano?

🏃 Expansión

This is a prime opportunity to expand
to the website for additional activities,
and it offers other resources if the
companion books are not being used
by students.

1. Ahora, cada estudiante tiene que buscar un anuncio escrito en español en el Internet o en una revista o periódico. En la clase, Ud. y otros estudiantes van a mostrar el anuncio y explicar lo que se vende. En su opinión y en la opinión de los otros estudiantes, ¿son los anuncios eficaces en atraer la atención de los miembros de la comunidad hispana? Explique. ¿Qué le parece el anuncio de General Motors? ¿Captura los varios elementos de la cultura hispánica? Explique.

2. Luego, trabajen en grupos de cuatro personas. Cada grupo debe llevar a cabo una encuesta de algunas de las empresas *(businesses)* de su ciudad para saber cuántas prefieren emplear a personas bilingües y por qué. Compartan esta información con la clase. ¿Indican los resultados que es importante saber otra lengua cuando una persona busque trabajo? Expliquen.

EXHIBE TU ORGULLO HISPANO. Para conmemorar nuestra herencia y cultura hispana, General Motors comisionó la obra de arte "La Feria" a la famosa artista mexicana, Yolanda Garza. Únete a esta celebración de nuestros colores, sabores y tradiciones... nuestra desbordante alegría de vivir... y nuestra inigualable calidez. Y exhibe tu orgullo de ser hispano.

CHEVROLET · PONTIAC · OLDSMOBILE · BUICK · CADILLAC · GMC · SATURN · HUMMER · SAAB

El dinero recaudado por la subasta de "La Feria" beneficiará al Hispanic Scholarship Fund.

Appendix

Cardinal numbers

1	uno	**30**	treinta
2	dos	**31**	treinta y uno
3	tres	**40**	cuarenta
4	cuatro	**50**	cincuenta
5	cinco	**60**	sesenta
6	seis	**70**	setenta
7	siete	**80**	ochenta
8	ocho	**90**	noventa
9	nueve	**100**	cien
10	diez	**101**	ciento uno
11	once	**200**	doscientos(as)
12	doce	**300**	trescientos(as)
13	trece	**400**	cuatrocientos(as)
14	catorce	**500**	quinientos(as)
15	quince	**600**	seiscientos(as)
16	dieciséis (or diez y seis)	**700**	setecientos(as)
17	diecisiete (diez y siete)	**800**	ochocientos(as)
18	dieciocho (diez y ocho)	**900**	novecientos(as)
19	diecinueve (diez y nueve)	**1.000**	mil
20	veinte	**1.100**	mil cien
21	veintiuno (veinte y uno)	**2.000**	dos mil
22	veintidós (veinte y dos)	**1.000.000**	un millón (de)
	etc.	**2.000.000**	dos millones (de)

Metric units of measurement

1 centímetro	=	.3937 of an inch (less than half an inch)
1 metro	=	39.37 inches (about 1 yard and 3 inches)
1 kilómetro (1.000 metros)	=	.6213 of a mile (about 5/8 of a mile)
1 gramo	=	3.527 ounces (slightly less than 1/4 of a pound)
100 gramos	=	.03527 of an ounce
1.000 gramos (1 kilo)	=	32.27 ounces (about 2.2 pounds)
1 litro	=	1.0567 quarts (slightly over a quart, liquid)
1 hectárea	=	2.471 acres

Conversion formulas

From Fahrenheit (= F) to Celsius (or Centrigrade = C): $C = 5/9 \ (F - 32)$

From Celsius to Fahrenheit: $F = 9/5 \ C + 32$

0°C	=	32°F (freezing point of water)
37°C	=	98.6°F (normal body temperature)
100°C	=	212°F (boiling point of water)

Regular verbs

Indicative mood

	First conjugation	Second conjugation	Third conjugation
Infinitive	*to speak* hablar	*to learn* aprender	*to live* vivir
Present Participle	*speaking* hablando	*learning* aprendiendo	*living* viviendo
Past Participle	*spoken* hablado	*learned* aprendido	*lived* vivido
Present Indicative	*I speak,* *am speaking,* *do speak* hablo hablas habla hablamos habláis hablan	*I learn,* *am learning,* *do learn* aprendo aprendes aprende aprendemos aprendéis aprenden	*I live,* *am living,* *do live* vivo vives vive vivimos vivís viven
Imperfect Indicative	*I was speaking,* *used to speak,* *spoke* hablaba hablabas hablaba hablábamos hablabais hablaban	*I was learning,* *used to learn,* *learned* aprendía aprendías aprendía aprendíamos aprendíais aprendían	*I was living,* *used to live,* *lived* vivía vivías vivía vivíamos vivíais vivían
Preterite Indicative	*I spoke,* *did speak* hablé hablaste habló hablamos hablasteis hablaron	*I learned,* *did learn* aprendí aprendiste aprendió aprendimos aprendisteis aprendieron	*I lived,* *did live* viví viviste vivió vivimos vivisteis vivieron
Future Indicative	*I shall speak,* *will speak* hablaré hablarás hablará hablaremos hablaréis hablarán	*I shall learn,* *will learn* aprenderé aprenderás aprenderá aprenderemos aprenderéis aprenderán	*I shall live,* *will live* viviré vivirás vivirá viviremos viviréis vivirán

Conditional Indicative	*I would speak, should speak*	*I would learn, should learn*	*I would live, should live*
	hablaría	aprendería	viviría
	hablarías	aprenderías	vivirías
	hablaría	aprendería	viviría
	hablaríamos	aprenderíamos	viviríamos
	hablarías	aprenderíais	viviríais
	hablarían	aprenderían	vivirían
Present Perfect Indicative	*I have spoken*	*I have learned*	*I have lived*
	he hablado	he aprendido	he vivido
	has hablado	has aprendido	has vivido
	ha hablado	ha aprendido	ha vivido
	hemos hablado	hemos aprendido	hemos vivido
	habéis hablado	habéis aprendido	habéis vivido
	han hablado	han aprendido	han vivido
Past Perfect Indicative	*I had spoken*	*I had learned*	*I had lived*
	había hablado	había aprendido	había vivido
	habías hablado	habías aprendido	habías vivido
	había hablado	había aprendido	había vivido
	habíamos hablado	habíamos aprendido	habíamos vivido
	habíais hablado	habíais aprendido	habíais vivido
	habían hablado	habían aprendido	habían vivido
Future Perfect Indicative	*I shall have spoken*	*I shall have learned*	*I shall have lived*
	habré hablado	habré aprendido	habré vivido
	habrás hablado	habrás aprendido	habrás vivido
	habrá hablado	habrá aprendido	habrá vivido
	habremos hablado	habremos aprendido	habremos vivido
	habréis hablado	habréis aprendido	habréis vivido
	habrán hablado	habrán aprendido	habrán vivido
Conditional Perfect Indicative	*I would (should) have spoken*	*I would (should) have learned*	*I would (should) have lived*
	habría hablado	habría aprendido	habría vivido
	habrías hablado	habrías aprendido	habrías vivido
	habría hablado	habría aprendido	habría vivido
	habríamos hablado	habríamos aprendido	habríamos vivido
	habríais hablado	habríais aprendido	habríais vivido
	habrían hablado	habrían aprendido	habrían vivido

Subjunctive mood

Present Subjunctive	*(that) I (may) speak*	*(that) I (may) learn*	*(that) I (may) live*
	(que) hable	(que) aprenda	(que) viva
	hables	aprendas	vivas
	hable	aprenda	viva
	hablemos	aprendamos	vivamos
	habléis	aprendáis	viváis
	hablen	aprendan	vivan

Past Subjunctive (-ra form)	*(that) I (might) speak*	*(that) I (might) learn*	*(that) I (might) live*
	(que) hablara	(que) aprendiera	(que) viviera
	hablaras	aprendieras	vivieras
	hablara	aprendiera	viviera
	habláramos	aprendiéramos	viviéramos
	hablarais	aprendierais	vivierais
	hablaran	aprendieran	vivieran

Past Subjunctive (-se form)	*(that) I (might) speak*	*(that) I (might) learn*	*(that) I (might) live*
	(que) hablase	(que) aprendiese	(que) viviese
	hablases	aprendieses	vivieses
	hablase	aprendiese	viviese
	hablásemos	aprendiésemos	viviésemos
	hablaseis	aprendieseis	vivieseis
	hablasen	aprendiesen	viviesen

Present Perfect Subjunctive	*(that) I (may) have spoken*	*(that) I (may) have learned*	*(that) I (may) have lived*
	haya hablado	haya aprendido	haya vivido
	hayas hablado	hayas aprendido	hayas vivido
	haya hablado	haya aprendido	haya vivido
	hayamos hablado	hayamos aprendido	hayamos vivido
	hayáis hablado	hayáis aprendido	hayáis vivido
	hayan hablado	hayan aprendido	hayan vivido

Past Perfect Subjunctive	*(that) I (might) have spoken*	*(that) I (might) have learned*	*(that) I (might) have lived*
	hubiera(se) hablado	hubiera(se) aprendido	hubiera(se) vivido
	hubieras hablado	hubieras aprendido	hubieras vivido
	hubiera hablado	hubiera aprendido	hubiera vivido
	hubiéramos hablado	hubiéramos aprendido	hubiéramos vivido
	hubierais hablado	hubierais aprendido	hubierais vivido
	hubieran hablado	hubieran aprendido	hubieran vivido

Imperative mood *(commands)*

Familiar Commands, Affirmative	*Speak.*	*Learn.*	*Live.*
	Habla tú.	Aprende tú.	Vive tú.
	Hablad vosotros.	Aprended vosotros.	Vivid vosotros.

Familiar Commands, Negative	*Don't speak.*	*Don't learn.*	*Don't live.*
	No hables.	No aprendas.	No vivas.
	No habléis.	No aprendáis.	No viváis.

Formal Commands	*Speak.*	*Learn.*	*Live.*
	Hable usted.	Aprenda usted.	Viva usted.
	Hablen ustedes.	Aprendan ustedes.	Vivan ustedes.

Irregular verbs

andar *to walk*

Preterite: anduve, anduviste, anduvo; anduvimos, anduvisteis, anduvieron
Past Subjunctive: anduviera(se), anduvieras, anduviera; anduviéramos, anduvierais, anduvieran

caer *to fall*

Present Participle: cayendo
Past Participle: caído
Present: caigo, caes, cae; caemos, caéis, caen
Preterite: caí, caíste, cayó; caímos, caísteis, cayeron
Present Subjunctive: caiga, caigas, caiga, caigamos, caigáis, caigan
Past Subjunctive: cayera(se), cayeras, cayera; cayéramos, cayerais, cayeran
Formal Commands: caiga usted, caigan ustedes

dar *to give*

Present: doy, das, da; damos, dáis, dan
Preterite: di, diste, dio; dimos, disteis, dieron
Present Subjunctive: dé, des, dé; demos, deis, den
Past Subjunctive: diera(se), dieras, diera; diéramos, dierais, dieran
Formal Commands: dé usted, den ustedes

decir (i) *to tell, say*

Present Participle: diciendo
Past Participle: dicho
Present: digo, dices, dice; decimos, decís, dicen
Preterite: dije, dijiste, dijo; dijimos, dijisteis, dijeron
Future: diré, dirás, dirá; diremos, diréis, dirán
Conditional: diría, dirías, diría; diríamos, diríais, dirían
Present Subjunctive: diga, digas, diga; digamos, digáis, digan
Past Subjunctive: dijera(se), dijeras, dijera; dijéramos, dijerais, dijeran
Familiar Singular Command: di tú
Formal Commands: diga usted, digan ustedes

estar *to be*

Present: estoy, estás, está; estamos, estáis, están
Preterite: estuve, estuviste, estuvo; estuvimos, estuvisteis, estuvieron
Present Subjunctive: esté, estés, esté; estemos, estéis, estén
Past Subjunctive: estuviera(se), estuvieras, estuviera; estuviéramos, estuvierais, estuvieran
Formal Commands: esté usted, estén ustedes

haber *to have (auxiliary verb)*

Present: he, has, ha; hemos, habéis, han
Preterite: hube, hubiste, hubo; hubimos, hubisteis, hubieron
Future: habré, habrás, habrá; habremos, habréis, habrán
Conditional: habría, habrías, habría; habríamos, habríais, habrían
Present Subjunctive: haya, hayas, haya; hayamos, hayáis, hayan
Past Subjunctive: hubiera(se), hubieras, hubiera; hubiéramos, hubierais, hubieran

hacer *to do, make*

Past Participle: hecho
Present: hago, haces, hace; hacemos, hacéis, hacen
Preterite: hice, hiciste, hizo; hicimos, hicisteis, hicieron
Future: haré, harás, hará; haremos, haréis, harán
Conditional: haría, harías, haría; haríamos, haríais, harían
Present Subjunctive: haga, hagas, haga; hagamos, hagáis, hagan
Past Subjunctive: hiciera(se), hicieras, hiciera; hiciéramos, hicierais, hicieran
Familiar Singular Command: haz tú
Formal Commands: haga usted, hagan ustedes

ir *to go*

Present Participle: yendo
Present: voy, vas, va; vamos, vais, van
Imperfect: iba, ibas, iba; íbamos, ibais, iban
Preterite: fui, fuiste, fue; fuimos, fuisteis, fueron
Present Subjunctive: vaya, vayas, vaya; vayamos, vayáis, vayan
Past Subjunctive: fuera(se) fueras, fuera; fuéramos, fuerais, fueran
Familiar Singular Command: ve tú
Formal Commands: vaya usted, vayan ustedes

oír *to hear*

Present Participle: oyendo
Past Participle: oído
Present: oigo, oyes, oye; oímos, oís, oyen
Preterite: oí, oíste, oyó; oímos, oísteis, oyeron
Present Subjunctive: oiga, oigas, oiga; oigamos, oigáis, oigan
Past Subjunctive: oyera(se), oyeras, oyera; oyéramos, oyerais, oyeran
Formal Commands: oiga usted, oigan ustedes

poder (ue) *to be able, can*

Present Participle: pudiendo
Present: puedo, puedes, puede; podemos, podéis, pueden
Preterite: pude, pudiste, pudo; pudimos, pudisteis, pudieron
Future: podré, podrás, podrá; podremos, podréis, podrán
Conditional: podría, podrías, podría; podríamos, podríais, podrían
Present Subjunctive: pueda, puedas, pueda; podamos, podáis, puedan
Past Subjunctive: pudiera(se), pudieras, pudiera; pudiéramos, pudierais, pudieran

poner *to put, place*

Past Participle: puesto
Present: pongo, pones, pone; ponemos, ponéis, ponen
Preterite: puse, pusiste, puso; pusimos, pusisteis, pusieron
Future: pondré, pondrás, pondrá; pondremos, pondréis, pondrán
Conditional: pondría, pondrías, pondría; pondríamos, pondríais, pondrían
Present Subjunctive: ponga, pongas, ponga; pongamos, pongáis, pongan
Past Subjunctive: pusiera(se), pusieras, pusiera; pusiéramos, pusierais, pusieran
Familiar Singular Command: pon tú
Formal Commands: ponga usted, pongan ustedes
Another verb conjugated like **poner** is **proponer.**

querer (ie) *to wish, want; (with **a**) to love*

Present: quiero, quieres, quiere; queremos, queréis, quieren
Preterite: quise, quisiste, quiso; quisimos, quisisteis, quisieron
Future: querré, querrás, querrá; querremos, querréis, querrán
Conditional: querría, querrías, querría; querríamos, querríais, querrían
Present Subjunctive: quiera, quieras, quiera; queramos, queráis, quieran
Past Subjunctive: quisiera(se), quisieras, quisiera; quisiéramos, quisierais, quisieran
Formal Commands: quiera usted, quieran ustedes

reír (i) *to laugh*

Present Participle: riendo
Past Participle: reído
Present: río, ríes, ríe; reímos, reís, ríen
Preterite: reí, reíste, rió; reímos, reísteis, rieron
Present Subjunctive: ría, rías, ría; riamos, riáis, rían
Past Subjunctive: riera(se), rieras, riera; riéramos, rierais, rieran
Formal Commands: ría usted, rían ustedes
Another verb conjugated like **reír** is **sonreír.**

saber *to know, know how to*

Present: sé, sabes, sabe; sabemos, sabéis, saben
Preterite: supe, supiste, supo; supimos, supisteis, supieron
Future: sabré, sabrás, sabrá; sabremos, sabréis, sabrán
Conditional: sabría, sabrías, sabría; sabríamos, sabríais, sabrían
Present Subjunctive: sepa, sepas, sepa; sepamos, sepáis, sepan
Past Subjunctive: supiera(se), supieras, supiera; supiéramos, supierais, supieran
Formal Commands: sepa usted, sepan ustedes

salir *to leave, go out*

Present: salgo, sales, sale; salimos, salís, salen
Future: saldré, saldrás, saldrá; saldremos, saldréis, saldrán
Conditional: saldría, saldrías, saldría; saldríamos, saldríais, saldrían
Present Subjunctive: salga, salgas, salga; salgamos, salgáis, salgan
Familiar Singular Command: sal tú
Formal Commands: salga usted, salgan ustedes

seguir (i) *to follow, continue*

Present Participle: siguiendo
Present: sigo, sigues, sigue; seguimos, seguís, siguen
Preterite: seguí, seguiste, siguió; seguimos, seguisteis, siguieron
Present Subjunctive: siga, sigas, siga; sigamos, sigáis, sigan
Past Subjunctive: siguiera(se), siguieras, siguiera; siguiéramos, siguierais, siguieran
Formal Commands: siga usted, sigan ustedes
Another verb conjugated like **seguir** is **conseguir.**

ser *to be*

Present: soy, eres, es; somos, sois, son
Imperfect: era, eras, era; éramos, erais, eran
Preterite: fui, fuiste, fue; fuimos, fuisteis, fueron
Present Subjunctive: sea, seas, sea; seamos, seáis, sean
Past Subjunctive: fuera(se), fueras, fuera; fuéramos, fuerais, fueran
Familiar Singular Command: sé tú
Formal Commands: sea usted, sean ustedes

tener (ie) *to have*

Present: tengo, tienes, tiene; tenemos, tenéis, tienen
Preterite: tuve, tuviste, tuvo; tuvimos, tuvisteis, tuvieron
Future: tendré, tendrás, tendrá; tendremos, tendréis, tendrán
Conditional: tendría, tendrías, tendría; tendríamos, tendríais, tendrían
Present Subjunctive: tenga, tengas, tenga; tengamos, tengáis, tengan
Past Subjunctive: tuviera(se), tuvieras, tuviéramos, tuvierais, tuvieran
Familiar Singular Command: ten tú
Formal Commands: tenga usted, tengan ustedes
Other verbs conjugated like tener are **contener, detener,** and **obtener.**

traducir *to translate*

Present: traduzco, traduces, traduce; traducimos, traducís, traducen
Preterite: traduje, tradujiste, tradujo; tradujimos, tradujisteis, tradujeron
Present Subjunctive: traduzca, traduzcas, traduzca; traduzcamos, traduzcáis, traduzcan
Past Subjunctive: tradujera(se), tradujeras, tradujera; tradujéramos, tradujerais, tradujeran
Formal Commands: traduzca usted, traduzcan ustedes

traer *to bring*

Present Participle: trayendo
Past Participle: traído
Present: traigo, traes, trae; traemos, traéis, traen
Preterite: traje, trajiste, trajo; trajimos, trajisteis, trajeron
Present Subjunctive: traiga, traigas, traiga; traigamos, traigáis, traigan
Past Subjunctive: trajera(se), trajeras, trajera; trajéramos, trajerais, trajeran
Formal Commands: traiga usted, traigan ustedes

valer *to be worth*

Present: valgo, vales, vale; valemos, valéis, valen
Future: valdré, valdrás, valdrá; valdremos, valdréis, valdrán
Conditional: valdría, valdrías, valdría; valdríamos, valdríais, valdrían
Present Subjunctive: valga, valgas, valga; valgamos, valgáis, valgan
Formal Commands: valga usted, valgan ustedes

venir (ie) *to come*

Present Participle: viniendo
Present: vengo, vienes, viene; venimos, venís, vienen
Preterite: vine, viniste, vino; vinimos, vinisteis, vinieron
Future: vendré, vendrás, vendrá; vendremos, vendréis, vendrán
Conditional: vendría, vendrías, vendría; vendríamos, vendríais, vendrían
Present Subjunctive: venga, vengas, venga; vengamos, vengáis, vengan
Past Subjunctive: viniera(se), vinieras, viniera; viniéramos, vinierais, vinieran
Familiar Singular Command: ven tú
Formal Commands: venga usted, vengan ustedes
Another verb conjugated like **venir** is **convenir.**

ver *to see*

Past Participle: visto
Present: veo, ves, ve; vemos, veis, ven
Imperfect: veía, veías, veía; veíamos, veíais, veían
Present Subjunctive: vea, veas, vea; veamos, veáis, vean
Formal Commands: vea usted, vean ustedes

Stem-changing verbs

1st or 2nd conjugation, *o* → *ue*

contar (ue) *to count*

Present: cuento, cuentas, cuenta; contamos, contáis, cuentan
Present Subjunctive: cuente, cuentes, cuente; contemos, contéis, cuenten
Formal Commands: cuente usted, cuenten ustedes

1st or 2nd conjungation, *e* → *ie*

perder (ie) *to lose*

Present: pierdo, pierdes, pierde; perdemos, perdéis, pierden
Present Subjunctive: pierda, pierdas, pierda; perdamos, perdáis, pierdan
Formal Commands: pierda usted, pierdan ustedes

3rd conjugation, *e → i*

pedir (i, i) *to ask for*

Present Participle: pidiendo
Present: pido, pides, pide; pedimos, pedís, piden
Preterite: pedí, pediste, pidió; pedimos, pedisteis, pidieron
Present Subjunctive: pida, pidas, pida; pidamos, pidáis, pidan
Past Subjunctive: pidiera(se), pidieras, pidiera; pidiéramos, pidierais, pidieran
Formal Commands: pida usted, pidan ustedes

3rd conjugation, *o → ue, o → u*

dormir (ue, u) *to sleep*

Present Participle: durmiendo
Present: duermo, duermes, duerme; dormimos, dormís, duermen
Preterite: dormí, dormiste, durmió; dormimos, dormisteis, durmieron
Present Subjunctive: duerma, duermas, duerma; durmamos, durmáis, duerman
Past Subjunctive: durmiera(se), durmieras, durmiera; durmiéramos, durmierais, durmieran
Formal Commands: duerma usted, duerman ustedes

3rd conjugation, *e → ie, e → i*

sentir (ie, i) *to feel sorry, to regret, feel*

Present Participle: sintiendo
Present: siento, sientes, siente; sentimos, sentís, sienten
Preterite: sentí, sentiste, sintió; sentimos, sentisteis, sintieron
Present Subjunctive: sienta, sientas, sienta; sintamos, sintáis, sientan
Past Subjunctive: sintiera(se), sintieras, sintiera; sintiéramos, sintierais, sintieran
Formal Commands: sienta usted, sientan ustedes

Spelling-change verbs

Verbs ending in *-gar*

pagar *to pay (for)*

Preterite: pagué, pagaste, pagó; pagamos, pagasteis, pagaron
Present Subjunctive: pague, pagues, pague; paguemos, paguéis, paguen
Formal Commands: pague usted, paguen ustedes
Other verbs conjugated like **pagar** are **apagar, castigar, colgar, entregar, llegar,** and **rogar.**

Verbs ending in *-car*

tocar *to play*

Preterite: toqué, tocaste, tocó; tocamos, tocasteis, tocaron
Present Subjunctive: toque, toques, toque; toquemos, toquéis, toquen
Formal Commands: toque usted, toquen ustedes
Other verbs conjugated like **tocar** are **acercarse, equivocarse, explicar, indicar, platicar, sacar,** and **sacrificar.**

Verbs ending in *-ger* or *-gir*

coger *to take hold of (things);* **dirigir** *to direct, to address*

Present: cojo, coges, coge; cogemos, cogéis, cogen
    dirijo, diriges, dirige; dirigimos, dirigís, dirigen
Present Subjunctive: coja, cojas, coja; cojamos, cojáis, cojan
    dirija, dirijas, dirija; dirijamos, dirijáis, dirijan
Formal Commands: coja usted, cojan ustedes
    dirija usted, dirijan ustedes
Other verbs conjugated like **coger** and **dirigir** are **elegir, escoger, fingir, proteger,** and **recoger.**

Verbs ending in *-zar*

cruzar *to cross*

Preterite: crucé, cruzaste, cruzó; cruzamos, cruzasteis, cruzaron
Present Subjunctive: cruce, cruces, cruce; crucemos, crucéis, crucen
Formal Commands: cruce usted, crucen ustedes
Other verbs conjugated like **cruzar** are **aterrizar, comenzar, empezar, gozar,** and **rezar.**

2nd and 3rd conjugation verbs with stem ending in *a, e, o*

leer *to read*

Present Participle: leyendo
Past Participle: leído
Preterite: leí, leíste, leyó; leímos, leísteis, leyeron
Past Subjunctive: leyera(se), leyeras, leyera; leyéramos, leyerais, leyeran
Other verbs conjugated in part like **leer** are **caer, creer,** and **oír.**

Verbs ending in *-uir* (except *-guir* and *-quir*)

huir *to flee*

Present Participle: huyendo
Present: huyo, huyes, huye; huimos, huís, huyen
Preterite: huí, huiste, huyó; huimos, huisteis, huyeron
Present Subjunctive: huya, huyas, huya; huyamos, huyáis, huyan
Past Subjunctive: huyera(se), huyeras, huyera; huyéramos, huyerais, huyeran
Formal Commands: huya usted, huyan ustedes
Other verbs conjugated like **huir** are **construir, contribuir,** and **destruir.**

Verbs ending in *-cer* or *-cir* preceded by a vowel (inceptive)

conocer *to know*

Present: conozco, conoces, conoce; conocemos, conocéis, conocen
Present Subjunctive: conozca, conozcas, conozca; conozcamos, conozcáis, conozcan
Formal Commands: conozca usted, conozcan ustedes
Other verbs conjugated like **conocer** are **aparecer, conducir, desaparecer, nacer, ofrecer, parecer, reconocer,** and **traducir.**

Verbs ending in *-cer* preceded by a consonant

vencer *to conquer*

Present: venzo, vences, vence; vencemos, vencéis, vencen
Present Subjunctive: venza, venzas, venza; venzamos, venzáis, venzan
Formal Commands: venza usted, venzan ustedes

Vocabulario

The gender of nouns is listed except for masculine nouns ending in **-o** and feminine nouns ending in **-a, -dad, -tad, -tud,** or **ión.** Adverbs ending in **-mente** are not listed if the adjective from which they are derived is included.

Abbreviations

adj adjective
adv adverb
f feminine
m masculine
Mex Mexico
n noun

part participle
pl plural
prep preposition
pret preterite
pron pronoun
s singular

A

abandonar to abandon; **abandonarse** to let oneself go, give in to
abarcar to include, comprise
abierto(a) open, opened
abogado(a) attorney, advocate
abordar to board (plane, train, etc.)
abrazar to embrace
abreviatura abbreviation
abril *m* April
abrir to open
absoluto(a) absolute
abuela grandmother
abuelo grandfather; **los abuelos** grandparents
abundar to abound, be plentiful
aburrido(a) bored, boring
acabar to finish; **acabar de** to have just
acaso perhaps, maybe
accidente *m* accident
acción action, act
aceptación acceptance
aceptar to accept
acerca (de) about, concerning
acercarse to draw near, approach
acompañar to accompany
aconsejar to advise, counsel
acontecer to happen, occur
acontecimiento event, happening
acordarse (ue) to remember
acostarse (ue) to go to bed, lie down
actitud attitude
actividad activity

activo(a) active
actual current, present, contemporary
actuar to act, act as
Acuario Aquarius
acuerdo accord, agreement
adaptarse to adapt to, adjust
adecuado(a) adequate, appropriate
además besides, in addition
además de in addition to
adentro inside, within
adiós good-bye
administración administration
adonde *adv* where, to where; **¿adónde?** where (to)?
aduana customs, customs house
aduanero(a) customs official
adulto(a) *n* and *adj* adult
aeropuerto airport
afectar to affect, pretend
aflicción affliction, malady, disease
agencia agency, bureau
agente *m* and *f* agent, official, representative
agosto August
agradable agreeable, pleasant
agradecer to be thankful for; to thank for
agricultor(a) agriculturist, farmer
agua water
aguantar to put up with, bear
ahí *adv* there, over there
ahora now; **ahora mismo** right now
ahorrar to save (as money)
aire *m* air

aislado(a) isolated, separate

ajedrez *m* chess

ajeno(a) alien, strange

alcanzar to reach, achieve, gain, catch up with

alegar to allege, claim

alegrarse to be happy, glad; **alegrarse de** to be glad that

alegre happy, glad

alejarse to leave, move away

alemán(-ana) German

Alemania Germany

algo something; *adv* somewhat

alguien *m* someone

algún, alguno(a) someone; **algunos(as)** some

alivio relief; **¡Qué alivio!** What a relief!

alma soul, spirit

almorzar (ue) to eat lunch, brunch

almuerzo lunch, brunch

alojamiento lodging

alojarse to take lodging

alquilar to rent, hire

alrededor (de) around

alto(a) high, tall

alumno(a) pupil

allá there, yonder, over there

allí there, in that place

amable friendly, amiable, nice

amanecer to dawn, get up

amante *m* or *f* lover, beloved

amar to love

amargura bitterness

ambicioso(a) ambitious

amenaza threat

amenazar to threaten, menace

americano(a) of the Americas; (sometimes used improperly to refer to the United States as opposed to Spanish America)

amigo(a) friend

amistad friendship

amor *m* love

analizar to analyze

andar to go, walk, move

angelito little angel

anglicismo Anglicism (word derived from English)

anglosajón(-ona) Anglo-Saxon (used frequently to refer to all inhabitants of the United States who are not of Latin descent)

angustia anguish, sorrow

animado(a) animated (as cartoons)

anoche last night

ante before, in front of

antecedente *m* precedent

anteojos *m pl* eyeglasses

antepasado(a) ancestor, predecessor

anterior previous, prior

antes (de) before, earlier; **antes que** rather than

anti- prefix meaning "against"

antiguo(a) old, antique, ancient

antipático(a) disagreeable, unpleasant

añadir to add

año year

apagar to put out, turn off

aparecer to appear

apariencia appearance

apartamento apartment

apartar to separate, move apart

apenas barely, hardly, just, only

aportar to contribute, add

apoyar to support, unhold, aid

apoyo support, aid

aprender to learn

aprobar (ue) to pass (a course, exam, etc.); to approve

apunte *m* note, memo, reminder

apurarse to hurry up, make haste

aquel, aquella that; **aquello** *pron* that; **aquellos(as)** those

aquí here, at this place

árabe *adj* Arabic; *n m* Arabic language

árbol *m* tree

área region, area

argumento plot, storyline (of a novel, play, etc.)

armario closet, wardrobe

arquitecto(a) architect

arreglar to arrange, set right, repair

arreglo arrangement, repair

arrepentirse (ie) to repent, regret

artículo article

artista *m* or *f* artist

asado(a) roasted, baked

ascender (ie) to rise

asegurar to assure; **asegurarse** to make sure; to satisfy onself

así so thus, in this manner, that way; **así que** therefore, so

asiento seat

asistencia attendance

asistir (a) to attend

asociar to associate with

aspecto aspect, appearance

astrología astrology

asunto matter, subject, concern

atacar to attack, assault

atención attention

ateo(a) atheist; *adj.* atheistic

atractivo(a) *adj* attractive; *n m* attraction

atraer to attract

atrás (de) behind, in back of

atrasado(a) backward, behind, slow (as a watch, clock, etc.)

atreverse to dare

atribuir (y) to attribute

atributo attribute, characteristic

auditorio auditorium, audience

aun even

aún still, yet

aunque although

autobús *m* bus

automático(a) automatic

automóvil *m* automobile

autor(a) author

autoridad authority; *pl* officials

avergonzado(a) ashamed

averiguar to find out, research

avión *m* airplane

ayer yesterday

ayuda help, assistance, aid

ayudante *m* or *f* assistant, aide, helper

ayudar to help, assist

azteca *m* or *f*, *n* and *adj* Aztec

azul *adj* blue, azure; *n m* the color blue

B

bachillerato bachelor's degree; course of study leading to a secondary school diploma

bailar to dance

baile *m* dance

bajar to lower; to go down (stairs, hill, etc.)

bajo(a) low; **bajo** *adv* beneath, under

baloncesto basketball

banco bank

bandido(a) bandit

bañarse to bathe, take a bath

baño bath; swim; **traje de baño** *m* bathing suit

barato(a) inexpensive, cheap

barba beard; chin

barrio neighborhood, section or district of a city; used colloquially for "ghetto"

basarse to base oneself on; to be based on

base *f* basis, base

básquetbol *m* basketball

bastante *adj* enough, sufficient; *adv* sufficiently, quite, rather

batalla battle

batata sweet potato, yam

beber to drink

bebida drink, beverage

beca grant, scholarship

béisbol *m* baseball

bello(a) beautiful

biblioteca library

bicicleta bicycle

bien well, fine

bienestar *m* well-being, welfare

billete *m* ticket; bill

blanco(a) white; *n m* the color white

blasfemia blasphemy

blusa blouse

boca mouth

bocadito appetizer

bocado bite, taste

boda wedding

boleto ticket

bolsa purse

bondadoso(a) kind, good, good-natured

bonito(a) pretty

boquita diminutive of **boca**

borracho(a) drunk

bote *m* small boat, canoe

boxeador(a) boxer, prize fighter

brazo arm

breve brief, short

bribón(ona) rascal

bromear to joke, kid

bruto(a) idiot, brute; *adj* stupid, idiotic, gross

buen, bueno(a) good; *adv* well

burlarse (de) to mock, laugh at

buscar to look for, seek

butaca theater (movie, opera, etc.) seat; easy chair

C

caballero gentleman

caballito small horse

caber to fit

cabeza head

cacao cacao, cocoa, chocolate tree

cada each
cadáver *m* corpse, dead body
caer to fall
café *m* coffee; café
cafecito small cup of coffee, demitasse
cafetería restaurant, café
caída fall
caimán *m* alligator
caja box; cashier, ticket booth
calentar (ie) to heat up
calidad quality
caliente hot
callarse to be quiet, become quiet
calle *f* street
calmarse to calm down
cámara camera; chamber
cambiar to change
cambio change
caminar to walk
camino road, street
camión *m* bus *(Mex);* truck
camisa shirt
campeonato championship
campesino(a) peasant, country person;
    adj rural, pertaining to peasants
campo field
cáncer *m* cancer
canción song
candidato(a) candidate
cansado(a) tired
cantar to sing
cantina bar, tavern, canteen
caña sugar cane; pole, cane
capacidad capacity, skill, ability
capaz capable, able
capital *f* capital of a country or state;
    m investment money
capítulo chapter
Capricornio Capricorn
carácter *m* character, nature
característica characteristic
caricatura caricature
cariño affection
cariñoso(a) affectionate, loving
carne *f* meat, flesh
caro(a) dear, expensive
carrera career; race, course
carro car, cart, coach
carta letter; chart
casa house; **en casa** at home
casarse to get married; **casarse con** to
    marry

casi almost
casimir *m* cashmere
caso case, instance; **en caso de** in case of
castigar to punish
castizo(a) pure
casucha shack, hut
catedral *f* cathedral
católico(a) Catholic
causa cause
causar to cause
ceder to cede, give up
cédula document; **cédula personal** iden-
    tity card
célebre celebrated, famous
cena supper, evening meal
cenar to dine, have dinner or supper
centavito cent, pittance
centro center, downtown
Centroamérica Central America
centroamericano(a) Central American
cerca close; **cerca de** near, close to
cercano(a) nearby
cerebral cerebral, pertaining to the
    brain
cerrar (ie) to close
chaqueta jacket
charla chat, talk
charlar to chat, talk
cheque *m* check, bank draft
chicano(a) Chicano, Mexican-American
chico(a) small; *n* little boy, little girl
chillar to screech, cry loudly
chiquillo(a) *n* a very little boy or girl
chofer *m* driver, chauffeur
choza shack, hut
ciego(a) blind
cien one hundred; **cientos(a)s** hundreds
ciencia science
científico(a) scientific; *n* scientist
cierto(a) certain; **es cierto** it is true
cinco five
cincuenta fifty
cine *m* movies, movie theater
cinematográfico(a) cinematographic
cinta tape (cassette, etc.); ribbon
circunstancia circumstance
cirujano(a) surgeon
cita appointment, date
ciudad city
ciudadanía citizenship
ciudadano(a) citizen
claridad clarity, light; clearness

claro(a) clear, light; **¡Claro!** Of course!;
  claro que of course

clase *f* class, kind, type

clero clergy

cliente *m or f* client, customer

clima *m* climate

cobrar to charge (money)

coche *m* automobile; coach

cocina kitchen

codazo blow with the elbow

coger to take, pick up

colegio secondary school, high school

colgar (ue) to hang

colmo pinnacle; **¡Esto es el colmo!** This
  is the last straw!

colocación placement, location

colocar to place, locate

comentar to comment, mention

comenzar (ie) to begin, start

comer to eat

comercio commerce, business

comestible *m* food, edible substance; *pl*
  foodstuff, provisions

comida meal

comité *m* committee

como as, like, how, about; **¿cómo?** how?,
  what?

cómodo(a) comfortable

compañero(a) companion, mate

compañía company

comparar to compare

completar to complete, fill out

completo(a) complete, full

complicado(a) complicated

componerse to be composed of,
  consist of

composición composition

comprar to buy, purchase

comprender to understand, comprehend

común common

comunicar to communicate, tell

con with; **con tal que** provided that

concentración concentration

concentrar to concentrate

conciencia consciousness; conscience

concierto concert

condenar to condemn, curse

cóndor *m* condor (bird of South America)

conducir to conduct, lead

conferencia lecture, conference

confrontar to confront, face, oppose

congestionado(a) congested, crowded

conjunto group; musical group

conmigo with me

conocer to know; to meet

conocimiento knowledge, awareness

conquista conquest

conquistar to conquer, defeat, seduce

conseguir (i) to achieve, get; to manage to

consejero(a) advisor

consejo advice

conserje *m* desk clerk (hotel)

conservador(a) conservative; *n m* conservative

consideración consideration

considerar to consider, regard

consigo with him/herself

consistir (en) to consist of

constante constant

construir (y) to construct, build

consuelo consolation

contacto contact

contado: al contado in cash

contaminación contamination, pollution

contaminar to contaminate, pollute

contar (ue) to count; **contar con** to count
  on

contemporáneo(a) contemporary

contener (ie) to contain

contento(a) content, happy

contestar to answer

contigo with you

continuación continuation

continuar to continue, go on

continuo(a) continuous, continual

contra against; **en contra de** against, in
  opposition to

contrario(a) contrary, opposing; **al contrario** on the contrary

contraste *m* contrast

contratar to contract, hire

contribuir (y) to contribute

controlar to control, dominate

convencer to convince

convenido(a) agreed upon

conveniencia convenience

conversación conversation

conversar to converse, talk

copa cup, glass; **tomar una copa** to have
  a drink

corazón *m* heart

corbata necktie

correcaminos *m sing* road-runner

corregir (i) to correct

correo mail; also *pl* the mail; the post office

correr to run

corrida bull fight

corriente *adj* current; *n f* current (water, electricity, etc.)

corrompido(a) corrupt, corrupted

cortés courteous

cortesía courtesy

corto(a) short (in length)

cosa thing

coser to sew

costar (ue) to cost

costilla rib

costoso(a) costly, expensive

costumbre *f* custom, habit

creación creation, invention

crear to create

crecer to grow

crédito credit

creencia belief

creer to believe, think

criado(a) servant

criar to raise, care for

crimen *m* crime

cristiano(a) Christian

Cristo Christ

criterio criterion, opinion

cruel cruel, mean

cuaderno notebook

cuadro picture

cual which, as, like; **¿cuál?** which?, which one?; **el (la) cual** who, the one who

cualidad quality, virtue, good feature

cualquier(a) *pron* any, whichever, any one

cuando when, whenever; **¿cuándo?** when?

cuanto(a) as much as; *pl* as many as; **¿cuánto?** how much?; *pl* how many?

cuarto(a) fourth; *n m* room; quarter

cuatro four

cubano(a) Cuban

cubrir to cover

cucharón *m* large spoon, ladle

cuchichear to whisper

cuenta bill, tab

cuento story, tale

cuerpo body, corpus

cuestión matter, question

cuidado care; **tener cuidado** to be careful

culpa blame; **tener la culpa** to be to blamed

culto(a) cultured, educated

cultura culture; politeness

cultural cultural

cumpleaños *m* birthday

cumplir to comply with, fulfill, perform

cura *m* priest; *f* cure

curar to cure

curso course (of studies); program

cuyo(a) whose

D

daño harm, damage; **hacer daño** to harm, damage, hurt

dar to give; **dar las seis** to strike six o'clock; **dar sueño** to make sleepy; **dar un paseo** to take a walk, stroll around; **darse cuenta de** to realize, become aware of; **darse prisa** to hurry up

deber to owe; must, ought to; *n m* duty, obligation, debt

debido(a) due to, owing to

débil weak

decano(a) dean

decidir to decide

décimo(a) tenth

decir (i) to say, speak

decisión decision

declarar to declare

dedicar to dedicate

defecto defect

defender (ie) to defend

defensa defense

dejar to leave (something behind); **dejar de** to stop (doing something)

deleitarse con to enjoy

demás rest (of the)

demasiado(a) *adj* too much; **demasiado** *adv* too; too much

democracia democracy

demonio demon; **¿Qué demonios?** What the devil?

demorar to delay

demostrar (ue) to show, demonstrate

dentista *m* or *f* dentist

dentro (de) in, into, inside (of)

depender (de) to depend (on)

deportes *m pl* sports

deportivo(a) sporting, pertaining to sports

derecho(a) right, right-hand; *n m* right (as legal right); *m pl* customs duty; *f* right hand

desagradable disagreeable, unpleasant

desaparecer to disappear

desayuno breakfast

descansar to rest

descanso rest

desconocido(a) unknown, unacquainted; *n* stranger

descortesía discourtesy

describir to describe

descripción description

descubrir to discover, uncover

desde since, from; **desde hace cinco años** for five years

deseable desirable

desear to desire, want

desempleo unemployment

deseo desire, wish

desgraciadamente unfortunately

desierto desert

desilusión disappointment, disillusionment

desilusionar to disappoint, disillusion; **desilusionarse** to become disappointed

desocupar to vacate, empty

despacio *adv* slowly; **más despacio** slower

despedirse (i) to say good-bye, take leave

despertar (ie) to awaken; **despertarse** to wake up

despierto(a) awake, alert

despreciar to scorn

después (de) after, afterwards

destino destiny, future, fortune

destruir (y) to destroy

desventaja disadvantage

detrás (de) behind, in back of

devolver (ue) to return (something)

día *m* day; **buenos días** good morning; **cada día** every day; **hoy día** nowadays; **todos los días** every day

diablo devil; **¿Qué diablos?** What the hell?

dialecto dialect

diálogo dialogue

dibujo drawing, sketch

diccionario dictionary, word list

dicho(a) said; *n m* saying; **lo dicho** what was said

diciembre *m* December

dictadura dictatorship

diecisiete seventeen

diez ten

diferencia difference

diferente different

difícil difficult

dificultad difficulty

difunto(a) dead person

dilema *m* dilemma

diminutivo(a) diminutive

dinero money

dios(sa) god, goddess; **Dios** *m* God

dirección direction; address

directo(a) direct

dirigir to direct, address; **dirigir la palabra** to speak to

disciplina discipline

disco record (phonograph)

discoteca discotheque

discusión discussion, argument

discutir to argue, debate, discuss

disolución dissolution, dissolving

disponible available

distancia distance

distinguir to distinguish, differentiate

distinto(a) different

distraer to distract

distribución distribution

diversión diversion, entertainment

divertido(a) funny, entertaining

divertirse (ie) to enjoy oneself; to amuse oneself, be amused

dividir to divide

doce twelve

doctor(a) doctor (as a title of address); *n* person with a doctorate

documento document, paper

dolor *m* pain, sorrow

dominante dominant

dominar to dominate, rule

domingo Sunday

dominio dominance, rule

donde where, in which; **¿dónde?** where?; **dondequiera** wherever

dormir (ue) to sleep; **dormirse** to go to sleep

dos two

droga drug (especially as in drug addict)

dudar to doubt

dudoso(a) doubtful

durante during

durar to last

E

e and (before words beginning with **i** or **hi**)

echar to throw; **echar de casa** to throw out of the house, **echar de menos** to miss; **echar un piropo** to pay a compliment; **echarse una siestecita** to take a little nap

economía economy

edad age

edificio building

educación education

educado(a) educated

educar to educate

ejemplo example

ejercer to exercise, exert (influence, control, etc.)

ejercicio exercise

elección election

elegante elegant

elemento element

eliminación elimination

eliminar to eliminate

embarazada pregnant

embargo: sin embargo nevertheless

emocionante moving, touching, causing emotion

empezar (ie) to begin

emplear to employ

empleo employment, job

empujón *m* push, violent shove

en in, on; **en casa** at home; **en caso de que** in case; **en cuanto** as for, concerning; **en seguida** at once; **en serio** seriously; **en tren** by train; **en vista de** in view of

enajenación alienation

enamorado(a) in love; **estar enamorado(a) de** to be in love with

enamorarse (de) to fall in love (with)

encantar to fascinate, delight

encontrar (ue) to find; **encontrarse** to find oneself, be; to meet

energía energy

enero January

énfasis *m* emphasis

enfermarse to get sick

enfermo(a) sick

enhorabuena congratulations

enojado(a) angry

enojarse to get mad, become angry

enorme enormous

enriquecer to enrich

enriquecimiento enrichment

enseñanza teaching; **instituciones de enseñanza** educational institutions

enseñar to teach

entender (ie) to understand

entero(a) whole, entire

enterrado(a) buried

entierro burial

entonces then

entrar to enter, come in

entre among, between

entregar to deliver, hand over

entremés *m* side dish, hors d'oeuvres

enviar to send

envolver (ue) to wrap

episodio episode

epitafio epitaph

época epoch

equipaje *m* baggage, luggage

equipo team

equivalente equivalent

equivaler to be equivalent

equivocado(a) mistaken

equivocar to mistake, mix up; **equivocarse** to be mistaken

erudito(a) erudite, learned

escala stopping place; **hacer escala** to stop, stop over

escándalo scandal, tumult, commotion

escaparse to escape

escena scene

escoger to choose

escolástico(a) scholastic

escolta escort

esconder to hide

Escorpión *m* Scorpio

escribir to write; **escribir a máquina** to type; **máquina de escribir** typewriter

escrito(a) written

escritor(a) writer

escrúpulo scruple

escuchar to listen (to)

escuela school

ese, esa that; **eso** *pron* that; **esos, esas** those; **por eso** therefore

esencial essential

esfuerzo effort

espacioso(a) spacious

espantoso(a) frightful, dreadful

España Spain

español(a) Spanish

especial special

especie *f* species, kind
específicamente specifically
esperanza hope
esperar to hope, expect; to wait for, await
espía *m* or *f* spy
espiritual spiritual
esposa wife
esposo husband
esquela note, notice
esquema *m* plan, outline
esquiar to ski
esquina corner
establecer to establish
estación station; season
estacionamiento parking
estado state
estar to be; **estar de acuerdo** to agree; **estar de vacaciones** to be on vacation; **estar en casa** to be at home
este, esta this; **esto** *pron* this; **estos, estas** these
esterilizar to sterilize
estrella star
estructura structure
estudiante *m* or *f* student
estudiantil *adj* student
estudiar to study
estudio study
eternidad eternity
eterno(a) eternal
Europa Europe
europeo(a) European
evaluación evaluation
evidente evident
evitar to avoid
evolución evolution
evolucionar to evolve
examen *m* examination
excelente excellent
excepto except
excesivo(a) excessive
exceso excess
exequias *f pl* exequies, obsequies, funeral rites
exigir to require, demand
existir to exist
éxito success; **tener éxito** to be successful
explicación explanation
explicar to explain
explorar to explore
expresar to express
expresión expression

expulsar to expel
extender (ie) to extend
extranjero(a) foreign; *n* foreigner
extraordinariamente extraordinarily

F

fábrica factory
fabricar to make, fabricate
fácil easy
facilidad facility
facilitar to facilitate
facturar to check (baggage)
facultad faculty, school
fallecer to die
falso(a) false
falta lack; **hacer falta** to be necessary; to miss
faltar to be lacking; **Eso te faltaba.** That's all you need.
fama reputation
familia family
familiar *adj* family; *n m* member of the family
familiaridad familiarity
famoso(a) famous
fastidiar to annoy
favor *m* favor; **hacer el favor de** please; **por favor** please
favorito(a) favorite
fe *f* faith
febrero February
fecha date
feliz happy
feminista feminist
fenomenal phenomenal
fenómeno phenomenon
fiel faithful
fiesta party, celebration
fijo(a) fixed
fila row
filosofía philosophy
fin *m* end, goal; **a fin de que** so that; **al fin** finally
finca farm
fingir to pretend
firmar to sign
físico(a) physical
flaco(a) thin, skinny
flautista *m* or *f* flute player
flor *f* flower
fomentar to forment, encourage
fondo fund

forma form
formar to form
foto *f* photo, photograph
francamente frankly
francés(esa) French
frase *f* sentence, phrase
frecuencia frequency; con frecuencia
  frequently, often
frecuente frequent
frente concerning; frente a opposite
fresco(a) cool; hacer fresco to be cool
frijol *m* bean
frío(a) cold
frívolo(a) frivolous
frontera border
fruta fruit
fuego fire
fuera (de) outside (of)
fuerte strong
fuerza force
función function, performance
funcionar to function
fundar to found
fútbol *m* soccer; football
futuro future

G

galicismo Gallicism (a word or phrase of
  French origin)
gallo rooster
gana desire
ganar to earn; to win; ganarse la vida to
  earn one's living
garaje *m* garage
gastar to spend
gasto expense, expenditure
Géminis *m* Gemini
generación generation
general general; por lo general generally
generalizado(a) generalized
generoso(a) generous
gente *f* people
gerencia management, office
gira trip
gitano(a) gypsy
gobernación seat of government
gobernante *m* or *f* governor, ruler
gobernar (ie) to govern
gobierno government
gordo(a) fat
gozar to enjoy
grabar to engrave

gracias *f pl* thanks
graduarse to graduate
gramática grammar
gran, grande great, large, big
grandote(a) very large
gratificación gratification
gratuito(a) free
grave serious
gris gray
grito shout
grupo group
guapetón(ona) very good-looking
guapito(a) cute, good-looking
guapo(a) good-looking, handsome
guardia guard
gubernamental governmental
guerra war
guerrillero guerrilla
guía *m* or *f* guide
guiar to guide
guitarrista *m* or *f* guitar player
gustar to be pleasing, like; gustarle a
  uno to like
gusto taste, pleasure; a gusto comfortable, "at home"

H

haber to have (as auxiliary verb); haber
  de to have to; hay there is, there are;
  hay que one must
habitación room
habitante *m* or *f* inhabitant
hablar to speak
hacer to do, make; hace buen tiempo
  the weather is good; hacer caso to pay
  attention; hacer daño to harm, injure;
  hacer escala to stop, stop over; hacer
  falta to need, be lacking; hacer fresco
  to be cool; hacer sol to be sunny;
  hacer una pregunta to ask a question;
  hacerse tarde to grow late
hacia toward
hallar to find
hamaca hammock
hambre *f* hunger; muerto de hambre
  dying of hunger; tener hambre to be
  hungry
haragán(-ana) idle, lazy, loafing
hasta until, to, up to, even; hasta luego
  good-bye, see you later
hecho *past part* done, made; *n* fact
helado(a) frozen

herencia inheritance
hermana sister
hermano brother; *pl* brothers, brothers
    and sisters
hielo ice
higo fig
hija daughter
hijo son; *pl* children, sons and daughters
hipocresía hypocrisy
hipócrita *m* or *f* hypocrite; *adj* hypo-
    critical
hispánico(a) Hispanic
Hispanoamérica Spanish America
historia history, story
histórico(a) historic, historical
hogar *m* home
hojear to leaf through
hola hello, hi
holgazán(-ana) idle, lazy
hombre *m* man
hora hour
horario timetable
horóscopo horoscope
hoy today; **hoy día** nowadays
hule *m* rubber
humanidad humanity
humano(a) human
huracán *m* hurricane

I

Ibérico(a) Iberian
ida departure; **boleto de ida y vuelta**
    round-trip ticket
identidad identity
identificar to identify
idioma *m* language
idiota *m* or *f* idiot
iglesia church
ignorancia ignorance
igual equal, same
igualdad equality
ilustre illustrious
imaginación imagination
imaginario(a) imaginary
impedir (i) to prevent, hinder, block
imperfecto(a) imperfect
importación importation
importancia importance
importante important
importar to be important, matter
imposible impossible
impresionante impressive

impuesto tax
inca *m* Inca
inclinar to tilt
incluir (y) to include
incluso even, including
incorporar to incorporate
increíble incredible
indicar to indicate
indígena indigenous, native, Indian
indio(a) Indian
individualidad individuality
individuo(a) individual
industria industry
inesperado(a) unexpected
inestable unstable
inflación inflation
influencia influence
influir (y) to influence
información information
informar to inform
informe *m* report
ingeniero(a) engineer
Inglaterra England
inglés(esa) English
iniciativa initiative
inmediato(a) immediate
inmigrante *m* or *f* immigrant
inmigrar to immigrate
inmoral immoral
insistir (en) to insist (on)
inspirar to inspire
institución institution
instrucción instruction
inteligencia intelligence
inteligente intelligent
interesante interesting
interesar to interest
íntimo(a) intimate
intrigante *m* or *f* intriguer
introducción introduction
invadir to invade
invitación invitation
invitado(a) guest
invitar to invite
ir to go; **irse** to go away
isla island
islámico(a) Islamic
italiano(a) Italian

J

jardín *m* garden
jefe *m* chief, boss

joven young
juez *m or f* judge
jugada trick
jugador(a) player
jugar (ue) to play (a game)
julio July
junio June
juntar to gather, unite
junto(a) together
justicia justice
juventud youth
juzgar to judge

L

ladrillo brick
ladrón(ona) thief
lamentar to regret, lament
lápiz *m* pencil
largo(a) long
lástima pity
latín *m* Latin language
latino(a) *adj* Latin
Latinoamérica Latin America
latinoamericano(a) Latin American
lavar to wash
leal loyal
lección lesson
lectura reading
leer to read
lejos far, far away; **lejos de** are from
lengua language
lenguaje *m* language
lentamente slowly
letra letter
letrero sign
levantar(se) to get up
ley *f* law
liberación liberation
libertad liberty
Libra Libra
libre free; **al aire libre** in the open air
librería bookstore
libro book
licenciado(a) lawyer; holder of a bachelor's degre
líder *m* leader
limitar to limit
limón *m* lemon
limosna alms
limpio(a) clean
lingüístico(a) linguistic
lío problem, difficulty

lista list
listo(a) clever; ready
llave *f* key
llegada arrival
llegar to arrive
llenar to fill
lleno(a) full
llevar to have spent or to take (time); to carry, take (transport); to wear; **llevarse bien** to get along well with
llorar to cry
llover (ue) to rain
loco(a) crazy
locura madness, insanity
locutor(a) (radio) announcer
losa gravestone
luchar to struggle, fight
luego then; **hasta luego** good-bye, see you later
lugar *m* place
lujoso(a) luxurious
lunes *m* Monday
luz *f* light

M

machete *m* machete
madre *f* mother
madrina godmother
maestro(a) teacher
magia magic
magnífico(a) magnificent
maíz *m* corn
mal *adj* and *adv* bad, badly, sick; **salir mal** to fail
maleta suitcase
malo(a) bad; **mala jugada** dirty trick
mandar to order, command, send
mandato mandate, command
manejar to drive
manera manner, way; **manera de** a way to
manifiesto manifesto
mano *f* hand
mantener (ie) to maintain; **mantenerse** to support oneself
manuscrito manuscript
manzana apple
mañana morning; *adv* tomorrow
mapa *m* map
máquina machine; **escribir a máquina** to type; **máquina de escribir** typewriter

maquinaria machinery

maravilloso(a) marvelous, wonderful

marcado(a) marked

marido husband

martes *m* Tuesday

marzo March

más more, most; **más de, más que** more than; **más tarde** later; **más valía** it was better, it would have been better

matar to kill

materia subject, course

matrícula registration fee; tuition

matrimonio marriage

mayo May

mayor greater, older

mayoría majority

mecánico(a) mechanical; *n m* mechanic

mediante by means of

medicina medicine

médico(a) medical; *n m* or *f* doctor

medio(a) half, mean, average; **por medio de** by means of

meditación meditation

mejor better, best

memoria memory; **aprender de memoria** to memorize

mencionar to mention

menos minus, less, least; **a menos que** unless; **echar de menos** to miss; **por lo menos** at least

mensual monthly, per month

mentir (ie) to lie

menudo: a menudo often

mercado market

merecer to deserve

mes *m* month

mesa table, desk

meter to introduce, put into; **meterse en** to get involved with, poke one's nose into

método method

metro subway

metrópoli *f* metropolis

mexicano(a) Mexican

mezcla mixture

miedo fear; **tener miedo** to be afraid

miembro member

mientras while

migración migration

mil *m* thousand

milla mile

millón *m* million

minuto minute

mirar to look, look at

misa mass

miseria poverty; **barrio de miseria** slum

misión mission

misionero(a) missionary

mismo(a) same; **lo mismo que** the same as; **sí mismo** oneself

moda style; **pasar de moda** to be out of style

modelo model

moderación moderation

moderado(a) moderate

moderno(a) modern

modo way; **de modo que** so that; **de todos modos** at any rate

molestar to bother

molestia bother

momento moment

monje *m* monk

montaña mountain

morenita brunette

morir(se) (ue) to die

moro(a) Moor

mostrar (ue) to show

motivo motive

moto *f* motorcycle

moverse (ue) to move

movimiento movement

mozo(a) waiter, waitress

muchacha girl

muchacho boy; *pl* boys and girls, boys

muchedumbre *f* crowd

mucho(a) much, a lot of, a lot; **muchas veces** often

mudanza move

mudar(se) to move (house)

muerte *f* death

muerto(a) dead

mujer *f* woman, wife

mundial world, worldwide

mundo world

músculo muscle

museo museum

música music

músico(a) musician

muy very

N

nacer to be born

nacimiento birth

nación nation

nacional national
nada nothing, anything
nadar to swim
nadie no one, nobody, anyone
naranja orange
narrador(a) narrator
natalidad births
navío ship
necesario(a) necessary
necesidad necessity
necesitar to need
negación negation
negar (ie) to deny, refuse
negativo(a) negative
negocio business; **hombre de negocios** *m* businessman
negro(a) black
nervio nerve
nervioso(a) nervous
nieve *f* snow
ninguno(a) none, not any, not one
niño(a) child
noche *f* night; **buenas noches** good evening, good night; **de la noche** P.M.; **esta noche** tonight; **por la noche** or **de noche** at night; **todas las noches** every night
nombre *m* name
norte *m* north
norteamericano(a) North American
nota note, grade
notar to note
noticia news
novedad novelty; **¿Hay alguna novedad?** Is there any news? Is there anything new?
novela novel
novelista *m* or *f* novelist
noviembre *m* November
novio(a) boyfriend, girlfriend, suitor; fiancé, fiancée
nueve nine
nuevo(a) new; **de nuevo** again, once more
número number
nunca never

O

obedecer to obey
obispo bishop
obituario obituary
obligación obligation, duty

obligatorio(a) obligatory, required
obra work, labor
obrero(a) worker
obstáculo obstacle, barrier
ocasión occasion
octubre *m* October
ocupar to occupy, hold
ocurrir to occur, happen
ochenta eighty
ocho eight
ofender to offend
oficial official
oficina office
oficio trade, task, business
ofrecer to offer
oír to hear
ojalá God grant, I hope that
ojo eye
oler (huele) to smell
olvidarse (de) to forget
omitir to omit, overlook
once eleven
onda wave
operarse to occur, come about; to be operated on
opinar to think
opinión opinion
oportunidad opportunity
optimista optimist, optimistic
oralmente orally
orden *m* order
ordenar to order, put in order
orientar to orient, guide
origen *m* origin, source
oro gold
ortografía orthography, spelling
oscuro(a) dark, obscure
otoño fall, autumn
otro(a) another, other

P

padre *m* father, priest; *pl* parents
padrino godfather; *pl* godparents
pagar to pay
país *m* country
pájaro bird
palabra word, term
palo stick, pole
pan *m* bread, loaf of bread
panecillo roll
pantalla motion picture screen
papa potato

papá *m* father, dad

papel *m* paper

para for, in order to, towards, by; **para que** so that

parada stop (train, bus, etc.)

parar to stop, stay

parcela parcel, piece

parecer to seem, look as if

pareja pair, couple

parque *m* park

parte *f* part, portion, place; **de parte de** in behalf of; **por parte de** on the part of; **por todas partes** everywhere

partera midwife

participación participation

participar to participate

partidario(a) partisan, supporter

partido game, match

partir to divide, distribute; to depart

pasaje *m* passage, fare

pasaporte *m* passport

pasar to pass, go, pass through, go over to, come to, spend (time)

pasear to stroll, take a walk or drive

paseo stroll, walk, drive

pasillo passage, corridor

pastel *m* pastry, pie

pato duck

patria native country, fatherland; **madre patria** motherland

paz *f* peace

pecado sin

pedante pedantic

pedir (i) to ask for, request, solicit

peinarse to comb one's hair

película motion picture, film

peligroso(a) dangerous

pelirrojo(a) redhaired, redheaded

pelo hair

pena pain; **valer la pena** to be worthwhile

penetrar to penetrate, pierce

península peninsula

pensar (ie) to think, intend to

pensativo(a) pensive, thoughtful

pensión boardinghouse

peor worse

pequeño(a) small

perder (ie) to lose

perdonar to pardon, forgive

perezoso(a) lazy

perfección perfection

perfeccionar to perfect

periódico newspaper

periodista *m* or *f* journalist, newspaperman, newspaperwoman

permanentemente permanently

permiso permission, permit

permitir to permit, allow

pero but

perrazo(a) large dog

perrito(a) small dog

persona person

personaje *m* personage, literary character

personalidad personality

pertenecer to belong, pertain to

pesadilla nightmare

pésame *m* condolence

pesca fishing, catch; **ir de pesca** to go fishing

pescador(a) fisherman, fisherwoman

pesimista *m* or *f, n* or *adj* pessimist, pessimistic

pianista *m* or *f* pianist

pico peak

pie *m* foot

piel *f* skin, hide, fur

pintor(a) painter

pintoresco(a) picturesque

pirámide *f* pyramid

piropos compliment, flattery

piscina swimming pool

pistola pistol

pistolero gunman

placer *m* pleasure

plan *m* plan, scheme

planta plant

platillo saucer

plato plate

playa beach

plaza plaza, town square

plomero plumber

pluma pen, feather

población population

poblar (ue) to populate

pobre poor; *n* poor person

pobreza poverty

poco(a) little, scanty; *pl* a few, some; *n m* a little bit; *adv* a little, somewhat, slightly

poder (ue) to be able to, can

poderoso(a) powerful, strong

poema *m* poem

poeta *m* or *f* poet

policía police; *n m* policeman

político(a) political; *n f* politics; *n m* politician

pollo chicken

poner to put, place; **ponerse** to become, turn, put on (oneself)

poquitín *m* a little (tiny) bit

poquito(a) very little

por by, through, for, for the sake of, because of; **por ejemplo** for example; **por eso** for that reason; **por favor** please; **por lo tanto** therefore; **¿por qué?** why?; **por tanto** thus

porque because, for, as

portal *m* portico, entrance hall, vestibule

portarse to behave, act

portátil portable

portero doorman

portugués *m* Portuguese (language)

posibilidad possibility

posible possible

posición position

pozo well, pool, pond

practicar to practice, perform

precio price

preciso(a) necessary

predilecto(a) favorite, preferred

preferencia preference

preferir (ie) to prefer

pregunta question

preguntar to ask, question

preguntón(-ona) inquisitive

prejuicio prejudice, prejudgment

premiar to reward

premio prize, award

prensa press, printing press

preocuparse to worry

preparación preparation

preparar to prepare

preparatorio(a) preparatory

presentar to present

preservar to preserve

presidencia presidency

presidente *m* president

prestar to lend

primario(a) primary, elementary

primer, primero(a) first

primo(a) cousin

principal principal, main

principio principle, beginning; **al principio** at first

prioridad priority

prisa haste; **darse prisa** to hurry

probable probable

probar (ue) to prove, test, try

problema *m* problem

procedencia origin, source

proceso process

producir to produce

producto product

profesión profession

profesional professional

profesor(a) professor

profundo(a) deep, profound, radical

programa *m* program, plan of action

prohibir to prohibit

prometedor(a) promising

prometer to promise

promulgar to promulgate, proclaim

pronóstico prediction

pronto soon, promptly

propio(a) one's own, appropriate

proponer to propose

propósito purpose, intention

proteger to protect

provocar to provoke, promote

próximo(a) next, near

psíquico(a) psychic

publicar to publish

público(a) public

pueblo small town, people, nation, citizenry

puerta door

pues then, since

puesto(a) put, placed; *n m* job, position; **puesto que** since

puma *m* puma, American panther

punto point, dot, period; **punto de vista** point of view

Q

que that, which, who, whom, than; **el (la, los, las) que** the one(s) who; **lo que** that which; **¿para qué?** what for?; **¿por qué?** why?; **¿qué?** what? which?

quedar(se) to remain, stay, be located, end up

quejarse to complain

querer (ie) to want

queso cheese

quien who, whom; **¿a quién?** to whom?; **¿de quién?** about whom?; **¿quién?** who?

química chemistry

quince fifteen
quitar to remove, take away; **quitarse** to take off
quizás perhaps, maybe

R

radical radical, basic
raíz *f* root, basis
rapidez *f* rapidity
rápido(a) rapid, fast
raqueta racket
rascacielos *m s* skyscraper
rasgo trait, characteristic
rato time, while, little while
ratón *m* mouse
raza race, group, people
razón *f* reason; **tener razón** to be right
reacción reaction
reaccionario(a) reactionary
realidad reality
realista *m* or *f* realist
realizar to fulfill, carry out
rebelde *m* or *f* rebel
receptivo(a) receptive
receta recipe
recibir to receive
reciente recent
rechazar to reject, turn down
recoger to pick up, gather
recomendar (ie) to recommend
reconciliar to reconcile
reconocer to recognize
recordar (ue) to remember, remind
rector *m* president (of a university)
rectoría office of a president
recuerdo memory, reminder, remembrance
reducir to reduce
reemplazar to replace
reflejar to reflect
reflexión reflection
reflexivo(a) reflexive
reforma reform
refrán *m* proverb, saying
refresco refreshment, cold drink
regalar to give
regalo gift
región region
registro registration, registry
regresar to return
regulación regulation
reír to laugh; **reírse de** to laugh at

relación relation, relationship
relativamente relatively
religión religion
religioso(a) religious
reloj *m* watch, clock
remedio remedy, help, recourse
renovar (ue) to renovate
reñir (i) to wrangle, quarrel, fall out
repasar to retrace, review
repaso review
repetir (i) to repeat, do again
representante *m* or *f* representative
requerir (ie) to require, need
requisito requirement
rescate *m* ransom, ransom money
reservar to reserve
resignarse to become resigned
resistencia resistance
resistir to resist
resolver (ue) to resolve, solve
respetar to respect
respeto respect
responder to respond, answer
responsabilidad responsibility
responsable responsible
respuesta answer
restaurante *m* restaurant
resto rest, remainder; *pl* remains
restorán *m* restaurant
resuelto *part* resolved, solved
resultar to result, turn out
resumen *m* summary
resumir to summarize, sum up
retirar(se) to retire, withdraw
reunión meeting, reunion, gathering
revisar to revise, review, check
revolución revolution
revolucionario(a) revolutionary
rey *m* king
rezar to pray
rico(a) rich
río river
riqueza riches, richness
risa laugh, laughter
ritmo rhythm
rito rite
robar to rob, steal
rodear to surround, round up
rogar (ue) to beg
rojo(a) red
romano(a) Roman
romántico(a) romantic

romper to break, tear
ropa clothing, clothes
rubio(a) blond
ruina ruin
rumbo bearing, course, direction

S

sábado Saturday
saber to know, know how to; *pret* to find out
sabio(a) wise; *n* wise person
sabor *m* taste, flavor
sabroso(a) tasty, delicious
sacar to take out, withdraw, remove
sacrificio sacrifice
sacudir to shake, beat
sala living room, salon, hall
salir to leave, go out, come out
saltar to jump
saludar to greet, salute
salvo(a) safe, omitted; **salvo** *prep* save, except for
sanatorio sanatorium, sanitarium
satisfacer to satisfy
sección section
seco(a) dry
secuestrar to kidnap, abduct
secuestro kidnapping, abduction
secundario(a) secondary
seguida series, succession; **en seguida** at once, immediately
seguir (i) to follow, continue, keep on
según according to
segundo(a) second
seguridad security, certainty; **con seguridad** with certainty, surely
seguro(a) sure, safe
seis six
selección selection, choice
semana week
semejante similar
sencillo(a) simple
sensual sensual, relating to the senses
sentar(se) (ie) to seat, settle; *refl* to sit down
sentimiento sentiment, feeling, sense
sentir (ie) to feel; to be sorry
señalar to mark, show, indicate
señor Mr., sir
señora Mrs., madam
señorita Miss, young lady
separar to separate

septiembre *m* September
ser to be
serio(a) serious; **tomar en serio** to take seriously
servicio service
servir (i) to serve; **servir de** to serve as
sicólogo(a) psychologist
siempre always
siesta nap, midday rest
siete seven
siglo century
significado meaning
significar to mean, signify
signo sign, mark
siguiente following, next
silla chair
sillón *m* armchair, easy chair
simpático(a) congenial, likeable
simple simple
sin without
sinfonía symphony
sino but
sistema *m* system
sitio site, place
sobrar to exceed, surpass
sobre over, on, above, about, towards; **sobre todo** above all
sobrevivir to survive
sobrina niece
sobrino nephew
sociedad society
sofisticado(a) sophisticated
sol *m* sun
solemne solemn, holy
soler (ue) to be in the habit of, used to, accustomed to
solicitar to solicit, ask for
solidaridad solidarity
solo(a) alone, only
sólo *adv* only
soltero(a) single, unmarried
soñar (ue) to dream
sopa soup
sorprender to surprise
subir to rise, go up, raise; **subir a** to climb
subordinar to subordinate
subterráneo(a) subterranean, underground; *n m* subway
sucio(a) dirty, filthy
sudor *m* sweat
suelto *n m* small change

sueño dream; **tener sueño** to be sleepy
suerte *f* luck, fortune
suficiente sufficient, adequate
sufrir to suffer, undergo
sugerir (ie) to suggest
suicidarse to commit suicide
sumamente exceedingly, extremely
superhombre *m* superman
supermercado supermarket
supersticioso(a) superstitious
suponer to suppose
suprimir to suppress
sur *m* south
suroeste *m* southwest
surrealista surrealistic
sutil subtle, keen

T

tacaño(a) stingy
tal such, so, as; **tal vez** perhaps
taller *m* shop, workshop, factory
tamaño size
también also
tan so, as
tanto(a) so much, as much; *pl* so many,
    as many
tarde *f* afternoon; *adv* late; **más tarde**
    later
tarea task, homework
tarjeta card
taza cup
teatro theater
techo roof, ceiling
técnico(a) technical
tecnológico(a) technological
telefonista *m* or *f* telephone operator
teléfono telephone
telegrama *m* telegram
telenovela soap opera
televisión television
televisor *m* television set
tema *m* theme
temer to fear, be afraid
temprano early
tendencia tendency
tender (ie) to tend to, have a tendency
    toward
tendero(a) shopkeeper, storekeeper
tener (ie) to have, possess, hold; **tener
    que** to have to
tentación temptation
tercero(a) third

terminar to end, terminate, finish
término term
tía aunt
tiburón *m* shark
tiempo time; weather
tienda store
tierra earth, land
tío uncle
típico(a) typical
tipo type, kind, sort
toalla towel
tocar to touch, play (instrument)
todavía still, yet
todo(a) all, everything; *pl* everyone, all
    of, **de todos modos** anyway; **todo el
    día** all day; **todo el mundo** everyone,
    everybody; **todos los días** every day
tomar to take, drink
tomate *m* tomato
tontería foolishness, nonsense
tonto(a) foolish, stupid, silly
torero(a) bullfighter
tormenta storm
tormento torment, anguish
toro bull
torre *f* tower
trabajador(a) worker
trabajar to work
tradición tradition
tradicional traditional
traducir to translate
traductor(a) translator
traer to bring
tragedia tragedy
traje *m* suit
transitorio(a) transitory, temporary
transmitir to transmit, relay
transporte *m* transport, transportation
trascendental transcendental,
    far-reaching
tratar to treat, try; **tratar de** to deal with
trece thirteen
tremendo(a) tremendous, huge
tren *m* train
tres three
tristeza sadness
triunfar to triumph, win
trompeta trumpet
tropezar to stumble, trip
turismo tourism
turista *m* or *f* tourist
turístico(a) of or relating to tourism

U

último(a) last, ultimate
único(a) only, unique
unidad unity, unit
unido(a) united; **Estados Unidos** United States
uniforme *adj.* uniform; *n m* uniform
unir(se) to unite
universidad university
universitario(a) of or relating to the university
urbano(a) urban, pertaining to cities
usar to use
uso use; **hacer uso de** to make use of
útil useful
utilización utilization
utilizar to utilize, use
uva grape

V

vacaciones vacation; **estar de vacaciones** to be on vacation
vacilar to vacillate
valer to be worth
valiente valiant, brave
valor *m* value; bravery, valor
variar to vary, mix
variedad variety
varios(as) various, several, some, a few
vaso glass
vecino(a) neighbor
vegetal *m* vegetable
veinte twenty
veintidós twenty-two
velación watch, vigil, wake
velar to watch over, hold a wake over
velorio wake, vigil
veloz swift, rapid
vencer to defeat
vender to sell
venir (ie) to come
ventaja advantage
ventana window

ver to see
verano summer
verbo verb
verdad truth
verdadero(a) true, real
verde green
verificar to verify, confirm
vestido(a) dressed, clad
vestir(se) (i) to dress
vez *f* time, turn; **a su vez** in its turn; **alguna vez** sometime; **de vez en cuando** from time to time; **en vez de** instead of; **muchas veces** many times; **tal vez** perhaps; *pl* **veces** times
viajar to travel
viajero(a) traveler
víctima *m* or *f* victim
vida life
viejo(a) old, elderly
viernes *m* Friday
vincular to bind, tie
visita visit, caller; **ir de visita** to go calling
visitar to visit
vista view; **punto de vista** point of view
visto(a) seen
vitrina showcase, display window
viuda widow
viudo widower
vivir to live
vocabulario vocabulary
voluntad will
volver (ue) to return
votar to vote
voz *f* voice; *pl* **voces vuelto(a)** returned

Y

ya already, right away, now
yacer to lie

Z

zapato shoe
zona zone

Grammatical Index

subjunctive, uses of: in adjective clauses 167; in adverbial time clauses 197–198; after **aunque** 217; after certain adverbial conjunctions 217; after impersonal expressions 149; after indefinite expressions 169; after **tal vez, acaso, quizás,** and **ojalá** 117–118; with certain adverbial conjunctions, versus indicative 217; with certain verbs, versus indicative 146, 169; in *if* clauses 241; in noun clauses 144–145

superlative construction 223; absolute superlative 226

T

tal vez, subjunctive after 117
tener, idiomatic expressions with 284–285
time expressions, with **hacer** 100
tomar expressed with **llevar** 287

U

u as substitute for **o** 266

V

verb conjugation: *see* names of individual tenses
verbs followed by a preposition 243–244
verbs with special meanings in the preterite 41

W

weather expressions: with **hace (hacía)** 98; with **hay (había)** 98

Credits